W0032101

Heinrich E. Benedikt

Die Kabbala
als jüdisch-christlicher Einweihungsweg

Der Lebensbaum:
Spiegel des Kosmos und des Menschen

Heinrich E. Benedikt

Die Kabbala als jüdisch-christlicher Einweihungsweg

Der Lebensbaum: Spiegel des Kosmos und des Menschen

Verlag Hermann Bauer
Freiburg im Breisgau

CIP-Kurztitelaufnahme der Deutschen Bibliothek

Benedikt, Heinrich E.:
Die Kabbala als jüdisch-christlicher Einweihungsweg /
Heinrich E. Benedikt. – Freiburg im Breisgau : Bauer
2. Der Lebensbaum : Spiegel d. Kosmos u. d. Menschen. – 1987.
ISBN 3-7626-0280-8

Das Umschlagbild und die Farbtafel nach Seite 44 sind von Lydia E. Wilday für dieses Buch angefertigt worden.

Die Fotografie des Abendmahlgemäldes, an dem Professor Ernst Fuchs seit 1957 arbeitet, stammt von Ivo Bulanda.

Mit 5 Farbtafeln, 5 Abbildungen und 145 Zeichnungen.

1988
ISBN 3-7626-0279-4 (Band 1)
ISBN 3-7626-0280-8 (Band 2)

Satz: Typobauer Filmsatz GmbH, Scharnhausen.
Druck und Bindung: Druckerei Welsermühl, Wels.
Printed in Austria.

Suche, oh Seele, den Ewigen,
daß er erwachen möge in deinem Herzen,
denn du bist der Tempel des lebendigen Gottes,
und Er selbst wohnt in dir
als dein eigenes, ewiges Ich.

H.E.B.

Inhalt

Vorwort

Neben der indischen Tradition ist die Kabbala eine der Uroffenbarungen der Menschheit. Ihrer eigenen Legende zufolge war es der Erzengel Raziel selbst, der sie Adam nach seiner Vertreibung aus dem Paradiese (aufgrund dessen flehentlichen Gebetes zu Gott) als Buch übergab.

Der Legende gemäß enthielt dieses Buch die Geheimnisse und Schlüssel, mit denen Adam seine Erlösung und die Rückkehr ins Paradies Gottes finden und erwirken konnte. Tatsächlich ist die Kabbala ein derart reiches Kompendium von Weisheit und Übung, das sämtliche Schlüssel enthält, die uns zu den höheren Welten sowie zum ewigen Leben führen.

Wie Band 1 versteht sich auch dieses Buch als Wegweiser und Anleitung des Suchenden in seinem täglichen Ringen um Gott und sich selbst. Der Autor sucht darin, den Leser mit sich an jenen inneren Ort zu führen (auf dem Weg zu jenem inneren Ort zu begleiten), wo der wahre Schatz unseres Lebens liegt, denn, »wo unser Schatz ist, da ist auch das Herz« und dort findet es Erfüllung und Frieden.

Das Buch sucht, ein klares Verständnis der Dynamik der Seele und der Kräfte des Geistes zu vermitteln und den Leser zu einer bewußteren Wahrnehmung seiner selbst zu führen, in der er zu einer inneren Wandlung und Verwirklichung seiner Individualität und seines inneren Lebens findet. Wandlung, Wachstum, Verwirklichung und Einung in Gott sind die großen Etappen des Weges, und Selbsterkenntnis und Hingabe die beiden Grundpfeiler, die ihn tragen. Die bewußtere Wahrnehmung unserer uns im Leben drängenden Motive, unseres Gefühlslebens, unserer Gedanken- und Verhaltensmuster sowie die Bereitschaft und das Verlangen, sich ganz jener weisen, alles lenkenden Kraft, die dieses Universum trägt, hinzugeben, sind die Schlüssel zu unserer Erlösung, unserer inneren Verwirklichung und zu einem Leben in innerem Reichtum und Glück.

Der Sinn dieses Buches liegt darin, diesen Weg aus der Schau der Kabbala zu erleuchten und aufzurollen, so daß wir darin eine praktizierbare Anleitung für unser Leben finden. Hierbei ist es mir von großer Bedeutung, auch den wahren Kern der Liebesbotschaft Jesu von jahrhundertealten Verschüttungen und Dogmen freizulegen, auf daß das durch sie in die Welt strahlende Christuslicht erneut sichtbar werden möge. So verstehe ich dieses Buch nicht als Einführung in »esoterisches Wissen«, sondern als Aufruf, jenem kosmischen Stern göttlichen Lichtes zu folgen, der uns zur Erweckung und Erschließung der im Grunde unserer Seele wohnenden Kraft, Liebe und Weisheit führt. Die Erkenntnis dieses Schatzes, der den ewigen Kern unseres Wesens bildet, führt wahrlich zur inneren Geburt des Menschen, aus der sich unser gesamtes inneres und äußeres Leben in einem neuen Licht gestaltet, worin wir einander auch gegenseitig in echtem Verständnis, in Liebe und Brüderlichkeit begegnen.

So wie der Inhalt dieses Buches aus einer inneren Schau geschöpft ist und sich an das Herz des Lesers wendet, so hoffe ich, daß es ein wenig jener Kraft und jenes felsenfesten Vertrauens vermitteln möge, die den Autor tragen; daß es liebevoller Anstoß sein möge, sich selbst und sein Leben mehr in Gottes Hand zu legen und daß es so zu einer inneren Erneuerung und Befreiung führt.

Obgleich dieser zweite Band in sich abgeschlossen ist und für sich gelesen werden kann, baut er auf dem ersten, der die wesentlichen Grundlagen und Elemente des inneren Weges vermittelt, auf. Er führt auch an Tiefe und Weite der Gesamtschau des Lebens über jenen hinaus. Beiden Büchern geht es um die Einheit und den Zusammenhang zwischen den kosmischen und individuellen Dimensionen des Lebens, die hier im Bild des Lebensbaums, mehr noch als im ersten Band, eine organisch-ganzheitliche Einbettung finden.

Der Text ist grundsätzlich einfach gehalten und bedacht, dem Leser in ganz konkreter Weise praktizierbare Hilfe zu sein. Über die klare Anleitung zur Meisterung und Verwandlung der verschiedenen Seiten und Aspekte der Seele und zur Entfaltung des tieferen innewohnenden Potentials unserer Individualität hinaus gibt dieses Buch auch konkrete Anweisungen für Meditation und verschiedene geistige Übungen. Alles zielt auf die Geburt des inneren Menschen und seines geistigen Lichts hin. Den Mittelpunkt des Buches bildet

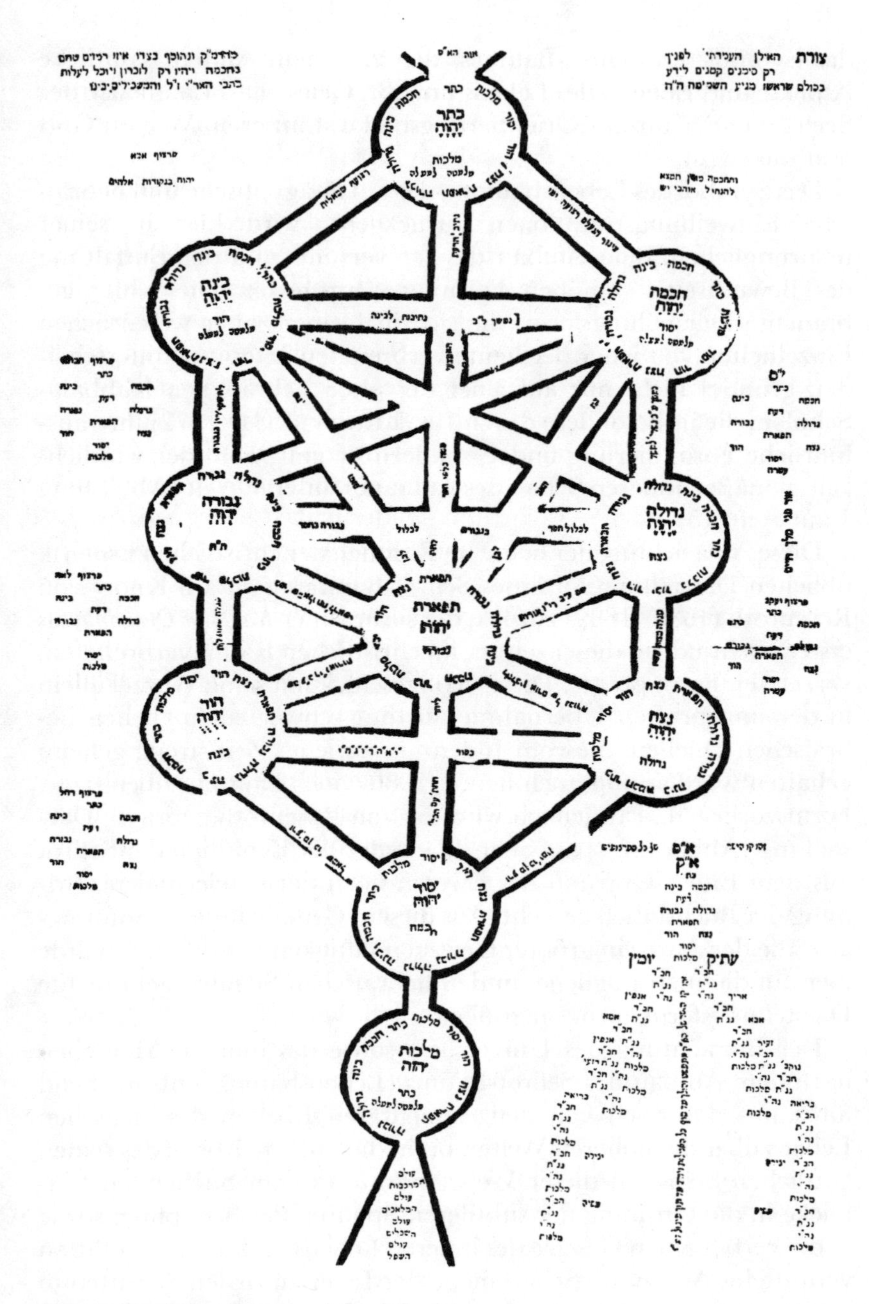

Abb. 1: Der Sefirot-Baum nach Isaak Luria

das Symbol des Sefirot-Baumes, der in seinem Aufbau sämtliche Aspekte und Ebenen des Lebens umfaßt. Gelesen als Landkarte der Seele, dient er uns als Orientierungsbild auf unserem Weg zu Gott und uns selbst.

Das Symbol des Lebensbaumes, das auf altägyptische und hebräische Einweihungstraditionen zurückgeht, wird hier in seiner ursprünglichen, dem Aufbau des Universums und der Entfaltung des Bewußtseins gemäßen Form wiedergegeben. Diese hier gebrauchte Darstellungsform, die sich in kleinen, aber wesentlichen Einzelheiten von jener der heute verbreiteten Literatur unterscheidet, gründet nicht nur auf jener der alten hebräischen Kabbala-Schulen, die insbesondere durch Isaak Luria (1534–1572) ihre ausführliche Formulierung findet, sondern sie entspricht der wirklichkeitsgemäßen inneren Schau des Aufbaues unserer Welt (Abbildung 1 auf Seite 15).

Diese Abweichung der heute im Rahmen der christlichen Esoterik üblichen Darstellungsform des Sefirot-Baumes geht auf Knorr von Rosenroth (1636–1689) zurück, der sie in seiner *Kabbala Denudata* als erster Nichtjude in dieser seither im christlichen Raum verbreiteten, verzerrten Form prägte. Dieses Mißgeschick hat seine Wurzel allein in der ungeprüften Übernahme aus nur schwer zugänglichen hebräischen Quellen, die vom Judentum zu jener Zeit streng geheim gehalten wurden und auch heute (1986) noch kaum in übersetzter Form vorliegen. Tatsächlich wird die von Rosenroth geprägte Darstellung (Abbildung 2 auf Seite 17) weder der Evolution der Sefirot aus dem Einen Urgrund des Ewigen noch der entelechialen Ordnung der Buchstaben gerecht. Aus diesem Grunde innerer Stimmigkeit, die der Autor in größter Gewissenhaftigkeit geprüft hat, wurde hier auf die ursprüngliche, in den hebräischen Schulen gebrauchte Darstellungsform zurückgegriffen.

Der Betrachtung des Universums sowie des inneren Menschen nach dem Aufbau des Sefirot-Baums (Lebensbaums) entsprechend führt uns das Buch von den elementaren Ebenen des seelischen Lebens über die höheren Welten bis in die höchste Ebene des reinen göttlichen Seins. In dieser Weise möchte es dem Suchenden Einblicke in die Ordnung der subtileren Sphären der Schöpfung sowie in die verborgenen Gesetze des inneren Lebens und seiner Evolution vermitteln. Aus dieser Schau möge der Leser zu realen Schritten in seinem Leben finden, die ihn dem ersehnten inneren Licht und

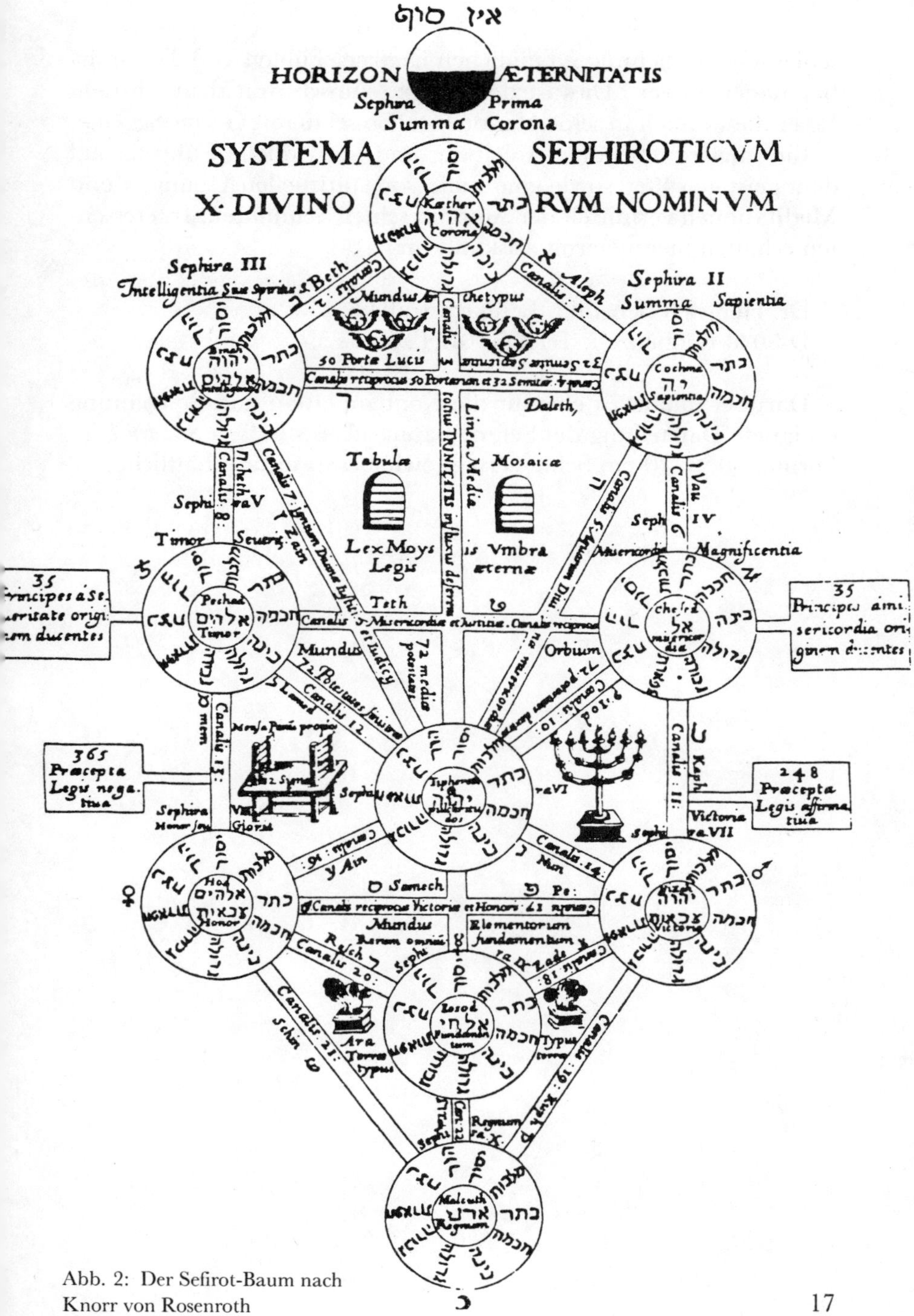

Abb. 2: Der Sefirot-Baum nach
Knorr von Rosenroth

seiner Verwirklichung im täglichen Denken, Fühlen und Tun spürbar näherbringen. Dies ist der innige Wunsch, mit dem ich dem Leser dieses Buch in seine Hände lege. So sei es mit Gottes Segen.

Eine tiefere lebendige Anleitung und individuelle Führung auf dem geistigen Weg sowie eine Fülle von spirituellen Übungen und Meditationen vermittelt der Autor in seinen Seminaren. Interessenten erhalten hierzu gerne Auskunft bei

Dr. Heinrich Benedikt, Lenbachstraße 3
D-8038 Gröbenzell; Telefon 0 81 42 / 5 31 55.

Darüber hinaus ist eine für die Kontemplation und Beschauung geeignete Darstellung des Sefirot-Baums als *achtfarbiger Siebdruck* im Format 50 × 70 cm beim Verlag sowie beim Autor erhältlich.

I. Einleitung: Die Kabbala als Weg der Empfängnis und der Ausgießung göttlichen Lebens

1. Suche und religiöse Erfahrung

Werdet trunken in Gott!
Das ist des Weines Symbol,
das ist sein Blut.
Tugend, Güte und gute Vorsätze
sind nur leere Tonscherben ohne den Trank.
Dürstet nach dem Rausch
mit unstillbarem Durst,
denn er allein erlöst!
Was wollt ihr geben, wenn nichts in euch ist?
Nur leere Tonscherben seid ihr
ohne den Trank. *Antwort der Engel*

Selig, die dürsten..., denn
sie sollen getränkt werden.

Das Thema dieses Buches sind wir selbst. Es kreist um die Frage der Erkenntnis, des Verständnisses und der Verwirklichung unseres eigensten innewohnenden Potentials als Individuum und Mensch. Es skizziert den Weg der Selbst-Findung im Lichte der kabbalistischen Weisheit, Lehre, Übung und Lebenshaltung.

Es führt in die psychologischen und geistigen Gesetze der Entfaltung von Seele und Geist ein und *weist einen Weg zur Geburt und Entfaltung des inneren Menschen sowie der Meisterung unseres Lebens* in den vier Bereichen des Wollens, Denkens, Fühlens und Tuns. Mit dem Ursprung, dem Anliegen und dem Geiste der Kabbala möchte ich den Leser hier erst einmal in Berührung bringen.

Ihrem Ursprung nach ist die Kabbala eine der »Großen Traditionen« des Abendlandes. Sie ist die auf göttlicher Offenbarung gründende Weisheit Ägyptens und Israels und die Mutter der christlichen Mystik und wahren Theosophie. Wenn ich von »Großer Tradition« spreche, meine ich eine jener Weisheitslehren, die uns einen nachvollziehbaren Weg in die Mysterien Gottes weisen und praktizierbare Antworten auf die ewigen Fragen um Geburt und Tod, Auferstehung und Leben sowie Ursprung, Sinn und Bestimmung unseres Menschseins geben.

Immer sind diese Lehren Verbindungen göttlicher Offenbarung mit dem Vermächtnis jener großen Pioniere, Heiligen, Meister und Söhne des Lichtes, die die Rätsel des Lebens, Mensch- und Ichseins gelöst und seinen Auftrag erfüllt und verwirklicht haben, denn nur, wer in sich den Weg und das Licht gefunden hat, ist in der Lage, anderen den Weg zu weisen und seine Schritte zu erhellen. Stets sind unsere Sehnsucht und Suche nach Glück und Erfüllung sowie die Überwindung von Sorge, Angst, Leid und Tod die Urimpulse all unseren Strebens, Denkens und Tuns. In allem, was wir tun, in Arbeit, Freizeit oder Vergnügen, in unserem Streben nach Anerkennung, Reichtum, Ruhm, Sinnenlust, Macht oder Erfolg in dieser Welt, in unserem Schrei nach Freiheit, Zuneigung, Zärtlichkeit und Liebe, in allem ist es allein unser Hunger nach Erlösung, Erfüllung und Glück, der uns vorwärts (beziehungsweise rückwärts) drängt in unserem Leben.

All unsere Wünsche und unser Verlangen sind nur Verkleidungen jenes einen innersten Begehrens. Und doch ist ihre Erfüllung – finden wir sie nicht innwendig in uns – ohne Dauer und innerlich schal.

Der Schrei nach Glück und Liebe ist der Motor unseres ganzen Lebens. Wir streiten uns, führen Kriege, veräußern uns selbst und belügen einander allein aus jenem unbändigen, aber blinden Verlangen nach Liebe und Glück, bis wir eines Tages erwachen und erkennen: »Ich habe versucht, die Welt zu erobern, habe Menschen geplündert, Freunde verraten, habe nach Gold gegriffen und nach all den Verlockungen dieser sinnenhaften Welt, suchte mein Glück in Reichtum, Vergnügen und Macht, habe gekämpft, geduldet oder resigniert, doch was immer ich tat oder fand, ließ mein Herz unerfüllt und leer. Allein in der Umkehr nach innen, in den Urgrund meiner eigenen Seele, fand ich Frieden, Freude und Glück. Hier im Inneren fand ich den erquickenden Quell allen Lebens und meines wahren ewigen Ich.«

Immer ist es eine Frage unserer Ausrichtung und unseres Bewußtseins, *ob* wir jenes ersehnte Glück in unserem Leben finden oder nicht. Somit ist es nötig, uns bewußt zu werden und klarer zu erkennen, *was* wir wahrlich im Innersten suchen, *wie* und *wo* wir es suchen, und *wie* und *wo* wir das, was wir suchen, auch finden können. Daß wir uns dieses *Was*, *Wo* und *Wie* nicht bewußt sind, sondern meist einer Vielzahl blinder Impulse und Neigungen eher unbewußt und gleichsam mechanisch folgen, bis sie uns in diese oder jene Krise stürzen, ist unser Problem, unsere Not und unser Fluch.

In allen Zeiten und durch die ganze Geschichte der Menschheit hindurch tönt der Ruf nach Erlösung, Heil und innerem Glück, begleitet uns diese Suche als Kern- und Herzstück aller geistigen Traditionen der Welt. Sie formuliert sich als Suche nach jenem Agens, das die Alten sinnbildlich als »alchimisches Gold«, als den »Baum des Lebens« oder den »allesverklärenden Trunk des Heiligen Grals« bezeichneten, und das uns, wenn wir es finden, schauen, aufnehmen oder berühren, magisch verwandelt, uns Gesundheit, inneres Heil, Jugendkraft, Glück, Erfüllung und ewiges Leben spendet. So auch die Kabbala, die einen der Hochwege darstellt, der uns zur Schau und Erkenntnis Gottes führt, der das einzige und allesverwandelnde Agens des Lebens ist.

Das Wort »Kabbala« kommt aus dem Hebräischen. Es leitet sich ab aus dem Wortstamm »kibel«, was soviel heißt wie »empfangen«. Die Kabbala beschreibt einen Weg, auf dem es darum geht, uns innerlich empfänglich zu machen für das Licht und das Fluidum des (Heiligen) Geistes sowie uns zu öffnen und zu erschließen für den innersten Sinn und das Geheimnis des Lebens und der Ewigkeit.

Es geht in der Kabbala ganz wesentlich um den tiefsten Urgrund unseres Daseins, um das Heimführen der Seele in das Erbe des Vaters, den Urgrund göttlichen Seins. Dort liegt letztlich auch der einzige Quell allen wahren Glücks und all unserer Erfüllung. Wenn ich von dem Göttlichen spreche, meine ich nicht etwas, das irgendwo weit weg ist oder sehr abstrakt, sondern ich meine im wesentlichen den allertiefsten Lebensgrund, die Wurzel unseres eigenen Seins.

Von der historischen Überlieferung her gesehen ist Kabbala die jüdische Mystik, der jüdische Weg zur Erfüllung und Vollendung unseres geistigen Lebens. Darüber hinaus sind Weg und Lehre Christi, neben vielen anderen Zeugnissen menschlichen Ringens, ihr sichtbar gewordener Ausdruck in der Welt. Die Kabbala ist somit nicht nur jüdische Mystik, die ihrerseits bereits in den großen Einweihungsstätten Ägyptens, Chaldäas (Ur) und Babylons ihre Wurzeln hat, sondern auch der innere, esoterisch-gnostische Kern der Lehre Jesu und der Offenbarung seines und seiner Jünger Leben.

Die Kabbala ist somit als eine Ausgestaltungsform jener universellen Weisheit und Lehre zu verstehen, die – ähnlich dem Heiligen Gral – seit Urzeiten den Suchenden den Weg zu jenem inneren Licht des Geistes weist, in dem er erst den Sinn seines Da-Seins findet und den Auftrag seines Lebens verwirklicht. Sie ist als solche ganz grundsätzlich ein Einweihungsweg.

Was ist unter einem Einweihungsweg zu verstehen? Es ist soviel die Rede von Einweihung in diesem und jenem Zusammenhang, und meistens verstehen wir darunter irgend etwas Mysteriöses, ganz Geheimnisvolles. Wenn wir das Wort »Einweihung« ganz schlicht betrachten, steht in der Mitte das Wort »Weihe«. Es geht darum, unser Leben einem höheren Ziel, einem höherem Ideal zu weihen. Es wäre eine schöne Sache, wenn uns das gelänge. Die meisten Menschen finden dieses Ziel, diesen Inhalt nicht. Sie irren durch das Dasein, ohne zu wissen, mit welchem Inhalt sie es füllen könnten. So ist die Bereitschaft, das eigene Dasein dieser Suche nach dem Sinn zu weihen, die wesentlichste Voraussetzung, um sich auf einen solchen Weg zu begeben.

Das zweite, das mit Einweihung gemeint ist, kommt mehr in dem Wort »initiare« oder »initiatisch« zum Ausdruck: der neue Beginn, der Anstoß; denn Einweihung ist im tieferen Sinn eine innere geistige Erweckung. Sie ist Empfängnis des Heiligen Geistes, Zeugung und Geburt des göttlichen Lichtes in uns, auf daß wir entbrennen mögen in heiliger Sehnsucht, Hingabe und Liebe, uns in allem Streben, Denken und Tun allein dem Höchsten weihen, um uns schließlich mit Ihm – dem einzigen Quell ewigen Lebens – zu einen.

Es geht darum, daß das von Jesus als »Saatkorn des Himmelreiches in uns« bezeichnete göttliche Erbe, die latent in uns liegende Bewußtseinskraft oder Kraft der Auferstehung (samt den in der Seele schlummernden geistigen Schätzen, Talenten und Fähigkeiten) erweckt sein will. Um es zu erwecken, bedarf es unserer Bereitschaft. Wir können uns innerlich für diesen Weg erschließen und bereiten, und wir müssen auch eine innerliche Sehnsucht verspüren, die uns drängt und hinwegführen will über das allein weltliche Sein hinaus zu einem geistigen Leben. Die Bereitschaft muß da sein, unser Denken und Leben von Grund auf und als Ganzes zu verwandeln. Dann erst ist die Voraussetzung gegeben, daß solch eine innere Erweckung stattfinden kann.

Es geht im Grunde darum, unsere Ausrichtung zu ändern und die

Hindernisse zu beseitigen, die jenes wahrhaftige Licht und Leben in uns verstellen.

Diese so beglückende Erfahrung des inneren Lichtes, das Gewahrwerden des ewig uns durchdringenden Seins sowie jener inneren Harmonie, die der Geburtsort aller wahren Erkenntnis des Lebens ist, der Größe des Universums, der Einheit und Verbindung alles Geschaffenen sowie der daraus aufsteigenden Hypostase der Liebe inmitten der Verstrickung unseres eigenen Lebens in der Welt, das ist die Gnade. Die Gnade ist die Erkenntnis des Lichtes des Selbst und des göttlichen Feuers der Liebe! Und wahrlich, ohne die Gnade gibt es keine wahre Erkenntnis.

Wie wir bereits erkennen, ruht das Werk unseres geistigen Weges, unserer inneren Verwirklichung auf zwei Säulen: der Gnade *und* unserer eigenen Bemühung. Es geht darum, durch eigene Bemühung immer wieder das Licht des Selbst zu suchen und dabei jene Hindernisse in uns zu beseitigen, die das Walten der Gnade, die Entfaltung des inneren Lichtes vereiteln. Hierfür bedarf es natürlich unserer beständigen Bemühung, diese Barrieren auch zu überwinden, doch je öfter und tiefer wir der Gnade teilhaftig wurden, um so stärker wird die Kraft, die uns zieht, um so leichter und freudiger die Bereitung der Seele und die Bemühung um das Werk.

Es geht darum, die Hindernisse zu beseitigen, die vereiteln, jenes Licht, das beständig in uns brennt, wahrzunehmen, unser Wollen, Denken, Fühlen und Tun so zu läutern, daß unser Herz zum Tempel wird, in dem die Schekhinah, die Herrlichkeit Gottes, einziehen und sich ausbreiten kann. Auch das Sinnbild der unbefleckten Empfängnis Mariens drückt aus, daß die Regungen, Strebungen und Absichten unseres Herzens rein und jungfräulich sein möchten, unbefleckt von Trübsal, Sorgen, Haß und weltlicher Gier, um in einer reinen Seele, die wahrhaft die himmlische Mutter göttlichen Lebens ist, die Zeugung des göttlichen Lichtes zu erwarten; jenes Lichtes, das die Kraft unserer inneren Auferstehung, wahrer Selbst-Erkenntnis, Erlösung und Überwindung allen Leides und aller Illusionen ist.

Die erste Voraussetzung und Vorbereitung für die innere geistige Empfängnis oder Wiedergeburt und Verwandlung ist die Läuterung all unseres Strebens, Denkens, Fühlens und Tuns und findet ihren symbolischen Ausdruck im Werk und Leben Johannes des Täufers, der von sich sagt: »Ich bin die Stimme, die ruft in der Wüste;

bereitet den Weg des Herrn, ebnet seine Wege.« Er versinnbildlicht durch sein Rufen das innere Drängen unseres Wesens und durch den Taufakt am Jordan die Reinigung des Herzens im Strom des Lebens und in den heiligen Wassern selbstloser Liebe.

Diese innere Reinigung hat ihre Grundlage in der Kraft der Unterscheidung. Das heißt, daß wir uns mehr und mehr bewußt werden wollen, *wo und wann* wir wahrhafte und dauerhafte Erfüllung finden und inwieweit wir auch wirklich willig und wahrhaftig sind in unserem Streben. Die Inder sprechen viel von der enormen Bedeutung der Kraft der Unterscheidung. Sie sehen sie nicht als Fähigkeit des Intellekts, sondern als Kraft des Herzens. Es ist das Herz, das es uns ermöglicht, das Bleibende vom Vergänglichen, die Wahrheit von der Lüge, das Gewachsene vom Aufgesetzten und den Kern von der Schale zu unterscheiden. Diese Unterscheidungen sind sehr wichtig. Im Grunde hilft uns hierbei ein Besinnen darüber, was über den Tod hinaus geschieht.

Wir leben ja eine gewisse Weile hier auf Erden. Das ist schön – oder manchmal auch nicht so schön. Es ist abhängig von der individuellen Einbettung hier im Leben; aber Tatsache ist, daß wir eine gewisse Zeit hier verweilen, einen Weg gehen und dann am Ende doch recht unerbittlich vor der Wahrheit unseres Lebens stehen, daß wir im Moment des Todes konfrontiert sind mit der Frage nach dem Sinn und nach den Früchten unseres Lebens. Der Tod fordert Rechenschaft vor uns selbst. Wo habe ich mich betrogen, wo mich herausgemogelt? Was ist es, das bleibt?

Letztendlich wird alles deutlich sichtbar: Versäumnis und Errungenschaft, Wahrhaftigkeit und Lüge unseres Lebens. Wir erkennen dann: »Ich habe soundso viele Jahre meines Lebens in diese und jene Dinge, in dieses oder jenes ›Geschäft‹ investiert. Nun gehe ich dahin. Alles, was ich irdisch erworben habe, Reichtum, Sinnesfreuden, Anerkennung... bleibt hier; auch mein Leib bleibt hier. Was ist nun das, was ich mitnehme, was mir erhalten bleibt?«

Wenn ich den Tod und das Sterben in diesem Sinne betrachte, kann mir der Tod zum guten Freund werden, der mir auf Schritt und Tritt schmunzelnd über die Schulter schaut und mir hilft, mich jeden Augenblick erneut zu fragen: »Worauf kommt es an? – Was ist wesentlich?« und: »Wer ist es, der hier steht und spricht oder sonst dies oder jenes tut?«

Ist das, was ich hier und jetzt mit meinem Dasein, meinen gottgegebenen Gaben und Talenten tue – ist das das Wesentliche? Oder: was bindet mich, dieses Wesentliche aufzugreifen, es zu finden, es zu suchen? Da sind natürlich die verschiedensten Momente beteiligt; oft ist es ein Mangel an Mut oder an Vertrauen, oder es sind allzu große Zweifel an uns selbst oder daran, daß jenes Glück, jene Erfüllung überhaupt gefunden werden könne.

Wenn ich so schon während des Lebens frage, werde ich bald erkennen: »Nun, der Herr hat etwas gewollt mit mir, er hat so vieles in mich hineingelegt und gibt mir durch mein Leben die Gelegenheit, all die Schätze und Talente am Grund meiner Seele zu entdekken, zu bergen und zur Entfaltung zu bringen. Dumm wäre ich, würde ich diese innewohnenden Gaben nicht entfalten und mein Wesen nicht zum Strahlen bringen; denn das, was ich in mir entfalte, kann mir niemand nehmen, und es kann auf ewig nicht verlorengehen.«

So werde ich allmählich fähig, jene Unterscheidung und Läuterung zu vollziehen. Darin besteht der erste Schritt der Läuterung, daß ich das Wesentliche meines Lebens, Sinn und Auftrag meiner Existenz auf Erden klarer erkenne und alle meine Interessen, Gefühle, Fähigkeiten und Neigungen der Verwirklichung dieses Sinnes auch unterordne, ihr hingebe und sie darin weihe!

Doch ist von allen Voraussetzungen jene wohl die wichtigste, daß wir überhaupt suchen, oder besser, daß wir uns unseres Suchens, unserer Sehnsucht bewußt werden. Dazu ist es nötig, den Regungen unseres Herzens nach und nach auf den Grund zu gehen, denn dieses Suchen ist unabänderlich und beständig in uns. Es ist etwas, das im Grunde gar nicht willentlich von uns ausgeht; es ist vielmehr ein Impuls *in* uns: daß *es* nämlich in uns *ruft*! Und wenn wir dieses Rufen hören: »Wo bist du – wo gehst du hin?«, wenn wir das hören, werden wir uns auch bewußt jenem wahren Leben zuwenden, das *in* uns ist und uns sucht.

Es ist dies der »Ruf in der Wüste«, der Ruf, der leise hindurchtönen möchte in die Kargheit unseres weltlichen Seins, an das innere Ohr unseres Wesens. Es ist derselbe Ruf, vor dem Adam nach seinem Fall im Paradies zu entfliehen suchte, der gleiche Ruf, der Abraham erreicht in seinem Gebet: »Ajeka, wo bist du?« Und Abraham ist *bereit*! Er antwortet: »Hineni, Adonai«, *hier* bin ich, Herr, bereit, Dir zu dienen. Wer so bereit ist, den ereilt das Licht und verläßt ihn nicht mehr all seine Tage.

Sehen wir, wie merkwürdig es doch ist: Immer wieder sagen wir: Wir würden doch suchen, aber finden können wir nicht.

Darin liegt das Problem: Solange wir dieses Suchen oder Rufen *in* uns nicht hören, können wir schwerlich finden; denn tatsächlich ist es *Gott, der* uns sucht in uns, der in uns spricht, sich uns mitteilen will seit Anbeginn der Zeit. Nur ist die Frage: Bin ich bereit, zu hören, bereit, zu antworten, bereit, mich finden zu lassen und Ihm zu gehören? Oder höre ich lieber auf die Stimmen des kleineren Ich und gehöre lieber der Welt?

Wer diesen Ruf hört, der weiß, welche Beglückung, welche Gnade sich in den Worten ausdrückt: »Ich habe dich bei deinem Namen gerufen, nun bist du mein eigen.« Doch leider gehören die meisten lieber ihren Neigungen, ihrer Bequemlichkeit und dem Tummelplatz der Welt.

So erkennen wir, daß die wichtigste Voraussetzung für diesen inneren Weg die Sehnsucht ist, das Entdecken, das Pflegen und Entfalten jenes Durstes, jenes Feuers unserer Sehnsucht und Liebe, das – ist es erst einmal entbrannt –, die Seele emporhebt zu ihrem Schöpfer und ewigen Gemahl. Diese Sehnsucht, dieser Durst nach Gott, nach Wahrheit, nach Hingabe, nach Liebe ist selbst schon ein Strahl des Heiligsten in uns. Ihr Entflammen im Herzen ist schon der erste Ausdruck des Waltens göttlicher Gnade.

Sinn und Ziel des Lebens im Lichte der Kabbala ist das Erlangen von Glück, Erfüllung, Vollendung und Seligkeit. Aber, um Mißverständnissen vorzubeugen: Als ich vorhin vom Tod sprach, meinte ich nicht etwa, daß die Kabbala der Auffassung wäre, wir sollten ein asketisches, freudloses Leben führen, während wir uns bemühen, gute, brave Menschen zu sein, ob nun Christen oder Juden oder was immer, um dann nachher belohnt zu werden oder entschädigt für all das, was wir hier versäumt und erlitten haben. So ist es nicht. Vielmehr ist der Kabbala wesentlich daran gelegen, daß wir das, was wir suchen, hier und jetzt in uns finden und nicht erst hinterher! Es geht somit darum, daß wir, indem wir hinfinden zu einem Leben und Wirken in Gott, die gesuchte und verheißene Erfüllung hier in uns finden, inmitten unserer täglichen Pflichten und zu Lebzeiten hier auf Erden. Dann wird jeder Augenblick zu einem Tor der Ewigkeit.

Ich möchte hier nochmals deutlich wiederholen, daß für mich Kabbala und christliche Mystik überhaupt nicht trennbar sind. Die

Lehre Jesu ist Kabbala. Oder denken wir an die Offenbarung des Johannes. Das ist eines der feinsten, eines der tiefsten, eines der geheimnisvollsten kabbalistischen Bücher. In dem Sinne möchte ich auch beides, sowohl die Kabbala als auch die Lehre Jesu, ganz deutlich verstehen als eine Lehre, die sich sehr wohl auf die Erfüllung unserer Daseinssuche hier und jetzt in diesem Leben bezieht. Ich möchte auch deutlich machen, daß Jesus in seiner Bergpredigt, nicht »selig werden, irgendwann, wenn..., diejenigen, die demütig sind in Herzen« oder ähnliches sagt, sondern »selig *ist*, wer sanftmütig ist, selig *ist*, wer reinen Herzens ist,... selig *ist*, wer Frieden stiftet ...« Hierin ist angesprochen, daß die Seligkeit, die wir suchen, ein Zustand des Herzens ist, der sich einstellt, wenn wir den ganz schlichten und einfachen Bedingungen des Daseins wirklich Folge leisten, wenn wir hier und jetzt das Himmelreich in uns erschließen, und dafür gibt es eben ganz klare Grundlagen.

Deshalb geht es in der Kabbala in erster Linie darum, das Göttliche unmittelbar zu erfahren, aber nicht in einer Weise, daß wir abwandern, irgendwohin in die Berge, oder uns herauslösen oder zurückziehen aus dem Leben, sondern daß wir diese Kraft des Lichtes und des Bewußtseins in uns erschließen, um hier im Leben, hier in der Welt wirken zu können. Das heißt: Meditation und Gebet sind nicht das letzte Ziel oder der letzte Inhalt eines geistigen Weges, sondern vielmehr Hilfen, um uns diese Kraft zu erschließen, aus der heraus wir erfüllt leben und aus der heraus wir bewußter im Leben wirken können. So ist der Weg der Kabbala. Vielleicht kennen ihn einige von Ihnen aus den Erzählungen über den Chassidismus im Polen des 18. Jahrhunderts – ein lebensnaher, lebensbejahender und weltzugewandter Weg, wo es nur völlig bewußt darum geht und ging, die höchsten, dem Herzen innewohnenden Werte in diesem Leben zu realisieren.

2. Die drei Bereiche der Kabbala und des geistigen Lebens

Die Kabbala als Lehre gliedert sich in drei Bereiche. Der erste Bereich beschäftigt sich mit der Frage: Wie finde ich die Beziehung zum Göttlichen, oder wie komme ich zur Erfahrung Gottes?

Gott zu finden, bedarf der Anleitung. Bevor Hiob Gott erkennt, Ihn hört, begegnet er einem Weisen. So ebnet sich für viele der Weg erst durch die Anleitung eines Lehrers oder eines Menschen, der Gott kennt, mit Ihm in Berührung ist. Nur wer den Weg zu Gott kennt, wem sich dieser Weg erschlossen hat, ist fähig und berufen, anderen den Weg zu weisen und sie verantwortlich in ihrem Ringen zu begleiten. Somit ist es für den Suchenden von größter Hilfe, einen Wegweiser oder Lehrer zu finden, der ihm den Weg zum Licht *verantwortlich* erschließen kann; denn nur er kann ihm helfen, Gott zu finden, Seine Gegenwart leibhaftig zu erfahren.

Das Buch Hiob enthält die ausführliche Geschichte des leidgeprüften Hiob, der von allen möglichen Schicksalsschlägen gepeinigt wird und sich fragt, wie er wohl diesen Kummer, dieses Leid am besten überwinden und beenden könnte. Es kommen viele Freunde zu ihm, ihn zu beraten, und natürlich wissen alle ganz genau, wie er es tun sollte. Doch zuletzt, nach einer bedeutenden Begegnung mit einem Weisen, findet er endlich das Wesentliche, denn plötzlich spricht JHWH, Gott, zu ihm! Hiob begegnet Gott und ist zutiefst erschüttert und durchdrungen von einer Erfahrung, die ihm bis dahin völlig fremd war. All sein Aufbäumen und all sein Wehklagen verstummt, und er erkennt: »Ja, Herr, Du bist unendlich groß, jedoch kannte ich Dich nicht. Alle haben wohl erzählt von Dir, aber gesehen habe ich Dich nicht. Nur durch Gerüchte wußte ich von Dir. Jetzt aber hat mein Auge Dich gesehen« (Hiob 42.5).

So geht es vielen von uns, daß wir uns dem Göttlichen mehr »gerüchteweise« nähern. Es ist wichtig zu verstehen, daß eine wirklich wesenhafte Veränderung in unserem Dasein erst beginnen kann, wenn wir auch die Gnade des Göttlichen, das Licht des

Geistes, erfahren haben. Von da an beginnt sich dieser Weg überhaupt erst in der Tiefe aufzuschließen.

Hier begegnet uns gleich ein weitverbreiteter Irrtum: Viele Menschen glauben, die Gnade sei ein Akt des Zufalls oder der Willkür und der einzelne sei, mehr oder minder unbeteiligt, jenem Zufall, jener Willkür überlassen. Den einen trifft sie, den anderen eben nicht. Das ist grundfalsch.

Die Gnade ist Ausdruck des Waltens göttlicher Allgegenwart. Diese kennt weder Grenzen noch Löcher noch Pausen. Sie durchdringt vielmehr das All und alles, und wir selbst sind mitten darin, in Gnade eingebettet.

Ihr Gewahrwerden ist Ausdruck ihres Waltens in der Seele und im Herzen des Menschen. Dieses Walten als Ausdruck göttlicher Gegenwart und Gerechtigkeit geschieht nicht zufällig, noch wird Gnade von Gott nach Willkür verteilt oder vorbehalten, sondern ihr Walten folgt einem ewigen Gesetz innerhalb der umfassenden göttlichen Ordnung. Obwohl die Gnade der Motor all unseres Suchens ist, erfordert es jene Ordnung, daß wir uns ihr innerlich erschließen, um ihr Wirken in der Seele zu verankern.

Der zweite Bereich kreist um die Frage: »Wie meistere ich mein irdisches Dasein, wie meistere ich mein Leben?« Das ist die zentrale Frage, die alles umfaßt. Wir können die Kabbala ruhig auch einen Weg nennen, unser irdisches Leben zu meistern. Allerdings nicht in dem Sinne, daß sie uns belehrt, wie wir die einzelnen Dinge zu tun hätten – das müssen wir schon selbst lösen –, sondern indem sie uns hinführt zur inneren Kraft und zum inneren Verständnis, in welcher Weise wir uns dieser Welt zuwenden können, um darin jenen Sinn zu verwirklichen, zu dem wir seit ewig berufen sind. Es geht hier im wesentlichen darum, diese Kraft des Lichtes nach außen hin wirken zu lassen, die Kraft der Liebe und des Lichtes, die wir uns erschließen, nun im Dasein auszugießen und zu verwirklichen. Dann können wir überhaupt erst so etwas wie eine andere Form des Lebens in die Wege leiten, eine andere Form der Beziehung der Menschen zueinander. Alles kann sich von da heraus neu gestalten. Aber wenn diese innere Kraft, wenn dieses Licht fehlt und wir im Dunklen weilen, ist es unmöglich, Freude, Zuversicht und Hoffnung zu finden oder gar noch anderen zu vermitteln.

So ist die Hinwendung zum Leben eine ganz wesentliche Grundhaltung. Es zeigt sich daraus, daß die Kabbala ein Weg ist, auf dem sich wahres Menschsein als eine Lebenshaltung ergibt, in der wir uns mit all den Möglichkeiten, die in uns hineingelegt sind, dieser höheren Kraft zur Verfügung stellen, daß sie durch uns wirken kann in der Welt und daß wir darin, daß diese Kraft in uns wirkt, unsere Erfüllung finden. So versteht sich der Weg der Kabbala im tiefsten Sinne als ein Weg des Dienens, auf dem wir, nach den jeweils uns gegebenen Fähigkeiten, unser Leben in den Dienst stellen, das Licht, die Schönheit, die Liebe und die Weisheit Gottes zu bezeugen und ihnen hier auf Erden zum Durchbruch zu verhelfen, sei es als Hausfrau, Lehrer, Künstler oder Arzt im helfenden, dienenden, lehrenden oder künstlerischen Beruf.

Daß dies alles geschehen kann, hat eine dritte Grundlage, nämlich das, was in mir, in meiner Seele geschieht. Das dritte ist also die Frage: Wie weit bin ich als Mensch überhaupt innerlich durchlässig? Wie weit bin ich überhaupt fähig und in der Lage, diese Energie durch mich hindurchströmen, wirken und leben zu lassen? Wie weit bin ich fähig und in der Lage, diese Energie auch mich verwandeln zu lassen? Schließlich möchten wir doch dahin kommen, daß wir mit Paulus sagen können: »Nicht ich bin es (mit all meinen Vorstellungen, Begrenzungen, Wünschen und Gedanken), der lebt, sondern Christus in mir.«

Das ist ja der Sinn dieses Lebens, daß der Geist Gottes mich ergreife, verwandle, erneuere und von sich aus dem ewigen Leben zuführe. Die dritte Grundfrage ist also die Frage nach meiner ganz individuellen Form. Wie bin ich Mensch? Oder noch nicht Mensch? Um es anders auszudrücken: Wie weit, in welchem Maße bin ich schon geboren zu diesem tieferen Menschsein? Wer bin ich überhaupt? Wer ist dieses Wesen, das da mit sich ringt, gleichsam aufgehängt zwischen Himmel und Erde?

Da sind die verschiedensten Fragen, die unser Menschsein betreffen und berühren. Da liegt vieles in uns, das uns bedrückt. Da finden wir Schmerz und unerlöstes Leid. Und da kommen wir wieder auf die Frage: Wie kann ich dieses Leid, diesen Schmerz erlösen? Wie kann ich mich aus meiner Gebundenheit erlösen. Aber eine andere wichtige Frage, die meistens unbeachtet bleibt, ist die nach den in uns hineingelegten Schätzen. Ich spreche gerne und ausdrücklich von Diamanten und Edelsteinen, die in der Seele ganz tief in uns liegen. Es gibt nichts Beglückenderes, als diese zu entdecken, zu heben und ans Licht zu bringen. Ich möchte hier auf den Gedanken in der Genesis zurückgreifen, wo es heißt: »Gott schuf den Menschen ihm zum Bilde, zum Bilde Gottes schuf er ihn.« Wir dürfen uns nicht vorstellen, daß wir dem Göttlichen abbildmäßig entsprechen, daß der liebe Gott in mir aussieht wie ich. »Zum Bilde« heißt, daß wir in unserem innersten Wesen mit Ihm eins sind, oder, anders ausgedrückt, daß Gott Sein eigenes Wesen, Seine eigene Vollkommenheit in uns hineingelegt hat. Das Urbild des Göttlichen lebt und wirkt in uns und drängt uns zur Vollendung. Das ist auch der einzige Sinn der Worte Jesu, der sagt: »Werdet vollkommen wie der Vater im Himmel.« Wenn uns Jesus vermittelt, daß Gott Liebe ist, so bedeutet dies zuallererst, daß wir uns vervollkommnen mögen in der Liebe, daß wir durch bedingungslose Liebe und wahrhaftige Anteilnahme an unserem Nächsten, ja allen Geschöpfen, über die Grenzen unseres eigenen Ichs hinauswachsen und unser Bewußtsein dadurch ausweiten, bis das ganze All sich darin spiegelt.

Das ist wahrhaft der reinste Weg der Kabbala, eins zu werden im Geiste und Seine göttliche Liebe und Sein Leben in uns aufzunehmen und hinauszutragen und auszugießen in der Welt. Darin erfüllt sich der Sinn der Worte Hermes-Thots »Wie oben, so unten«, daß wir das irdische Leben einrichten nach dem Bild des Ewigen und der »oberen Welt«, daß wir uns nicht mehr danach richten, wie die Nachbarn, die Allgemeinheit oder gar die Tiere leben, sondern daß wir nach oben schauen in die Sphären des Geistes und uns nach den großen Vorbildern des Lebens richten, ja darüber hinaus einzig und allein danach trachten, dem Willen, dem Plan und der Weisheit Gottes zu folgen. Darin liegt die wahre Nachfolge Christi, jenem Lichtstern zu folgen, der uns von innen her leitet. Dann erfüllt sich das Wort Jesu in uns, das sagt: »Was der Sohn sieht den Vater tun, das tut gleichermaßen auch der Sohn.« Wenn der Sohn, das Christuslicht, in uns lebendig geworden ist und wir ihm folgen in bedingungsloser Treue wie ein Kind, dann können wir wahrlich nicht in die Irre gehen, denn Er führt uns geradewegs zum Ziel: heim ins Haus des Vaters.

Um es nochmals zusammenzufassen:

Das Grundthema der Kabbala bildet die Beziehung des *Menschen* zu *Gott*, zur *Welt* und zu sich selbst. Es sind denn auch drei Bereiche, auf die die Kabbala (das heißt wir selbst auf unserem Weg) unsere ganze Aufmerksamkeit und Liebe richten möchte:

- unseren leibhaftigen Zugang zum inneren Quell des Lebens, die Erfahrung, Erweckung und Befreiung unseres ewigen göttlichen Kerns und Wesens,
- die Meisterung des realen Lebens, die Bewältigung unserer Aufgaben in der Welt sowie ein Leben in friedvoller Beziehung mit unseren Mitmenschen und
- die Arbeit an uns selbst.

Diese Arbeit an uns selbst ist der unentbehrliche Schlüssel zu allem! Sie ist der einzige Weg, der uns hilft, unsere Schwächen zu überwinden, alten Schmerz zu erlösen, Schatten aufzulösen und so Schritt für Schritt in reiner Selbstwahrnehmung unsere Seele zu läutern und uns in Herz und Geist zu vollenden. Wohl geschieht dies inmitten der Welt und des täglichen Lebens und das geistige Licht und seine Gnade sind uns eine große Hilfe dabei, aber gehen müssen wir den Weg selbst. Oftmals ist es nötig, uns auch Zeit und Raum zu nehmen, dieser inneren Klärung, Reinigung und Selbsterlösung ernsthaft nachzugehen.

Haben wir uns jedoch das innere Licht erst einmal erschlossen, daß es als Liebesflamme in unserem Herzen lodert, so vollzieht sich all die Wandlung, all die Meisterung des Schicksals sowie unsere innere Vollendung inmitten unseres Lebens, indem wir all unsere Aufgaben, all das, was hier und jetzt uns anruft, nach besten Kräften erfüllen und beantworten. So wird die Welt selbst zum Spiegel, in dem wir uns erkennen, denn obwohl Selbsterkenntnis und -erlösung von grundlegender Bedeutung sind, besteht der Weg weder aus einer Absonderung aus der Welt, noch darin, all die Rätsel der Seele und all die Facetten des Ich in endloser Selbstbespiegelung zu studieren und auszuloten, sondern vielmehr darin, sie in der Einheit des Lebens zu verwandeln, zu läutern, auf- oder einzulösen.

3. Der Weg der Kabbala und ihre zentralen Ansätze: Gottesnamen, Zahlen und Lebensbaum

Der Weg der Kabbala, uns in diese ursprüngliche Einheit des Lebens hineinzuführen, ist vielfältig und wird sich, wenn organisch gegangen und geführt, von dort her aufrollen, wo die Empfänglichkeit des einzelnen liegt. Wie wir im ersten Band gesehen haben, besteht die ursprünglichste Erfahrung des Göttlichen in der Schau des inneren Lichtes, dem Hören des inneren kosmischen Klanges, der Wahrnehmung der inneren Stimme oder sonstiger energetischer Empfindungen an Leib und Seele, die alle von einem tiefen inneren Frieden und großem innerem Glück begleitet sind.

Mancher ist empfänglich für Licht und Farbe, mancher für Ton, Klang und Musik oder für die Kraft des inspirierten gesprochenen Wortes, ein anderer wiederum für die Schwingungen heiliger Silben, Mantren oder Gottesnamen, die, jede auf ihre Art, die Seele mit dem Fluidum des Heiligen Geistes in Berührung bringen. Wie wir im ersten Band sahen, sind sie alle nur verschiedene Aspekte, verschiedene Erscheinungsformen, in denen das Göttliche erfahrbar ist. Sie alle sind eins und im Wesen göttliche Kraft.

So sind auch Weg und Methodik der Kabbala vielfältig, sucht sie doch die Eine Wahrheit, das Eine Leben von den verschiedensten Seiten zu berühren. Dementsprechend sind sowohl Lehre als auch Übung (theoretische wie praktische Kabbala) auf verschiedene Fundamente gegründet, die jedoch alle in der Einen Wirklichkeit ihren Urstand haben.

Im ersten Band haben wir vier Wege, vier Annäherungweisen umrissen: Farbe, Zahl, Ton und Wort als Tore zu Seele und Geist. Indem wir uns auf die in jenen vier Aspekten sich bekundende Weisheit stützen, wollen wir nun den Geheimnissen des Lebens, der Seele und des Geistes sowie den Gesetzen ihrer inneren Entwicklung tiefer auf den Grund gehen und uns ihnen von einer anderen Seite nähern.

Wie wir wissen, bildet die Lehre von der Kraft des Wortes und der

Gottesnamen den innersten Kern der vor allem hebräisch akzentuierten Kabbala.

Sie umschließt

- die Invokation oder Anrufung Seiner Heiligen Attribute sowie der Himmlischen Heerscharen;
- die »Jichudim« (von »echad« = hebr. eins), das ist die Übung der inneren Einung mit Gott durch die Meditation über Seine Heiligen Namen;
- das unmittelbare Herzensgebet, die Anbetung Gottes »in der Wahrheit und im Geiste«.

Gerade Invokation und Jichudim konstituieren eine Methode und einen Weg, die auch im Sufismus (»dhikr«) und im Indischen ihre Parallelen haben.

Wie wir wissen, gibt es im Indischen die Übung des »Japa«. Das ist die gesungene, gesprochene oder nur geistig vollzogene Wiederholung von Heiligen Silben oder Mantras. Mantras sind Silben, Worte oder Texte des Sanskrit oder sonst einer Heiligen Sprache, die meistens einen Namen Gottes beinhalten und aufgrund der spezifischen Schwingung jener alten Sprache, der sie entnommen sind, die Kraft besitzen, uns in die Schwingung jener Kraft oder jenes Bewußtseinszustandes zu versetzen, die dieses Wort bezeichnet.

So ist das Mantra eigentlich nichts anderes als ein Hilfsmittel, über den Klang all die Kräfte der Seele und des Geistes, ja die Schwingungen all unserer Zellen – ähnlich wie beim Laser – in eine einzige Schwingung zu bündeln und auf jene Frequenz anzuheben, die uns in einen höheren (hochfrequenten) Bewußtseinszustand emporträgt, um uns darin mit dem einen oder anderen Aspekt göttlichen Seins zu vereinen.

Diese Mantras wirken ähnlich wie ein Brennglas (oder Laser), das durch die Bündelung aller Strahlen des Geistes sämtliche Barrieren und Hindernisse durchdringt und sie auf die Schwingung des reinen Bewußtseins – in seiner Form als Klang oder Licht – transponiert.

Das ist ein Weg, der in der jüdisch-christlichen Tradition ebenso bekannt ist und in der Kabbala als »Derech Ha Schemot« oder »der Weg der Namen« bezeichnet wird. Er umfaßt die Meditation jener heiligen Namen Gottes, die uns auch aus den Schriften des Alten Testamentes bekannt sind. All diese Namen sind nichts anderes als

Klangformen oder Anrufungen, in denen der Eine verschiedene der höchsten Aspekte Seines Seins ausruft. Ihre Offenbarung ist eines der größten Vermächtnisse Gottes an uns Menschen.

Neben diesen Formen mantrischer Meditation und darüber hinaus umfaßt dieser Weg die Wahrnehmung des Gedankenstromes in der Seele, die Erschließung der Kraft der Gedanken bis in den schöpferischen Ursprung des »Wortes« oder Logos sowie des Aufbaues der Welt, der Seele und des Leibes aus den zweiundzwanzig hebräischen (beziehungsweise fünfzig Sanskrit-)Buchstaben oder konstitutiven Kräften des Logos. All diese verschiedenen Disziplinen oder Aspekte der Kabbala, die alle auf der Kraft des Wortes gründen und ihren Ursprung im göttlichen Urwort haben, sind auf jenem Weg umfaßt, den wir als »Derech Ha Schemot«, den Weg der Gottesnamen, bezeichnet haben.

Zentrales Urbild, Werkzeug und Hilfsmittel des Weges der Kabbala, in dem sich all seine Ansätze und Aspekte verbinden, ist das Symbol des Lebensbaumes. Sein Symbol ist der umfassende Ausdruck der *Einheit des Lebens.* Rein formal gesehen ist er ein komplexes, in sich höchst harmonisch gegliedertes Gebilde, das uns auf den ersten Blick an ein indisches Yantra oder Mandala erinnert und häufig auch als solches benutzt wird (Abbildung 3 auf Seite 39).

Um ihn kreist alle kabbalistische Lehre und Übung, alles Studium und alle Kontemplation. Sein Symbol ist der umfassende Ausdruck der Einheit allen Seins, das alle Formen und Erscheinungen der Schöpfung von ihrem höchsten Ursprung in Gott bis hinunter zum kleinsten Atom, von der höchsten Offenbarung Gottes, der geistigen Manifestation göttlichen Lichtes und Lebens, bis hinunter zum festen Stoff, zur körperlichen, grobstofflichen Welt, alles umfaßt.

Tatsächlich gilt der Baum in vielen Traditionen als Urbild des Lebens. So finden wir im Vedanta den Banyan-Baum, in den nordischen Mythen den Baum Yggdrasil, in der Edda die Weltenesche. Besondere Bedeutung hatte er jedoch in Altägypten sowie in der jüdisch-christlichen Überlieferung, wo der Lebensbaum schon zu Beginn der Schöpfungsgeschichte seinen besonderen Platz einnimmt.

Das Bild des Lebensbaumes ist keine willkürliche Gedankenkonstruktion spekulativen Menschengeistes, sondern Symbol und Sinnbild einer kosmischen Wirklichkeit, herausgewachsen aus einer geistigen Vision der Eingeweihten, Mystiker und Propheten.

Wie das Wort auf Schwingung und die Schwingung auf der Zahl und beide auf dem Logos gründen, so besteht natürlich eine enge Verknüpfung zwischen der Lehre von der Kraft des Wortes mit der Lehre von den zehn Heiligen Urzahlen oder Sefirot und ihrer Einheit im Symbol des Lebensbaumes. Dieser Lebensbaum bildet gleichsam als Urbild der Einheit und Entfaltung allen Seins sowohl den zusammenfassenden Rahmen für all die anderen Disziplinen und Zweige esoterischer Lehre, die im Rumpf der Kabbala vereinigt sind, als auch das Symbol der metaphysischen Gestalt der Schöpfung und des Menschen. Wollen wir es auf einen Nenner bringen, so ist die hebräische Kabbala die Wissenschaft der Heiligen Namen Gottes und Seiner Heiligen Attribute, die Lehre von der Manifestation, Entfaltung und Offenbarung Gottes und Seines Logos in der Schöpfung und im Geschöpf. Selbst der Baum des Lebens entfaltet sich aus den Kräften des Logos und der Heiligen Namen.

Durch Invokation dieser Namen erfassen und empfangen wir das ganze Universum von seinen Wurzeln im Heiligen Ursprung des Schöpfers, durch den Stamm des Geistes und die Äste des universellen Gedankens bis in die Blätter unserer materiellen Welt. So beleben wir den ganzen Baum der Schöpfung in uns.

Wichtig ist es, an dieser Stelle nochmals hervorzuheben, daß es zwei Traditionen des Lebensbaumes gibt: eine ägyptische und eine hebräische. Beschränkt sich die hebräische, die ihr Fundament in dem großartigen mystischen Werk des »Sohar« hat, auf eine Betrachtung des Sefirot-Baumes als Diagramm der Entfaltung des Bewußtseins und der Offenbarung der Heiligen Attribute Gottes, so war er in der ägyptischen Einweihungstradition umfassendes Symbol oder Hieroglyphe (= ein Heiliges Urbild) allen Seins und Lebens.

Bei den Ägyptern umfaßte er alle vier Sphären der Schöpfung, wie sie uns auch im sogenannten »Djed«-Pfeiler, jenem großen Symbol der Auferstehung und des ewigen Lebens des Osiris, überliefert sind (Abbildung 4 auf Seite 41).

Hierbei ist es nötig, uns an die Legende von Isis und Osiris zu erinnern, wonach der Leib des Osiris, nachdem er von Set, seinem Widersacher, »getötet« und in eine Truhe eingesperrt wurde, in dieser Truhe an die Ufer jenes Meeres geschwemmt wurde, wo ihn

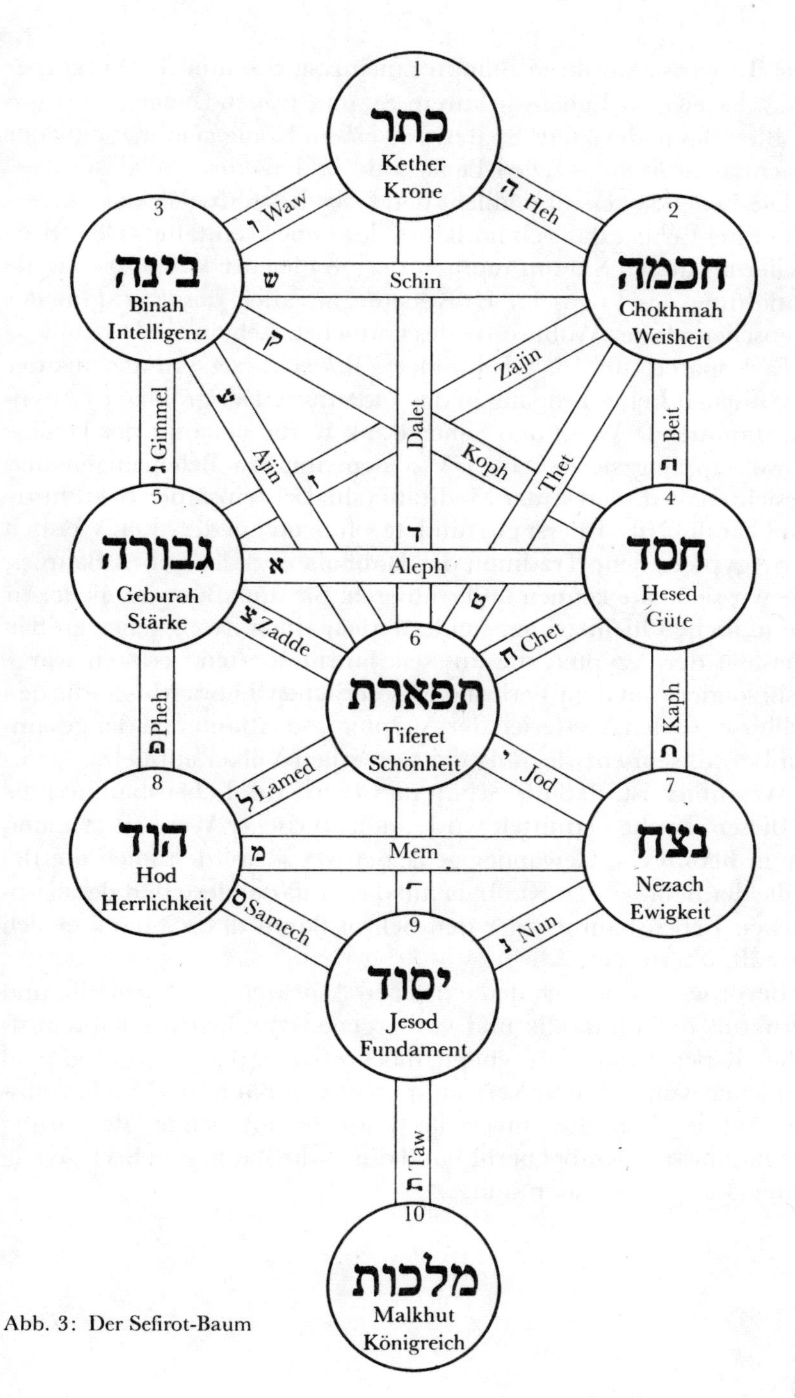

Abb. 3: Der Sefirot-Baum

eine Tamariske in ihren Stamm hineinzog. So, nun die Verkörperung des ewigen Lebens in ihrem Stamm tragend, wuchs sie zum größten Baum der Welt! Später, von einem König gefällt, diente der prächtige Stamm (= Djed-Pfeiler) als Säule in dessen Palast.

Die Legende versinnbildlicht den Geist des Osiris als das universelle Eine Leben, das sich im Baum des Lebens entfaltet. Der Djed-Pfeiler als dessen Stamm repräsentiert in gleicher Weise sowohl die Entfaltung des Logos im Universum, als auch das Rückgrat des Menschen als der Wohnstätte des göttlichen Lebens.

Erst später (im 16. Jahrhundert) findet dieser Ansatz aus der ägyptischen Lehre Eingang in das Judentum. Der große, aus Ägypten stammende Weise und Seher Isaak Luria, genannt der Heilige Löwe, empfing sie in seinen Visionen, inneren Belehrungen und Gesichten, während seiner Meditation in einer einsamen Schilfhütte am Ufer des Nils. Er erst begründete – fußend auf der alten Weisheit der Ägypter – jene Tradition der Kabbala und des Lebensbaumes, wie wir sie heute kennen und studieren. Sie umfaßt somit nicht nur die jüdische Offenbarung, sondern auch einen Zweig jener großen Weisheit der Ägypter, die uns seit Jahrhunderten verloren war – insbesondere seit dem Verlust der esoterischen Thora Moses, die den Schlüssel zu den Mysterien der Ägypter und Atlanter, ja der gesamten Bewußtseinsentwicklung der westlichen Völker enthielt.

Wesentlich ist, daß die Schau und Lehre des Lebensbaumes, die in diesem Buche vermittelt wird, auf ägyptischer Weisheit gründet, die in hebräische Gewänder gekleidet ist. So werden auch die Begriffe der hebräischen Kabbala auf das umfassendere Bild des ägyptischen Lebensbaumes, der den Sefirot-Baum des »Sohar« in sich enthält, übertragen.

Bevor wir uns jedoch den einzelnen Aspekten, der Symbolik und Struktur, der Methodik und verborgenen Weisheit des kabbalistischen Lebensbaumes zuwenden, möchte ich, daß wir uns erst einmal mit jener wunderbaren Verwandtschaft von Baum und Seele befassen, auf der wohl die universelle (kulturübergreifende) Bedeutung des Baumes als Symbol beruht und durch die Baum und Seele so eng miteinander verbunden sind.

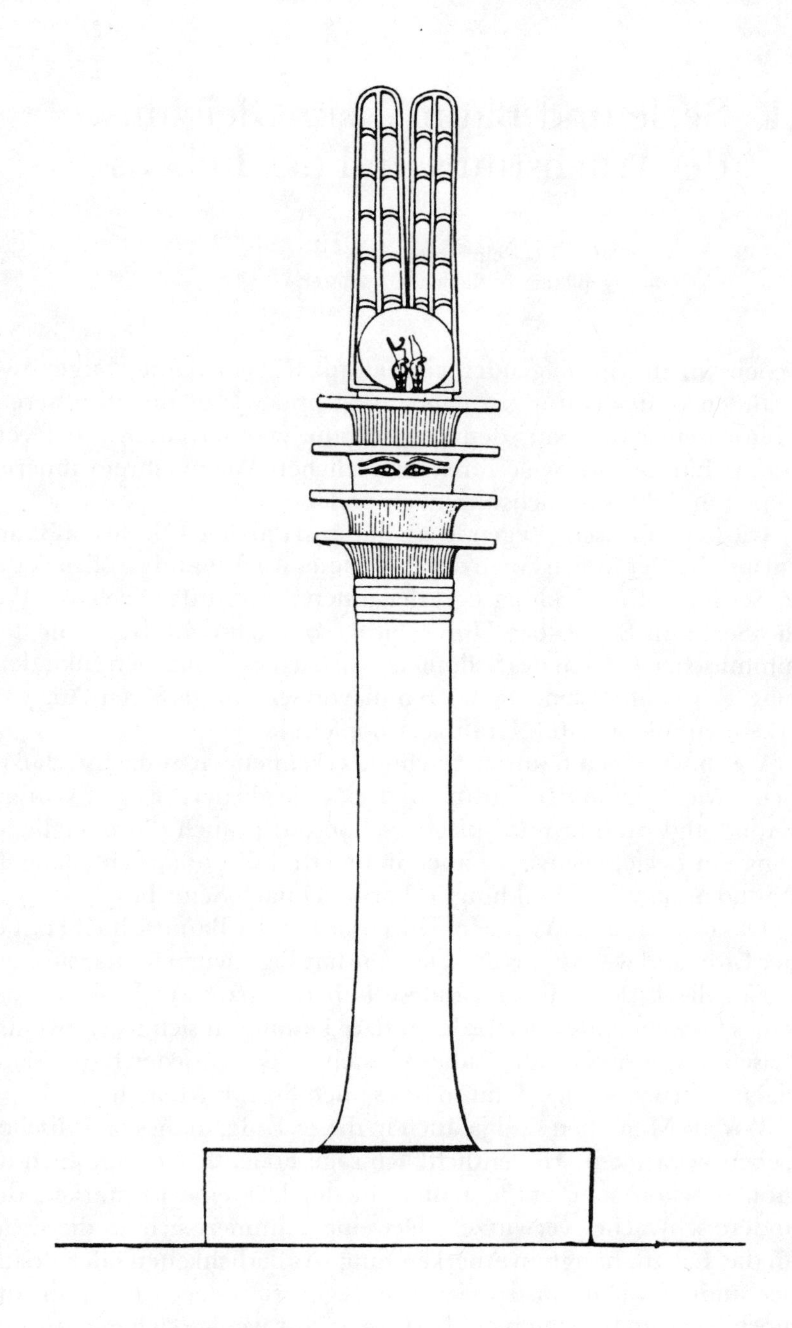

Abb. 4: Der Djed-Pfeiler

II. Seele und Baum – ein Gleichnis des Wachstums und des Lebens

»Er ist wie ein Baum,
gepflanzt an fließendem Wasser.«
Psalm

Sehen wir uns im folgenden einmal an, wie ein Baum – irgendwo draußen in der Natur – aufgebaut ist und wie er uns in unserem Menschsein entspricht, denn es ist ganz wunderbar, wie tief verwandt Baum und Seele ihrem natürlichen Wesen, ihrem inneren Leben und ihrem Wachstum nach sind.

Die kabbalistische Legende erzählt uns, daß jeder Seele ein Baum entspricht, der in den Auen des Paradieses wächst und Ausdruck des Wesens, der Entwicklung und der inneren Kraft der Seele ist. Wie die Seele im Schoß des Universums, so wächst ihr Baum in den himmlischen Gärten des Schöpfers. Wer sich innerlich versenkt, dem mag es gewährt sein, diesen Baum vor seinem geistigen Auge zu erkennen und aus ihm Kraft zu schöpfen.

Wenn wir einen Baum betrachten, erkennen wir zunächst, daß er sich – wie vieles in der Natur – in drei Teile gliedert: Er hat Wurzel, Krone und Stamm und spiegelt schon darin auch die Dreigliederung der Seele, wie wir sie auch in den drei Grundfarben (Band 1) gefunden haben (Abbildung 5: Farbtafel nach Seite 44).

Das erste sind die Wurzeln. Durch sie hat der Baum seinen Halt in der Erde und wächst aus ihr. Der eine hat Pfahlwurzeln, hat sie ganz tief in die Erde gestoßen; andere haben ganz zarte Wurzeln, ein feines Gewebe unter der Erde; andere klammern sich irgendwo am Felsen fest, wie verkrallt – aber sie stehen. So hat jeder Baum seine eigene Verwurzelung. Und so ist es auch für uns Menschen.

Wir als Menschen sind ja auch in dieser Erde, in diesem irdischen Leben verwurzelt. Hoffentlich! Ich sage hoffentlich, denn auch da gibt es schon sehr große Unterschiede. Der eine ist stärker, der andere schwächer verwurzelt. Der eine klammert sich an die Erde, an das Leben, hängt an Anerkennung, Äußerlichkeiten oder Besitz, der andere wiederum spreizt sich gegen sie oder tritt kaum auf, möchte sie am liebsten nicht berühren. Nur wenige stehen natürlich da, sich bewußt, daß sie als Gast vorübergehend in eine Pflanzschule des Geistes gestellt sind, die allerlei Möglichkeiten für allerlei Aufgaben gibt, durch die wir wachsen, uns entfalten und entwickeln.

Die Unterschiede unserer Verwurzelung, die Weise, *wie* wir im Leben stehen, sind Ausdruck dessen, wie weit und in welcher Weise wir uns einlassen auf und in das Leben. Das ist von eminenter Bedeutung, denn die Wurzeln sind es, durch die wir Halt finden in der Welt, vor allem aber auch Kraft und Nahrung aus dem Leben schöpfen.

Die Verwurzelung, die organisch zusammenhängt mit dem Bauch, dem Endoderm (und der Farbe Blau [Band 1, Seite 91]), entspricht dem, was die Japaner »Hara« nennen oder die »Erdmitte« des Menschen. Aus einer kräftigen Wurzel, einem starken »Hara«, wächst auch ein starker Stamm, streckt sich ein aufrechter Rücken. So ist in der Wurzel schon die innere Haltung begründet – und umgekehrt.

Je nachdem, ob wir verkrampft oder gelöst stehen – und ich meine das vor allem seelisch – oder es mehr oder minder wagen, uns einzulassen, schöpfen wir mehr oder weniger Kraft, qualitativ voll- oder minderwertigere Nahrung in der Seele. Was ich meine, wenn ich von Kraft, Saft oder Nahrung spreche, ist im Grunde, daß die *Erfahrung* unseres täglichen Seins uns Quell und Lebenskraft sein möge. Das bedeutet, daß all die Dinge, die wir täglich, stündlich, minütlich erfahren, eigentlich Quell sein sollten, uns neue Kraft zu vermitteln.

Wir wissen alle, daß uns Kraft zufließt, wenn wir Erfolg haben, wenn wir etwas in uns schaffen, wenn wir etwas gemeistert haben oder wenn wir nur die vielen kleinen Wunder des Lebens wahrnehmen, wenn uns Begeisterung oder Freude überkommt und wir zufrieden sind. Vielfach ist es allerdings nicht so. Das erst einmal als Tatsache. So ist diese Verwurzelung schon eine der ersten Voraussetzungen, denn ohne sie können wir gar keine Erfüllung und Befriedigung aus diesem irdischen Leben ziehen. Wenn wir nicht wagen, uns einzulassen, können wir auch hier auf Erden keine Freuden ernten.

Als nächstes Glied betrachten wir die Baumkrone. In ihr entfaltet der Baum sein Wesen (seine innerste Natur), enthüllt er sein im Samenkorn angelegtes und in der Wurzel verborgenes Geheimnis. Ein Baum öffnet sich mit seinem ganzen Wesen dem Lichte, um es in sich aufzunehmen. Er strebt zum Licht und wächst aus dem Licht. Ohne Licht wächst kein Baum.

So ist es auch mit der Seele. Die Seele braucht Licht. Der größte Hunger, an dem wir heute leiden, ist der Hunger nach innerer Nahrung. Die meisten von uns haben äußerlich alles, ja sie ersticken oft im Überfluß. Vieles belastet uns nur noch, aber an innerer Nahrung, die uns erhält, erfüllt und ausfüllt, fehlt es uns. Deshalb gibt es auch so wenig wirklich inneres Verwandeln und inneres Wachstum.

Wenn wir unsere Seele betrachten, die genauso wächst wie eine Blume, eine Pflanze oder ein Baum, dann müssen wir uns auch bewußt machen, daß wir diesen Seelenbaum pflegen müssen, wenn er leben und wachsen soll. Daß wir also nicht nur unseren Körper ernähren, sondern endlich beginnen, auch etwas für die Seele zu tun, daß wir uns Zeit nehmen, Licht zu schöpfen und geistige Kraft, so daß sie aufblühen und sich entfalten kann.

Wahrlich, zu vielen Menschen fehlt heute diese geistige Kraft, gerade auch jenen in helfenden Berufen, weil sie den Quell nicht kennen, das Licht und Feuer und die Inspiration des Heiligen Geistes nicht haben!

Wie wir sehen, wenn wir uns im Bilde des Baumes betrachten, sind es zuerst einmal zwei Dinge, die wir brauchen:

- den Saft, die Nahrung der Erde, das heißt die aus den Eindrücken und der Anteilnahme am täglichen Leben strömende Erfahrung, Anregung und Kraft und
- das Licht des Geistes, das all diese Eindrücke und Kräfte erst fruchtbar macht.

Da ist aber noch ein dritter Aspekt, und er ist es, durch den die Seele dem Baum so tief verwandt ist: die Fotosynthese. Sie bildet jenen Prozeß, durch den die aus der Erde gezogenen Mineralien, Elemente und Kräfte – mit Hilfe des Lichtes – erst verwandelt und integriert werden können. Es ist somit wiederum das Licht, das mittels der Fotosynthese die Stoffe der Erde umwandelt in baumeigene organische Substanz. Erst durch diese Verwandlung ist die Integration jener irdischen Stoffe und damit Wachstum möglich.

Abb. 5

Genauso ist es in der Seele. In ihr entsprechen den Mineralien, Elementen und Kräften der Erde die Eindrücke und Erfahrungen des irdischen Lebens.

Wir sammeln Tag für Tag eine Menge von Eindrücken und Erfahrungen. Viele Menschen haben dann auch, wenn sie älter geworden sind, sehr viele Erfahrungen gesammelt. Aber sind sie deshalb auch weise geworden oder Meister des Lebens? Leider nein, denn viele dieser Erfahrungen sind nicht verarbeitet, nicht verdaut und liegen uns oft nach Jahren noch im Magen oder auf der Leber oder wo sonst sie sich niedergeschlagen haben. Vieles liegt unverdaut in der Seele und vieles tragen wir in einem großen Sack als Schicksalslast umher. So verbittert und beladen durch viel ungemeistertes Schicksal belehren wir die Jugend und »bereiten sie vor« auf den »sorgenschweren Weg« durch das »Jammertal der Welt«.

Auch wenn es manchmal vielleicht nicht so kraß aussieht, so sind wir doch oft verzagt, des Weges und des Ringens müde und meinen, bald am Ende zu sein. Was ist da passiert?

Wenn das geschieht, ist das ein Zeichen, daß wir viele unserer Erfahrungen, vieles, was wir eventuell an schmerzlichen Erlebnissen, an Verletzungen oder Enttäuschungen erlitten haben, weder verwandeln noch auflösen noch integrieren konnten, oder daß wir gar Richtung und Aufgabe unseres Lebens ganz aus den Augen verloren haben. So liegen viele Erfahrungen *unerlöst* (unverdaut) am Grunde unserer Seele und harren der Erlösung.

Es ist dies ein doppelter Ausdruck des Mangels an Licht, denn es ist die heilende, regenerierende, Leben und Wachstum spendende Kraft des Lichtes, die – wie beim Baum die Mineralien der Erde – all die Erfahrungen des Lebens verwandelt, all die Wunden und Verletzungen der Seele heilt und darüber hinaus innere Kraft, Erlösung, Heil, Glück und Wachstum in die Seele pflanzt. Darin liegt die Wirksamkeit des Lichtes als Kraft.

Der zweite Aspekt der Wirksamkeit des Lichtes in der Seele liegt in seiner Erhellung unseres Bewußtseins. Indem wir göttliches Licht im Herzen aufnehmen, erhellt es uns den Sinn unseres Daseins. Indem wir die Kraft des inneren Lichtes empfangen, erscheinen all die Erfahrungen unseres Lebens, ja selbst die schwersten Schicksalsschläge, Verluste und Leiden in einem neuen Licht.

So schenkt es Einsicht und Erkenntnis um den Sinn all der Erfahrungen des Lebens. Fehlt das Licht, so mangelt es auch an Richtung und Sinn. Erst im Licht leuchtet uns das Ziel entgegen, und damit wird auch die Richtung sichtbar. Vieles Schwere wird dadurch tragbar und viel Wachstum, viel Entfaltung möglich.

Wir sehen, daß die Fotosynthese – in der Natur wie in der Seele – eines der großen Wunder ist. Ist ihr Prinzip heil, so bewirkt es jene gnadenreiche Verwandlung, die die Grundlage des Lebens ist. Die Elemente verwandeln sich und der Baum wächst und wächst und wächst.

Entgegen der ursprünglichen Verheißung des Lebens sieht es in unseren Seelen oft recht traurig aus. Nicht selten ist es so dunkel darin, daß nahezu jedes Wachstum fehlt. Die eingeborene Fähigkeit zu einer inneren Verwandlung und Assimilation – ich möchte sagen: Fotosynthese – liegt in uns heute noch so weitgehend ungenutzt, daß wir immer noch an einer Unzahl von Umständen und Dingen, die uns im Leben begegnen, scheitern oder sie zumindest nicht bewältigen. Oft stehen wir dann da und sagen: »Mein Gott, was ist da passiert?! Warum? Wie schrecklich!« Wir stehen davor und sind erschüttert. Am liebsten vergessen wir es oder verdrängen es und versuchen, uns so gut wie möglich über Wasser zu halten. So machen es zumindest viele Menschen. Anstatt es zu verwandeln und Lehren daraus zu ziehen, wird das unbewältigte Erlebnis eingekapselt und gewissermaßen als Fremdkörper irgendwo in der Seele vergraben. Genauso wird der verletzte Teil in der Seele abgeschnürt oder sonstwie isoliert, so daß wir im Grunde stückweise etwas in uns absterben lassen. Das, was in uns als Last liegt, als etwas Unverdautes, beginnt sich dann oft auszubreiten, was nicht nur zu Störungen in der Seele, sondern auch in der Gesundheit führen kann.

Wenn wir uns aber dem Lichte öffnen, dann ist es nicht nur so, daß uns eine Erkenntnis kommt, die uns den Sinn dessen enthüllt, was wir erleben, sondern wir schöpfen aus diesem Lichte auch die Kraft, den Schmerz und die Erschütterungen des Daseins zu *heilen*. Es ist immer wieder dieses göttliche Licht, das uns verwandelt und heilt.

Ich möchte es noch einmal ganz deutlich machen: Wenn ich vom Licht spreche, meine ich nicht das physische Licht, auch meine ich nicht etwa ein blindes oder lebloses Licht, sondern ich gebrauche das Wort »Licht« im Grunde als Sinnbild für das, was reines Bewußtsein ist. Es ist ja das Licht des Bewußtseins, durch das wir uns überhaupt erkennen. Es ist das Licht unseres Bewußtseins, das die Grundlage unseres Seins und unseres Daseins ist. Ich meine mit dem Licht des Bewußtseins nicht nur dieses mehr oder minder dumpfe Existenzbewußtsein, sondern jenes alldurchdringende Bewußtsein, jenen seligen Gewahrsam des allumfassenden Seins in seiner überzeitlichen Wirklichkeit! Er ist das, was wir den kosmischen Christus nennen. Wenn wir uns erinnern: Einer der schönsten Namen Gottes, einer seiner höchsten Namen heißt übersetzt: *»Ich Bin, der ich Bin«*. Ich bin Sein, das alles durchdringt, Ich bin das, was Ich bin: ewig unauslöschliches, bewußtes Sein. Dieses *»Ich Bin«*, *»Ich Bin, der ich Bin«*, ist der ursprünglichste Ausdruck des Göttlichen überhaupt. Es ist »Sein Name auf alle Zeit.«

Im Grunde zeigt uns allein dieser Name schon unseren eigenen Weg, daß wir werden mögen, der wir sind. Wenn wir vollkommen werden wollen wie der Vater, wenn wir dieses Göttliche verwirklichen wollen, heißt das, daß wir das erkennen und verwirklichen mögen, was wir wesentlich und namentlich sind. Und das ist, was wir letzten Endes »Erleuchtung« nennen, daß und wir in ständiger Einheit sind mit unserem wahren Wesen.

Erleuchtung ist aber nicht etwas, das auf einen Schlag passiert, sondern in der Regel aus einer allmählichen Zunahme des inneren Lichts erwächst, die schließlich in inneren Einweihungen kulminieren. So geht es darum, daß wir mehr und mehr Licht in unser Leben bringen, bis es uns irgendwann so erfaßt, daß es uns von innen her verwandelt, daß wir gar nicht mehr sein können, wie wir vorher waren. Das ist eines der wahrhaften Wunder! Wir können uns nicht selbst dazu machen, können uns nur dieser Kraft ergeben, aufschließen, sie in Tätigkeit treten lassen. Das ist das Schöne.

Wenn ich vom Licht spreche, meine ich also ein Licht, das ich manchmal gern als »sehende Kraft« benenne. Es ist die sehende Kraft des Bewußtseins. Es ist ein Licht, das uns nicht nur erhellt, sondern uns auch durch und durch sieht und schaut. Es ist ein Licht, eine Kraft, die uns in jedem Winkel unseres Wesens durchdringt, uns kennt, besser kennt als wir selbst.

Theresa von Avila sagte einmal: »Gott, der Du mich besser kennst als ich mich selbst, Du weißt, wer ich bin, Du hast mich erschaffen. Du kennst meine Schwächen, Du kennst meine Neigungen, Du kennst alles.« So betete sie weiter. Dieses ganze Durchdrungensein von Licht, verbunden mit dem Erkennen und Verstehen des gesamten Vorgangs – all das wird von diesem Bewußtsein umschlossen.

So werden wir unser eigenes Sein, finden »den, der ich bin« in Gott. Das Selbst und Gott sind eins. Unser Wesen ist in Gott und Gott wohnt in unserem Wesen. Indem wir Gott erkennen, erkennen wir uns selbst; indem wir uns selbst erkennen, erkennen wir Gott.

Wir verstehen somit Licht im Sinne von sehender Kraft. Wir sollten uns einmal bewußt machen, wie stark diese Sehnsucht in uns ist, wirklich erkannt, verstanden und auch angenommen zu sein, so wie wir sind. Und diese Möglichkeit ist jeden Moment gegeben. Es kann uns niemand besser erkennen als dieses alldurchdringende Bewußtsein, das wir manchmal Christusbewußtsein oder Christuskraft nennen. Es ist der kosmische Christus, der alles Erschaffene von innen erleuchtet, von innen belebt. Wenn wir ihn erkennen, dann finden wir wahre Erfüllung.

Hier begegnet uns ein Paradox: Wir sind in unserem Wesen so sehr eins mit dem Licht, daß gerade darin die Schwierigkeit liegt, unsere wahre Natur zu erkennen. Ähnlich wie mit dem Auge, durch das wir sehen, das aber sich selbst nicht sieht, verhält es sich auch mit dem Licht des Bewußtseins, das alles Sein und Leben erhellt, seiner selbst jedoch nur schwer gewahr wird. Um das zu erreichen, müssen wir es nach innen wenden zu seinem Ursprung. Folgen wir ihm dahin, so erkennen wir unser Wesen, unser Sein: reines Licht, unbewegtes Gewahrsein, ohne Anfang, ohne Ende, ewig leuchtendes Sein.

Erleuchtung heißt, daß das Licht (im Menschen) sich selbst erkennt, daß es in sich ruhend ohne Trübung und ohne Unterlaß seines eigenen unablässigen Strahlens und Gewahrseins inne ist. Darin liegt die Schwierigkeit, denn das Licht (= Bewußtsein) erkennt viel leichter den Gegenstand und die Dinge, die es durch sein Leuchten erhellt, als sein eigenes gestaltlos strahlendes Wesen.

Doch kehren wir zurück zum Baum. Da ist es wichtig zu verstehen, daß das Licht mehr ist als nur Nahrung. Es ist im Grunde sein Lebenselixier und seine innerste Substanz. In seinem innersten Wesen sammelt und assimiliert der Baum nur reines Licht. Aus der Sicht seiner physisch-organischen Natur jedoch ist ihm das Licht vorerst wesentlich Wachstumskraft.

Wie beim Baum das Licht der Sonne, so ist es in der Seele das geistige Licht, das die innere Verwandlung und Assimilation, Sinndeutung und Bewältigung all unserer Lebenserfahrungen bewerkstelligt und auch die Erlösung des Unverwandelten schließlich vollzieht.

Wir sprachen bisher von den Wurzeln und der Krone. Doch was beide verbindet, ist der Stamm. Er bildet das dritte Glied des Baumes, jene feste Säule, die seine Krone hält und seine Äste trägt. In unserem Menschsein entspricht er dem Rückgrat, der inneren Kraft, unserer inneren Haltung, dem inneren Leib oder der Kraft des Ich. Damit meine ich nicht das Ego, sondern den Selbstwert, das Selbstvertrauen, mit einem Wort jenes innere Fundament, in dem wir ruhen, Halt und Inhalt haben.

Sind Wurzeln und Stamm stark, kann auch die Krone sich entfalten. Das heißt für uns Menschen, daß sowohl eine gesunde Verwurzelung wie auch ein stabiles und ausgewogenes Empfinden des eigenen Wertes Grundlagen sind, um die geistigen Früchte in der Krone des Baumes zu entfalten beziehungsweise hervorzubringen. Ebenso wichtig ist die Durchlässigkeit des Stammes, die Transparenz und Durchlässigkeit der eigenen Persönlichkeit, die Freiheit von Verhaftung in sich selbst. Tatsächlich sind Persönlichkeit und Stamm nur Stützen der Krone und Durchflußorgane der Kraft des Geistes und des Lebens.

So finden wir in der Dreigliederung des Baumes einen Spiegel unseres eigenen Wesens. Denn genau wie der Baum strebt unsere Seele, vorübergehend verwurzelt hier auf Erden, mit all ihren Kräften empor zum Himmel, ja wächst sie aus der und durch die Kraft des Himmels, um die von Gott in sie gelegte Aussaat geistigen Lebens und geistiger Samenkörner in ihren Früchten aufgehen zu lassen. So finden wir uns – um die Worte Graf Dürckheims zu gebrauchen – in unserem Menschsein als Wesen doppelten Ursprungs: Leiblich verankert hier auf Erden sind wir in unserem Wesen auf ewig im kosmischen Lichtmeer des Herrn beheimatet. Und dieses Lichtmeer ist letztlich der wahre Urgrund allen Lebens, aus dem sowohl der Baum wie auch die Seele in ihrem Innersten wächst. Aus diesem Grunde haben viele Kabbalisten den Lebensbaum umgekehrt dargestellt, so daß er, gründend im ewigen Lichtreich Gottes, hereinwächst in die Welt. In dieser Schau wird sichtbar, wie das Eine Leben, das Eine Bewußtsein sich durch den Stamm der individuellen Seele verzweigt in jenes differenzierte Astwerk, das wir die Welt unserer Gedanken und unserer Persönlichkeit nennen (Abbildung 6 auf Seite 51).

Kehren wir zurück zu unserer ursprünglichen Sicht der Seele, wie sie sich im Wachstum eines Baumes spiegelt, der ganz physisch dasteht, irgendwo draußen in der Natur. Das Wesentliche ist zunächst, daß zwei Energien da sind, die in ihr strömen und, sich verbindend, Wachstum hervorbringen: Es ist einmal die Kraft der Erde, die gleichsam als umgewandelte vitale Urkraft uns zuströmt aus der Welt, zugleich aufsteigt aus der Tiefe der Seele, aus unserem Bauch, um aufzusteigen und sich in dieser oder jener Weise – nun verwandelt durch das Licht, dem zweiten Strom von Kraft – in der Seele und im Leben auszudrücken. Wichtig ist es, dessen mehr und mehr gewahr zu werden: Leben kommt nicht aus dem Kopf, sondern immer aus dem Bauch. Kinder wachsen im Bauch der Mutter, und so steigt jedes Lachen, jedes Weinen, ja jedes Gefühl und jeder Gedanke aus jenem Seelengrund empor, der seine Wurzeln im Bauch hat.

Die Beziehung zur Welt, zum äußeren Leben, ist somit aufs engste verknüpft mit unserer Erdmitte im Harapunkt oder Bauch. All die Eindrücke des Lebens treffen uns erstmal im Bauch, und aus dem Bauch steigen auch die Antworten auf.

So liegt der Sinn dieses Erdenlebens darin, daß wir im Strom des täglichen Lebens, durch unsere Einbettung darin, unser innerstes Wesen verwirklichen. Wir sind ja nicht da, weil der liebe Gott uns etwas einbrocken will oder etwa verbittert über unsere Unvernunft sagen würde: »Du bist so ein seltsames Wesen! – jetzt verbanne ich dich für eine Weile hierher,« sondern der Sinn uneres Erdenlebens ist, daß wir in diesem Leben unsere Aufgabe erkennen mögen, in all den Dingen, die wir tun, erwachen und erkennen sollen, wer wir wirklich sind. Deshalb bezeichnen die Mystiker dieses physische Universum oft auch als Schule. Es ist tatsächlich nichts anderes als ein großer Garten, eine Pflanzschule des Geistes.

Die Kräfte der Erde sind ebenso nötig wie die Kräfte des Himmels. Beide möchten uns durchfluten, uns tragen, unser Wesen bewässern und verwandeln, bis aus uns allmählich das geboren wird, was die Alchimisten die »quinta essentia« nannten oder das Gold. Die wahren Alchimisten suchten ja nicht physisches Gold zu machen, sondern jenes geistige Gold, das als Quintessenz des Lebens aus den groben ungewandelten Elementen der Seele, des Leibes und der Welt im Herzen kondensiert wird. Es entsprach dem wahren inneren Menschsein, der Gottgeburt in der Seele. Sie sprachen

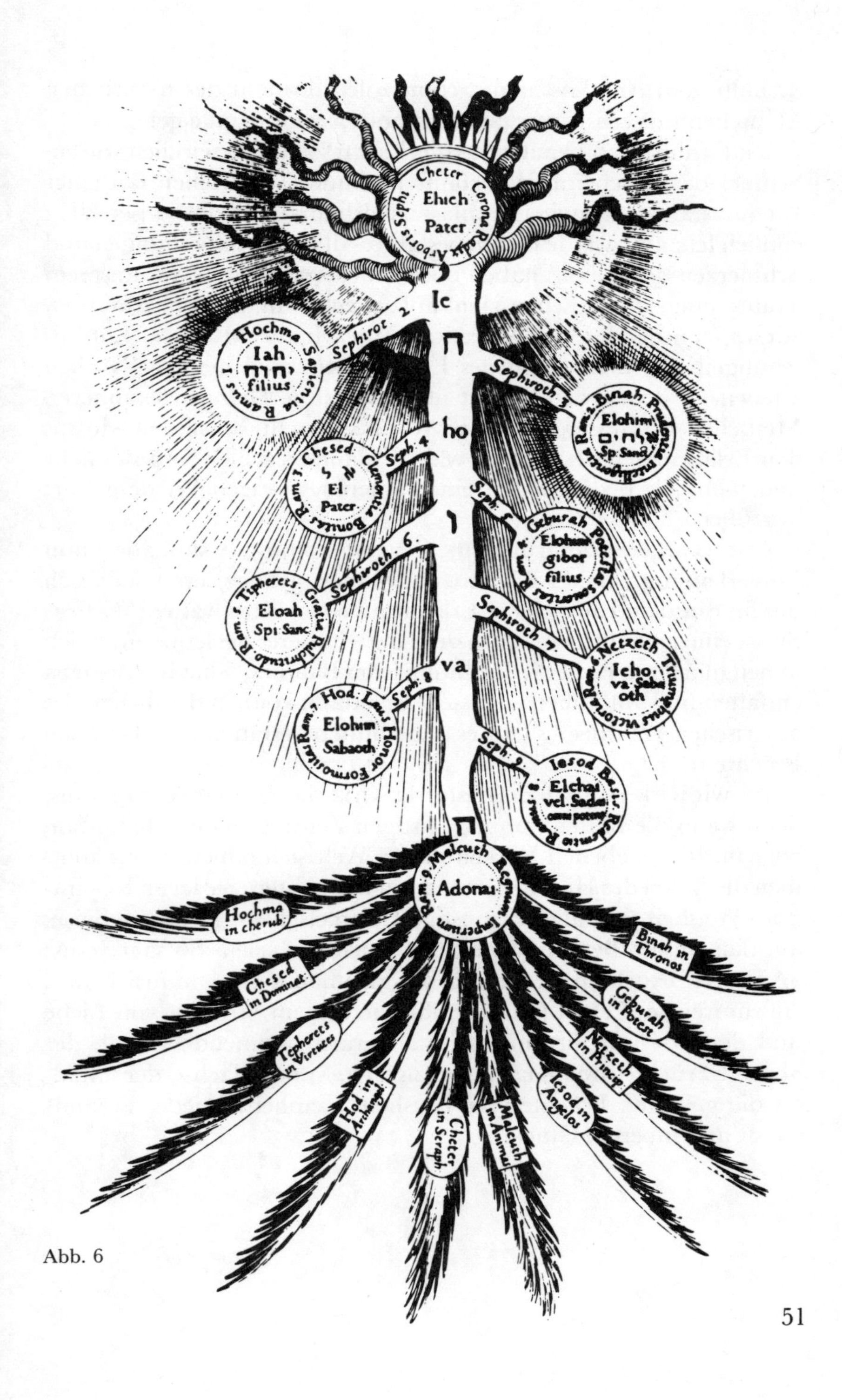
Sephi. Cheter Corona Radix Arboris
Ehich
Pater
Ie
ה
Sephirot. 2.
Hochma Sapientia Ramus 1.
Iah
יהוה
filius
Sephiroth. 3.
Ram. 2. Binah. Prudentia intelligentia
Elohim
אלהים
Sp. Sanc.
ho
Seph. 4
Ram. 3. Chesed. Clementia Bonitas
אל
El
Pater
ו
Seph. 5
Ram. 4 Geburah Potestas severitas
Elohim
gibor
filius
Sephiroth. 6.
Ram. 5. Tipherets. Gratia Pulchritudo
Eloah
Spi. Sanc.
Sephiroth. 7.
Ram. 6. Netzeth Triumphus victoria
Ieho
va. Sabe
oth
va
Seph. 8
Ram. 7. Hod. Laus Honor Formositas
Elohim
Sabaoth
Seph. 9.
Iesod Basis Redemtio Ramus 8.
Elchai
vel. Sadai
omni potens
ה
Ram. 9. Malcuth Regnum Imperium
Adonai
Hochma in cherub.
Binah in Thronos
Chesed in Dominat.
Geburah in Poten.
Tepherets in Virtutes
Netzeth in Princip.
Hod in Archangel.
Iesod in Angelos
Cheter in Seraph
Malcuth in Animas

Abb. 6

deshalb vom Anathos, dem Schmelzofen, in dem des natürlichen Menschen irdische Natur umgeschmolzen wird in eine geistige.

Und wahrlich, oft knetet uns das Leben so, daß es wirklich wie ein Schmelzofen erscheint. Wir könnten es auch vergleichen mit einer Intensivstation, wo wir Herzmassage erhalten, auf daß unser Herz endlich lebendig werde und liebesfähig. All die Enttäuschungen und Schmerzen des Lebens haben doch nur den Sinn, uns aus unserem Traum oder Dornröschenschlaf aufzuwecken und uns hinzuführen zur Erkenntnis der Wirklichkeit. Wenn wir die Mühsale, Enttäuschungen und Schmerzen des Lebens mehr und mehr als Wehen erleben, in denen sich Schritt um Schritt die Geburt des inneren Menschen und unseres wahren Wesens vollzieht, so werden wir uns den Erfahrungen des Lebens wahrlich anders stellen und sie mehr und mehr als Bedingungen einer inneren geistigen Wiedergeburt begrüßen.

Erst wenn eine derartige innere Verwandlung, Assimilation und Einverleibung unserer Lebenserfahrungen gelingt, erschließt sich uns ihr Sinn, und aus solcher Erkenntnis erst wächst wahre Weisheit. Sie ist eine jener Blüten, die in der Krone unseres Seelenbaumes sich öffnen möchten. Es ist die Erfüllung jedes Baumes, seine Knospen zu entfalten und aufblühen zu lassen. Erst dann können die Bienen des ätherischen Weltmeeres Gottes seine Blüten bestäuben, daß er auch Früchte trägt.

Wo wir wirken aus dem Geiste, da wirkt die geistige Welt mit uns, denn wenn die Blüten unserer geistigen Zentren in der Meditation oder im hingegebenen Wirken in der Welt sich öffnen, dann kommen die Boten des Himmels, um sie zu befruchten. Sie legen Inspiration, Weisheit und allerlei sonstige Himmelsgaben in unsere Seele, auf daß unsere Bemühungen auch fruchtbar seien. So sagt Jesus: »An ihren Früchten werdet ihr sie erkennen.« Und wahrlich, wer ein sinnreiches Leben führt, erfüllt von reinem Streben, von Liebe und dem Wirken für ein ihm im Herzen brennendes Ideal, der »bringt Früchte dreißigfach, sechzigfach, hundertfach«, der entfaltet die geistigen Früchte von Weisheit, Reinheit, Friede, Freundschaft und innerem Glück.

Exkurs: Von der rechten inneren Haltung

Aus der Sicht der Kabbala betrachtet gibt es drei unterschiedliche Haltungen im Leben.

Die Lebenshaltung, die heute weit verbreitet ist und die oft als Materialismus oder Erdverhaftung bezeichnet wird, besteht darin, daß das ganze Leben auf der Illusion aufgebaut wird, irdischer Besitz, äußere Anerkennung, weltlicher Wohlstand, Sinnenfreuden und Macht seien Quelle und Fundament von Lebensglück und Erfüllung; eine Haltung, in der wir uns der Welt, der Erde, der Natur, den Mitmenschen, ja sogar unseren eigenen inneren Kräften und Fähigkeiten allein als Objekten der Ausbeutung zuwenden, um durch ihre Anhäufung oder Ausnutzung unsere innere Leere zu verdecken. Diese bricht jedoch irgendwann, sicherlich im Augenblick des Sterbens, auf und liegt dann wie ein gähnender Abgrund vor uns.

Die zweite Haltung ist ein weltabgewandter Idealismus, der meint, ohne Erschließung der Erd- und Ichkräfte des Menschen allein vom Lichte leben zu können.

Gleicht das eine einem Klammern an die Erde ohne Entfaltung der Krone, so führt das andere als Leben ohne Wurzeln wiederum nur zu Scheinblüten, die mangels gesunden Lebenssaftes früher oder später austrocknen und verwelken werden.

Erst wenn wir weder am Irdischen haften, um als Sklaven unserer Sinne Umwelt, Menschen und die eigene Seele auszubeuten, noch in Absonderung aus dem Leben in abgehoben-idealistischer, das heißt selbstsüchtig-arroganter Weise nach dem Lichte greifen, um es für uns zu behalten, sondern nach dem Lichte und dem Geiste Gottes verlangen, um es durch unseren Leib hindurch in der Welt auszugießen, erst dann werden wir unserer Bestimmung als Mensch gerecht. Nur wenn wir aus dem Geist schöpfen und uns so, durchflossen von innerem Leben, mit all unseren Fähigkeiten, Anlagen und Kräften in selbstloser Liebe und wahrhaftiger innerer Anteilnahme dem Leben um uns sowie den Menschen und Dingen, die uns umgeben, zuwenden, nur dann werden wir mehr und mehr von jener Fülle des Geistes erfaßt, von göttlichem Licht durchflossen, daß sich inmitten dieses Flusses unser gesamtes Wesen läutert, verwandelt und verklärt. Wer so lebt, wird wahrhaft zu einem Gefäß des Lichtes und zu einem Instrument Gottes, durch das hindurch der Himmel selbst wirkt, um sein Licht und seine Gaben auszugießen in die Welt.

Das ist der reine Weg der Empfängnis, wie ihn die Kabbala uns weist und wie er gerade nun im anbrechenden neuen Zeitalter des Aquarius als unüberhörbarer Ruf an uns ergeht: daß wir nicht mehr, wie all die Jahrtausende zuvor, Natur, Mensch und Geist ausbeuten, um uns selbstsüchtig zu bereichern oder auch zu versklaven, sondern daß wir an den Quell des Lebens, zu Gott selbst gehen, um Seine Fülle auszugießen in die Welt, daß wir die Liebe Gottes bezeugen in der Welt und damit selbst, im Wirken mit Ihm, eins werden in und mit Ihm.

Das liegt auch in den einfachen Worten Franz von Assisis, der in seinem bekannten Gebet ausruft:

Herr, mache mich zu einem Instrument Deines Friedens;
wo Haß ist, laß mich Liebe säen,
wo Ungerechtigkeit herrscht, Vergebung,
wo Zweifel herrscht, Glaube...
Oh, Meister, gewähre mir, daß ich nicht danach verlange,
verstanden zu werden, sondern zu verstehen,
geliebt zu werden, sondern zu lieben.
Denn: wer gibt, empfängt,
wer vergibt, dem wird vergeben,
wer stirbt, der wird zum ewigen Leben geboren.

Wer so lebt, erfüllt wahrhaft den höchsten Sinn des Lebens. Er wird »Früchte tragen dreißigfach, sechzigfach, hundertfach.«

III. Der Sefirot-Baum als Spiegel des Kosmos und des Menschen

1. Etz Chajim – das zentrale Urbild des kabbalistischen Weges

»Ich bin es, der diesen Baum gepflanzt hat, daß alle Welt sich an ihm ergötze, und ich habe mit ihm das All gewölbt und seinen Namen ›All‹ genannt, denn an ihm hängt das All, und von ihm geht das All aus, alles bedarf seiner, und auf es schauen und nach ihm bangen sie, und von dort gehen die Seelen aus. Allein war ich, als ich ihn machte, und kein Engel kann sich über ihn erheben und sagen: Ich war vor dir da.
Und was ist dieser Baum, von dem du gesprochen hast? Er sagte zu ihm: Alle Kräfte Gottes sind übereinandergelagert, und sie gleichen einem Baum: wie der Baum durch das Wasser seine Früchte hervorbringt, so mehrt auch Gott durch das Wasser die Kräfte des Baumes.« Buch Bahir

Etz Chajim, der Baum des Lebens, ist eine Glyphe, ein zusammengesetztes diagrammatisches Symbol, das die Manifestation und Offenbarung Gottes in Schöpfung und Geschöpf versinnbildlicht und die fundamentale Einheit allen Seins und Lebens zum Ausdruck bringt. Er symbolisiert gleichermaßen die Offenbarungsform Gottes, den Himmlischen Urmenschen, Adam Kadmon, samt seinem Leib, dem Universum, wie auch den individuellen »irdischen« Menschen in seiner Ganzheit als Körper, Seele und Geist, den Menschen als Mikrokosmos und Individuum.

In ihrer höchsten Schau sieht ihn die Kabbala als Urbild der mystischen Gestalt Gottes, jener Gestalt, die Gott annimmt, wenn Er aus seiner Verborgenheit heraustritt, um sich in Form von Licht, Wort und Schöpfung zu manifestieren. Hierbei bildet das Licht – verstanden als reiner Geist und reines Bewußtsein – Sein Wesen und die Schöpfung Seinen Leib.

Der Lebensbaum ist aber auch Urbild des Menschen. Heißt es doch in der Schrift »Und Gott schuf den Menschen nach Seinem Bild, nach dem Bilde Gottes schuf Er ihn.«

Aber nicht nur der Mensch, sondern auch das Universum, Mikrokosmos und Makrokosmos in gleicher Weise, ja alles Geschaffene, existieren in Seinem Bild und Gleichnis. Schauen wir mit dem Auge des Geistes, so sehen wir, daß alle Dinge, Geschöpfe und Erscheinungen der Welt nichts anderes als Verkleidungen Seines ewigen Wesens sind und alle Namen nur Bezeichnungen Gottes in der Gestalt dieser oder jener Schöpfung, dieses oder jenes Geschöpfes. Meist fehlen uns nur die Augen, um dieses wunderbare Gleichnis in unserem Leben und den Dingen immer wieder zu erkennen.

Der Lebensbaum ist somit Urbild jeder organischen Ganzheit, ist Urgestalt alles Gestalteten. Er ist das Urbild von Ganzheit überhaupt. Was wir heute mühsam in den neueren Wissenschaften wie Gestaltpsychologie, Systemtheorie, Holistik (von *holos* = griech.: dem Ganzen) und anderen Konzepten neu zu fassen versuchen, finden wir hier in uraltem Gewande wieder: »Alles ein Stück ..., reines Gold« (Ex. 25.36).

Dieses Entfaltungsschema gilt nicht nur für das Universum, sondern für jedes Geschöpf, jedes Sonnensystem, jedes Atom, jeden Kristall und jedes Sandkorn. Alle Erscheinungen, alles Geschaffene ist ein Gestaltwerdung Gottes.

Wie alle Dinge und Geschöpfe nichts als Abwandlungen geistiger Urbilder, das heißt höherer geistiger Wesenheiten bilden, so erkennen wir, daß innerhalb der Myriaden Formen und Gestalten des Lebens eine Hierarchie von Urbildern herrscht, die allesamt in einem höchsten Urbild ihren gemeinsamen Ursprung haben. Diese höchste Urgestalt allen Seins ist Gott selbst in seiner personifizierten Form als Schöpfer des Universums. Da dieser Schöpfergott, der seine Gestalt willkürlich aus seiner ungeschaffenen Lichtaura bilden und auflösen kann, unter welchem Aspekt er auch in Erscheinung tritt, stets menschliche Gestalt annimmt, wird er auch Adam Kadmon oder der kosmische Urmensch genannt. All die im Indischen oder Ägyptischen bekannten Götter – alle Verkörperungen verschiedener Aspekte des Einen unpersönlichen Gottes oder absoluten Bewußtseins – sind verschiedene individuelle Verkörperungen jenes einen Urbildes.

Die menschliche Gestalt und die Gestalt des Baumes, die nur zwei verschiedene Metamorphosen eines Urwesens sind, bilden die Urbilder aller lebendigen, geschaffenen und ungeschaffenen Wesen. Von den Göttern über die Erzengel, Himmlischen Heerscharen und Engel, die Dämonen, Genien, Menschen, Naturgeister bis hinab zu den primitivsten Formen des Lebens und der Materie besteht alles nach dem Urbild der menschlichen Gestalt und des Baumes.

Meister Eckehart faßte dies in folgende Worte: »In Gott sind aller

Dinge Urbilder gleich, und doch sind sie ungleicher Dinge Ur-Bilder! Der höchste Engel, die Seele, die Mücke haben alle ein gleiches Urbild in Gott ... und sind (da) Gott selbst.«

1.1 Exkurs: Adam Kadmon und der Himmlische Thronwagen – Bild und Urbild der Schöpfung

»Ich schaute, und siehe, ein Sturmwind kam von Norden
und eine großgroße Wolke,
rings von Lichtglanz umgeben, und loderndes Feuer,
und aus seinem Innern, aus der Mitte des Feuers,
leuchtete es hervor wie Glanzerz.

Mitten aus ihm heraus wurde etwas sichtbar,
das vier lebenden Wesen glich.

Inmitten der Lebewesen sah es aus wie feurige Kohlenglut,
wie wenn Fackeln zwischen den Wesen
hin- und her gehen...

Und über den Häuptern der Wesen war eine Art Feste,
leuchtend wie Kristall,
ausgespannt über ihren Häuptern.

Oberhalb der Feste, die über ihren Häuptern war,
da war etwas, das ... einem Throne glich,
und auf diesem thronartigen Gebilde
war oben eine Erscheinung,
die das Aussehen eines Menschen hatte.
Und ich sah es funkeln wie ... Feuer,
das ringsum eingeschlossen ist.

Wie die Erscheinung des Bogens,
der in den Wolken steht, am Tage des Regens,
so war die Erscheinung des Lichtglanzes ringsum.
So sah das Schaubild
der Herrlichkeit JHWH's aus.«

Ezechiel 1.4-28

Tatsächlich ist Gott jenseits und vor der Schöpfung bar jeder Form und Erscheinung, hat Er – versenkt in Sein eigenes zeitloses Sein – weder Gestalt noch Namen. Beginnt Er sich zu offenbaren, so erscheint Er als Licht und Klang; wählt Er eine Gestalt, so ist es die des Menschen. Anders ausgedrückt: Seine erste Gestaltwerdung ist die in der Bildgestalt des Menschen. Sie ist das Urbild aller erschaffenen geistigen Wesen: Götter, Mächte, Engel, Menschen, sie alle erschuf Er nach Seinem Bild. Die erste und höchste Manifestation Gottes, Seine erste Urgestalt, ist das geistige Urbild des Menschen. Wir kennen sie in Ägypten als Erscheinungsform Ra's und Osiris', in Indien als die Gestalt des tanzenden Shiva.

Immer ist es die Gestalt des Menschen, des kosmisch-geistigen, sirianischen oder himmlischen Urmenschen, Adam Kadmons, die Gott wählt, um sich zu offenbaren. Sie entspricht dem himmlischen Menschen am Thron des himmlischen Wagens in den Visionen Jesajahs, Ezechiels und Johannes'.

Seine Gestalt besteht aus vier gewaltigen flammenden Wesen: sie sind die Buchstaben seines großen Heiligen Namens JHWH (sprich Jod – Heh – Waw – Heh):

Abb. 7

Sein Thron und Sein Wagen bilden Seinen Sitz in der geistigen, seelischen und physischen Welt. Demnach besteht auch das Universum, als Leib Adam Kadmons, nach dem Urbild der mystischen Gestalt Gottes.

Bilden Licht, Ton und Wort die gestaltlose Offenbarung, so sind Universum und Mensch die gestaltgewordene Offenbarung Gottes. Licht und Ton heißen deshalb auch der mystische oder gestaltlose Leib Gottes.

Auf diesem Zusammenhang beruht auch das Verständnis des klanglichen Aufbaues des Gedanken-(Mental-)leibes des Menschen sowie der Lichtgestalt seines Wesens, wie wir sie in späteren Kapiteln untersuchen wollen. Darin liegt auch der Sinn der biblischen Worte:

»Und die Seele (Neschamah) des Menschen ist Licht von JHWH.«

Mit einem Wort: der Himmlische Wagen in der Schau des Ezechiel ist eine Vision der Schöpfung, die Gott – in Gestalt des Himmlischen Menschen – lenkt und regiert.

Dazu lesen wir im Sohar:

»... Alle Lebewesen« – das sind die heiligen Tierwesen – »sind in den Zeichen des heiligen Namens (JHWH) genannt.« Und hiervon ist geschrieben: »Alles, was mit Meinem Namen genannt ist und Meiner Ehre, Ich habe es geschaffen, gebildet und auch gewirkt« (Jesaiah 43,7). Und auch alle Geschöpfe, die durch jene geschaffen worden sind. Es gibt kein Geschöpf, das nicht mit jenem Namen gezeichnet wäre, um Kunde zu geben von dem, der es erschaffen hat. Und so ist das Jod (י) Urbild des Hauptes aller Geschöpfe, das Heh (ה) des rechten und linken Armes mit ihren fünf Fingern (η [ה] = 5); das Waw (ו) Urbild des Rumpfes (samt Herz und Geschlecht; η [ו] = 6).
Deshalb sprach Er: »Und wem wollt ihr Mich vergleichen, daß Ich gleich sei, so spricht der Heilige« (Jesajah 40,25). Es gibt kein Geschöpf, das Mir vergleichbar wäre, selbst jene nicht, welche Ich im Bilde Meiner Lautzeichen erschuf. Denn Ich vermag es, diese Form wieder zu tilgen, oder, so oft Ich will, sie wieder zu erzeugen. Aber es ist kein anderer Gott über Mir, der Meine Form zu tilgen vermöchte. Darum: »Nicht wie unsere Form...« (5. Moses

32,31). So aber ein Mensch die Frage stellt nach dem Satz: »Denn ihr habet keinerlei Gestalt gesehen« (5. Moses 4,15), so wird ihm entgegengehalten, daß wir diese eine Form doch gesehen haben, da es ja heißt: »Und die Bildform JHWHs wird er erblicken« (4. Moses 12,8), nicht aber eine andere Bildform, eines Geschöpfes, das Er in den Lautzeichen des Menschen geformt hätte. Und darum heißt es: »Und wem wollt ihr Mich vergleichen, daß Ich ihm gleich sei?« Und ferner: »Und wem wollt ihr Gott vergleichen, und welche Gestalt Ihm beimessen?« (Jesaia 40,18). Denn auch jene Gestalt ist Ihm nicht an Seiner Stätte eigen, sondern erst, wenn Er herabsteigt zur Herrschaft über die Welt und über die Wesen sich breitet: Dann erscheint Er jedem Wesen nach dessen Bilde- und Vorstellkraft, und darum heißt es: »Und durch die Propheten wurde Ich bildhaft vorgestellt« (Hosea 12,11). Und darum spricht Er: Obwohl Ich euch in eurem Urbild gleiche, »wem wollt ihr Mich vergleichen, daß Ich gleich sei?« (Jesaia 40,25). Ehe nämlich der Allheilige Abbild und Form in der Welt erschaffen, war Er allein, ohne Form und Gleichnis, und wer Ihm erkennend genaht wäre in bezug auf den Zustand vor der Schöpfung, nicht dürfte er Ihm Form und Bild in der Welt geben, nicht im Zeichen des He und nicht im Zeichen des Jod, ja auch nicht im heiligen Namen wie in keinem Konsonant- und Vokalzeichen der Welt. Davon ist gesagt: »Denn ihr habet keinerlei Gestalt gesehen von irgendeinem Ding, das Gestalt hat, und keinerlei Ähnliches habt ihr gesehen.« Nachdem Er aber jenes Bild des Wagens erschaffen hatte, darin der obere Mensch herabsteigt, wird Er in dieser Bildform JHWH geheißen, »... daß man Ihn kennenlerne in Seinen Eigenschaften (oder Emanationen ›Sefirot‹) und dann nach jeder einzelnen Ihn benenne.« Sohar

... und so kam der Baum des Lebens zu seiner Entfaltung.

1.2 Der Sefirot-Baum als Schlüssel zum Aufbau der Welt

Der Baum des Lebens ist aus zehn Kreisen und zweiundzwanzig sie verbindenden Pfaden aufgebaut. Die zehn Kreise, die entsprechend ihrer Rangordnung mit den Zahlen eins bis zehn belegt sind, werden Sefirot (von *Sefira* = die Ziffer) genannt. Sie verkörpern die zehn Urgewalten Gottes, die zehn Kräfte, Aspekte oder Arten, in denen sich der Ewige im All und in allem, in Schöpfung und Geschöpf manifestiert.

Diese zehn Kreise gliedern sich in eine Dreiheit (die drei oberen Sefirot Kether, Chokhmah und Binah) und eine Siebenzahl, die beide universelle Bedeutung haben. Wir finden sie in der Dreieinheit des Schöpfers und den sieben Sphären der Schöpfung, dem Siebentagewerk des Herrn. Wir finden sie im Dreiklang der Musik und den sieben Tönen der Oktave; in der Dreieinheit des Lichtes (Licht, Schatten und Farbe) und den sieben Farben des Regenbogens. Und wir finden sie als Grundrhythmus unseres Lebens und als Archetypen unserer Seele.

Während die zehn Kreise oder Sefirot die zehn Urkräfte allen Seins und Lebens darstellen, verkörpern die zweiundzwanzig Verbindungen die geistigen Prinzipien, die sie verbinden. Im Hebräischen werden sie als »Zinnoroth« bezeichnet. Bezogen auf unser Menschsein spiegeln sie aber auch die verschiedenen Durchgänge und Passagen, die verschiedenen inneren Erfahrungen der menschlichen Seele auf ihrem Weg. Diese zweiundzwanzig Pfade sind im Baum mit den zweiundzwanzig Buchstaben des hebräischen Alefbets und den zweiundzwanzig Karten der »Großen Arcana« des Tarot verknüpft.

Beide – sowohl Buchstaben als auch Tarot – enthalten einen reichen Bilderschlüssel zu jenen Erfahrungen in unserem Leben.

Im Baum spiegeln sich Makro- und Mikrokosmos (Universum und Mensch) in gleicher Weise. Er ist Bild »des gestirnten Himmels über uns sowie der ewigen Gesetze in uns« (Kant). Die Kabbala erkennt in seiner Struktur sowohl den inneren Aufbau des Kosmos wie auch des Menschen. So ist er gleichermaßen Orientierungsbild und Landkarte der Seele sowie Wegweiser für unsere Suche nach dem höchsten Ziel.

2. Das Gesetz von Polarität und Integration

Die Kabbala sieht alles Geschehen und Leben – im Großen wie im Kleinen – als (Wechsel-)Spiel widerstreitender, im Wesen jedoch einander ergänzender Kräfte. Alles Leben und alle Bewegung beruhen – obwohl aus der Einheit geboren – auf Gegensätzlichkeiten und Polarität.

So ist es auch in der Seele, daß die gegensätzlichsten Impulse und Kräfte in ihr walten, sich ihrer bemächtigen und unser Leben bestimmen möchten. Oft finden wir uns geradezu zerrissen zwischen unseren Bedürfnissen und Pflichten, unseren Sehnsüchten, Wünschen und Ängsten, unseren Intentionen, Hoffnungen und Zweifeln.

Im Baum findet dieses Grundgesetz in Gestalt der sogenannten zwei äußeren Säulen oder Pfeiler seinen Ausdruck. Sie sind gleichsam die Verkörperung jeglicher Form von Gegensätzlichkeit, wie sie uns in der Welt und im Leben begegnet. Sie verkörpern die äußeren Formen und Kräfte, aus denen das Universum und seine Geschöpfe aufgebaut sind (Abbildung 8).

Zwischen diesen beiden Säulen spannt sich – in einem Zuge Wurzel und Krone verbindend – die Säule des absteigenden Lichtes, des Bewußtseins und des Gleichgewichtes. Sie ist es, die der Schöpfung Seele, Leben und Sinn verleiht. Sie ist gleichsam der Lebensnerv des Baumes, seine zentrale Ader. Ohne sie wäre die Schöpfung leblos und blind.

Die zentrale Achse zeigt die Richtung alles Strebens und aller Evolution. Sie eint die Gegensätze, indem sie sie sammelt und allesamt auf den einen Ursprung und das eine Ziel (= Kether) ausrichtet. Hier, indem wir – zwischen den Gegensätzen pendelnd – uns immer wieder nach dieser Achse ausrichten und die Pole schrittweise verbinden, finden wir Sinn, Weg und Mitte unseres Daseins. Nur indem wir von oben (Kether = Gott) *empfangen* und nach unten (Malkhut – Welt) *geben*, wirken und mitteilen, steigen wir auf.

Erkennen und Integration (Jichud, die Einung) von Gegensätzen

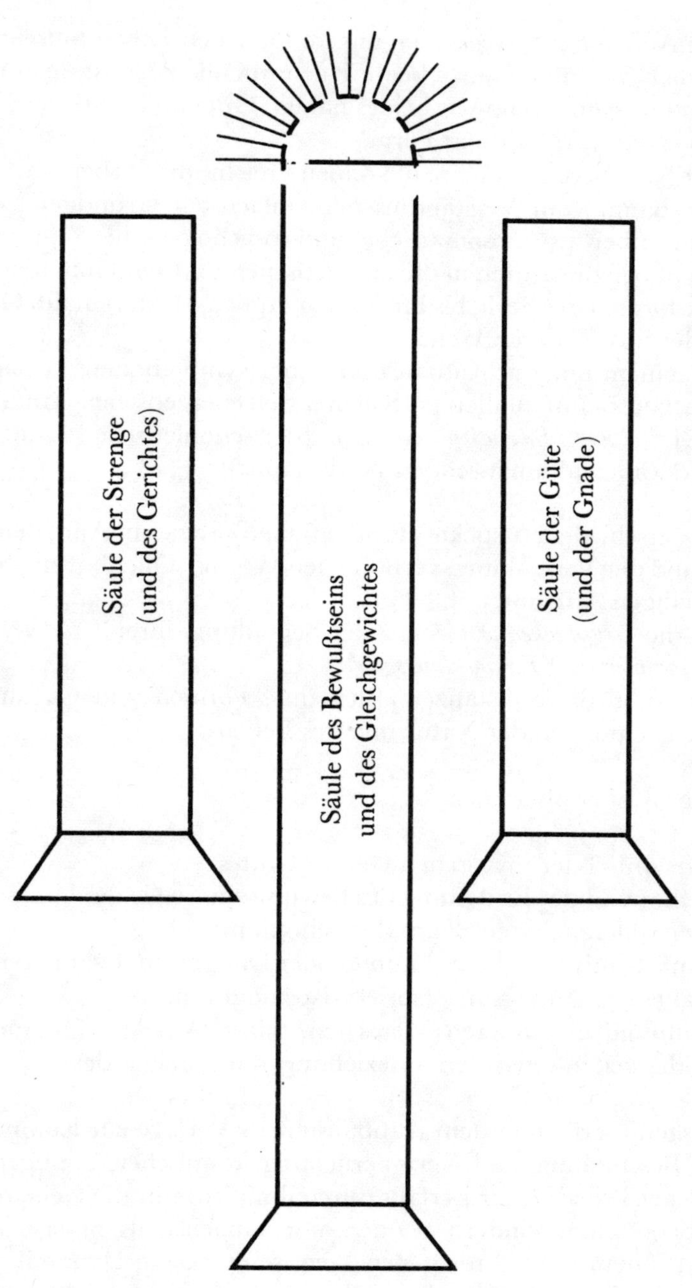
Säule der Strenge
(und des Gerichtes)
Säule des Bewußtseins
und des Gleichgewichtes
Säule der Güte
(und der Gnade)

Abb. 8

ist die Aufgabe des Weges, die uns im täglichen Leben tausendfach begegnet. Wie alles Ganze beide Pole umschließt, so ist auch unser Leben nur ganz, wenn wir beides haben: Güte und Festigkeit, Herz und Verstand, Inhalt und Form.

Wie wir bereits erkennen können, reicht die Arbeit mit dem Lebensbaum vom Verständnis der einfachsten Grundgesetze des Daseins über psychosomatische und psychologische Zusammenhänge, über Einsichten in die energetischen und symbolhaften Ausdrucksformen der Seele bis hin zu den großen Mysterien des Geistes und der unsichtbaren Welt.

In seinem inneren Aufbau und seiner symbolhaften Aussage ist der Lebensbaum zuallererst Schema der energetischen Entfaltung oder *Aufrollung (Involution) des Logos* (der schöpferischen Kraft Gottes, des Einen allumfassenden Bewußtseins)

1. in verschiedene Aspekte (Emanationen) Seines in Ajin, dem Zustand der Versenkung, verborgenen Wesens (Offenbarung Seiner Heiligen Attribute)
2. in die *Urgedanken und -kräfte* der Schöpfung, ihrer *Urbilder*, ihrer *Prinzipien* und *Entwicklungsgesetze*
3. ferner in die Substanzen, Elemente, Formen und Organe der Erscheinungen der Natur und des Lebens.

Damit ist er aber auch

a) Ursymbol der mystischen Gestalt Gottes
b) Schaubild der Entfaltung des Bewußtseins sowie des Urwortes in den differenzierten Baum der Schöpfung
c) umfassende Glyphe, Schaubild oder Diagramm des inneren Aufbaues des Universums (sprich: Kosmogramm).
d) Sinnbild des inneren Menschen, seiner Aspekte, Organe und Fähigkeiten sowie deren Beziehungen untereinander.

Insgesamt dient er dem Kabbalisten als Vorlage zur Kontemplation, Beschauung und Verinnerlichung kosmischer, geistiger und seelischer Prinzipien. Er erfaßt durch ihn nicht nur die Geheimnisse der Schöpfung, sondern benutzt ihn zunächst als Spiegel seiner selbst, indem er seinen eigenen Weg, seine eigene Dynamik, seine eigene Verfassung – Gleichgewicht oder Ungleichgewicht – in ihm wahrnimmt und erkennt, wo und in welcher Weise er an sich zu arbeiten hat, worauf er seine Achtsamkeit und Liebe lenken möge.

Verstehen wir die Bedeutung der zehn Aspekte und ihrer Querverbindungen zu ent*ziffern*, so haben wir mit ihm ein Werkzeug zur Hand, das uns ermöglicht, die tiefsten Geheimnisse und Rätsel der Schöpfung und der menschlichen Seele zu erschließen. Er lehrt uns das Zusammen- und Widerspiel der Kräfte sowohl in der Natur als auch in uns und macht uns verständlich, wann sie in Einklang und wann im Widerspruch sind. Solcherweise benutzt, wird er zur Landkarte und zum Orientierungsbild auf dem Weg zu uns selbst, aber auch zum unerschöpflichen Quell immer wieder neuer lebendiger Erkenntnisse um die Gesetze des Daseins.

Um solch einen lebendigen Zugang zum Baum zu gewinnen, ist es jedoch erst einmal nötig, mit seinen zehn Sefirot beziehungsweise den durch sie dargestellten Energien vertraut zu werden. Es handelt sich um ein Vertrautwerden, das nicht nur im Schauen nach draußen geschieht, sondern in der Erfahrung unserer selbst. Wir müssen sie also *in* uns kennenlernen, selbst zum Baum werden.

Hierfür bedient sich die Kabbala verschiedener Mittel, wie zum Beispiel der Sprache der Farben, einfacher Formen und Symbole, aber auch verschiedener Archetypen und Urbilder der Seele. Wir erfahren, welcher Teil in uns rot und welcher blau schwingt, welche Seiten in uns eckig und welche rund erscheinen, in welcher Verfassung wir Held und in welcher wir Liebhaber sind.

All dies sind Mittel, die uns unmittelbar in der Seele berühren und dadurch Zugänge zu jenen Dimensionen in uns verschaffen. Die praktische Benützung des Baumes in der Arbeit an uns selbst ist irreal, solange wir diesen persönlichen Zugang zu seinen Aspekten nicht haben. Es entspräche dem Wunsch, ein Horoskop zu lesen oder Musik zu spielen, ohne mit den energetischen Qualitäten der Planeten oder der Erzeugung von Tönen vertraut zu sein. Wie wir bereits sehen können, sind Studium und Weg der Kabbala unmittelbar mit Selbsterkenntnis verbunden. Sie fordert uns als ganze Menschen. Und der ganze Mensch ist ja ihr Ziel, nicht nur halbes, unentschiedenes Dasein.

Der Baum ist aber nicht nur Schlüssel zum Verständnis unserer Persönlichkeit, sondern auch zum Ursprung allen – auch des überpersönlichen – Lebens.

Da die zehn Kreise des Baumes bis an die Wurzeln des Schöpfers, bis in den Quell des Lebens selbst reichen, sind sie auch Repräsentanten der zehn Attribute Gottes. Der Kabbalist verbindet sich mit ihnen durch Meditation, Gebet und Anrufung, was – wie bereits erwähnt – durch die tonlose oder gesungene Wiederholung ihrer heiligen Namen oder der zehn Namen Gottes geschieht: wiederum eine Technik, die wir aus dem Osten kennen und die dort Mantrik heißt.

Überhaupt versetzt es in Staunen, wie wir all die Weisheiten und Praktiken, die so viele von uns im fernen Osten suchen, in dem alten Gebäude der Kabbala wiederfinden, jedoch in einem Gewand, das uns in Form und Sprache, Symbolik, Geschichte und Wesensart so viel näher liegt als jenes östliche Gut. Eine Lehre, die, aus unserem eigenen Raum geboren, wieder zu uns zurückkehrt und uns als Ganzes ergreifen will. Nehmen wir ihre Herausforderung an und lassen uns von ihrem Lebensgeist im Herzen treffen, so werden uns Abenteuer und Faszination des Lebens nicht mehr verlassen.

Der Ansatz der Kabbala ist durch und durch ganzheitlich. Er umfaßt Persönlichkeit, praktisches Leben und den Zugang zum Höchsten. Desgleichen umfaßt auch ihr Weg viele Ansätze. Sie reichen von diversen Formen der Meditation und des Gebetes über Visualisierung und geführte Phantasie bis hin zu einfachen Übungen des Leibes.

Ein wesentlicher Teil des kabbalistischen Einweihungsweges ist die Übertragung eines lebendigen Impulses geistigen Lebens, durch den der Lehrer dem Suchenden eine Erfahrung des inneren Lichtes und des geistigen Quells des inneren Lebens vermittelt. Diese Initiation kann jedoch nur durch denjenigen erfolgen, der dieses Licht in sich entfaltet hat, und von dem empfangen werden, der innerlich dazu bereit ist. Die Arbeit umfaßt somit die Hinführung zur leibhaften Erfahrung Gottes, die Anleitung zu einer ganzheitlichen – auf der Kenntnis der kosmisch-geistigen Gesetze gründenden – Lebenshaltung sowie die von Liebe und Verständnis getragene Begleitung in persönlicher Klärung, innerer Reinigung (Katharsis) und Selbsterlösung. Ihr Angebot ist ein Weg der Ganzwerdung, Verwandlung und Verwirklichung. Führung und Anleitung des Schülers der Kabbala erfolgen hierbei nicht nach einem starren System, sondern beginnen stets da, wo der Betreffende steht. Die Lehre dient dem Menschen, nicht umgekehrt.

IV. Die Entfaltung des Baumes aus seiner Wurzel

1. Der Sefirot-Baum als Aufrollung des Logos

> Der Himmel ist durch das Wort
> des Herrn gemacht
> und all Sein Heer durch den
> Geist Seines Mundes…,
> denn so Er spricht, so geschieht's,
> so Er's gebäut, so steht's da.
>
> Psalm 33.6-9

Allgemein formuliert ist der Sefirot-Baum das Symbol und Sinnbild der Aufrollung des Logos, der schöpferischen Urkraft Gottes sowie der Ausgießung Seines Lichtes und Lebens in die Welt. Bildet die Kraft des Wortes oder des Logos (Band 1) jene Urkraft, die die Schöpfung hervorbringt, so verkörpert der Lebensbaum dagegen das Diagramm, nach dem die Kraft des Logos als schöpferischer Urimpuls in der Schöpfung oder besser noch: als Schöpfung, als kosmische Symphonie, als Großes Drama des Lebens zur Entfaltung kommt. Aus der Tiefe Seines verborgenen Wesens aufsteigend entfaltet er sich in zehn Urkräften (Urzahlen, Logoi oder Sefirot) und zweiundzwanzig Prinzipien (Buchstaben), die sämtliche Sphären der Schöpfung konstituieren, alle Bewegung und Entwicklung, ja alles Sein und Leben im Universum hervorbringen und regieren. Sie bilden den Baum der Welt (Kosmogramm), und die Sefirot sind seine verschiedenen Kräfte, Aspekte oder Facetten.

So ist der kabbalistische Baum der Sefirot das sichtbare Symbol der Worte Johannis' und des Mose: »Im Anfang war das Wort. Und das Wort war bei Gott, und Gott war das Wort. Alles ist durch es geworden, und ohne es ist nichts geworden, was geworden ist. In ihm ist das Leben, und das Leben ist das Licht des Menschen.«

Der Logos ist die Kraft Gottes, durch die Er die im Grunde Seines Wesens liegende unmanifestierte Fülle des Lebens und die Potenz von Qualitäten, Erscheinungen, Dingen und Wesen zur Existenz ruft. Alle möglichen Erscheinungen des geistigen und des materiellen Lebens werden von Gott kraft Seines Logos hervorgerufen oder aufgelöst. In Ihm liegt der Same aller kommenden Geschöpfe, Schöpfungen und Welten. Selbst das Licht des Anfanges, das die Ursubstanz der Schöpfung bildet, kam durch Ihn zum Sein.

»Und Gott sprach (das Wort):
Es werde Licht. Und es ward Licht.«

Durch Sein Wort wurde das Licht, das als unmanifeste Möglichkeit von jeher – anfanglos – in Ihm verborgen lag, offenbar. Es begann aus Seinem Urgrund hervorzuquellen. Mit ihm begannen Raum und Zeit sich auszudehnen. Der Baum der Schöpfung beginnt, sich zu entfalten.

Wurzelnd im Urgrund göttlichen Seins wächst der Sefirot-Baum aus der Ewigkeit. Er ist die Entfaltung des Saatkornes Seines Heiligen Willens, Seiner schöpferischen Kraft. Sein Same war das Wort, und die in ihm wirkende Kraft ist das Leben, und das Leben ist der Träger des Lichtes unseres Bewußtseins.

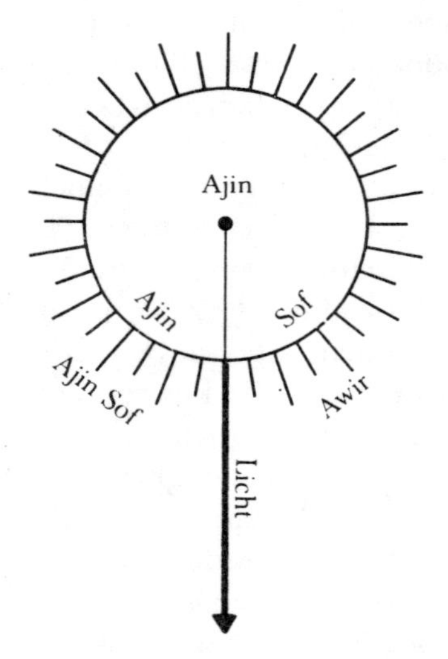

Abb. 9

Der Logos (das Wort) ist die gebärende Kraft, Licht die erste Offenbarung, Kether, gleich einer geistigen Ursonne, seine erste Manifestation. Die Weise, wie der Logos die ersten Schwingungen im bewegungslosen Ozean Seines unendlichen, anfangslosen Bewußtseins hervorbringt, wie Er das erste Licht, den ersten Ton in die schweigende Urnacht Seiner unermeßlichen Seligkeit entläßt, wird von der Kabbala durch die Theorie der Selbstbeschränkung Gottes zum Ausdruck gebracht. Sie mündet in der Manifestation Gottes als

Licht, Ton und Zahl, als Emanation Seines Wesens in Raum und Zeit und mystischer Gestalt. Die Ausdehnung Seines mystischen Leibes (aus Licht und Ton) ist die Urgestalt des Kosmos. In diesem schöpferischen Akt der Selbsteinschränkung und -offenbarung Gottes gründet auch die enge Verknüpfung zwischen Sefirot und Heiligen Namen sowie zwischen Licht, Ton, Zahl und Wort, die im Sefirot-Baum ihren symbolischen Zusammenhang findet.

Das eine erste Jubel- und Urwort, mit dem jedes Geschöpf, jeder Engel, jedes Geistwesen und alles Geschaffene Seinen Schoß verläßt, um in den sich ausdehnenden Licht-Kosmos einzutauchen, jenes *Ehjeh* (EHJH) oder *Ich Bin*, das als ekstatischer Ausruf und Wille zum Sein (Ausdruck der Selbstoffenbarung Gottes) Raum und Zeit von einem Ende der Welt bis zum anderen durchtönt, differenziert sich nun in all jene Aspekte des Seins, die in den Sefirot zusammengefaßt und in den Gottesnamen ihren klanglich-lautlichen Niederschlag finden. Sie sind Anfang und Wurzeln alles Bestehenden. In ihnen wie in allem Geschaffenen ruft Gott sich selbst aus.

Ähnlich wie im Shaivismus und den Puranas beschreibt auch der Sohar den Beginn der Schöpfung wie das allmähliche Anheben eines Lautes (oder Liedes) in der Stille. Aus der Wurzel des höchsten Urpunktes (Nekudah Reschunah = Bindu), verborgen in der Tiefe der Nacht, hebt er an! Und ist das erste Aufflackern des ekstatischen Rufes des *Ich Bin*, des aus der Seligkeit namen-, gestalt- und anfanglosen Seins auftauchenden Bewußtseins. Das ist der Urimpuls aller Schöpfung. Wie wenn das gestaltlose, jenseits aller Bewegung schwingende Wesen anhebt, sich zu bewegen und im Ozean Seines Bewußtseins die ersten Strömungen und Wogen hervorzurufen, so ist der Anfang allen Seins.

Er, der ewig Gestaltlose, erhebt sich aus der Versenkung Seiner Meditation und ruft den ersten Freudenschrei: Das ist der Urlaut, jene Bewegung und jener Gedanke, der als das Urlicht der Schöpfung die schweigende Nacht durchbricht.

In jenem ersten Gedanken konzentriert Er all Sein Wesen, in Seinem Ausruf enthüllt, manifestiert, offenbart und entfesselt Er Natur und Kraft und Leben Seiner zuvor unmanifestierten, unausgesprochenen Potenz. Indem Er Sein Wesen, das frei aller Begrenzung, ohne Anfang und ewig unerschöpfliches Sein ist, in einen Gedanken gießt, in ein Wort zusammenfaßt, wird Er, der ewig Formlose – in sich selber – offenbar. Er tut sich in Gestalt von Licht,

Farbe, Form und Bewegung in Seinem uferlosen, schweigenden Sein kund, beschränkt darin jedoch Sein zeitloses Wesen in die begrenzte Form von Raum und Zeit und die Vielfalt von Individuen.

Schöpfung ist somit wie jede Offenbarung des reinen, absoluten Geistes (oder Bewußtseins) ein Akt der Selbsteinschränkung oder Selbstbegrenzung. Wie immer wir es fassen, ob als Verschleierung oder Trübung, als Zusammenziehung oder Kondensation, immer ist es eine Projektion des absoluten, zeitlosen, ursachlosen Seins in den relativen Rahmen von Raum, Zeit und Form, von Kausalität und individueller Erscheinung. Alles Geschaffene ist individuelle Erscheinung des Absoluten in den Bedingungen von Raum, Zeit und Kausalität.

2. Zimzum: Die Selbsteinschränkung Gottes

> Alles Sein gründet auf Opfer:
> Schöpfung, Erlösung und auch
> die Vollendung.

Hervorgegangen aus dem einen Logos oder schöpferischen Urwort Gottes, das ihr gemeinsamer Ursprung ist, sind die Sefirot (Zahlen) und Othiot (Buchstaben), die Aspekte Seiner Entfaltung in Raum und Zeit. Die Kabbala, die den Ursprung der Schöpfung als Akt der Zusammenziehung Seines absoluten Bewußtseins oder unmanifestierten Lichtes, also der Einschränkung Seines uneingeschränkten Willens in die Form von Gedanken und Worten sieht, beschreibt die Geburt der Sefirot als einen Akt fortschreitender Verdichtung oder Trübung. Demnach gingen die Sefirot Schritt um Schritt in einer Reihe, eine aus der anderen, durch sukzessive Einschränkung, Bindung oder Verdichtung der unendlichen Gnadenfülle Seines Wesens und Bewußtseins hervor. Dadurch erst treten sämtliche Stufen der Schöpfung und des Lebens in Erscheinung.

Ohne diese Selbsteinschränkung Gottes wäre weder Seine Manifestation im Endlichen noch die Existenz endlicher begrenzter Geschöpfe möglich. Erst dadurch, daß Gott Sein unendliches Sein begrenzt, Sein Bewußtsein oder Licht verschleiert, Seine in allem Endlichen unfaßbar bleibende Vollkommenheit wie ein geschickter Regisseur hinter dem Schleier der Kulissen dieser Welt verbirgt, schafft Er Raum und Möglichkeit für die Existenz und Entwicklung individuellen Lebens.

Würde Er Sein Licht nicht verschleiern, so könnten weder Universum noch Geschöpfe bestehen, sondern würden sie unmittelbar von seiner überströmenden Fülle, sprich Gnade und Seligkeit, absorbiert und aufgesogen werden. Nur indem Gott Seine Fülle verbirgt, sich »klein macht«, sich in den Herzen Seiner Geschöpfe versteckt und ihnen damit Sein Licht und Seinen Willen einpflanzt, verleiht Er ihnen zum einen jene Eigenständigkeit und jenen freien Willen, durch die Er sie zu Ihm ebenbürtigen Partnern macht. Zum anderen ruft Er durch Sein stilles, aber unablässiges Rufen in ihrem eigenen Innern jenes Sehnen, Suchen und Streben nach Vollkommenheit und Erfüllung hervor, das die treibende Kraft alles menschlichen Strebens, Trachtens und Tuns ist und das sich erst stillt, wenn der Mensch in Seinen Schoß zurückgefunden hat.

Diese Zusammenziehung oder Verschleierung Seines ewigen und unbegrenzten Wesens in die begrenzten Formen von Schöpfung und Geschöpf unter den Bedingungen von Raum und Zeit nennt die Kabbala »Zimzum«. Zimzum bezeichnet jenen mystischen Akt Gottes, in dem Er Sein absolutes, rein geistiges – jenseits aller Farbe und Form, jenseits jedes Namens oder Gedankens als ewig unergründliches Schweigen verborgenes Wesen – zu jenem Urimpuls (Urwort oder -gedanken) verdichtet, der als Logos zur gebärenden Urkraft (oder Matrika-Shakti) wird, aus der alle Formen und Gestalten, alle Namen und Erscheinungen hervorkommen, die wir zusammenfassend den kosmischen Gedanken unserer Schöpfung nennen (Abbildung 10).

Die erste faßbare Erscheinung allen Seins ist jene allbewegende Kraft Gottes, die wir, je nach Betrachtung, als Wort, Licht, Laut oder Schwingung bezeichnen. Sie bildet die erste Emanation oder Ausstrahlung Gottes und entspricht unserer ersten und obersten Sefira, unserer ersten metaphysischen Urzahl, jenseits der alles und nichts umfassenden Null. »Zimzum« bildet den Anfang aller Anfänge, die Verwandlung der reinen Potenz absoluten, unmanifestierten, göttlichen Seins in Bewegung, Klang, Licht und Leben (siehe Band 1, Zahlen Null und Eins).

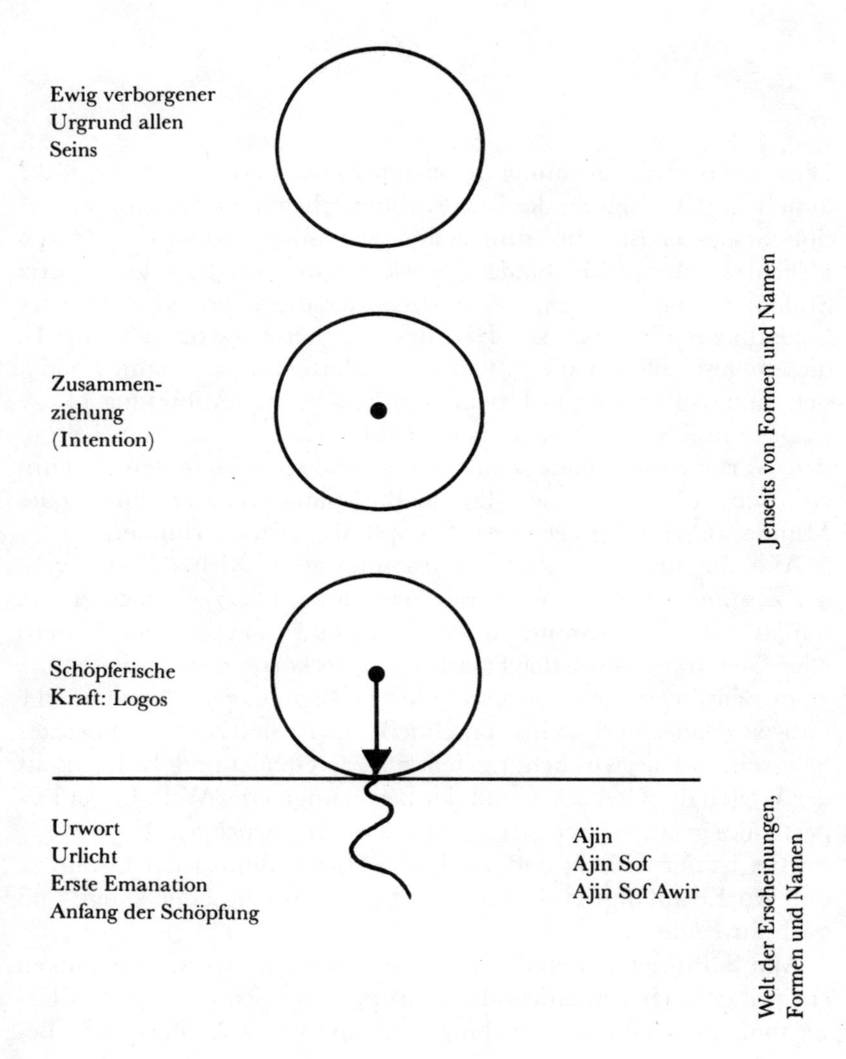

Abb. 10: Die drei Zahzahot (Die drei »verborgenen Lichte«)

3. Die drei Stufen des Logos

Diese anfängliche Formung des ersten Impulses der Schöpfung, die anhebende Betätigung des Logos, von der beginnenden Konzentration Seines Geistes bis zum ersten Schöpfungswort in Form des Urlichtes, (die die Kabbala *Zimzum* nennt,) gliedert sich in drei Stufen. Sie heißen *Ajin*, das Nichts oder die Leere, *Ajin Sof*, das Unendliche, und *Ajin Sof Awir*, der Uräther oder das Urlicht. In diesem geschaffenen Licht, von den Indern *Akasha* genannt, bildet sich die Ursubstanz, das Urfeuer der Schöpfung (Abbildung 11).

Diese drei Stufen beschreiben jenes Geschehen, das die Schrift in den Worten: »Er öffnete seinen Mund und sprach« andeutet. Zimzum versinnbildlicht jenen Akt, der die Spanne von der Öffnung des Mundes bis zum Sprechen des Schöpfungswortes verbindet.

Ajin umschreibt den Zustand absoluter Stille: Nichts, Leere. Es ist der Zustand vor und jenseits der Schöpfung. Die Yogis nennen ihn Sunjata, Buddha nannte ihn Nirvana. Es ist der Zustand jenseits aller Gedanken und jeder Polarität. Er verkörpert – wie die Null – jenes Schweigen, jene Absenz aller Bewegung, jene Freiheit, die unbewegt alles und nichts umschließt. Es ist der Zustand höchster Seligkeit und Verwirklichung, jenseits von Geburt und Tod, jenseits der Wogen der Gedanken und der Bewegungen der Welt. Es verkörpert jenes geladene Schweigen, aus dem sie entspringt.

Hier ist der Anfang und das Ende. Hier beginnt jeder Gedanke, und wo Er anfängt zu denken, da ist der Anfang aller Dinge und auch ihr Ende.

Ajin Sof ist jene unendliche Ausdehnung, aus der alle Gedanken entspringen. Hier nehmen alle Prinzipien der Schöpfung ihren Ursprung. Ihr wohnen sämtliche Kategorien von Zeit, Form und Bewegung inne.

Ajin bezeichnet den Zustand vollkommener Stille. Ajin ist das Schweigen, die Leere oder das Nicht-Sein. Es ist der anfängliche Zustand reiner Potenz, in der alle mögliche Schöpfung unerschaffen

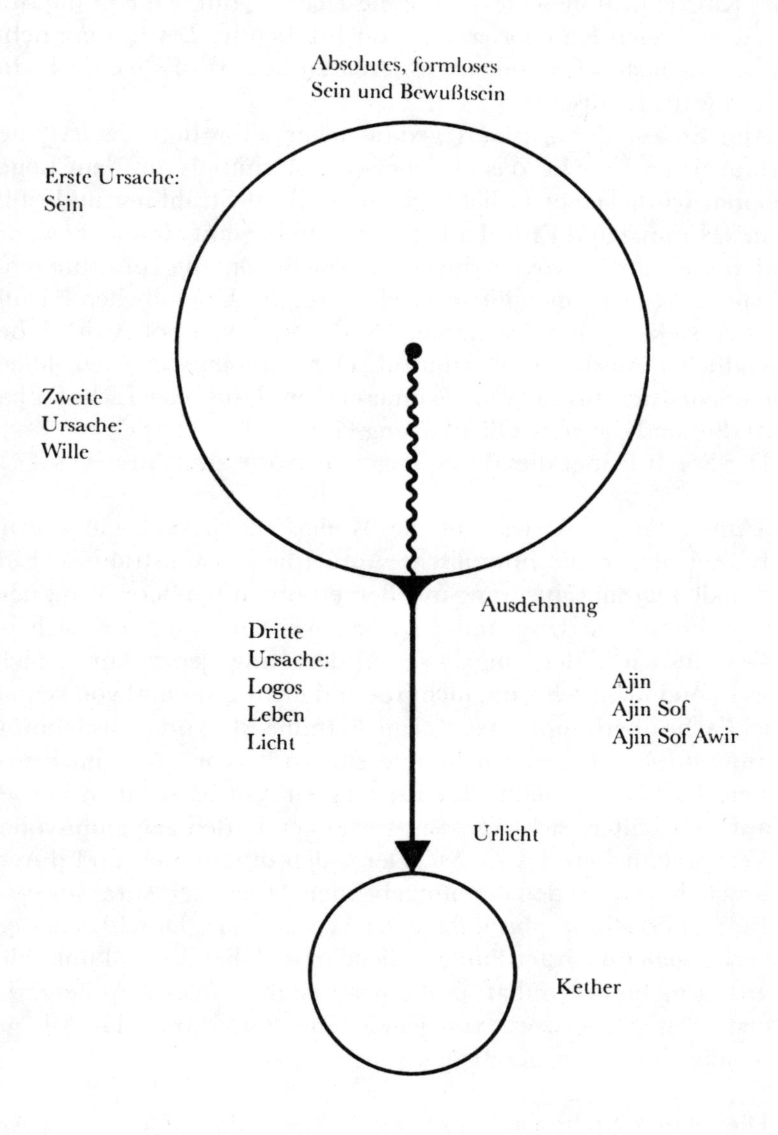
Absolutes, formloses
Sein und Bewußtsein
Erste Ursache:
Sein
Zweite
Ursache:
Wille
Ausdehnung
Dritte
Ursache:
Logos
Leben
Licht
Ajin
Ajin Sof
Ajin Sof Awir
Urlicht
Kether

Abb. 11

ruht, alle Intentionen, alle Kategorien, Aspekte und Qualitäten des Seins ununterschieden nebeneinander liegen.

Ajin Sof bezeichnet jenen zweiten Grund, den wir als Sammlung oder Konzentration Seines Geistes bezeichnen, durch die Er die Ihm innewohnenden Kategorien oder Buchstaben ins Bewußtsein hebt, um sie als ersten Gedanken vibrieren zu lassen: »Es werde Licht, und es ward Licht«.

Ajin Sof ist der Zustand gedanklicher Vibration. Es ist jener Urlaut, jenes Urlicht, das als lebendiger Urimpuls aus dem Logos geboren wird. Dieses Urlicht scheidet sich in Strahlung und Substanz (Himmel und Erde der Genesis) und beginnt als solches all die anderen Kräfte hervorzubringen, die die Schöpfung konstituieren.

Ajin Sof ist die unendliche Verdichtung im Unendlichen Nichts, die sich sodann als Schwingung (Nada), als Ajin Sof Awir, Äther unendlicher Ausdehnung, kundtut. Darin finden wir jenen *Anfang* allen Seins, der uns sodann als innerer Ton, Laut oder Licht faßbar wird. Sie sind die erste Offenbarung Gottes.

Der Sohar bringt dies durch folgende Worte zum Ausdruck:

> »Am Anfang – als der Wille des Königs zu wirken begann, grub Er Zeichen in die himmlische Aura (die ihn umstrahlte). Eine dunkle Flamme entsprang im allerverborgensten Bereich aus dem Geheimnis des ›Ungrunds‹ *En Sof*, wie ein Nebel, der sich im Gestaltlosen bildet, eingelassen in den Ring (jener Aura), nicht weiß und nicht schwarz, nicht rot und nicht grün und von keinerlei Farbe überhaupt. Erst als jene Flamme Maß und Ausdehnung annahm, brachte sie leuchtende Farben hervor. Ganz im Innersten der Flamme nämlich entsprang ein Quell, aus dem Farben auf alles Untere sich ergossen, verborgen in den geheimnisvollen Verborgenheiten des *En Sof*. Der Quell durchbrach und durchbrach doch nicht den ihm umgebenden Äther (der Aura) und war ganz unerkennbar, bis infolge der Wucht seines Durchbruchs ein verborgener höchster Punkt aufleuchtete. Über diesen Punkt hinaus ist nichts erkennbar, und darum heißt er *Reschit*, Anfang, das erste Schöpfungswort (von jenen zehn, durch die) das All (geschaffen ist). (Megilla 21 b)«

Diese kurze Stelle aus dem Sohar verweist darauf, daß aller Anfang des Schöpfens ein noch im Vorfeld des Denkens (Ajin Sof) liegendes Sich-Bewußtmachen jener Kategorien oder Prinzipien ist, die dem zu formenden Gedanken innewohnen mögen. Es sind die elementaren Kategorien und Prinzipien des Seins, die als Buchstaben der Schöpfung im unendlichen Arsenal Seines Geistes wachgerufen und zu jenen Worten zusammengefügt werden, aus denen sich später die Gedanken und Sätze der Schöpfung aufbauen. Der Boden, aus dem sich sodann der Baum der Sefirot erheben wird, ist Ajin Sof Awir, der Uräther, aus dem das erstgeschaffene Licht hervorgeht, das sich in den bekannten Strahlen manifestiert. Sie sind die Farben, die sich auf alles ergießen. So ist der Gedanke dieser Schöpfung wie ein einziger Strahl des Lichtes, wie ein einziger Ruf in der Ewigkeit, in dem Er Seinem Wesen Ausdruck gibt. Hineingerufen in Sein eigenes Inneres ist die Schöpfung wie eine einzige Woge im unendlichen Ozean Seines Bewußtseins.

Obwohl Gott ewig und die Schöpfung, wie alle Wellen des Seins, vergänglich ist, sind sie doch untrennbar verknüpft, denn ohne Ihn kann nichts sein, und zieht Er Seine belebende Kraft zurück, so verklingt jeder Laut, verschallt all das Geschaffene in der ewigen Nacht Seines Schweigens.

So sind Gott und Schöpfung eins wie das Meer und die Welle, wie die Sonne und ihre Strahlen. Gibt es nur eine Sonne, so strahlt sie doch in Myriaden von Strahlen, und jeder ist Träger ihres Lichtes. Und wie Strahlen und Sonne, so sind auch Schöpfer und Geschöpf eins auf immerdar. Wohl kann der Strahl noch so lange die Weite des Raumes durchmessen, er bleibt stets ein Teil des Lichtes.

Der Sohar sagt, die Schöpfung haftet am Schöpfer, wie die Flamme an der Kohle. Entzieht die Kohle der Flamme ihre Substanz, so beendet die Flamme ihr eigenständiges Sein.

4. Die sieben Äonen, die Geburt der Sefirot und der Schöpfungsstrahl

»Geboren aus der Leere (Ajin)
erschienen die zehn Sefirot (Zahlen)
wie ein leuchtender Blitz
und ihre Bestimmung ist jenseits aller Begrenzung.
Und der Name Gottes ist in ihnen,
wenn sie aufsteigen und wenn sie zurückkehren.
Auf sein Wort eilen sie wie ein Wirbelwind
und verneigen sich vor Seinem Thron.«

Sefer Jezirah 1.6

»So wurden Himmel und Erde mit
ihrem ganzen Heer vollendet.
Am siebenten Tage vollendete
Gott sein Werk.«

Genesis 2.1

Der erste Schritt der Entfaltung des Baumes der Welt und des Lebens besteht in der Ausdehnung der ersten Bewegung des Logos, der Manifestation des ungeschaffenen Urlichtes als leuchtendes geschaffenes Licht, als leuchtender Lichtkreis, der die Urform dieser Schöpfung ist. Kether Elion, die Höchste Krone, verkörpert die *prima materia*, die lichthafte, geistige Ursubstanz der Welt.

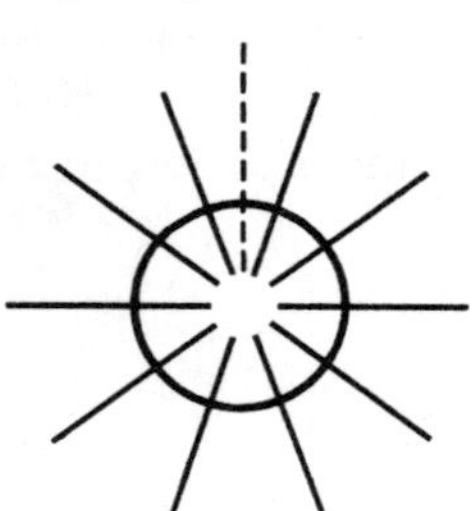

Abb. 12

Dieser Ursubstanz oder primären Ausstrahlung Gottes wohnen seinerseits zwei Aspekte – nämlich die des öfteren erwähnten Aspekte von Sehkraft und Leuchtkraft – inne, die sich in einem zweiten Schöpfungsschritt in eine männliche und eine weibliche Kraft, in eine umfassende, das höchste Sein widerspiegelnde Weisheit – Chokhmah – und eine mütterlich intelligente, formgebende Gestaltungskraft – Binah – differenzieren.

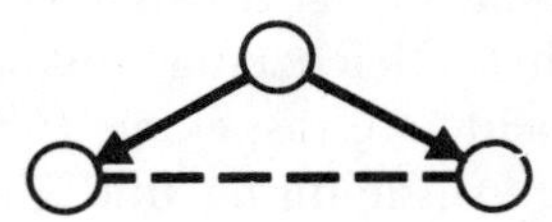
Abb. 13

Chokhmah und Binah, männlicher und weiblicher Pol, entstehen gleichzeitig und gehören ewig zusammen, sind untrennbar aneinander gebunden und miteinander verbunden. Sie bilden gleichsam die Ureltern aller Erscheinungen und bilden den Beginn aller Polarität, aller Gegensätzlichkeit, die uns von nun an in allen weiteren Sphären der Schöpfung begegnet.

Ist oberhalb von Kether alles eins, form- und unterschiedlos beisammen, so beginnt mit Chokhmah und Binah die Welt der Unterschiede und der Differenzierung. Sie bilden die Wurzeln des Baumes der Erkenntnis, des Waltens des freien Willens als Ausdruck der Verselbständigung des sekundären, geschaffenen Lichtes oder Geistes und damit der Möglichkeit der Verneinung, der als göttlicher Wille oder Plan bezeichneten Einen und alles lenkenden Intelligenz. Sie bildet nicht nur den Ursprung unserer Welt der Erscheinungen, sondern auch der schöpferischen Freiheit des geschaffenen Geistes, der Möglichkeit der Abkehr und Verirrung und damit der Unterscheidung von Gut und Böse und mit ihr aller Verantwortung und Ethik der nun mit Kether ausgesäten eigenständigen Lichtfunken, Geistwesen oder Himmlischen Geschöpfe.

Aus Chokhmah und Binah bilden sich nun wieder paarweise – als zwei unterschiedliche Verbindungen zwischen ihnen – Hesed und Geburah, Stärke und Güte, Strenge und Barmherzigkeit Gottes. Sie ergeben sich als die unterschiedlichen Verbindungen zwischen den männlich-positiven, formauflösenden, und weiblich-negativen, formbildenden Aspekten von Chokhmah und Binah.

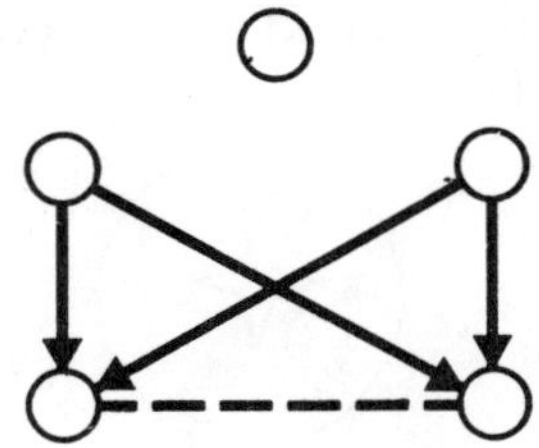
Abb. 14

In der Welt der Geschöpfe sind die Strenge (oder Stärke) und die Güte Gottes die Erfahrungen, die das Individuum als Folge des Erfüllens oder Verneinens des göttlichen Willens, seiner Ordnung und seines Planes erfährt. Gleichzeitig sind sie die zwei Ausdrucksformen des von den beiden Uraspekten (Chokhmah und Binah) bewirkten Wachstums: Ausdehnung und Zusammenziehung, Expansion und Kristallisation, Ausdehnung des Bewußtseins und Verdichtung des Stoffes: Barmherzigkeit und Strenge Gottes. In der Altägyptischen Genesis entspricht diesem Schritt die zweifache Verbindung von Shu und Tefnut, dem aktiven und passiven Aspekt des Feuers, aus denen Geb und Nut, die kosmische Erde und der kosmische Himmel hervorgehen.

Im vierten Schritt bildet sich nun – als Synthese der vorangegangenen Schritte – jene Kraft, die zugleich Mitte und Zentrum des Baumes als auch der einzige direkte Abglanz von Kether ist. In ihm verbinden sich die bisher entstandenen Sefirot zu einer *neuen* Einheit: Tiferet.

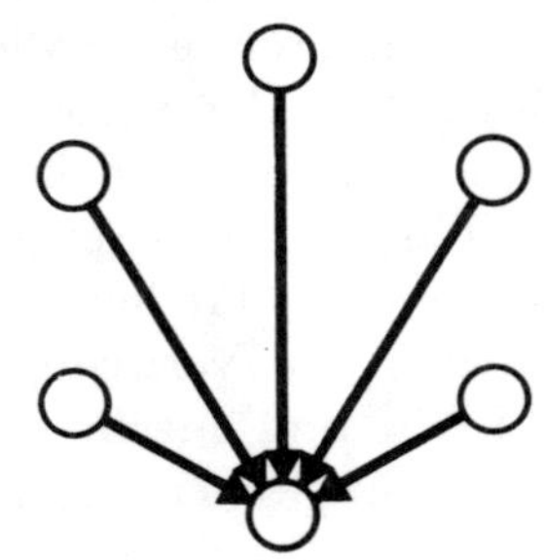

Abb. 15

Tiferet bildet die Balance und Summe der bisher in Erscheinung getretenen Kräfte. In ihr schließen sich alle Gegensätze sowie alle bisherigen Stufen zu einer neuen – Schönheit genannten – Erscheinung zusammen. Wir könnten sie den Kern, das Herz oder die Seele Gottes oder der Schöpfung nennen.

In einer neuen Emanation einen sich sowohl Stärke und Güte als auch Weisheit und Intelligenz, und im Innersten wohnt der »erstgeborene« Lichtkern selbst:

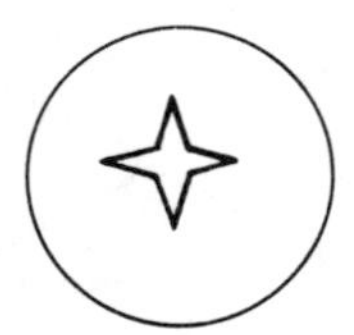

Abb. 16

Er bildet gleichsam Ursubstanz, Kern und Wesen aller Dinge und entspricht dem sich im Herzen aller Geschöpfe offenbarenden Licht. Aus diesem »Herzen« entfalten sich – seinen beiden innewohnenden Polen oder Tendenzen gemäß – ihrerseits zwei weitere, auch wiederum zusammenhängende Ausstrahlungen, die in der Kabbala Nezach und Hod, Sieg und Herrlichkeit genannt werden.

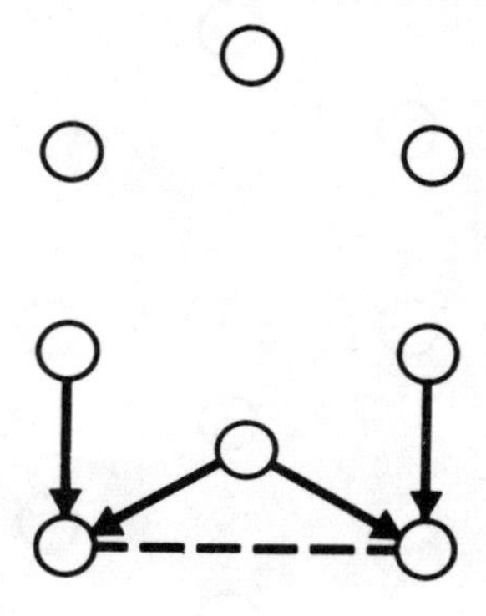

Abb. 17

Sie verkörpern Lebenskraft und Gedankentätigkeit des Herzens (Tiferet).

In einem sechsten Schritt schließlich bildet sich – ausgesondert aus dem Herzen und getragen durch Nezach und Hod jene universelle Bildekraft, die als Jesod – das Fundament – bezeichnet wird. Auch als Zeugungskraft Gottes bekannt, bildet sie das Fundament aller feinstofflichen (ätherischen) Bildungen.

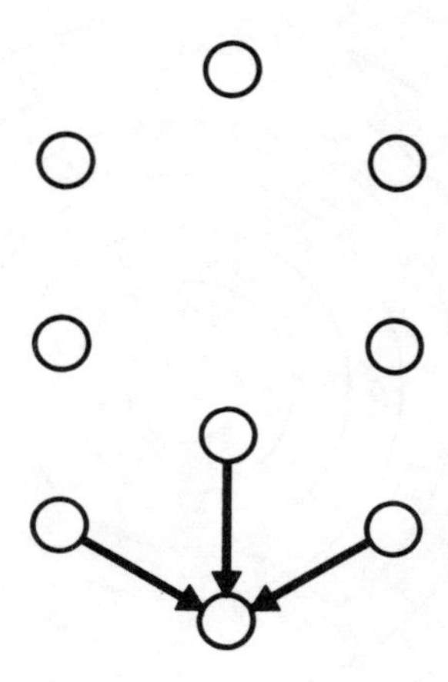

Abb. 18

Aus Jesod heraus gebiert sich schließlich in einem siebenten Schritt als deren letzte Verdichtung und Aussonderung Malkhut, das Königreich. In der Schöpfung verkörpert es die gesamte physische Welt: Erde, Wasser, Luft und Feuer, Himmelskörper, Atome, Moleküle, tierische und menschliche Körper und das ganze physische Universum.

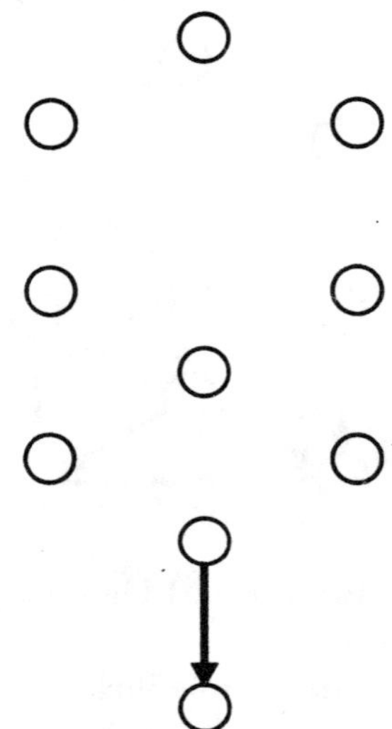

Abb. 19

In dieser Weise entfaltet sich der Logos in sieben Schöpfungsepochen (sieben ist ja immer die Zahl des Zyklus der Entwicklung), in sieben Seinssphären, die wir in Abbildung 20 durch konzentrische Kreise sichtbar machen.

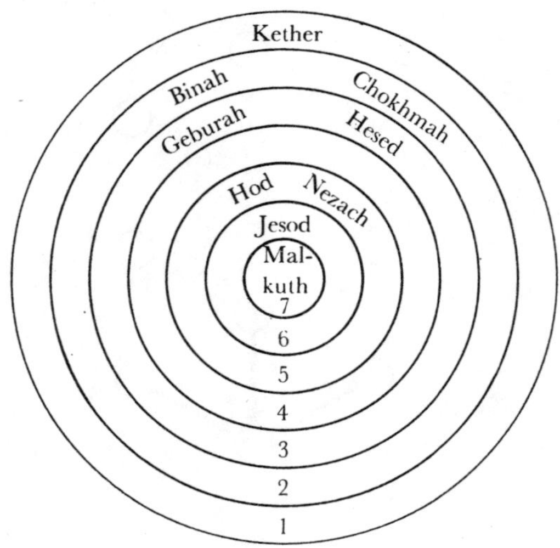

Abb. 20

Innerhalb der drei – jeweils eine Seinsebene manifestierenden – Sefirotpaare ist jeweils eine Sefira der anderen, die ihren Gegenpol darstellt, vorgeordnet, da sie stets so entstehen, daß die eine die andere aussondert oder aus sich herausstößt.

Hierdurch ergibt sich neben den sieben Sphären eine lineare Ordnung der Sefirot, die der Reihenfolge ihrer Entstehung nach durch die zehn Zahlen gekennzeichnet sind und in ihrer Sukzession eine Linie bilden, die in der Esoterik als Schöpfungsstrahl *(Kav)* bezeichnet wird (Abbildung 22 auf Seite 90).

Es sind die im Logos enthaltenen und die in Seinem Schaffen wirksam werdenden Buchstaben, sprich: Prinzipien, die diese Folge von Kräften, die Sefirot, in Erscheinung bringen. Diese das Absolute einschränkenden Prinzipien oder Bedingungen wirken wie Schleier oder Hüllen, die das göttliche Urlicht schrittweise bündeln, binden, trüben oder verdichten, bis jene Abglänze zustande kommen, die wir die Sefirot nennen.

Je nach Betrachtung bezeichnen die Kabbalisten die Sefirot selbst als die verschiedenen Schleier, Hüllen oder Gefäße, die den Glanz des einen Lichtes in mehreren Stufen trüben oder als verschiedene aus sich selbst leuchtende Lichter des einen Lichtes, die nach einer Reihe von Prinzipien auseinander hervorgehen. In jedem Fall sind sie Abglanz des einen Höchsten Lichtes, die als Verhüllung der höchsten Ausgießung jenes einen Urlichts in Erscheinung treten und so allmählich die verschiedenen Kräfte, Lichte, Energien, Substanzen und Stoffe bilden, die die Schöpfung aufbauen. In gleicher Weise ist unser innerster göttlicher Lichtkern von mehreren Schleiern umhüllt, die die verschiedenen Schichten und Organe unserer Seele und unseres Leibes hervorbringen.

Wie wir sehen, entsteht nach dem Prinzip schrittweiser Verdichtung die ganze Reihe der Sefirot als eine Folge von Kräften, die sich in linearer Folge eine aus der anderen entfalten, so daß in ihrer Wirkung eine die andere umfaßt.

Insgesamt versinnbildlicht die Reihe der Sefirot jene Reihe von Kräften, die in linearer Sukzession, die eine aus der anderen hervorgehend, die ganze Schöpfung aufbauen und in ihren Beziehungen zueinander sämtliche Sphären des Seins sowie seine Stufung und Hierarchie begründen, denn alles Geschaffene beruht auf Hierarchie, und alle wahre (geistige) Bewegung entspricht einem Auf und Ab zwischen ihren Sphären. Sie bilden eine absteigende Linie, die den Schöpfungsakt Gottes als Vorgang schrittweiser Verdichtung oder Trübung Seines Bewußtseins wiedergibt. Diese Reihe der Sefirot ist somit durch eine Reihe konzentrischer Kreise darstellbar, in der Kether, als das allumfassende Licht alle übrigen Sphären umschließt.

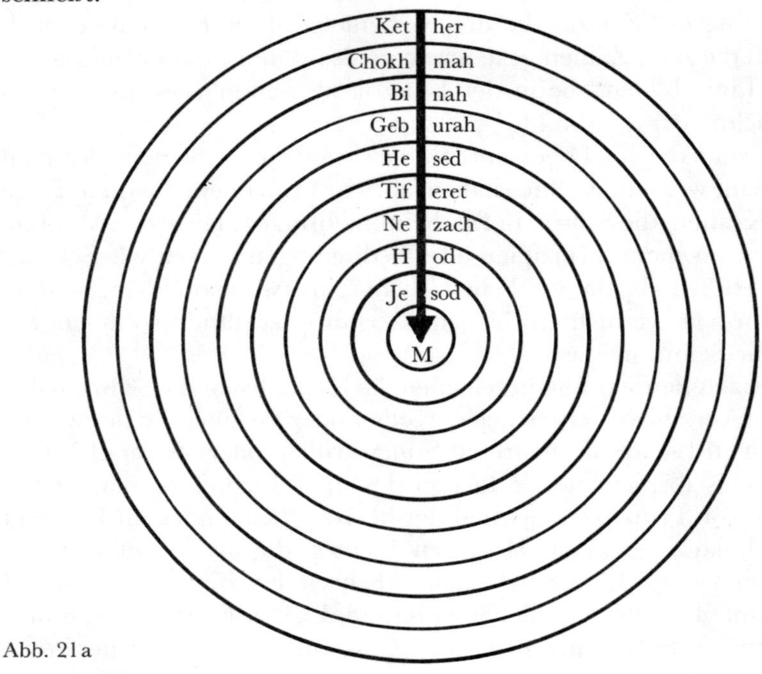

Abb. 21a

Der Pfeil, der aus der Peripherie des Kreises in dessen Zentrum eindringt, entspricht dem Strahl des absteigenden Lichtes (Schöpfungsstrahl), nach dem die verschiedenen Sphären der Schöpfung auseinander hervorgehen. Er ist völlig gleichbedeutend dem Abstieg des Logos oder Schöpfungswortes aus den Sphären des reinen Geistes in die Sphären der Welt. Im Symbol des Sefirot-Baumes entspricht er einem Blitz oder einer Spirale, die die Sefirot in jener Reihenfolge miteinander verbinden, in der sie aus dem ersten Urlicht hervorgehen.

אין
אין
סוף
אור אין סוף
כתר
חכמה
בינה
חסד
גבורה
תפארת
נצח
הוד
יסוד
מלכות
צמצום

Abb. 21b

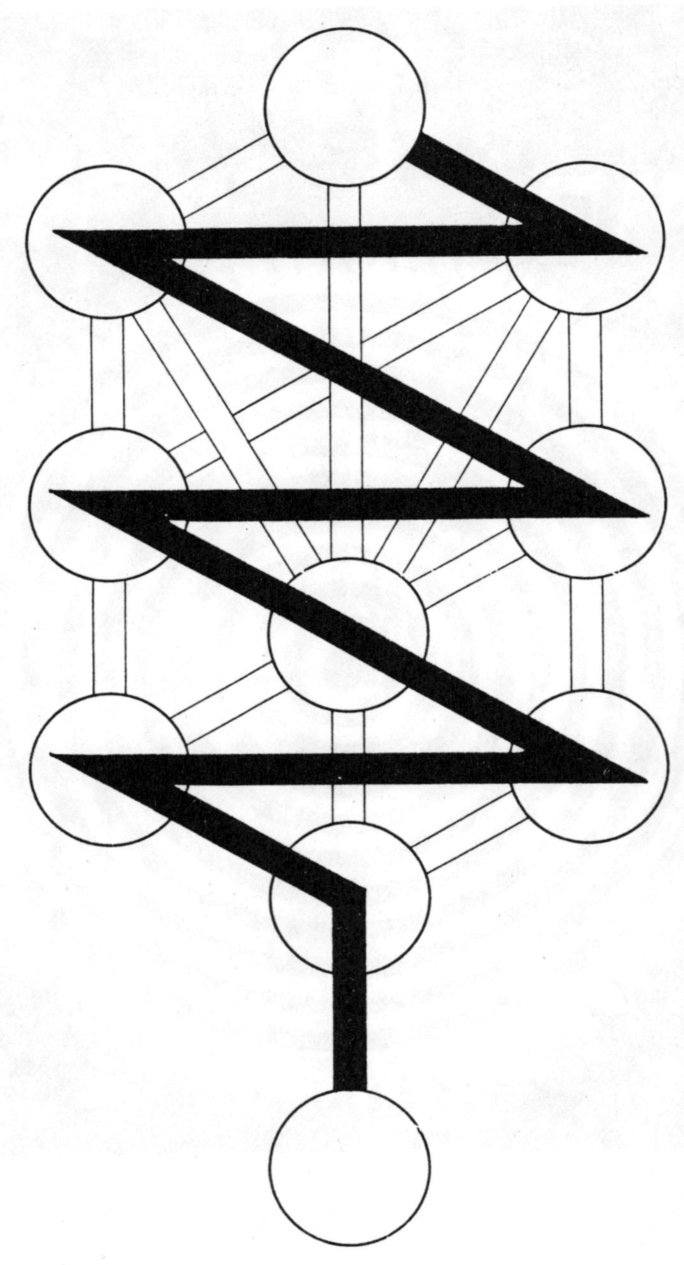

Abb. 22: Der Schöpfungsstrahl

Wollen wir den Charakter des Lichtes als innerstes Prinzip des Lebens zum Ausdruck bringen, so kommen wir zu einer gegenüber Abbildung 21a umgekehrten Darstellung (Abbildung 23)

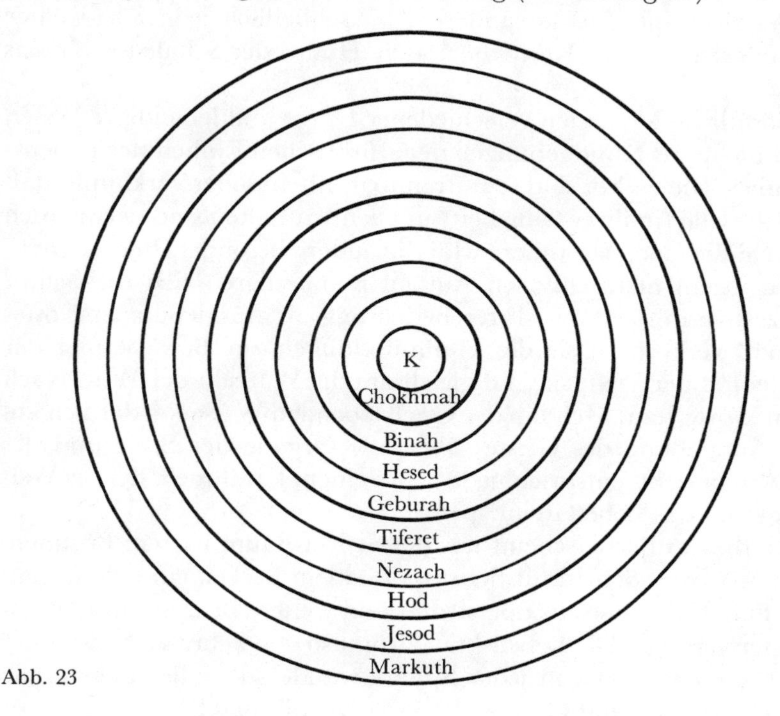

Abb. 23

Darin bildet Kether als Ursprung den Kern, dessen Licht alle anderen Sphären durchdringt, und Malkhut als die höchste Verdichtung des Stoffes die äußere Schale, die alle anderen Sphären der Schöpfung umhüllt.

Die Hierarchie der Sefirot ist Ausdruck der Rangordnung aller Entelechien und Seinsbereiche. Vom höchsten Ursprung des Geistes bis hinab zur untersten Sprosse allen Seins ist eine jede Kern der nächsten, jede folgende Kleid oder Gewand der vorherigen.

> »Vom Urgeheimnis des höchsten Punktes (Reschit Kadmon) bis zum Ende aller Stufen ist eine jede Gewand und Hülle für die andere (ihr überlegene, höher geordnete) und Kern für die nächste untere.

Der Urpunkt ist ein innerliches geistiges Licht, dessen Reinheit und Feinheit (und Brillanz) mit keinem endlichen Maß erkennbar ist ...es entfaltet sich immer eine aus der anderen und bekleidet sich eine mit der anderen, bis schließlich jede Kleid einer anderen, die eine Kern, die andere Hülle oder Schale ist.« *Sohar*

Sämtliche Myriaden verschiedener Dinge und lebendiger Wesen sind nichts als Kundgebungen der sefirotischen Einheit des Lebensbaumes. Die Sefirot sind so untrennbar miteinander verknüpft, daß sie stets alle (in ihrer Ganzheit) in allem enthalten sind, wenn auch einmal die eine, das andere Mal die andere besonders hervortritt.

In ihrem hierarchischen Aufbau manifestieren sich die Sefirot sukzessive in der Welt. Ihrer Bedeutung als Ausgießungen Gottes gemäß verkörpern sie die Flußmündungen zur Bewässerung der Seele und der Welt; sie sind gleichsam die Wurzeln der Welt. Nach dem Worte Jesu: »Ich bin der Quell lebenden Wassers«, das sich auf die Ausgießung des Geistes über alle Organe der Seele und des Lebens bezieht, entspricht jede Sefira einem Kraftquell, der die Welt trägt und das Leben in ihr speist.

In diesem Bild erscheint uns der Sefirot-Baum wie ein Brunnen, dessen Wasser Schritt für Schritt aus einem Becken ein tieferliegendes füllt, das seinerseits überströmt und weitere Becken mit Lebenswasser versorgt. Die Lebenskraft strömt so von Sefira zu Sefira über und speist so – sich in jeder Sphäre wandelnd – alles Leben, alle Räume, Wesen und Organe der Welt (Abbildung 24).

Der Sohar sagt:

»So ist da zuerst der *Ursprung* aus dem Meer (Ajin Sof), der in seiner Ausbreitung in ein Gefäß aufgenommen wird, das die Rundung des Jod hat – dieser *Ursprung* ist *eins*. Und der *Quell*, der daraus hervorkommt *zwei*. Dann erst wird ein großes Gefäß geschaffen, wie wenn einer eine weite Grube gräbt, die mit dem Wasser des Quells sich füllt. Dieses *Gefäß* wird »Meer« genannt: es ist das *dritte. Dieses große Gefäß spaltet sich in sieben, gestreckten Gefäßen vergleichbar. Und breitet sich das Wasser aus dem Meere in sieben Bäche: das sind zehn.*« *Sohar*

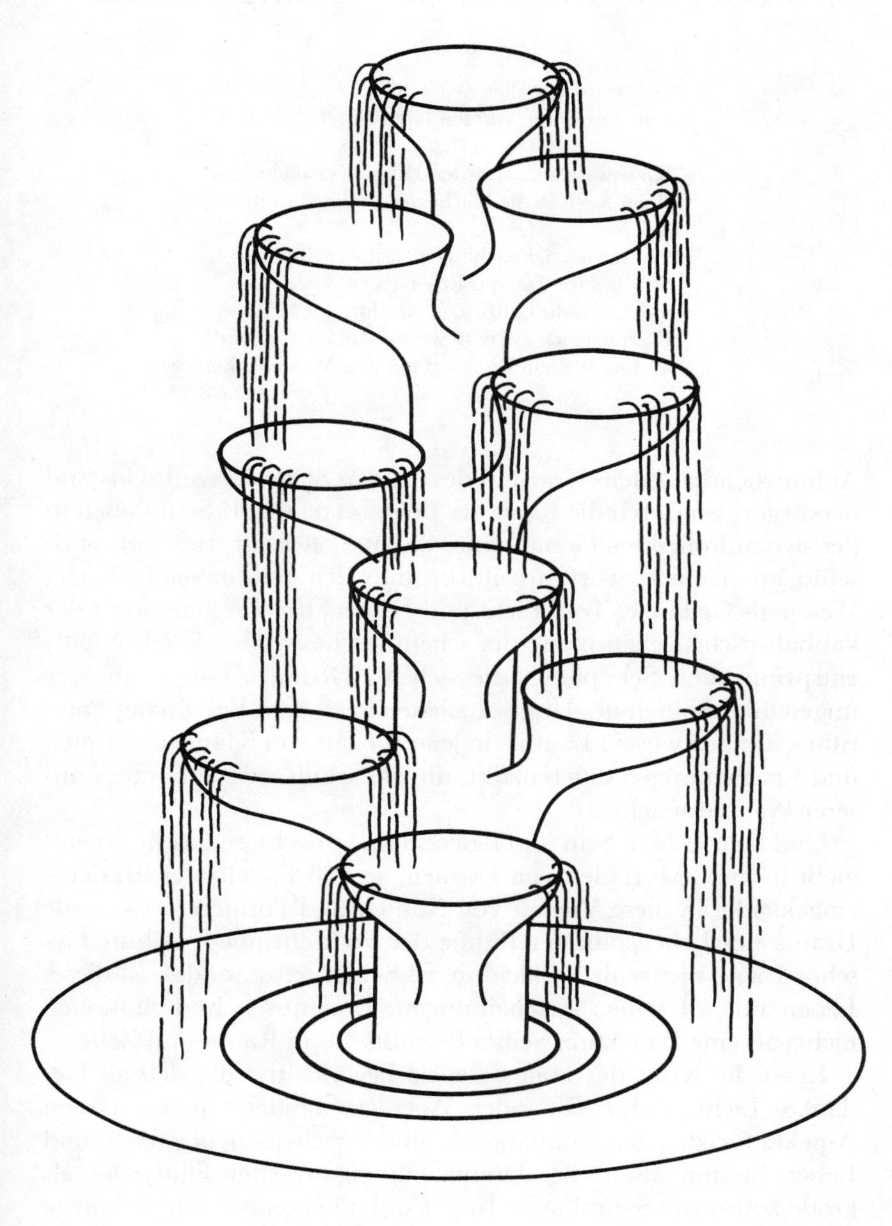

Abb. 24

5. Lebensbaum und Schöpfungsdrama

»Ich ward vor aller Zeit gebildet,
vom Anbeginn, vor den Uranfängen der Erde.
...
Ich war dabei, als er den Himmel erstellte,
einen Kreis in die Fläche der Urflut zeichnete.
...
Da war ich der Liebling an seiner Seite,
war Tag für Tag das Ergötzen,
indem ich die ganze Zeit vor ihm spielte.
Da spielte ich auf dem weiten Rund seiner Erde
und hatte mein Ergötzen mit den Menschenkindern.«
Sprüche 8.23-31

Auftauchend aus dem Urgrund des Ozeans Seines Bewußtseins und hervorgerufen durch die Kraft des Logos macht Gott Sein Wesen in der sich aufrollenden Gestalt eines Baumes offenbar. Indem Er sich selbst im ersten Urwort ausruft, beginnt sich Sein ungeoffenbartes Wesen als Gedanke, Ton, Licht und Leben auszubreiten. So ist der kabbalistische Lebensbaum der schematische Ausdruck der in Gott entspringenden Schöpfung, die sich als Gedanke Gottes aus der ungeteilten Einheit des Ungeschaffenen nach dem Prinzip der Polarität – ähnlich wie ein Baum – in jene Vielfalt von Klängen, Formen und Erscheinungen differenziert, die das schillernde Panorama unserer Welt ausmacht.

Und Sein Leben, Sein und Bewußtsein selbst ist es, das Er hineingießt in diese Myriaden von Formen, so daß Er selbst es ist, der – eingekleidet in diese Vielfalt von Namen und Formen – das große Drama des Lebens auf der Bühne der Welt entspinnt. All die Geschöpfe sind nichts als Verkleidungen Seiner selbst, und so ist dieses Leben mit all seinen Erscheinungen, Ereignissen und Stationen nichts als eine Projektion Seines Bewußtseins in Raum und Zeit.

Es ist die Kraft des Logos, die sie bewirkt und die sich als Gedanke, Licht, Zahl, Ton oder Wort manifestiert. Je nach dem Aspekt, für den wir empfänglich sind, erscheinen uns Welt und Leben hiermit als großes Drama, als gigantischer Film oder als große kosmische Symphonie. In jedem Fall erkennen wir die ganze Schöpfung darin als eine große Inszenierung, in welcher Er – Sein

Wesen in Myriaden Formen kleidend – sich selbst Seiner eigenen, unendlichen Fülle erfreut. Gott, allein aus Freude, setzt all dies in Gang. Eingegangen in die begrenzte Form von Gedanken, ist Er in den vielfältigen Formen und unter den vielfältigsten Namen Seiner Geschöpfe selbst Regisseur, Akteur und Betrachter jenes Schöpfungsdramas.

Und wie jedes gute Drama ist es voll all der gegensätzlichen Erscheinungen, Empfindungen und Impulse, die dieses Leben ausmachen: Begegnung und Abschied, Freude und Schmerz, Aufstieg und Niedergang, Liebe und Haß, Lust und Leid, Großmut und Abschaum, Geburt und Tod und die ganze Palette der Gegensätze. Licht und Finsternis sind in ihnen gepaart und bilden die Kontraste jener wechselnden, vergänglichen Schwarz-Weiß-Bilder unserer schattenhaften »Wirklichkeit«, die jener eine Regisseur so glanzvoll und künstlerisch auf der Leinwand Seines Bewußtseins zubereitet, daß wir unseres Ursprungs – durch den Sündenfall, die falsche Identifikation mit der äußeren Form – verlustig gegangen, allein jene wechselnden Bilder und Erscheinungen der Welt gleichwie die der Seele für wirklich halten. Dieses ganze Leben und Panorama der Welt ist wahrlich nur ein Abglanz Seiner überweltlichen Herrlichkeit. Und dennoch erklingt, vergleichbar einer großen Symphonie, durch jeden Ton und Akkord seines zeitlichen Ablaufes der Klang der Ewigkeit.

Die Welt und das Leben rollen ab wie ein Film oder eine große Symphonie, in der jeder Augenblick, jede Situation, jedes Ereignis wie ein Akkord die Seele berühren möchte, so daß in ihrem Nachklang das unergründliche Geheimnis des Lebens und der Ewigkeit in ihr aufsteigen möge, so daß sie sich ihres zeitlosen Ursprungs und ihrer Einheit mit dem Regisseur dieses Schauspiels bewußt werden mögen.

Das Ewige und Wirkliche leuchtet stets nur durch die Gegenwärtigkeit des Augenblicks. Durch jeden Augenblick hindurch leuchtet Sein Licht in die Seele und dringt Sein Ruf an unser Herz: Erwache, oh Mensch, und erkenne, wer du bist.

So liegt der Sinn der Fülle und Vielfalt dieser Welt, die ihre Ursache allein in Seiner überquellenden Seligkeit hat, allein darin, uns in ihr der Herrlichkeit Seines Wesens bewußt zu werden. Allein dadurch, daß wir uns immer wieder an einzelne Bilder und Ereignisse des Lebens klammern, uns mit ihnen identifizieren, verfehlen wir den Sinn. Einzig in dieser Identifikation mit den vergänglichen Erscheinungen und Ereignissen des Lebens wurzelt all unser Leid. In der Identifikation mit dem Zeitlichen gründen Geburt und Tod. Und durch die Identifikation mit den wechselnden Gedanken und Ereignissen des unauflöslichen Flusses der Zeit geraten wir in das Getriebe von Ursache und Wirkung und unter das Rad der ewigen Wiederkehr.

Es gliche dem Versuch eines Kinobesuchers, das Bild auf der Leinwand festzuhalten; indem er am Filmstreifen festhält, schleppt dieser ihn in die Mechanik des Projektors, und er gerät unweigerlich in die Spule des Films.

Niemand wird versuchen, das Bild auf der Leinwand als wirklich zu nehmen. Obwohl es nicht wirklich ist, berührt es uns in der Seele, betrifft, ergreift und erschüttert uns, und oft sitzen wir da und zittern vor Angst oder sind zu Tränen gerührt oder vergehen fast vor Erregung. Wir eifern mit dem Helden, leiden mit den Opfern und buhlen um die schöne Heldin, obwohl wir uns des illusionären Charakters des Films oder Schauspiels bewußt sind. Genauso ist es mit dem Leben und der Welt. Beide rollen ab wie ein Film oder Drama auf der Bühne von Raum und Zeit, beide sind vergänglich, beide nur ein Spiel des All-Einen, in dem Er Seine Fülle offenbart.

Der Unterschied ist, daß wir uns mit dem kosmischen Film identifizieren und damit unweigerlich in die Räder kommen. Gelingt es uns, uns in den unwandelbaren Grund unseres Selbstes zu verankern und uns dadurch aus der Mühle der Zeitlichkeit zu befreien, indem wir durch das Nadelöhr des zeitlosen Augenblicks hindurchgehen und eintreten in das ewige Jetzt, dann erkennen wir, daß es nur Kulissen und Rollen sind, die auf der Bühne wechseln. Den unveränderlichen Ort und die Leinwand, über die sie hinweg ziehen, bildet das Licht des Bewußtseins oder des Selbstes. Erst wenn es uns gelingt, in ihm einen festen Stand zu finden, werden wir in der Vielfalt der wechselnden Akkorde und Bilder jenes unwandelbaren Seins gewärtig, das sich uns in der Seele offenbart, und darüber hinaus vielleicht des Glückes des Einen Regisseurs teilhaftig, an dessen Walten wir in unserem Wesen teilhaben.

Das ist der Weg der Erlösung, Selbsterkenntnis und Verwirklichung, daß wir mehr und mehr aus dem Traum dieses äußeren Lebens erwachen und denjenigen erkennen mögen, der all die Träume gewährt. Daß wir darüber hinaus unser kleines Ich all die

Rollen des Traumes, die der Eine ihm zudenkt, mit aller Hingabe spielen lassen, bis wir ganz im Zeugen und Regisseur des Dramas unser wahres Wesen und unseren Ursprung erkennen. Den Weg bildet entweder die bedingungslose Hingabe oder Selbstübergabe an den Regisseur und seinen Plan oder die Erkenntnis jenes umwandelbaren Betrachters in uns, der all dieses wechselnde Geschehen in Welt und Seele gewahrt und bezeugt, und der unser wahres Ich ist. Darin werden wir erkennen: Regisseur, Akteur und Betrachter, Schöpfer, Schöpfung und Geschöpf sind in Wahrheit eins. Der Lebensbaum, der inmitten des Gartens des Lebens steht, bildet gleichsam den inneren unwandelbaren Knochenbau des großen Lichtspieltheaters und gleichzeitig sein Gerüst, an dem wir – hineingefallen in die Verstrickungen der materiellen Welt – emporklettern können, bis wir, Sphäre um Sphäre der Welt überwindend, uns mit dem Höchsten Ursprung einen, aus dem all die wandelnden Erscheinungen der inneren und äußeren Welt aufsteigen.

6. Involution und Evolution

> »Deine Lust wird mehr im Himmel sein als auf Erden,
> denn die heilige Seele wandelt im Himmel,
> und ob sich gleich auf Erden in dem Leibe wandelt,
> so ist sie doch allezeit in Christo
> und ißet mit ihm zu Gaste.«
>
> Böhme, Aurora 6.25

So zeichnet der ganze Akt von Schöpfung, Leben und Vollendung, der ganze große Bogen des Lebens durch die verschiedenen Sphären der Welt eine Bahn, die – wie der Atem – zwei Bewegungen umfaßt. Das Hinausschleudern des Lebens in Raum und Zeit durch den Logos und – nach Erreichen des fernsten Punktes – seine Rückkehr in den Ursprung. Es werden diese beiden Bewegungen Involution und Evolution des Bewußtseins genannt. Sie bezeichnen die Einzeugung ungeoffenbarten göttlichen Lebens in die begrenzte Form von Name, Gestalt, Individualität und raum-zeitlicher Erscheinung und die Entfaltung, Offenbarung und Verwirklichung dieses eingeborenen Lebens innerhalb von Raum, Zeit und Individualität, und damit seine Rückkehr in den ursprünglichen Urgrund des ungeschaffenen Seins.

Dies ist der Weg alles Geschaffenen und der ganzen Schöpfung, auf daß die Ernte des Lebens, der Nachklang der großen kosmischen Symphonie, auf ewig im Gedächtnis oder Bewußtsein des Schöpfers verbleibe.

Der Sinn der Schöpfung für den einzelnen liegt somit darin, daß wir uns in ihr unseres wahren Ursprungs bewußt werden und das in uns hineingelegte göttliche Leben in seiner ganzen Fülle hier in der Welt bekunden und zum Ausdruck bringen. Haben wir das gesamte in uns gelegte Potential gemäß dem göttlichen Plan in seiner ganzen Herrlichkeit geoffenbart, so gehen wir ein in den schweigenden Urgrund der Seligkeit, wo kein Schatten, kein Gedanke noch Geräusch unseren Frieden stören. Solange wir diesen Auftrag nicht erfüllt, die Vollkommenheit des Geistes nicht erlangt haben, sind wir gebunden an das Rad von Geburt und Tod und bewegen uns mit ihm jeweils aufwärts oder abwärts in den Sphären der Welt.

7. Die zehn Attribute Gottes – Sefirot und Othiot: Wesen, Ordnung und Namen

»Herr der Welten, Du bist einer, aber nicht wie eine gezählte Einheit, Du bist erhaben über alles Erhabene, der Verborgenste aller Verborgenen; kein Begriff faßt Dich. Du brachtest zehn Formen hervor, die wir Zehn Sefirot nennen, um mit ihnen verborgene, unsichtbare Welten und sichtbare Welten zu lenken. Du selbst verhüllst Dich in diese vor den Menschen, Du hältst sie zusammen, und Du bist ihre Einheit.
Du bist es, der sie leitet, aber nichts leitet Dich, nichts oben und nichts unten und nichts von welcher Seite immer. Diesen Sefirot hast Du Hüllen bereitet, von denen her die Seelen in die Körper der Menschen eingehen. Auch hast du die Sefirot mit Körpern umschlossen, die aber nur Körper genannt werden im Vergleich mit den sie umgebenden Hüllen, und sie entsprechen dem Organismus des Menschen:
Herr der Welten, Du bist der Grund aller Gründe und die Ursache aller Ursachen, Du wässerst den Baum aus jener Quelle, die wie die Seele im Körper überall Leben verbreitet. Du selbst aber hast weder Bild noch Gestalt in allem, was innen und außen ist. Du hast Himmel und Erde geschaffen, Oberes und Unteres, damit die Welten Dich erkennen, aber keiner kann Dich in Wahrheit begreifen. Wir wissen nur, daß es keine wahre Einheit gibt außer Dir, weder oben noch unten, wir wissen, daß Du Herr bist über alles. Jede Sefira hat einen bestimmten Namen, nach dem auch Engel sich nennen, Du aber hast keinen bestimmten Namen, denn Du bist es, der alle Namen ausfüllt, und Du bist die Vollendung von allem. Zögest Du Dich zurück, blieben sie alle wie Körper ohne Seele.«

Sohar

Wie wir gesehen haben, konstituiert sich die ganze Schöpfung in all ihren Sphären – von der oberen geistigen bis hinunter in die stoffliche Welt – aus einer Reihe von *Kräften* und Prinzipien, auf denen die gesamte Ordnung des Seins gegründet ist. Diese Kräfte und Prinzipien, die je nach Betrachtung als Licht, Zahl, Ton oder Wort in Erscheinung treten, haben wir in ihren verschiedenen Aspekten (siehe Band 1) eingehend studiert und dabei erkannt, daß sie alle zusammenhängen und sowohl in ihrem Ursprung als auch im großen Gebäude des Weltenbaues miteinander verknüpft sind. Auch haben wir hierbei festgestellt, daß Zahlen und Buchstaben, Entelechien und Prinzipien sich im Bildnis eines Hauses zusammenfügen, das deren inneren Strukturzusammenhang wiedergibt. Stets sind Haus, Tempel, Kathedrale und Burg Sinnbilder des Universums und der Seele. Beide, Universum und Seele, sind Stätte oder Tempel Gottes, darinnen Er sein Licht und Leben ausgießt.

Das andere – ihm homologe – Bildnis des Weltenbaues ist nun der von uns ins Auge gefaßte Sefirot-Baum der Kabbala.

Die Sefirot, die in der Kabbala auch *Orot* (= Lichter) oder *Kohot* (= Kräfte) genannt werden, bilden gleichermaßen die zusammenfassenden Auf*zähl*ungen derjenigen Energien oder Kraftschwingungen, die Licht, Zahlen und Kraft des Wortes miteinander verbinden beziehungsweise deren gemeinsame Schwingungsgrundlage bilden. Ihrem Wesen nach sind die Sefirot die rein-geistigen Ausstrahlungen, Lichter oder Emanationen Gottes oder Ausschüttungen des Heiligen Geistes. Sie sind (gleichermaßen) die metaphysischen Zahlen des Weltenbaus.

Die Sefirot sind nichts als Emanationen seines Lichtes selbst. Es besteht keinerlei Unterschied zwischen Sefirot und Gott, einzig, daß Er Ursache oder verborgener Ursprung, die Sefirot jedoch die offenbarten bewegenden Kräfte, Er Ursache, sie deren Ausdruck sind. Der biblische Ausdruck »Und Er kleidet sie« bringt zum Ausdruck, daß Gott es ist, der sie (die Sefirot) belebt, um durch sie die Schöpfung und das große Drama des Lebens hervorzubringen. Sie sind die aufzählbaren Attribute Gottes in der manifesten Welt. Sie sind die Kräfte, durch die Gott die Welt überwacht und regiert. Jede Sefira hat ihrer spezifischen »Farbe«, ihrer spezifischen Kraft wegen (ähnlich wie die Planeten in der Astrologie oder Organe im Körper oder die Chakras in der Seele) eine bestimmte Funktion in der »Unterhaltung« und »Verwaltung« der Welt. All diese Funktionen, die in den göttlich-geistigen Sphären sich manifestieren, finden auch im Menschen ihren entsprechenden Ausdruck (denn alles ist eins). Es beziehen und empfangen alle Geschöpfe aus ihnen sämtliche *Kräfte, Qualitäten, Fähigkeiten, Charaktereigenschaften* und *Tugenden* je nach dem Maß und Grad, in dem sie die Ausschüttungen aus Gottes Fülle in sich aufnehmen, entfalten und verwirklichen.

Sie selbst bilden auf dem Weg der sukzesssiven Verdichtung die verschiedensten Kräfte, Aspekte, Funktionen, Substanzen, Elemente sowie die geistigen, seelischen und körperlichen Organe des Menschen und der Welt.

Die Buchstaben (Othiot), die im kabbalistischen Baumsymbol als Verbindungspfade zwischen den sefirotischen Angesichten dargestellt sind, repräsentieren jene kosmischen Prinzipien, die – wie die Knochen im Körper – den festen Aufbau des Universums, seine innere Struktur, herausbilden. Wie die hebräischen Buchstaben drei Gruppen bilden, so gliedern sich auch die Pfade des Baumes – je nach deren Lage und Orientierung – in drei Kategorien:

– Horizontale,
– Senkrechte und
– Diagonale.

Wenn wir das Diagramm des Baumes betrachten, so zählen wir

– drei Horizontale,
– sieben Senkrechte und
– zwölf Diagonale,

so daß sich diese drei Kategorien tatsächlich genau mit den drei Gruppen der hebräischen Buchstaben, nämlich den

– drei »Müttern«, den
– sieben »Doppelten« und den
– zwölf »Einfachen«

decken. In Abbildung auf Seite 102 ist der Baum mit den zweiundzwanzig hebräischen Buchstaben in den ihnen entsprechenden Pfaden dargestellt. Wie wir sofort erkennen können, versinnbildlichen die drei Mütter: **א**, **מ** und **ש**, darin den substantiellen, stofflichen oder Aggregatzustand der auf ihnen gründenden Sefirot-Triaden.

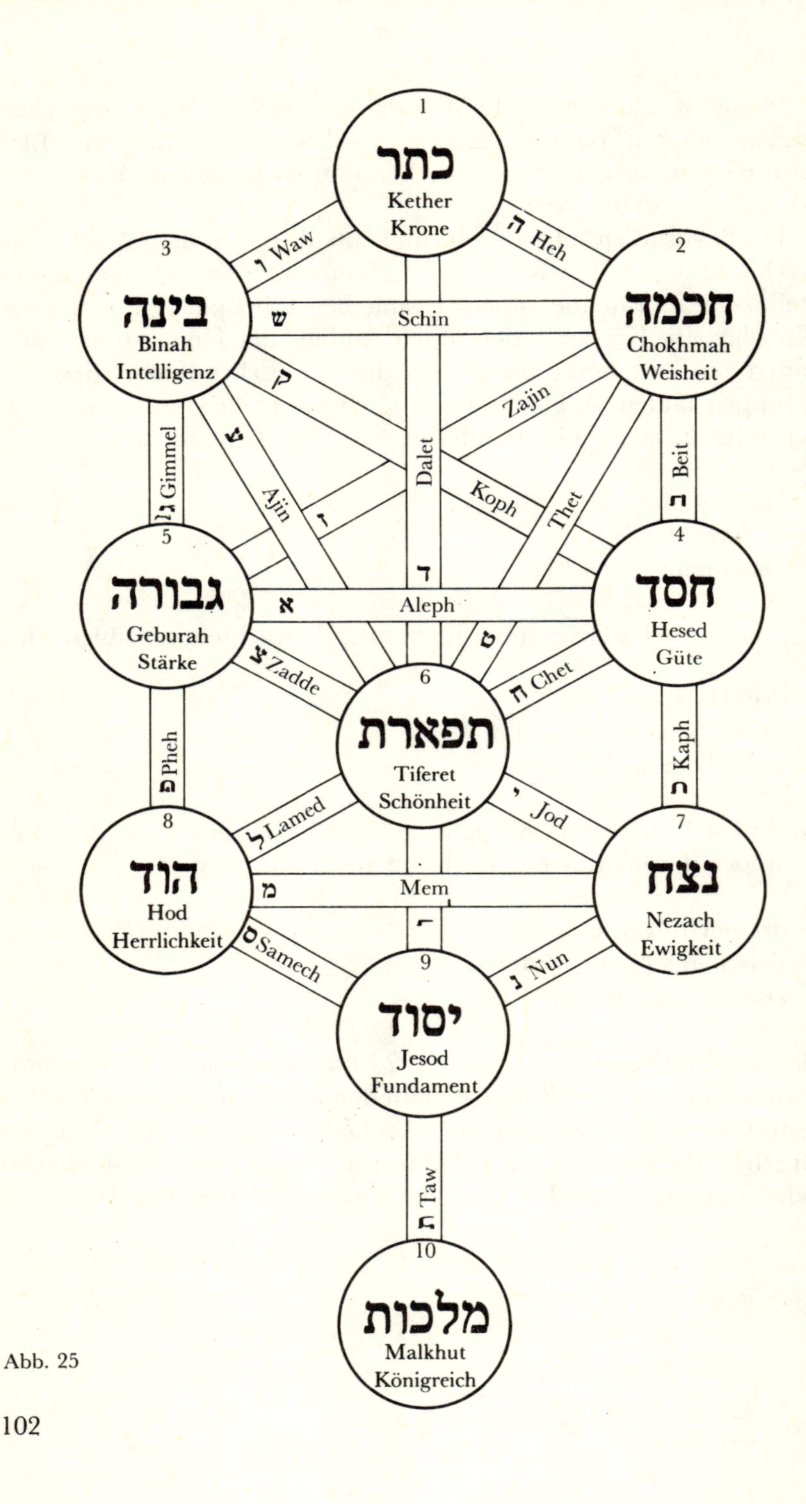
1
כתר
Kether
Krone
3
בינה
Binah
Intelligenz
2
חכמה
Chokhmah
Weisheit
ו Waw
ה Heh
ש
Schin
ק
Zajin
Gimmel
ע
Dalet
Beit
Ajin
ז
Koph
Thet
5
גבורה
Geburah
Stärke
4
חסד
Hesed
Güte
ד
א
Aleph
ט
צ Zadde
ח Chet
6
תפארת
Tiferet
Schönheit
Pheh
Kaph
ל Lamed
י Jod
8
הוד
Hod
Herrlichkeit
7
נצח
Nezach
Ewigkeit
מ
Mem
ר
ס Samech
נ Nun
9
יסוד
Jesod
Fundament
ת Taw
10
מלכות
Malkhut
Königreich

Abb. 25

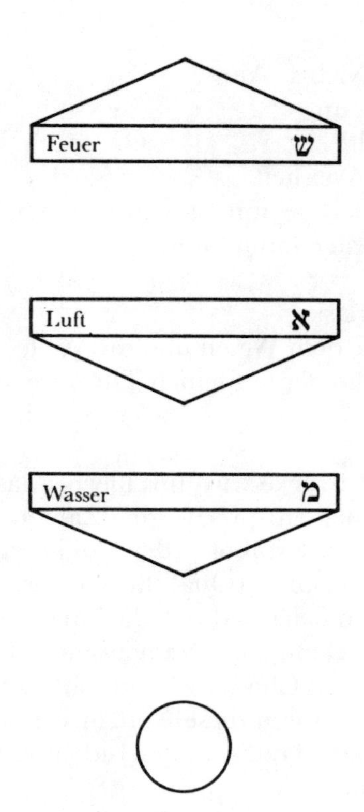

Abb. 26

In ihrer Entsprechung als Feuer, Luft und Wasser veranschaulichen sie die substantielle Hierarchie des stofflichen Aufbaus der Welt (siehe Seite 120: Die Jakobsleiter und die vier Welten).

Die Sefirot, die wir als Lichter, göttliche Ausstrahlungen, Kraftschwingungen oder Heilige Urzahlen bezeichnet haben, sind im wesentlichen Manifestationen verschiedener Verbindungen und Verdichtungen der im höchsten Urlicht, Ajin Sof Awir oder dem Lichtleib Gottes geeinten sieben Strahlen. Sie bilden jene zehn Energieströme oder Ausgießungen des Geistes, die die Schöpfung erhellen, beleben, bewegen und lenken. Sie sind gleichermaßen Strahlung, Licht und Klang (Ausstrahlungen Seines Lichtes und Wiederklänge Seines ewigen Namens). Durch Kontemplation ihrer Wirkungs- und Ausdrucksweise in der Welt und Meditation ihres Kräftespiels in unserer Seele wird sich uns die Wesensart der einzelnen Sefirot mehr und mehr erschließen. Schon das kabbalistische Buch *Sefer Jezirah* empfiehlt uns:

Zehn Sefirot aus Nichts (Ajin).
Zehn und nicht neun,
Zehn und nicht elf!
Verstehe dies mit Weisheit
und erfasse/meditiere sie mit Einsicht.
Erforsche und erwäge ihren Sinn.
Tauche ein in sie,
zeichne/visualisiere sie,
erforsche durch sie dein Wesen und die Welt
und rücke den Schöpfer auf seinen Thron!

Sefer Jezirah

Als entscheidende Brücke wird uns hierbei das Verständnis ihrer Namen sowie der ihnen entsprechenden Zahlen, Farben und astrologischen Kräfte und Symbole, der Archetypen und Heiligen Namen helfen. Eigenschaften, Qualität, Wesensart und Schwingung der Sefirot erschließen sich uns durch die ihnen zugehörigen Farben, Zahlen und Namen. Denn diese Namen sind keinesfalls willkürlich, sondern bezeichnen den Charakter und die Natur der sefirotischen Ausstrahlungen. So gehören diese Namen von alters her zum Geistesgut der esoterischen Tradition des Judentums und sind auch in der »Schrift« benannt.

Ihre Namen finden bei Jesajah Erwähnung und sind insbesondere im sogenannten Gebet Davids (1. Chronik 11) aufgezählt:

»Dir, JHWH, ist die Größe (Gedullah = Hesed)
und die Gewalt (Gevurah)
und die Schönheit (Tiferet)
und der Sieg (Nezach)
und die Majestät (Hod);
denn alles (Kol = Jesod)
was im Himmel und auf Erden ist,
ist Dein oh JHWH:
Dein ist das Reich (Mamlechah = Malkhut),
und Du bist über alles erhaben
aufs Höchste (Rosch, das dreifache Haupt:
Kether elion, Chokhmah (die Weisheit) und
Binah (die Intelligenz)).«

Diese Bezeichnungen, die dem Althebräischen entstammen, sind nicht gewöhnliche Benennungen, sondern, ähnlich den großen Mantren der indischen Tradition, Heilige Namen, deren Schwingung Träger der bezeichneten Kräfte sind. Sie reflektieren Natur und Wesen der Kräfte der Sefirot in ihrem Klang. In der Meditation oder im Gebet angerufen, erwecken sie die sefirotischen Kräfte in unserem Bewußtsein. So sind sie – ähnlich wie die Heiligen Namen Gottes, mit denen sie auch verbunden sind – Gnadenmittel heiliger Invokation.

So können wir durch Anrufung der Sefirot ihrer Reihe nach von der Wurzel (Malkhut) bis zur Krone (Kether) nicht nur den gesamten Sefirot-Baum als lebendiges Kraftfeld in unserer Seele erwecken, sondern dadurch auch unser Bewußtsein Schritt um Schritt bis zur Einung mit dem göttlichen Licht in Kether erheben und so in geistiger Entrückung an der Seligkeit Seines Wesens teilhaben.

Anders als die hebräischen Eigennamen der Sefirot spiegelt die sinngemäße Übersetzung dieser Namen in ihrer Bedeutung wohl den Grundaspekt der jeweiligen Sefira (des betreffenden Lichtes) wider, bleibt aber dennoch mehr eine symbolische Etikette, da sie den ganzen Seins- und Entfaltungsbereich, der jeder Sefira innewohnt, gar nicht annähernd auszuschöpfen vermag. Ähnlich wie etwa die »Liebe« Gottes unendlich viele Wege und Weisen findet, sich in der Schöpfung und in unserem Herzen zu offenbaren, so ist es auch mit den Sefirot.

V. Struktur und Aufbau des Sefirot-Baumes

V. Struktur und Aufbau des Sefirot-Baumes

> »Er ist eins – aber Er hat zwei Hände:
> Gewicht ist die eine,
> Glaube die andere.
> Die Materie hört auf die linke Hand,
> der Geist hört auf die rechte Hand.«
>
> Antwort der Engel

Die Struktur des Lebensbaumes ist äußerst vielfältig. Da er als Kosmogramm Spiegel des inneren Aufbaues der Welt und als »Landkarte« der Seele Spiegel des inneren Menschen ist, ist auch jede seiner Struktureigenschaften von grundsätzlicher Bedeutung.

Werfen wir nur einen flüchtigen Blick auf den »Baum«, so erkennen wir, daß er spiegelsymmetrisch bezüglich seiner senkrechten Mittelachse angelegt ist. Dies ergibt einerseits eine Beziehung zwischen »rechter« und »linker« Hälfte, zum anderen eine zentrale Achse oder Richtung, die »oben«, und »unten«, »obere« und »untere« Welt, miteinander verbindet. Diese Achse spiegelt schon die grundsätzliche Ausrichtung des geistigen Menschen, der versucht, Himmel und Erde in sich zu einen:

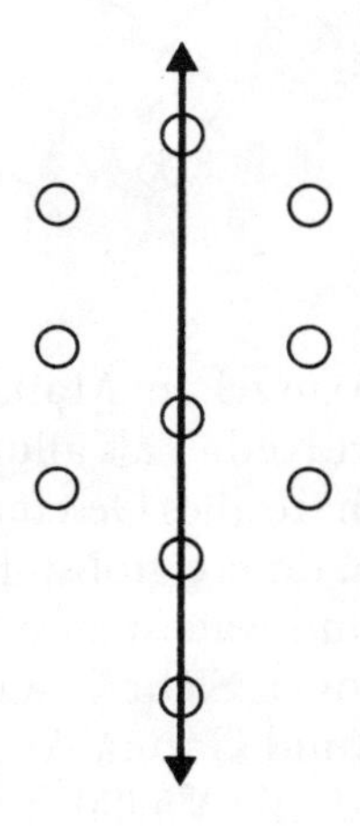

Abb. 27

Die Sefirot sind ferner so angeordnet, daß sie zum einen drei parallele senkrechte *Pfeiler* oder Säulen bilden,

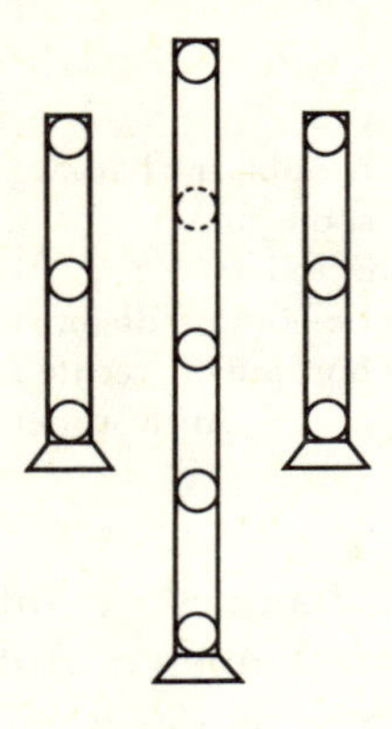

Abb. 28

zum anderen aber drei Dreiecke oder Triaden, die zusammen mit Malkhut den Baum in vier Ebenen gliedern.

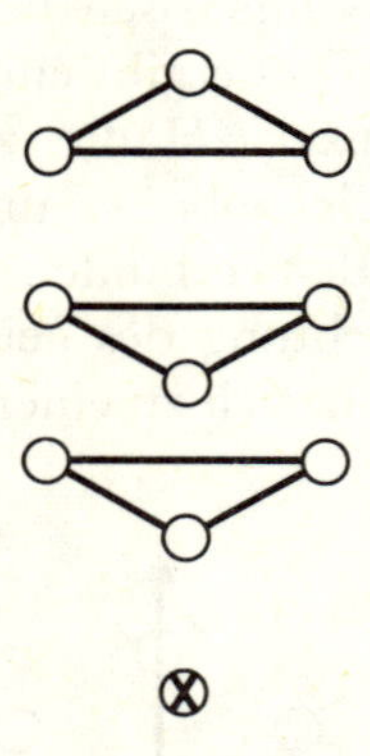

Abb. 29

Der Baum hat seine Wurzel in Malkhut und seine Krone in Kether. Hierbei verkörpert Kether als allumfassendes geistiges Licht Ursprung und höchste Sphäre alles Geschaffenen, Malkhut dagegen dessen niederste Seinsform, unsere grobstoffliche Materie. Der Baum erhebt sich aus der Erde und wächst zum Licht.

Tatsächlich – aus geistiger Sicht – wächst er umgekehrt: Mit Kether wurzelnd im Urgrund Gottes, Ajin Sof, entfaltet er, Sphäre um Sphäre durchdringend, die Vielfalt unserer Welt, die in Malkhut, ihrer grobstofflichen Erscheinung, ihre äußere sicht- und greifbare Form findet (siehe Abbildung 6 auf Seite 51).

Rollen wir den Baum von seinem Ursprung, das heißt von oben nach unten auf, so sehen wir, daß nach der Geburt des Urlichtes (Kether) aus der dem Logos entspringenden Lichtaura Gottes, dieses, selbst unteilbar, sich erstmals in zwei weitere Aspekte differenziert, die in ihm enthalten sind. Diese heißen Chokhmah und Binah, zu deutsch: Weisheit und Intelligenz. Bezogen auf das geistige Urlicht verkörpern sie die Kräfte des Sehens (Vimarsha) und des Strahlens (Prakasha) (siehe Band 1, S. 50). So wächst aus jener Urdreiheit der gesamte Lichtbaum (Abbildung 30).

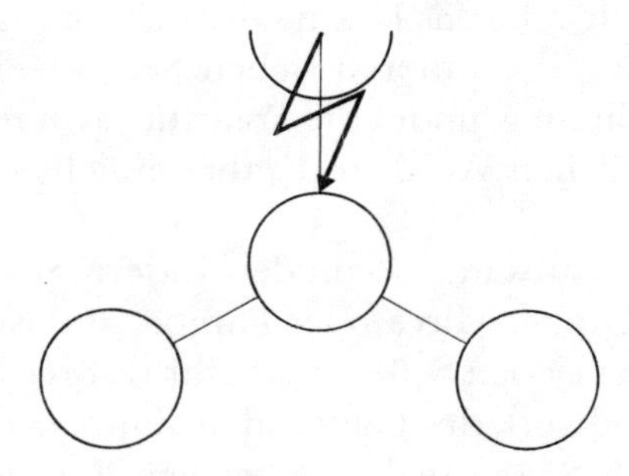

Abb. 30

Aus der Einheit von Kether bildet sich als erstes das Urpaar: Chokhmah und Binah, die zwei Aspekte des einen Lichtes. (Bilden sich später aus dem einen die Sinne, so entstammen dem anderen die Substanzen.) Sie sind erster Ausdruck und erste Widerspiegelung des Prinzips der Polarität, das als die Grundlage alles Geschaffenen alle Ebenen dieser Welt – von den subtilsten Gedanken und Empfindungen bis hinab zu den grobstofflichen Dingen – durchwirkt.

Zusammen bilden sie – im Spiel und Widerspiel ihrer Kräfte – jenen Schleier, der die Eine Wirklichkeit Gottes verhüllt und ihre ungetrübte Erkenntnis verhindert. Es ist jener Schleier, den die Inder Maya (die Messende), die alten Ägypter den Schleier der Isis und die Kabbalisten *Pargod* (den Vorhang) nennen. Sinnbild jener Macht der Maya (Polarität) ist auch der Vorhang im Tempel zu Jerusalem, der das Allerheiligste, den Ort, wo die Schekhinah oder

Herrlichkeit Gottes thront, vor den Blicken »der Sterblichen« (= der nicht zum Licht erwachten, nicht vom Heiligen Geiste erweckten Menschen) schützt, und der im Augenblick des Todes Jesu in zwei Teile zerreißt, um das Mysterium Gottes im Sterben Jesu zu enthüllen.

Wenn Isis in den Tempeln spricht: »Kein Sterblicher hat je meinen Schleier gelüftet«, so ist dies Ausdruck der gleichen Wahrheit, daß wir, ohne das Vergängliche zu überwinden, ohne von den Bindungen der Welt und des Ich frei zu werden, weder die Mysterien der Tempel noch die Herrlichkeit Gottes, noch die entschleierte Schönheit der Isis, das unverwandte, verborgene Antlitz der Wahrheit und der Essenz der Natur erkennen können.

Es ist das Spiel der Dreieinheit der oberen Triade (Kether – Chokhmah – Binah), die das Drama der Schöpfung und des Lebens – in der Entfaltung der unteren sieben Sefirot – hervorbringt. In Chokhmah und Binah gründet die Polarität, wurzeln die Kontraste unserer gegensätzlichen Welt, aus Kether ergießt sich die Substanz, die sie erfüllt.

Diese geistige Ursubstanz – von den Indern Shakti genannt – ist die Mutter aller Dinge. Maya oder Pargod ist das Blendwerk ihrer Verkleidungen, der sieben Schleier, die ihr wahres Wesen verhüllen. Maya ist das Blendwerk des betörenden Zaubers der Polarität, des großen, magischen Schauspiels der Farben, Formen und Gestalten auf der Bühne von Raum und Zeit. Maya bildet jene verklärende Macht der Sinne, die die obere Triade von dem unteren Teil des Baumes trennt (Abbildung 31 auf Seite 114).

Mitten in ihrem Feld – als Tor zum ungeteilten, gegenstandslosen Sein, als Nadelöhr und Durchbruch der Ewigkeit in Raum und Zeit – liegt *Daat* auf der mittleren Säule des Gleichgewichtes oder des reinen Bewußtseins. Daat als die elfte oder verborgene Kraft verkörpert die synthetische Macht der Erkenntnis, jene Kraft der Erleuchtung des Bewußtseins, die sich als Ausschüttung des Einen Urlichtes aus Kether in die untere Welt ergießt, wodurch das in die untere Welt herabgestiegene Bewußtsein alle Schleier durchdringt und in mystischer Schau die Eine Wahrheit und Wirklichkeit seines eigenen ungetrübten Seins gewahrt und erkennt.

Daat ist gleichermaßen der Ort der Synthese der »oberen Drei«, in den Gott herabsteigt und sich offenbart in der Seele oder der Welt, wie auch der Synthese der »unteren Sieben« als Ausdruck der geeinten Seele, in der das Herz des Menschen sich erhebt zu Gott. Es ist der Ort der Begegnung des Menschen (Tiferet) mit Gott (Kether). Aus Daat tönt die Stimme Gottes (hebräisch: *Bat Kol* = die innere Stimme); in Daat erscheint die Gestalt des inneren Meisters, offenbart sich die kosmische Gestalt der himmlischen Mutter, des Menschensohnes und Adam Kadmons. In und aus Daat tönt die Stimme des Verborgenen, die ausruft: »Dies ist Mein geliebter Sohn«, aus Daat spricht JHWH zu Mose durch den brennenden Busch. In Daat offenbart sich das Geheimnis der Taube, das Mysterium des herabfahrenden Heiligen Geistes, der sein Feuer herabgießt über das Haupt des Menschen und es seinem Herzen einflößt.

Die Voraussetzung für die Erhebung des Herzens über die Gegensätzlichkeit der Welt ist die Balance und Läuterung der Kräfte der Seele und ihrer zunehmenden Losgelöstheit aus den Bindungen der Welt. Dies ist auch der Sinn der Worte Jesu: »Selig, die reinen Herzens sind, denn sie werden Gott schauen.« Voraussetzung ist »der Tod des kleinen Ich«, denn »kein Sterblicher hat Mich je gesehen« (Mose).

Nicht der leibliche, erdgebundene Mensch, sondern nur sein ewiges, reines Wesen (*Immanuel* = Gott in uns) vermag den Unendlichen zu fassen. Nur das Selbst erkennt das Selbst, nur Gott kann Gott schauen.

Kether, Chokhmah und Binah bilden die Wurzeln und die Grundlage der Welt. Ihre Dreiheit bildet das Fundament, auf dem die drei Säulen des Baumes in ihrer tatsächlichen Bedeutung als die drei Pfeiler der Schöpfung gegründet sind. Verkörpern die beiden äußeren Säulen dieses, alle Ebenen der Schöpfung durchdringende Prinzip der Gegensätzlichkeit, des Spieles und Widerspieles der Kräfte, das Mit- und Gegeneinander von Männlichem und Weiblichem, den Gegensatz von Yin und Yang, Güte und Strenge, den linken und den rechten Arm Gottes, mit denen Er die Welt regiert, so versinnbildlicht die mittlere Säule jene Mitte, jenen Strahl des Bewußtseins, der alle Gegensätze eint und in dem sie ihren Ausgleich finden.

Die drei Säulen heißen dementsprechend: die Säule der Güte oder der Gnade (rechts), die Säule der Strenge oder des Gerichtes (links) und die Säule des Gleichgewichtes, des Bewußtseins oder des auf- und absteigenden Lichtes (Mitte). (Abbildung 32 auf Seite 112.)

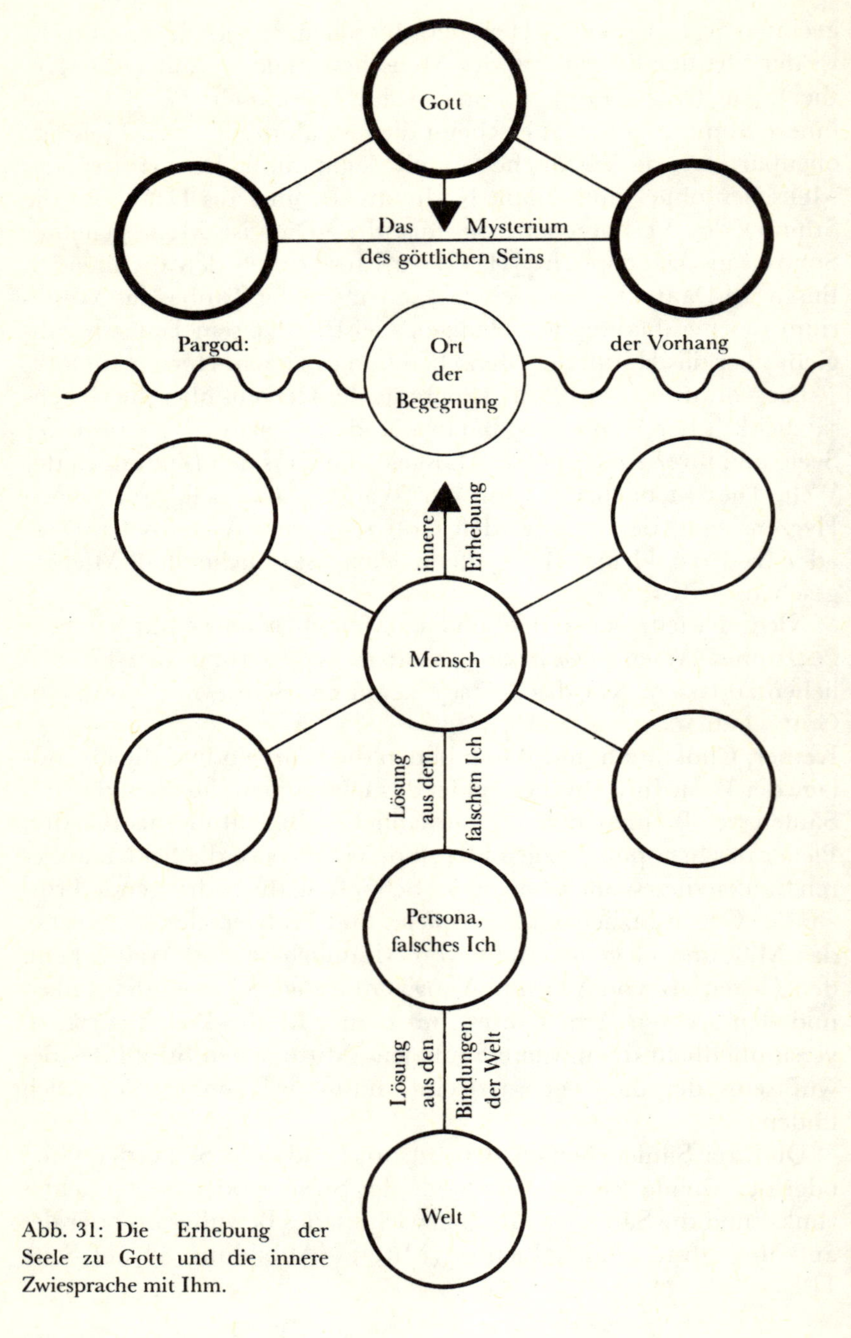

Abb. 31: Die Erhebung der Seele zu Gott und die innere Zwiesprache mit Ihm.

Abb. 32 Abb. 33

Haben die beiden äußeren Säulen eher einen formbildenden oder instrumentalen Charakter – sie entsprechen auch den beiden Säulen »Jakin« und »Boaz« am Tor des Tempels des Salomo –, so verkörpert die mittlere mehr die Essenz, das dem Universum oder dem betreffenden Wesen innewohnende Licht und Leben.

Diese mittlere Säule gleicht mehr einem Kanal und entspricht auch unserem Rückgrat. Sie verkörpert jenen Weg, der das Höchste in uns mit dem Niedersten verbindet und reicht – bildhaft gesprochen – vom Scheitel bis in die Zehenspitzen. Durch diese Verbindung, diesen Kanal, strömt reines Licht oder Bewußtsein. In der Seele entspricht er dem feinstofflichen Pfad der Shushumna-Nadi, des feinstofflichen Rückenmarkkanals. So bildet die mittlere Säule gleichsam den Lebensnerv des Baumes.

Betrachten wir die Reihe der Sefirot in der Reihe ihrer schrittweisen Emanation aus der Ur-Aura des Höchsten, so finden wir wiederum den Schöpfungsstrahl in der Gestalt eines Blitzes oder einer Spirale, die aus Kether herunterfährt (Abbildung 33).

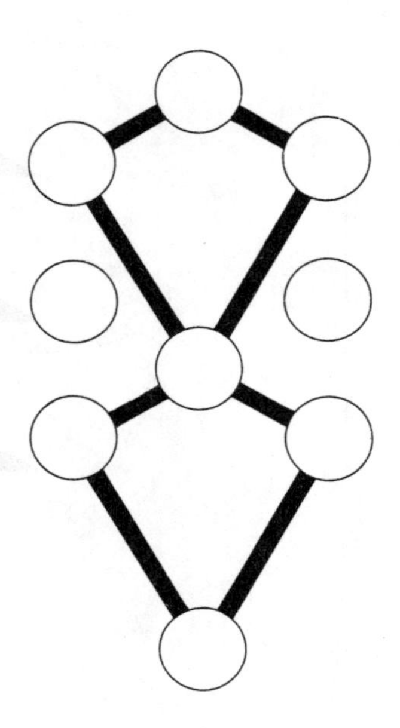

Abb. 34

Aus dem Höchsten stetig sich ergießend, fließt so der schöpferische Impuls oder Odem Gottes durch die Sefirot und die sie verbindenden Pfade von der Säule der Stärke zur Säule der Barmherzigkeit und wieder zurück, in der Bewegung einer Spirale alle Ebenen der Schöpfung durchdringend, in die Seele des Menschen und des Universums und beatmet so gleichermaßen Universum, »Himmelsmenschen« und alle lebenden Wesen (Chaijot Nischmat) [Genesis 1.24] sowie all deren Zellen, Körper und Organe. Wir finden so wieder das Bild der Spirale oder der Schlange, die, sich um den Stamm des Baumes windend, Involution und Evolution der Schöpfung im Rhythmus des Atems Gottes darstellt.

Neben dem Trippelkreuz spiegeln sich im Sefirot-Baum noch zwei weitere Strukturen. So gliedern die Kabbalisten den Baum, der in Tiferet seine Mitte hat, insbesondere in ein »unteres« und ein »oberes Gesicht«. Diese beiden Gesichter werden durch die Trapeze Tiferet – Binah – Kether – Chokhmah und Malkhut – Hod – Tiferet – Nezach gebildet. Sie verkörpern – je nach Betrachtungsebene – die obere und die untere Welt, die »oberen und unteren Wasser« (Gen.), den oberen und unteren Garten des Paradieses sowie den höheren und niederen Menschen (Abbildung 34).

In einer anderen Schau bildet sich im Baum die Gestalt der mystischen Lilie oder des Lotos, der aus einem Kreuz besteht, das das Siegel Salomos, den Stern des Messias trägt. Dieses Bild symbolisiert den Menschen, dessen niedere Natur das Kreuz bildet, das den höheren, ewigen Menschen trägt. Auf dem Fundament des Kreuzes wird das ewige Leben aufgerichtet (Abbildung 35).

Abb. 35

Unter dem Gesichtspunkt der Betrachtung des Universums als einer Entfaltung des Logos erscheint das gesamte Baumbild ferner wie das Netzwerk der Interferenzpunkte (= Sefirot) eines mandalaförmigen Schwingungsmusters (vgl. Abbildungen 36 und 37).

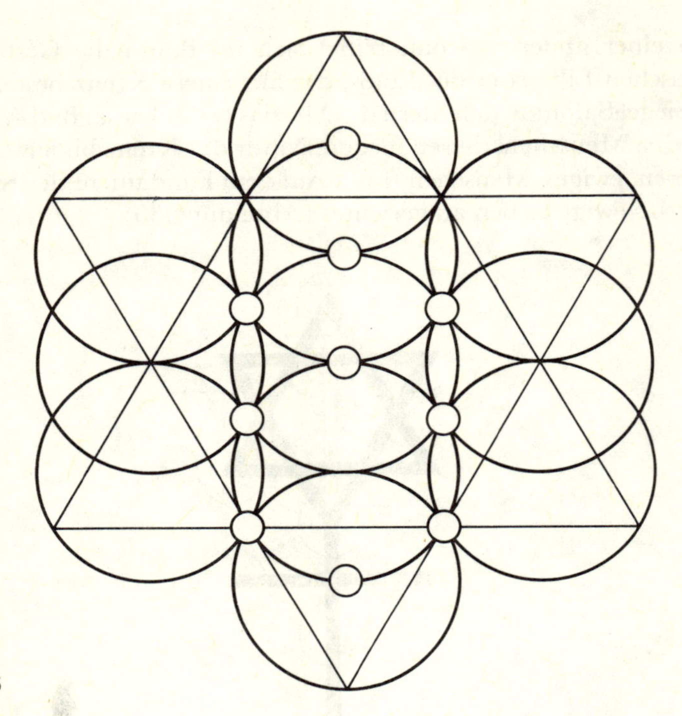

Abb. 36

Abb. 37

Und wahrlich: Als Entfaltung des Urwortes in Raum und Zeit ist das ganze Universum nichts als ein gewaltiger Akkord von Klängen und Kräften.

Sicher ist es auch kein Zufall, daß das Diagramm des Sefirot-Baumes sowohl an Modelle atomarer oder molekularer Strukturen, an das Molekulargitter von Kristallen als auch den stereometrischen Aufbau der Bausteine unserer Zellen (Gene, RNS, DNS) erinnert; gleicht doch alles Geschaffene einem einzigen Urbild der Schöpfung: Adam Kadmon oder der Urgestalt Gottes.

1. Die Jakobsleiter und die vier Welten

»Jakob hatte einen Traum:
Siehe, eine Leiter war auf die
Erde gestellt, deren Spitze
den Himmel berührte.
Und siehe, Engel Gottes stiegen
daran auf und nieder.
Und siehe, JHWH stand über ihr und sprach:
Ich bin JHWH, der Gott deiner
Väter (Abrahams und Isaaks)«

Gen. 28.12

Neben dem polaren Aufbau der Welt ist diese auch hierarchisch nach Seinsebenen gestuft. Wie wir bereits gesehen haben, entfaltet sich der Sefirot-Baum in sieben Schritten und so spiegeln sich diese sieben Schritte auch in seinem Aufbau als sieben Ebenen:

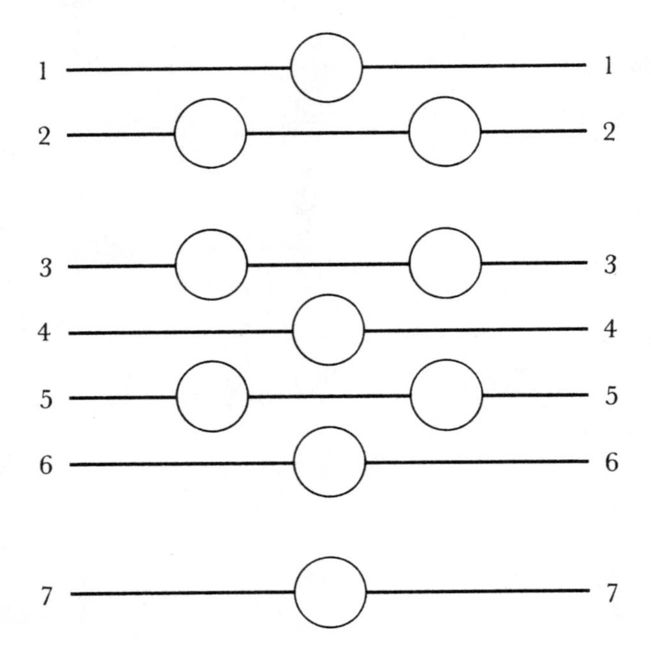

Abb. 38

Diese sieben Ebenen symbolisieren zuallererst die sieben Sphären der Schöpfung, zum zweiten aber – je nach dem Gegenstand oder dem Bereich unserer Betrachtung – in gleicher Weise die sieben Himmel, die sieben elysischen Hallen des Geistes, die sieben Himmelskräfte, die sieben Stufen des Bewußtseins, die sieben Stadien der seelischen Entwicklung sowie die sieben Tore der Einweihung.

In ihrer Bedeutung als sieben Seinsebenen der Schöpfung verkörpern sie

die Sphäre der Götter und Höchsten Kräfte
(Logoi und Archaä),
die Sphäre der Erzengel und Seraphen,
die Sphäre der Engel und Genien,
die Sphäre des Menschen,
das Tierreich,
das Pflanzenreich und
das Reich der Minerale und Elemente.

Diese sieben Sphären bilden entsprechend ihres gegenseitigen Verwobenseins und ihres substantiellen Aggregatzustandes vier Seinsbereiche, die die hebräische Tradition als vier Welten bezeichnet. Betrachten wir die Abbildung 39

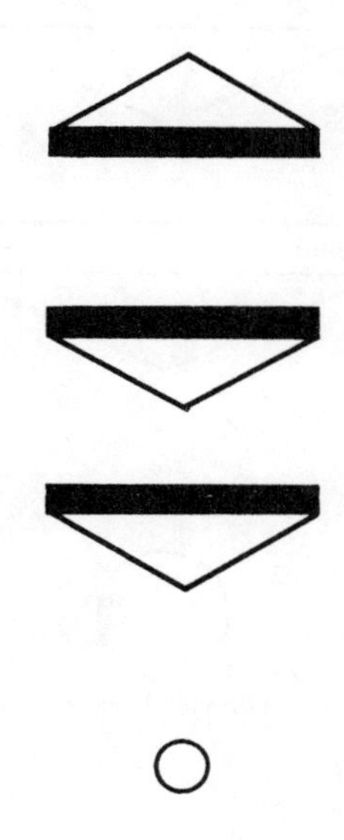

Abb. 39

und erinnern wir uns an die drei von den drei Sefirot-Triaden Kether – Chokhmah – Binah, Hesed – Geburah – Tiferet und Nezach – Hod – Jesod gebildeten Dreiecke, so finden wir, daß sie zusammen mit Malkhut je eine der vier Welten des Universums aufbauen.

Erinnern wir uns ferner daran, daß die die Grundlinien der drei Dreiecke konstituierenden Pfade im Baum gerade den »drei Müttern« des hebräischen Alephbeith entsprechen, die ihrerseits mit den ersten drei Aggregatzuständen der geistigen Ursubstanz der Schöpfung assoziiert sind, so verstehen wir damit auch die vierteilige Gliederung der Schöpfung, wie sie in der Kabbala wiedergegeben wird:

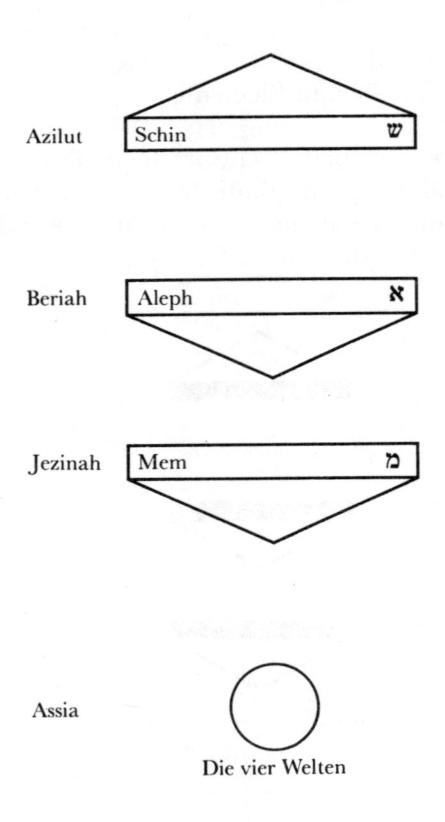

Die vier Welten

Abb. 40

Dem Buchstaben »Schin« ש entsprechend, der dem Element des Feuers angehört, nennt die Kabbala jene primäre Schöpfung Gottes *Olam Ha Azilut* oder Welt der Emanationen. Ihre Substanz ist feuriges Lodern des geistigen Lichtes. In den verschiedenen esoterischen Traditionen wird sie auch »Kausalwelt« oder »Welt der Ursachen« genannt. Ihr gehören unser göttlicher Kern wie auch unsere göttliche Seele an. Manchmal kann sie in der Meditation als Lichtstern oder Flamme im Herzen geschaut werden.

Das zweite Dreieck, das auf dem Buchstaben »Aleph« א gründet, konstituiert die aus »Azilut« hervorgegangene »Welt der Schaffung Gottes«, auf hebräisch: *Olam Ha Beriah.* Wie uns der Buchstabe Aleph belehrt, der dem Element Luft entspricht, gehört sie dem luftigen Aggregatzustand des Geistes an. Ihre Substanz ist somit gedanklicher Natur, so daß sie in vielen Traditionen als Mentalwelt bezeichnet wird. Ihr gehört unser Denken und unser Mentalleib an. Aber auch die Spären der Ideen, der Genien und der Großengel gehören zu ihr.

Das dritte Dreieck, gegründet auf dem Buchstaben »Mem« מ, ist es, das nun den flüssigen oder wäßrigen Aggregatzustand des Geistes bezeichnet. Es konstituiert jene dritte Welt, die als *Olam Ha Jezirah* oder »Welt der Formung« benannt wird. Ihr gehören die Urkräfte des Bios, des Wunsch-, Trieb- und Gefühlslebens, die Instinkte sowie das niedere Denken und Empfinden an. Sie wird deshalb auch Astral- oder Zwischenwelt genannt und wird von einer Unzahl feinstofflicher Wesenheiten bevölkert, die je nach der Stufe oder Höhe innerer Reinheit und Entwicklung ihrerseits unterschiedliche Sphären dieser Welt bewohnen. Hierher gehören Dämonen, Elementarwesen und Engel in gleicher Weise.

In uns Menschen gehören ihr unsere niedere Seele, unser Wunsch- oder Astralleib mit seiner Vitalität, seinem Wunsch-, Gefühls- und Empfindungsleben an.

Bleibt zuletzt Malkhut. Diese letzte Sefira konstituiert schließlich die vierte unserer Welten: *Olam Ha Assia* oder die »Welt des Gemachten«. Sie entspricht unserem gesamten physischen Universum samt allen körperlichen Dingen und Erscheinungen unserer grobstofflichen Welt. Ihre feste materielle Form gründet auf dem Buchstaben Taw ת, der die Verdichtung des feinstofflichen Fluidums der astralen Welt zu fester physischer Materie bewirkt.

Dieser Welt gehört unser physischer Leib, unser Handeln und all unser irdisches Leben an. Diese Aufteilung der Schöpfung in vier Welten, wie sie sich im Sefirot-Baum spiegelt, ist ebenfalls im Tripelkreuz des Hierophantenstabes oder des Hirtenstabes der Bischöfe zum Ausdruck gebracht. Es weist hin auf die durch den wahren Adepten oder Eingeweihten errungene Herrschaft über die vier Welten und die vollständige Vereinigung der Seele mit Gott.

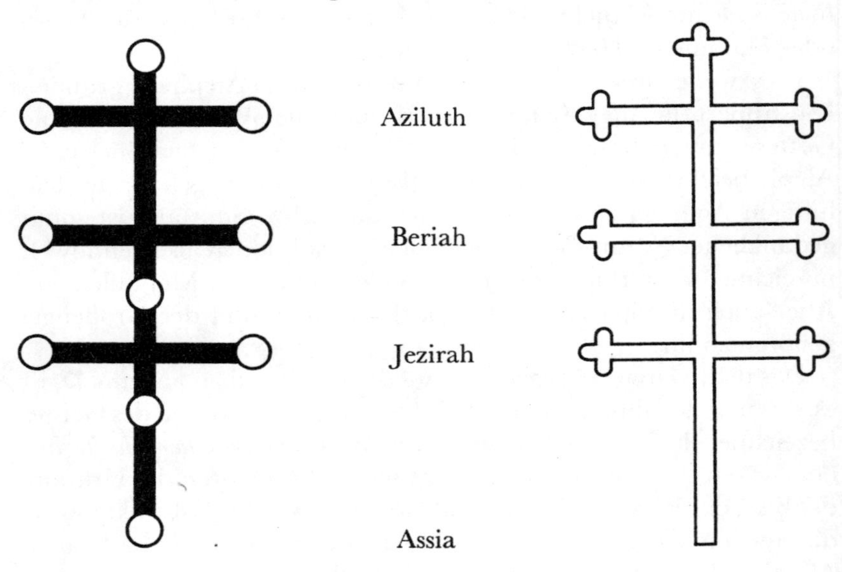

Die vier Welten

Abb. 41: Der Hierophantenstab als Symbol der vierfachen Herrschaft des Eingeweihten über die Welt. Er ist Herr über die vier geistigen Elemente sowie deren Ausdrucksformen von Wollen, Denken, Fühlen und Tun.

Wir sind auch hier wieder an den ägyptischen Djed-Pfeiler erinnert, der darstellt, wie das eine ewige Leben alle vier Sphären der Schöpfung durchdringt und jede von ihnen mit jenem Fluidum des Lebens erfüllt, das die Kabbalisten *Kabod* oder *Schekhinah* nennen. Er ist, wie der Lebensbaum, sowohl Sinnbild des inneren geistigen Lebens des Menschen als auch der Auferstehung seiner Seele in Gott.

Dem universellen Charakter des Lebensbaumes gemäß, nach dem jeder Teil oder Aspekt einer Ganzheit selbst eine Ganzheit niederer Ordnung darstellt, kann jede der Triaden (ja sogar jede Sefira) ihrerseits in einen ganzen Baum differenziert und damit jede der vier Welten durch ein vollständiges Baumdiagramm dargestellt werden.

Dies führt zu jenem aus dem Baum-Bild entfalteten Diagramm, das als Jakobsleiter bekannt ist (Abbildung 42 auf den Seiten 126 und 127). In diesem Bild, das jede der vier Welten als kompletten Sefirot-Baum darstellt, kommt nicht nur der innere Aufbau der einzelnen Welten deutlicher zum Ausdruck, sondern auch die Beziehung, das Verhältnis dieser Welten zueinander. Es macht sichtbar, wie jede Welt, ja jede Sphäre des Seins – wie wir es im Baumbild als allgemeines Prinzip kennengelernt haben – ihrerseits aus sieben Sphären aufgebaut ist. So sind es zum Beispiel in Beriah die sieben höheren Himmel oder Swargas (der Hindus) und in Jezirah die sieben Gemächer der Seele.

Die Jakobsleiter macht aber auch sichtbar, wie eine Welt in die andere greift, eine die andere durchdringt und von innen her trägt. Bezogen auf uns Menschen bringt es zum Ausdruck, wie der Körper durch die Seele (= Astralleib) belebt, die Seele ihrerseits durch den Mentalleib vergeistigt und der Mentalleib seinerseits durch die innewohnende göttliche Seele getragen wird. Je nachdem, in welchem Maße der Körper durchlässig geworden ist, wird er transparent für das innewohnende Leben der Seele. Gesicht, Leib und Augen wirken beseelt, und jedes Lächeln, jede Gebärde wird zum unmittelbaren Spiegel der Bewegungen der Seele und des Geistes.

Löst sich die Seele aus dem Leib und trennt sie ihre Verbindungsschnur – das silberne Band –, so bleibt der Leib leblos zurück. Er fällt ab und kehrt zurück zur Erde. Die Jakobsleiter des Menschen besitzt sodann nur mehr drei Glieder: Seele, Geist und göttlichen Kern.

Alles in allem zeigt die Jakobsleiter gleichermaßen, wie eine Sphäre in die andere greift und wie die Geschöpfe im Laufe ihrer Entwicklung zwischen den Sphären auf- und niedersteigen. Sie zeigt auch, wie jede Welt nach dem gleichen Urbild aufgebaut und nach den gleichen Prinzipien errichtet ist. Ist Azilut, die Welt der Göttlichen Emanationen, absolut rein und vollkommen, so ist jede tiefere Welt wohl nach dem Bild der ersten errichtet, jedoch sowohl in Symmetrie als auch Balance der Kräfte nur ein unvollkommenes Abbild ihres Urbildes. Die gesamte Jakobsleiter verkörpert somit eine Skala nach unten abnehmender Vollkommenheit und Vollendung an Sein und Gestalt.

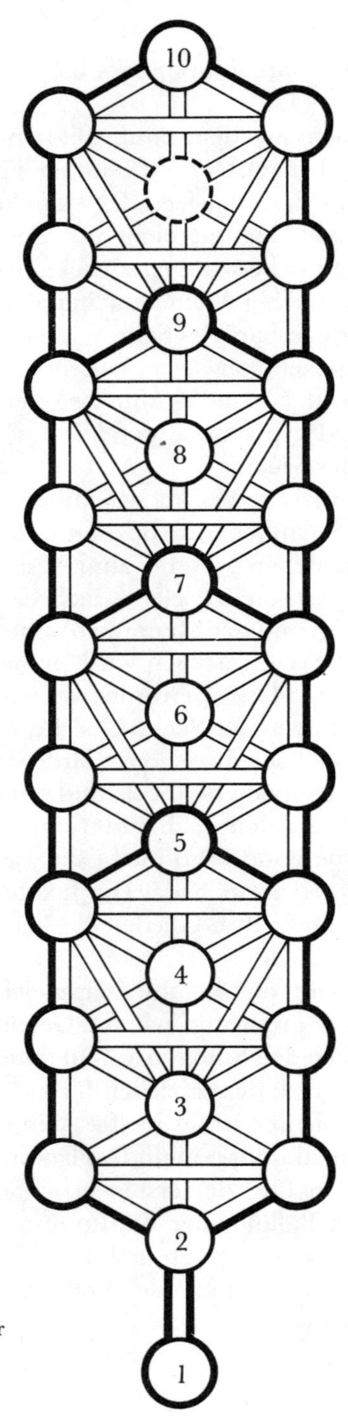

Abb. 42: Die Jakobsleiter

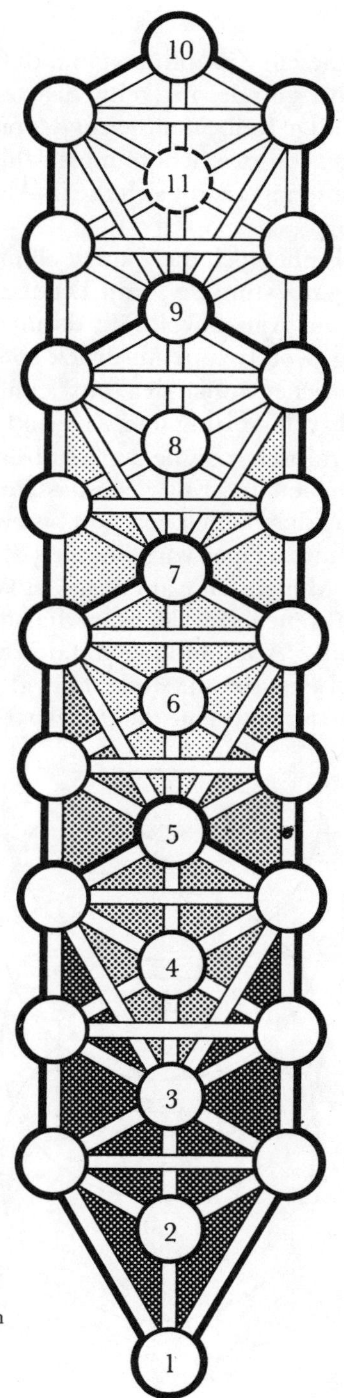

Abb. 43: Die vier Welten

Interessant ist in diesem Zusammenhang, daß die mittlere Säule der Jakobsleiter selbst gerade aus zehn Sefirot aufgebaut ist, die ihrerseits die vollständige Reihe der Sefirot des originären Baummodells nach der Sukzession des Schöpfungsstrahles durchläuft. Von unten nach oben numeriert ergibt sich die in Abbildung 42 wiedergegebene Darstellung.

Fügen wir dieser Reihe noch die Zahlen elf und zwölf an, so fällt die elf – wiederum ganz stimmig – auf Daat, das verborgene Geheimnis, und zwölf auf Ajin. Zwölf fällt damit zusammen mit der Null, dem Ursprung, womit zum Ausdruck kommt, daß alles Sein nach Durchlauf sämtlicher Stufen der Entwicklung wieder in seinen Ursprung zurückkehrt. Ursprung und Ziel sind eins. Die Reihe der zwölf Zahlen in der mittleren Säule der Jakobsleiter definiert genau die Reihe der Entelechien und Entwicklungsschritte, wie sie in Band 1 in der Beschreibung der Zahlen von null bis zwölf skizziert ist. Die Jakobsleiter wird somit zu einer vollständigen Skala geistiger Evolution, die uns genaue Meilensteine auf unserem Weg zum Selbst zeigt (und auch vom erfahrenen Pendler zu radiästhetischen Prüfungen benutzt werden kann). (Abbildung 43 auf den Seiten 126 und 127)

Jakobsleiter und Lebensbaum sind somit gleichwertige Darstellungen, von denen erstere nur eine differenzierte Version des Sefirot-

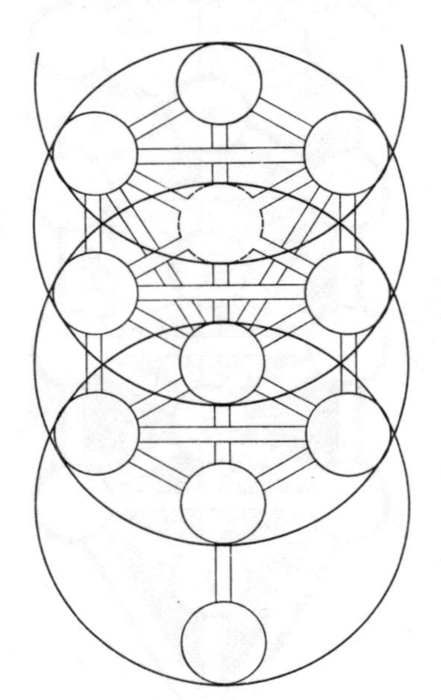

Abb. 44

Abb. 45

Baumes darstellt. Benutzen wir den Sefirot-Baum, so werden die vier Welten in ihm nicht nur durch die drei Dreiecke und Malkhut, sondern oftmals auch durch vier einander überlappende Kreise dargestellt. Diese zweite Version wird der Tatsache besser gerecht, daß die einzelnen Welten ineinandergreifen und so miteinander verbunden sind und eine in die andere hineinwirkt (Abbildung 44).

Eine ähnliche symbolische Darstellung der Welt finden wir auch schon in dem englischen Werk von William Law (Abbildung 45).

Gebrauchen wir die geometrischen Symbole der einzelnen geiststofflichen oder alchimischen Elemente, so ergibt sich ein Bild, das einer Kerze oder tibetischen Stupa gleicht:

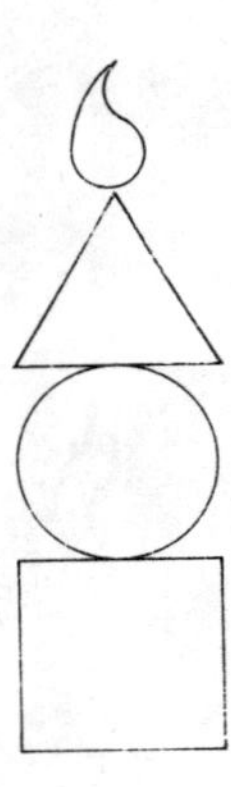

Abb. 46

Beide sind Symbole des Menschen und des Universums.

In den Kapiteln VI. bis IX. werden wir uns der Betrachtung der vier Welten im einzelnen zuwenden.

Vorher wollen wir uns jedoch die Symbole von Baum und Jakobsleiter in bezug zu ihrer Anwendung auf den Menschen noch näher ansehen.

2. Mensch und Weltenbaum

Wie eins am anderen hängt,
sehe ich im Geiste.
Wie alles getragen wird,
erkenne ich im Geiste.
Das Fleisch sehe ich an der
Seele hangen,
Die Seele von der Luft
getragen werden,
Die Luft am Äther hangen.
Aus dem Abgrund aber sehe ich
Früchte entsprossen,
Aus dem Mutterschoße ein Kind.
Valentinos Hippolytus

Lobe den Herrn, meine Seele!
Du bist schön und prächtig geschmückt.
Licht ist dein Kleid, das du anhast.
Psalm

Jedes Organ, jedes Glied
ist Eins mit einer Kraft des Alls.
Antwort der Engel

Jedes Organ deines Körpers
ist ein Bild einer Weltenkraft –
es erhält seine Kraft von ihr.
Antwort der Engel

Beide – Jakobsleiter und Lebensbaum – sind Visionen sowohl des Universums als auch des inneren Menschen. Wie wir des öfteren bereits gesehen haben, stellt sich das Universum als Ausdruck verschiedener Aggregatzustände des Einen Seins und Bewußtseins dem menschlichen Geist so dar, als sei es in vier Seinsebenen oder Sphären gegliedert, die nun Ausdruck des Waltens und Wirkens seines Ursprunges sind und die wir als die vier Welten bezeichnet und im

Sefirot-Baum durch seine vier Ebenen dargestellt haben (Abbildungen 47 und 49).

Genau wie das Universum – und im Wesen mit ihm eins – erscheint uns auch der Mensch als Einkleidung seines innersten göttlichen Funkens in Geist, Seele und Leib als viergliedriges Wesen, das durch seine vier Glieder an den jeweiligen Sphären der Schöpfung seinen Anteil hat. So erscheint den physischen Augen der Mensch nur in seiner körperlichen Gestalt, durch die wir teilhaben am irdischen Leben, in seiner Begrenzung und seinem Gesetz, während der innere Mensch, gleichermaßen beheimatet in der Welt der »Formung« und des Geistes, im Verborgenen bleibt. Und doch ist es dieser innere Mensch, seine Lebenskraft und sein Bewußtsein, durch das der leibliche Mensch seine Tätigkeiten, Bewegungen, Äußerungen und sonstigen Kundgebungen seines Wesens in der Welt vollzieht und bewirkt.

Fällt dieses äußere Glied des Menschen – sein physischer Leib – ab, um sich in seine Elemente zu zerlegen und zur Erde zurückzukehren, so sagen wir, er sei tot. Tatsächlich zieht sich das Bewußtsein – je nach der Stufe seiner Entwicklung – nur auf eine andere seelisch-geistige Ebene zurück, um in deren Hallen weiter zu wirken, bevor es, in der Seele weiter gereift und regeneriert, sich erneut in einem physischen Leib inkarniert, um sich weiterzuentwickeln.

Diese Einkleidungen, Hüllen oder Leiber sind in allen Traditionen bekannt und benannt. So sind sie uns in der Tradition der Kabbala unter folgenden Namen überliefert:

Gufe – physischer Leib
Nefesch – astraler oder Wunschleib
(er gilt als die niedere, animalische oder Empfindungsseele, als Sinnenkörper)

Ruach – mentaler Leib oder Intellekt
(der Gedankenkörper, von »ruach«, dem Wind oder Luftstrom)

Neschamah – Kausal- oder Ursachenkörper
(die göttliche oder Geistseele; von *Nischmat*, dem göttlichen Odem; Neschamah ist Teil der Schekhinah oder Glorie Gottes)

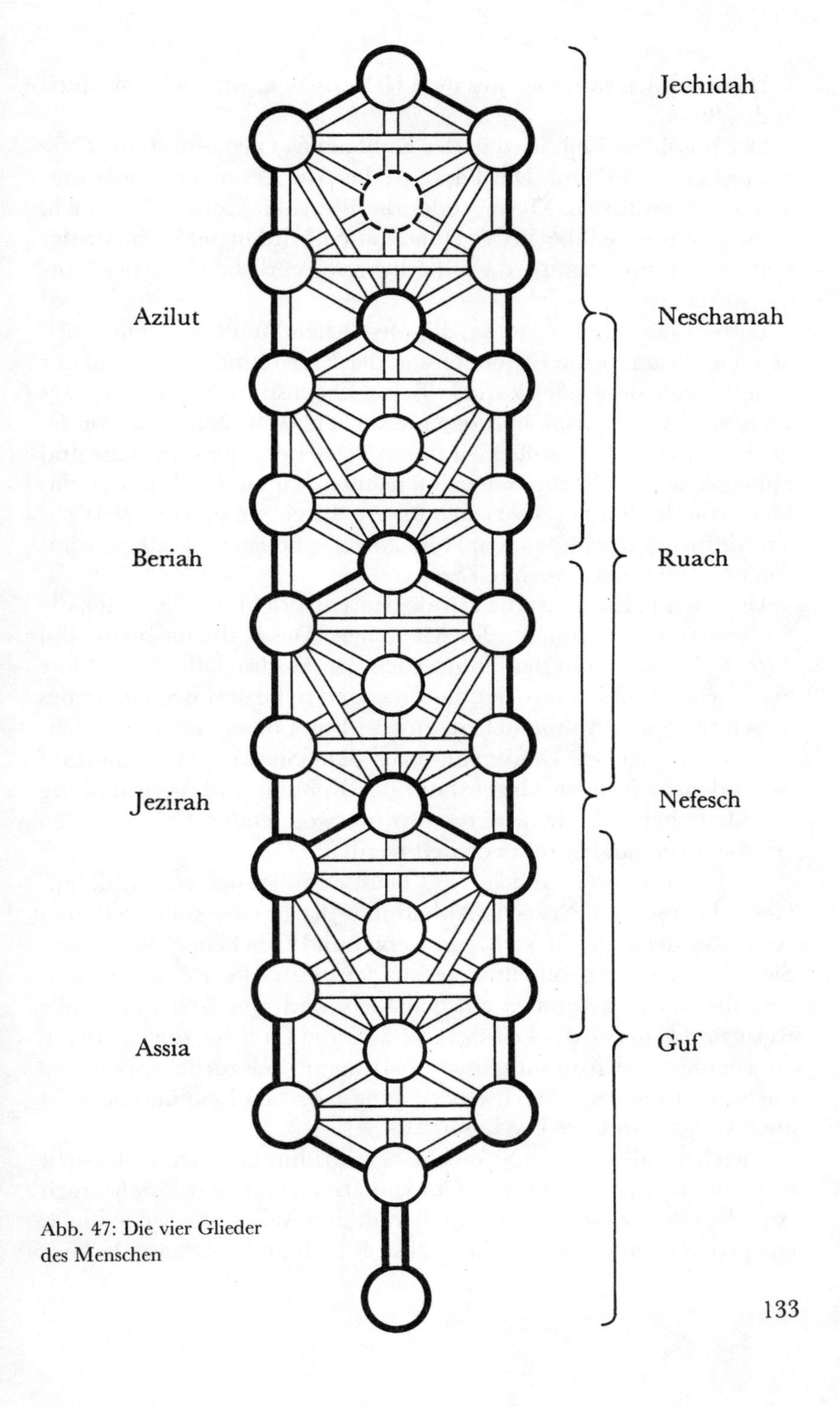

Abb. 47: Die vier Glieder des Menschen

Diese Namen stammen aus dem Hebräischen; wir finden sie auch in der Bibel.

Der physische Leib wird in der Kabbala *Guf* genannt. *Gufe Thora* ist der Leib der Thora. Die Thora ist das Alte Testament (insbesondere das Schriftwerk Moses') oder die Botschaft Gottes. Das Buch, das wir als unsere Bibel in der Hand halten, wird in der Kabbala der Leib der Thora genannt, die äußerliche, körperliche Hülle des Wortes Gottes.

Unser Leib gehört zu *Assia*, der physischen Welt und gehört auch in allem ihr an. Seine Elemente sind der Erde entnommen, und zur Erde kehren sie wieder zurück. Seine Lebensmittel bezieht er aus allen vier Aggregatsphären der physischen Welt: Nahrung von festem Stoff, den Durst stillen wir durch Wasser und sonstige Säfte und Flüssigkeiten der Natur, Sauerstoff nehmen wir aus der Luft und das Licht von der Sonne. Aber auch unsere Taten, unser Werk verrichten wir hier in der physischen Welt. Nur das Leben im Leibe stammt von der ihm innewohnenden Seele.

Die nächste Ebene ist die astrale. Ihr entspricht das Seelische, die Seele oder der Astralleib des Menschen. Die Kabbala nennt ihn *Nefesch*. Nefesch ist in der Thora auch der Ausdruck für die niedere Seele, jenes Teiles in uns, der der Sitz der Triebe und Begierden, des Vegetativen und Animalischen, unserer Emotionen und unseres ich- und weltbezogenen Denkens ist. Als dem Sitz der Wünsche und Begierden ist Nefesch Gegenstand der Reifung und Verwandlung des Menschen. All die niederen, ihr innewohnenden Kräfte wollen erhoben, verwandelt und veredelt werden.

In ihrem unteren Gesicht (das heißt dem Trapez von Malkhut, Hod, Tiferet und Nezach; Abbildung 48) hat sie unmittelbaren Anteil an der unteren Welt, am Leben und Geschehen des Leibes. Sie ist hier so eng mit ihm verbunden, daß alle Regungen und Impulse auch übergreifen auf den Leib, und umgekehrt auch alle Reize und Prozesse des Leibes, seine äußeren Einflüsse sowie inneren Geschehnisse, sich unmittelbar übertragen und zurückwirken auf die Seele. Diese enge Wechselbeziehung zwischen Leib und Seele ist auch Gegenstand der Psychosomatik.

Gleichermaßen hat Nefesch aber in ihrem oberen Gesicht (= dem Trapez von Tiferet, Chokhmah, Kether und Binah) auch Anteil an den oberen Welten, an Beriah und Azilut, sowie den ihnen entsprechenden Leibern in uns selbst: Ruach und Neschamah. Hier

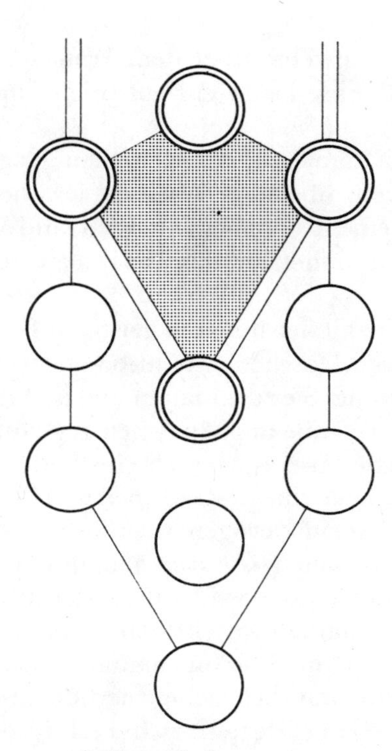

Abb. 48: Die Verbindung von Seele und Leib.

in ihren höheren Etagen ist sie auch Trägerin von höheren Anlagen, Fähigkeiten und Impulsen, die wir gerade in, mit und aus ihrer Verbindung mit den übergeordneten geistigen Dimensionen zur Entfaltung bringen möchten. Insgesamt ist sie dazu angelegt, eine Fülle reiner Qualitäten hervorzubringen, die ihr erst ermöglichen, die höheren Dimensionen des geistigen Lebens zu offenbaren.

Wir sehen: Nefesch umspannt einen weiten Raum, ja alle Sphären der astralen Welt, von den Abgründen des Unbewußten bis hinaus in die Regionen des Lichtes. Das entspricht auch unserem inneren Erleben: Tatsächlich ist die Seele unendlich weit und unergründlich tief. Und doch will sie in allen Sphären ergründet und in all ihren Aspekten geläutert, verwandelt und erhoben sein.

Tiefer innen, der Astralseele übergeordnet, finden wir den Geistkörper oder Mentalleib des Menschen. Die kabbalistische Tradition nennt ihn *Ruach*. Ruach heißt auch der Hauch oder der Wind, und das erinnert uns an die Worte der Genesis, die da heißen: »Und der

Geisthauch Gottes schwebte über dem Wasser«, das ist der *Ruach Elohim*, der Geist Gottes. Der Geist entspricht immer dem luftigen Element.

So ist es auch mit dem Geist des Menschen. Er gehört der luftigen Welt an und schwebt über den Wassern. Das heißt, er steht über dem wässrigen Element der astralen Welt und ist es auch, der – wenn sich die Seele öffnet für das Wirken der oberen Welt – sie regiert.

Ruach ist der Sitz all der höheren geistigen Fähigkeiten, Talente und Qualitäten des Menschen, wie insbesondere auch seiner ganz individuellen Berufung. Sie zu entfalten und in ihrer ganzen Fülle zu offenbaren, ist die Aufgabe des Menschen gegenüber Ruach.

Die höchste Ebene unseres Menschseins bildet die göttliche oder Geistseele des Menschen. Sie ist das Innerste, Höchste und Heiligste in uns und verweilt in einer ewigen unauflöslichen Einheit mit Gott. Sie wird im Hebräischen *Neschamah* genannt. Und wenn man in Israel ist und zu wahrhaft chassidischen oder inbrünstig gläubigen Juden über die Neschamah spricht, dann kommen den Menschen gar rasch die Tränen in die Augen und sie sagen: »Ach, deine Neschamah ist es, die hat dich sicher hierher (in das Land unserer Propheten und Väter) geführt.« Neschamah ist der Sitz der reinen göttlichen Intuition. Sie ist es, die uns führt und leitet und uns die tiefsten Impulse unseres Lebens vermittelt. Sie ist der Motor unseres geistigen Lebens.

Selbst wenn wir sie noch gar nicht wahrnehmen, waltet sie wie ein guter Geist oder Engel über unserem ganzen Dasein. Aus ihr selbst kommen der Ruf des Erwachens, die Impulse des Schicksals, ja selbst die Gnade, die unser Herz beglückt. Sie ist der Ort, an dem, wenn wir ihn erreichen, wir eingehen in Gott, um fortan in unauflöslicher Einheit zu leben mit Ihm. Neschamah gliedert sich ob ihrer Einheit noch in zwei weitere Stufen, die ihr als innerster Kern innewohnen. Es sind dies *Jechidah* und *Chaijah*. Jechidah kommt von *echad*, der Eins, *jachid*, dem Einzigen, und *jichud*, der Einung (und Einheit des Alleinen).

So heißt es im *Sch'ma Israel*, dem zentralen Gebet des Judentums, das auch Jesu anspricht (Mk. 12.29-30): »Der Herr, unser Gott, der Herr ist einer«; »Adonai echad«, der Herr ist einzig, alles, einig und allein. Der Kommentar sagt »Echad, jachid wa-nejuchad«, »einer, einzig und in sich geeint.«

Jechidah meint somit den einen unteilbaren göttlichen Funken, die Monade oder das geistige Atom des Menschen. Sie verkörpert jenen strahlend-reinen, ewig aus sich selbst leuchtenden Lichtkern in uns, der auf ewiglich beheimatet ist im Lichtreich Gottes. Jechidah, der »Unteilbaren«, »Einen«, entsprechen das griechische *atomos* und das lateinische *individuum*, die alle identisch sind.

Dieser innerste Funke, jenes ewige Feuer des ewig seligen *Ich Bin* oder *Ehjeh ascher Ehjeh*, einzig ekstatische Selbstbekundung des unauslöschlichen Seins, bildet um sich als zweite Ausstrahlung *Chaijah*, den Lebensleib des Menschen. Sie entspricht dem *Pneuma* der Griechen und der *Anandamaya Kosha* der indischen Shastras. Chaijah kommt vom hebräischen *Chaij*, dem Leben, und meint die innerste Lebenskraft, die nun aus der Monade herausquillt. Es ist das Leben schlechthin, als geistiger Strom, der aus diesem Lichtquell herausfließt und alles erfüllen möchte.

So finden wir Jechidah, die Monade, als den innersten Motor, der in seiner untrennbaren Einheit mit Gott letzter unversiegbarer Quell des ewig strömenden Lebens ist. Neschamah und Monade bilden einen Funken seines ewigen Lichtes. Darin liegt der Sinn der Worte: »Die Seele des Menschen ist Licht von JHWH.« (Sprüche 20.27) Sie ist ein Strahl, eine Emanation seines alldurchdringenden, sonnenhaften Wesens, ein Strahl seiner Seligkeit.

Jechidah, Chaijah und Neschamah bilden somit die obere Triade des kosmischen Lebensbaumes, den göttlichen Kern des Menschen. Der Sohar faßt dies in folgende Worte:

> »Merke: Drei Arten der Seelen gibt es, aufsteigend zu himmlischen Stufen, ... Die eine: die obere Seele, die kein Walter der oberen Außenräume faßt, geschweige denn der unteren. Sie ist die Seele aller Seelen, verborgen und ewig unoffenbart und unerkannt. Alle hängen von ihr ab, doch sie ist verhüllt in einer *Lichthülle von Kristall*. Von ihr tropfen Perlen, die verbinden sich in eins wie die Glieder *eines* Körpers. Darein begibt sie sich und läßt darin ihr Werk erscheinen: als *eins* und ohne Sonderung. Diese oberste Seele ist die verborgenste von allen. Und die andere Seele ... verbirgt sich in *ihrer* Kraft; durch sie ergreift jene ein Körperliches, in ihm der ganzen Welt Werk zur Erscheinung zu bringen – dem Körper vergleichbar, welcher der Seele Werkzeug ist. Und beide verbunden, doch verborgen in den oberen Sphären.«

Die beiden Seelen, von denen hier die Rede ist, sind Jechidah und Chaijah. Die dritte, hier nur angedeutet, ist Neschamah. Diese oberste Dreifalt des innersten göttlichen Kerns ist in Neschamah selbst als unteilbare Einheit umfaßt. So verkörpert diese Geistseele das Höchste, Heiligste und Ewige in uns, das göttliche Selbst als stets unbeflecktes, in sich makelloses, vollendetes Wesen.

So sehr wir uns in anderen Ebenen verunreinigen können – durch achtloses Reden, durch mechanische Denk- und Verhaltensweisen, unlauteres Wünschen oder ausschweifendes Leben –, jenes Innerste bleibt davon stets unberührt. Jedoch: je mehr wir uns innerlich verdunkeln oder verunreinigen, durch unlauteres Wollen, Denken, Fühlen und Tun, um so weiter entfernt sich dieser göttliche Kern von uns, um so mehr trennt sich seine Verbindung von unserem mentalen und astralen Leib. Die Verbindung des kleinen Ich zur oberen Welt wird dünner oder hört ganz auf. Das ist natürlich, denn: verunreinigen wir uns in Seele und Leib, so verläßt er das ihm zugedachte Haus. Ist unsere Seele vollgestopft mit weltlichen Gedanken, Sorgen, Wünschen und sonstigem Kram, so ist in ihr wahrlich kein Platz für göttliches Denken, Leben und Licht. Das göttliche Ich zieht aus und überläßt den Tempel unserem weltlichen Ego. Darin liegt auch der Sinngehalt von der Botschaft um die Zerstörung des Tempels zu Jerusalem und der Klagelieder der Propheten um die Heilige Stadt: daß Israel abfiel von JHWH und die Schekhinah, die Braut und Glorie Gottes, auszog aus dem Gemäuer der Stadt. Wer das Heiligtum in sich entweiht, der verrät die göttliche Gegenwart und verbannt seine Schekhinah ins Exil. Tatsächlich lebt der weltliche Mensch allein in Körper, Wunschseele und Geist (Guf, Nefesch und Ruach), während sein göttlicher Kern sich erst durch heilige Hinwendung (*Kavanah*) zu Gott in göttlicher Empfängnis und Gnade ihm verbindet. Die Voraussetzungen solcher Empfängnis bilden Reinheit, wahrhaftiges Streben oder geistige Errungenschaft. Erst im Akt der reinen Empfängnis steigt die Neschamah herab aus der oberen Welt und zieht ein in den Tempel, den wir ihr bereitet haben. Solange weilt sie in der oberen Welt bei Gott und lenkt von da aus das Geschick des Menschen.

Dieser Aufbau des inneren Menschen und die verschiedenen Stufen seiner Seele sind auch im Sohar des öfteren erwähnt. So lesen wir etwa im Kapitel von der »Erschaffung der Erde und des Menschen«:

»... die Seele ist zusammengefaßt in drei Stufen, weshalb ihr drei Namen eignen, gemäß oberem Geheimnis: Nefesch, Ruach, Neschamah. Nefesch die untere Stufe; Ruach der Bestand, der über der Seele waltet, in allem bestehend in rechter Weise. Neschamah, der höhere Bestand, waltend über allem – heilige obere Stufe. Diese drei Stufen sind im Menschen zusammengefaßt, bei jenen, welche zum Dienste ihres Herrn gewürdigt sind. Denn im Anfang ist in ihm nur Nefesch, und das ist die heilige Richte, daß in ihr der Mensch zum Rechten sich wandle. Wenn der Mensch auf dieser Stufe zur Läuterung gelangt, kann er aufsteigend an ›Ruach‹ sich veredeln, denn dies ist die heilige Stufe, die über Nefesch ruht, daß mit ihr der Mensch, der würdig geworden, sich veredle. Ist er aber in Nefesch und Ruach aufgestiegen und hat sich im Dienste seines Herrn zum Rechten gewandelt, dann waltet über ihm Neschamah, die obere, heilige, über allen waltende Stufe, daß er mit der oberen, heiligen Stufe sich verschöne – so wird er allvollkommen, vollkommen nach allen Seiten, um würdig zu werden der kommenden Welt, als Gottgeliebter. Wovon es heißt: ›um erben zu lassen, die Mich lieben, wesenhaft Sein‹ (Sprüche 8,21). Wer sind, ›die Mich lieben‹? Es sind diejenigen, in denen heiliger Seelenodem (Neschamah) wohnt.«

Nach all dem fassen wir zusammen: Nefesch ist der Sitz des vitalen Lebens. Seine Kräfte gilt es zu wandeln und zu erheben. Dadurch wachsen wir in Ruach, uns durch die Entfaltung der ihm eingeborenen Gaben zu veredeln. Steigen wir auf zur Neschamah, so finden wir in ihr die Vollkommenheit des Seins, die Einung mit Gott und unsere letztendliche Seligkeit.

So erkennen wir *Jezirah*, *Beriah* und *Azilut* als *drei Etappen* unseres inneren Weges. Sie sind die Wegetappen der *Wandlung* (in Nefesch), der *Vollendung* (in Ruach) und der *Einung* (in Neschamah und in Gott). Ihre Betrachtung bildet den Inhalt der Kapitel VII. bis IX.

Der Sohar faßt diesen Weg in folgendes Gleichnis:

»Vergleiche es einem König, dem einst ein Sohn geboren wurde. Schickte er ihn in ein Dorf, um ihn großzuziehen, auf daß man ihn, wenn er herangewachsen, die Wege zum Palaste des Königs lehre. Als nun der König hörte, daß sein Sohn herangewachsen, was tat er in der Liebe zu seinem Sohne? – Er entsendet die Gattin

zu ihm, sie bringt ihn in sein Zelt, damit er sich den ganzen Tag an ihm erfreue.
So der Allheilige: Er zeugte einen Sohn mit der himmlischen Matrone, dies ist die heilige, himmlische Seele. Schickte Er sie in das ›Dorf‹, das heißt: in diese Welt, damit sie in ihr heranwachse und man sie die Pfade zum Palaste des Königs lehre. Als nun der König wußte, daß Sein Sohn herangewachsen und daß es Zeit für ihn sei, ins Heiligtum zu kommen, was tat Er in der Liebe zu seinem Sohne? Er schickte die himmlische Matrone zu ihm und ließ ihn ins Heiligtum kommen.
So verläßt die Seele diese Welt nicht früher, als bis die Matrone zu ihr kommt und sie in den Palast des Königs bringt, damit sie ewig dort verweile.« Sohar

Ein schönes Bild des Weges der geistigen Verwirklichung des Menschen. Die Seele geht »hinaus aus des Vaters Haus«, um auf den Pfaden der Erde sich so zu vollenden, daß sie durch das Tor der zweiten oder geistigen Geburt, der Herabkunft der Neschamah, eintritt in das geistige Leben. Die »göttliche Matrone« oder die ihr innewohnende Kraft des Heiligen Geistes führt sie sodann zur letzten Vollendung, durch die sie einkehrt in das Heiligtum Gottes und im Festmahl mit Ihm teilhat an aller Herrlichkeit ihres Vaters. Das ist auch der Sinn der Worte Christi: »Den, der überwindet, den werde ich zu einer Säule machen in meines Vaters Haus, und er soll nicht mehr hinausgehen.« (Offenbarung 3.12) »... den werde ich mit mir setzen auf meines Vaters Thron, so wie ich mich gesetzt habe auf meines Vaters Thron.«

Der innere Zusammenhang der drei beziehungsweise fünf Seelen und des Leibes ist in den Abbildungen 47 und 49 zum Ausdruck gebracht. Hierbei zeigt insbesondere die Jakobsleiter die Leiber wie Hüllen, die, ineinandergreifend wie eine Hand in den Handschuh, eine die andere durchdringen und von innen her beleben.

Die sefirotischen Kräfte oder Energien selbst, die ja auf jeder der vier Ebenen ihren entsprechenden Ausdruck finden, können in ihrer rein geistigen Form – ähnlich den Chakras oder der Aura des Menschen – als leuchtende Ausstrahlungen oder pulsierende Kraftfelder in oder um das Körperprofil des Menschen wahrgenommen werden. Insbesondere durch Invokation oder Anrufung ihrer Heiligen Namen entfalten sie eine besondere Leuchtkraft, die als eine tiefe

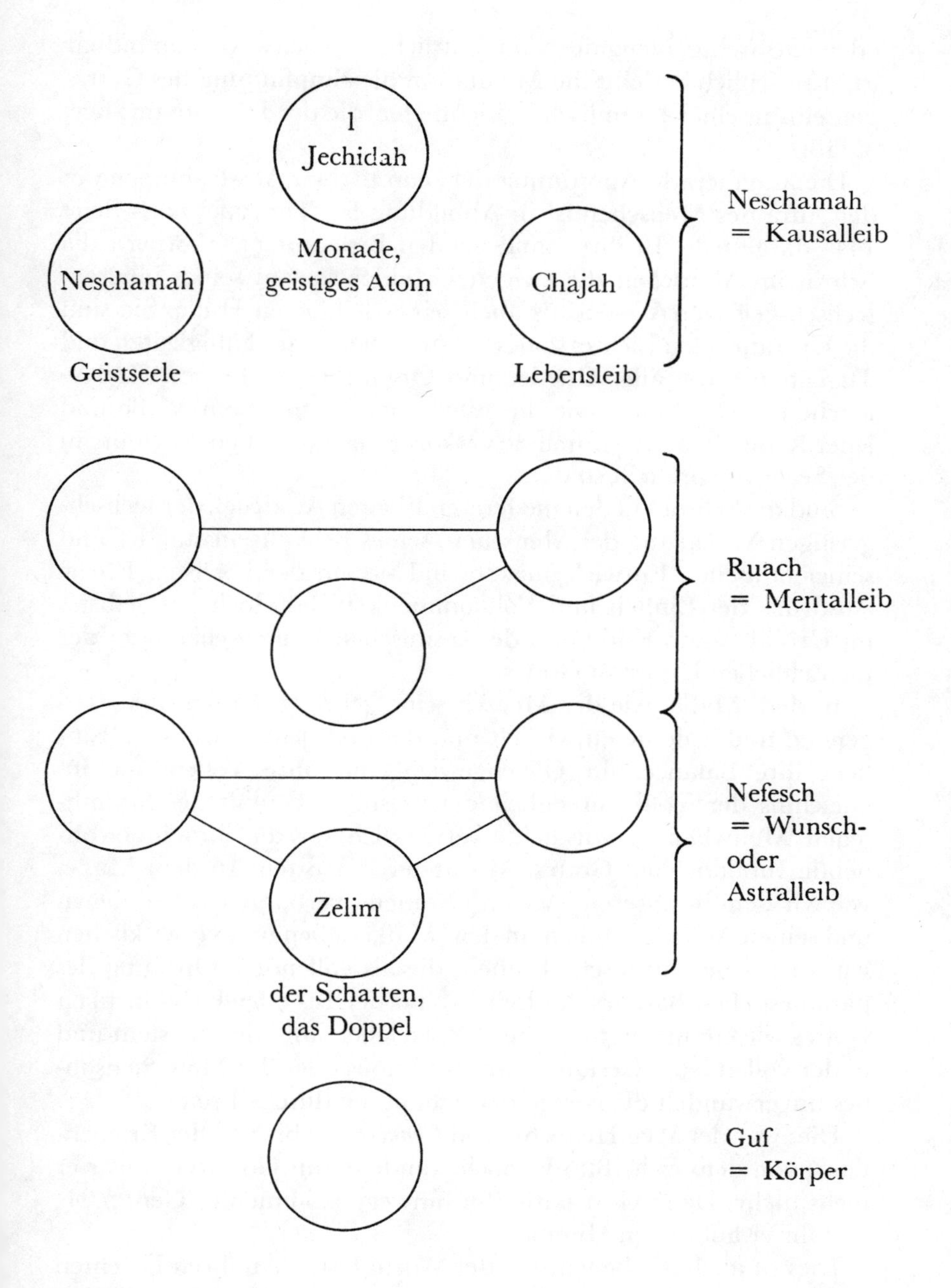
1
Jechidah
Monade,
geistiges Atom
Neschamah
Geistseele
Chajah
Lebensleib
Neschamah
= Kausalleib
Ruach
= Mentalleib
Nefesch
= Wunsch-
oder
Astralleib
Zelim
der Schatten,
das Doppel
Guf
= Körper

Abb. 49

oder ehrfurchtgebietende Nähe göttlicher Gegenwart empfindbar ist. Tatsächlich verleiht die Meditation die Empfindung des Getragenseins in einer himmlischen Lichtleiter, die der Höchste uns herabläßt.

Die annähernde Anordnung der sefirotischen Ausstrahlungen in der Aura des Menschen ist in Abbildung 50 (Farbtafel nach Seite 144) dargestellt. In ihrer umfassenden Bedeutung verkörpern die Sefirot im Menschen die ewigen Urbilder sowohl seines inneren, seelisch-geistigen Wesens als auch seiner leiblichen Hülle. Sie sind die Urkräfte allen Lichtes seines Geistes, aller seiner Fähigkeiten und Tugenden sowie aller Glieder und Organe seines Leibes. Und so leuchten sie – ähnlich wie die Aura – jeweils in jenem Maße und jener Reinheit, als die durch sie verkörperten göttlichen Attribute in der Seele verwirklicht sind.

Sind die Sefirot auf den niedereren Ebenen Ausdruck der seelisch-geistigen Verfassung des Menschen, seines Bewußtseinsstandes und seiner ethischen Entwicklung, so sind sie auf der höchsten Ebene Ausdruck der Einheit und Vollkommenheit des Höchsten Selbstes im Urbild Adam Kadmons, des kosmischen Urmenschen oder der menschlichen Urgestalt Gottes.

In dem Maße, wie der Mensch seine geistigen Fähigkeiten, Tugenden und Talente entwickelt und dadurch jene sefirotische Einheit, ihre Balance, ihr Gleichgewicht und ihre Vollendung im Gleichnis der Vollkommenheit der geistigen Gestalt des himmlischen Menschen verwirklicht, verwirklicht er die ihm innewohnende Inbildlichkeit Gottes. Mit anderen Worten: In dem Maße, wie wir dem in unserem ewigen »Namen« verborgenen Ruf folgen und seinen Auftrag erfüllen, in dem Maß erleben und verwirklichen wir auch jene sefirotische Einheit, die als vollendete Ordnung des paradiesischen Baumes des Lebens und der In- oder Urbildlichkeit Gottes wie ein unvergängliches Lichtzeichen am Himmel steht und in der vollendeten Gestalt Adam Kadmons oder des Menschensohnes unverwandelt die Äonen der Schöpfung durchschreitet.

Dies war der Weg Henochs (von *Chanoch* ⟨hebr.⟩ = der Erleuchtete), von dem es heißt: »Henoch wandelte mit Gott, dann war er nicht mehr. Denn Gott hatte ihn hinweggenommen.« (Gen. 5.24) So fuhr er auf in den Himmel.

Dies ist auch die Bedeutung der Worte Jesu: »An ihren Früchten werdet ihr sie erkennen«, daß wir all unsere von Gott uns verliehenen Kräfte und Talente in einem ausgewogenen Verhältnis entfalten und im Dienste an der Verwirklichung des inneren Menschseins vervollkommnen, läutern und entfalten, bis wir jene Vollkommenheit des Geistes erlangen. Denn, wie ein Baum Früchte trägt, wenn er im Lichte wächst und bewässert wird, so tun dies die Heiligen Attribute in der Seele, wenn sie mit dem göttlichen Licht der Inspiration bestrahlt und mit den Fluida hoher Gedanken und reiner Gefühle begossen werden.

Abb. 50

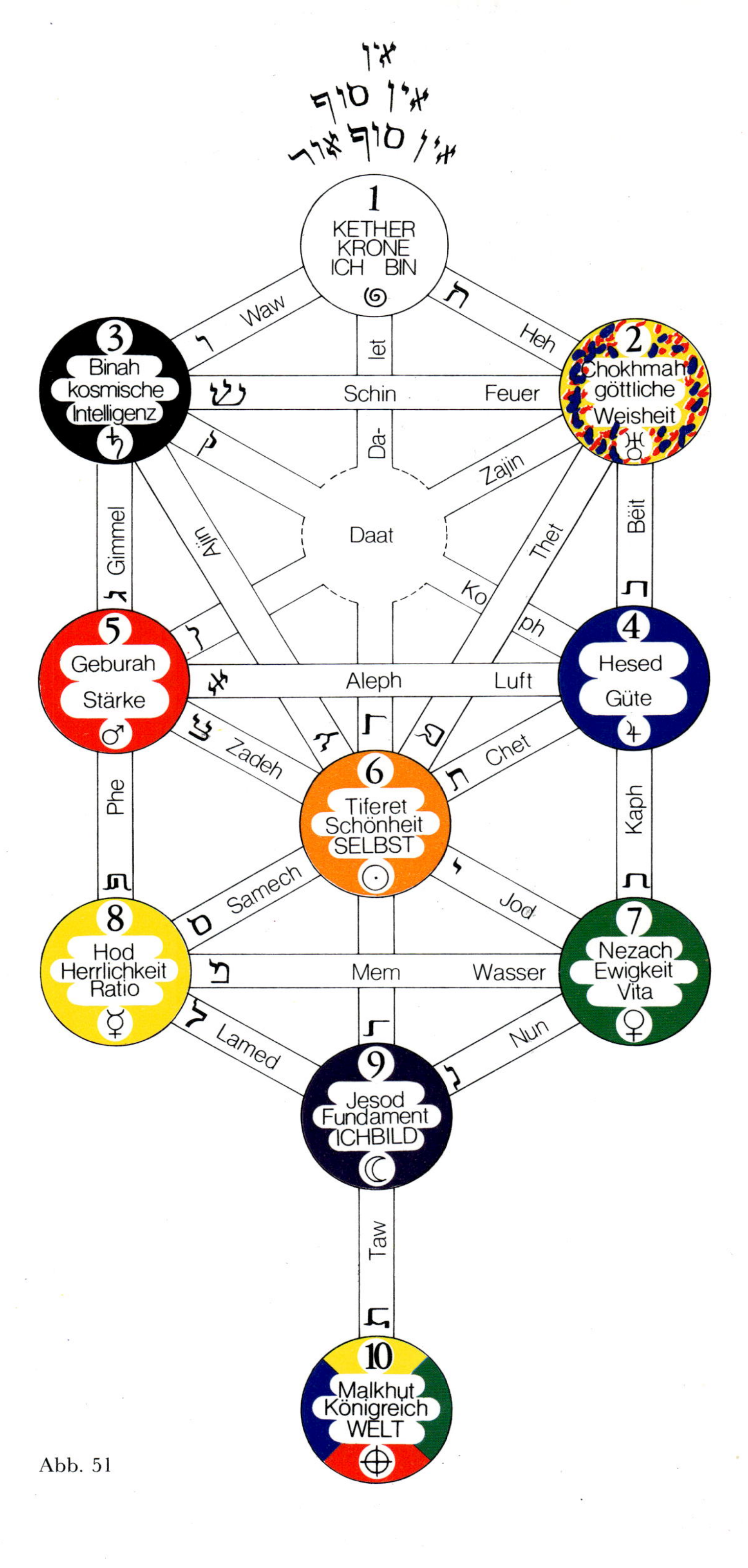

אין
אין סוף
אין סוף אור
1
KETHER
KRONE
ICH BIN
Waw
Heh
let
3
Binah
kosmische
Intelligenz
2
Chokhmah
göttliche
Weisheit
Schin
Feuer
Da-
Zajin
Daat
Gimmel
Aijn
Thet
Beit
Ko
ph
5
Geburah
Stärke
4
Hesed
Güte
Aleph
Luft
Zadeh
Chet
6
Tiferet
Schönheit
SELBST
Phe
Kaph
Samech
Jod
8
Hod
Herrlichkeit
Ratio
7
Nezach
Ewigkeit
Vita
Mem
Wasser
Lamed
Nun
9
Jesod
Fundament
ICHBILD
Taw
10
Malkhut
Königreich
WELT

Abb. 51

3. Die Ordnung der Farben und Zahlen im Lebensbaum und die ihnen entsprechenden planetarischen Kräfte

»... wie die Sonne ist das Herz aller Sterne
und alle Sterne sind der Sonne Glieder,
und wirken untereinander wie ein Stern,
und die Sonne ist doch das Herz,
obs gleich viel und mancherlei Kräfte sind,
noch wirket alles in der Sonnenkraft
und alles hat sein Leben von der Sonne Kraft.
Siehe an, was du willst, es sei gleich im Flachen
oder in Metallen oder in Gewächsen der Erden.«
Jakob Böhme

Wie wir gesehen haben, sind die Sefirot – als Ausstrahlungen Gottes – mit pulsierenden Kraftfeldern zu vergleichen, die – ähnlich der Sonne – ununterbrochen Energie abstrahlen. Diese Ausstrahlungen, die uns einmal als Lichter, das andere Mal als Klang oder Zahl erscheinen, haben je nach Sefira eine andere Schwingung, so daß jede der zehn Sefirot in einer bestimmten ihr eigenen Farbe leuchtet und einen ihr eigenen Klang aussendet. Es ist somit möglich, den zehn Sefirot jeweils Farben, Zahlen, Klänge oder Vokale zuzuordnen, die ihren Schwingungen entsprechen. Hierbei ist es wichtig zu verstehen, daß diese Entsprechungen je nach Seinssphäre, je nach Schwingungsebene des Bewußtseins variieren, innerhalb dieser Ebenen jedoch universelle Gültigkeit haben.

Beschränken wir uns auf die Astralebene »Olam Ha Jezirah« oder die Welt der Formung, so gilt die in Abbildung 51 (Farbtafel vor Seite 145) wiedergegebene Farbentsprechung. Darin zeigt sich die mittlere Säule mit einem strahlend-brillantem Weiß; Tiferet, in Entsprechung zur Sonne, in einem Goldorange; Yesod in einem Sattviolett; Malkhut in den vier Farben der vier Elemente: Erde, Wasser, Luft und Feuer, die vermischt ein Erdbraun ergeben.

Die beiden äußeren Pfeiler zeigen einen Grauindigo-bunt-, einen Rot-blau- und einen Gelb-grün-Kontrast, die ziemlich unmittelbar den komplementären Charakter der beiden Säulen auf den drei oberen Ebenen spiegeln. Interessant ist es, insbesondere noch zu beachten, daß sich die sechs Primär- und Komplementärfarben auf die unteren beiden Triaden verteilen. Sie deuten darauf hin, daß das in Band 1 unter dem Begriff der Spannungsachsen beschriebene, von uns anzustrebende seelische Gleichgewicht gerade auf diesen beiden Ebenen zu etablieren ist.

In einem älteren Modell des Baumes, das aber nur bedingt der Wirklichkeit entspricht, wurden die Farben durch Vertauschung von Gelb und Orange nach ihrer komplementären Ordnung auf die Sefirot verteilt, wodurch die entsprechenden Pfade direkt zu Symbolen der drei Spannungsachsen wurden.

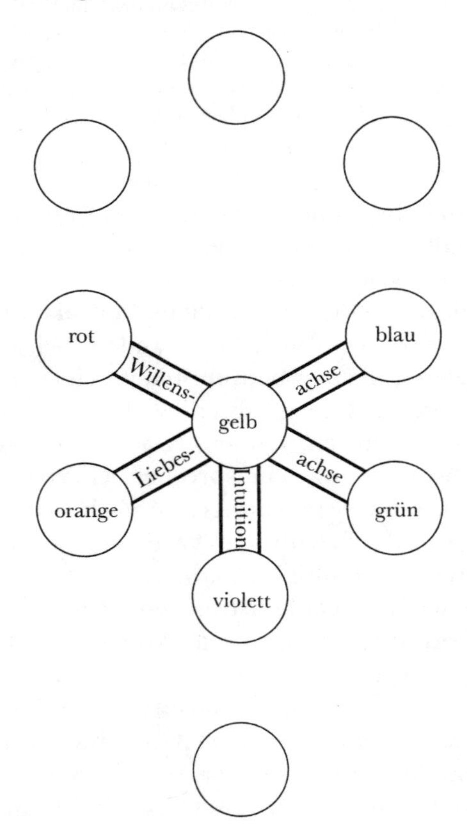

Abb. 52

Diese der Symmetrie wegen angepaßte Form ist jedoch eine Verzerrung der Wirklichkeit und geht an der wahren Bedeutung der Sefirot und Pfade vorbei.

Überhaupt ist zu beachten, daß die Farben in den Sefirot wohl qualitativ die in Band 1 beschriebenen Aspekte und Wirkungen spiegeln, ich in ihrer Herkunft jedoch von jenen unterscheiden, da es sich bei ihnen um eine andere Seinsebene handelt. Für die Seele des Menschen gilt auch hier, wie für die Farben der Aura, daß die Farben der Sefirot in Intensität, Glanz, Reinheit und Schattierung je nach Reinheit, Qualität und Entwicklung der Seele schwanken und sich dementsprechend verändern.

Die Farbstrahlungen der Sefirot in den beiden höheren Seinssphären von Beriah und Azilut dagegen sind, jenen Seinsordnungen gemäß, wesentlich heller und subtiler. Überhaupt sind die Farbskalen dieser beiden Ebenen völlig anders.

Auch für die Zahlen ergeben sich zweierlei Weisen der Zuordnung zu den Sefirot. Folgen wir in der Numerierung unmittelbar dem Schöpfungsstrahl, das heißt der Rangordnung und Folge ihres Entstehens, so ergibt sich die ursprüngliche, in Abbildung 51 (Farbtafel) wiedergegebene lineare Ordnung. Sie spiegelt die hierarchische Ordnung der Dinge und Kräfte in der rein geistigen Welt sowie deren Entfaltung aus dem Logos.

Die zweite Version, die die obere Triade als Spiegel der göttlichen Trinität und erst die untere Siebenheit als Spiegel der Welt betrachtet und so die Schöpfung vom Schöpfer, das Unvollkommene vom Vollkommenen trennt, numeriert die Sefirot in zwei Etappen (Abbildung 53 auf Seite 148). Es ist dies ein Modell, das die Dreieinheit des Geistes dem Siebentagewerk der Schöpfung gegenüberstellt, deren sieben Sphären auch Rhythmus und Zyklus des wechselnden Wirksamwerdens der verschiedenen sefirotischen Kräfte in den sieben Schöpfungsepochen widerspiegeln. Dies ist eine Variante, die mehr auf den qualitativen Aspekt der Zahlen als auf ihre hierarchische Ordnung gründet. Sie paßt insbesondere mit der abgewandelten Version des Farbmodells zusammen.

Dieses Modell hat insbesondere im Rahmen der Betrachtung und Analyse des Lichtes und seiner Phänomenologie eine besondere Bedeutung. Die gesamte Natur des Lichtes, die Dreieinheit seiner universellen Erscheinungsform als Licht, Farbe und Dunkel, die Ordnung der Farben, mit einem Wort: die gesamte entelechiale Ordnung der Kategorien des Lichtes (und der Farben) ist in ihr erfaßt und vollkommen stimmig wiedergegeben.

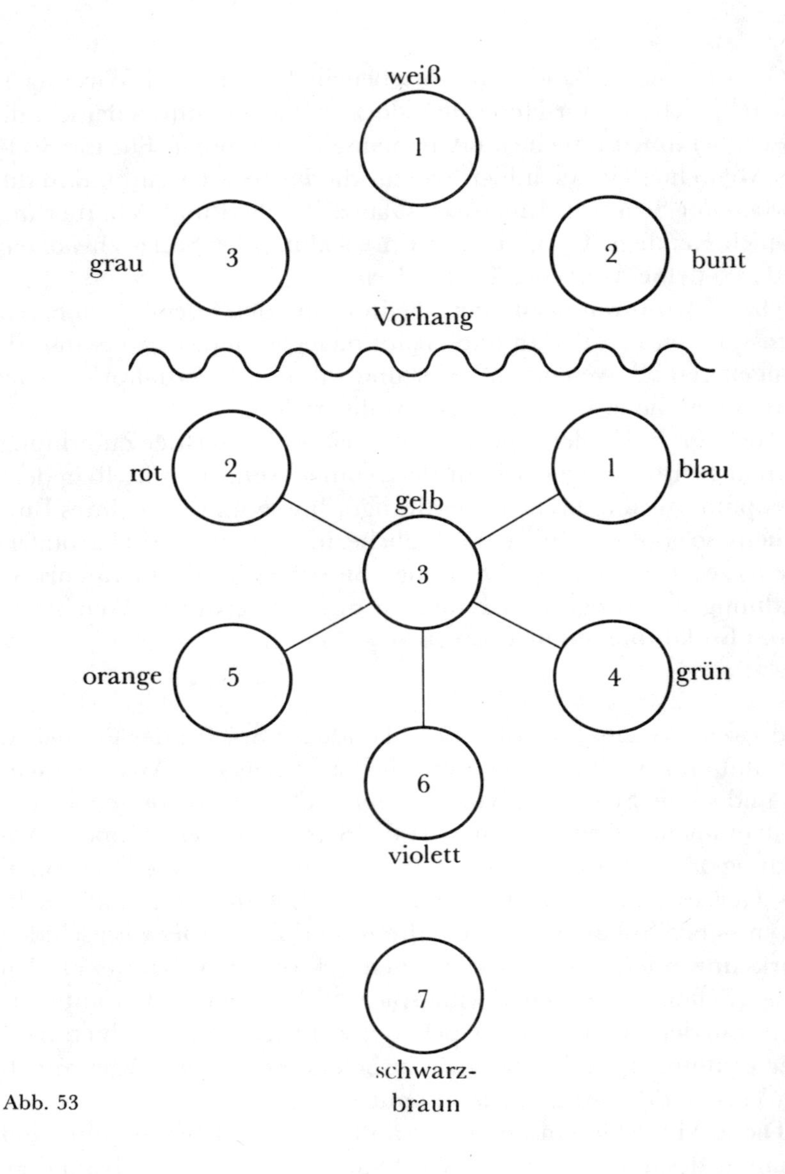

Abb. 53

Um der den Zahlen und Sefirot gemeinsam eigenen Ordnung gerecht zu werden, müssen wir an der linearen Zahlenordnung festhalten, die wir in Abbildung 51 dargestellt finden. In dieser Abbildung, die die Entsprechung von Farben, Zahlen und Buchstaben mit den Sefirot und Pfaden im Baum in der den wirklichen

Verhältnissen entsprechenden stimmigen Form darstellt und die wir als Ausgang und Grundlage all unserer weiteren Betrachtungen verwenden werden, finden wir zusätzlich noch eine Reihe von Planetensymbolen eingetragen, denn nachdem die Energien und Schwingungen der Sefirot nicht nur in endlichen Geschöpfen zu finden sind, sondern All und Alles durchdringen, können wir natürlich auch im Weltenraum, in Galaxien und Sonnensystemen Verkörperungen ihrer Aspekte finden.

So bildet insbesondere auch unser Sonnensystem einen vollständigen Organismus, der sich im Bild des Sefirot-Baumes widerspiegelt. Von den Mystikern als einziges beseeltes Wesen geschaut, wurde es von ihnen als Himmlischer Mensch bezeichnet, dessen Hüllen oder Leiber durch die Planetensphären und dessen Organe durch die Planetenkörper gebildet werden.

Bildet das allumfassende, das gesamte Universum durchdringende Licht, das dieser Himmlische Mensch von der Zentralsonne empfängt, seine Krone, so sind es die Planeten, die dieses eine Licht, diese eine kosmische Kraft filtern, in seine Komponenten aufspalten und diese – ähnlich wie Linsen – sammeln und auf einen Punkt hin bündeln. Gleich unseren Organen arbeiten sie wie Kollektoren, die bestimmte Schwingungen aus dem Kosmos herausfiltern und speichern und sodann den verschiedenen Lebensprozessen zur Verfügung stellen. Tatsächlich bestehen zwischen den Planeten und unseren seelischen und leiblichen Organen nicht nur schwingungsmäßige Korrespondenzen, sondern insbesondere eine Anzahl feinstofflicher Verbindungen, die den Weisen der Vorzeit bekannt waren und die von den großen Ärzten der Antike und des Mittelalters in ihrer Heilkunst benutzt wurden.

Überhaupt sind diese planetarischen Energien sämtlich ätherisch-feinstofflicher Art, gehören somit der astralen oder mentalen Ebene an und verkörpern ausschließlich verschiedene Oktaven der sefirotischen Emanationen dieser Sphären.

Nach der kabbalistischen Überlieferung sind es die sogenannten planetarischen Genien, die uns zu den Mittlern der sefirotischen Ausschüttungen werden. In dieser Weise sind in Abbildung 51 die Symbole der Planeten in Entsprechung zu den Sefirot in den Lebensbaum eingetragen. Hierbei erkennen wir die Stimmigkeit der Zuordnung sowohl an der Übereinstimmung der Farbstrahlung der Sefirot mit der Farbe des Astrallichtes des entsprechenden Planeten als auch des Charakters der betreffenden planetarischen Gottheit mit dem Kraftaspekt der zugehörigen Sefira.

So ist es sicherlich der rotleuchtende Mars mit seinem Genius, dem Kriegsgott Ares, der – beseelt mit Kampfgeist, Mut und Stärke – genau den Aspekt von Geburah spiegelt, und kein anderer als der blauleuchtende Jupiter, dessen großzügiger (»jovialer«), gütig-gnadenreicher, stets Milde übender Genius Zeus jene Güte und Barmherzigkeit verkörpert, die das Wesen von Hesed zum Ausdruck bringen.

In gleicher Weise ist die grünleuchtende Venus mit ihrer zugleich kunstbeflissenen und lebensfrohen wie sinnlichen und eifernden Liebesherrin Aphrodite eine deutliche Verkörperung der Vitalität von Netzach, und der kleine gelbstrahlende Merkur – regiert durch den sprachbegabten Götterboten Hermes – Ausdruck des Glanzes sowie der Klarheit und Herrlichkeit von Hod.

So umfaßt der Lebensbaum gleicherweise den planetarischen Organismus unseres Sonnensystems wie auch das gesamte griechische Pantheon, die beide nichts als Urbilder des inneren Lebens unserer Seele sind. Die in Abbildung 51 den Sefirot und Pfaden zugeordneten Farben, Zahlen, hebräischen Buchstaben und Planeten bieten uns nun einen umfassenden Schlüssel, der uns – unter der Voraussetzung einer ungetrübten Intuition – zu einem vollständigen Erfassen der Seele und der sie umgebenden astralen Sphären führt.

Über diese Grundaspekte von Farben, Zahlen und Planeten hinaus läßt sich das schematische Prinzip des Sefirot-Baumes auf eine Unzahl von Seinsbereichen ausdehnen, deren Erforschung uns jedoch unnötig weit von unserem Ziel der Erkenntnis und Verwirklichung unserer Bestimmung als Mensch abbringen würde.

So wollen wir uns auf zwei weitere Beispiele beschränken, bevor wir auf unser eigentliches Thema, die Entdeckung und Entfaltung unseres inneren Wesens, zuschreiten. Es seien dies die Zuordnungen unserer inneren Organe und der Grundmetalle zu unserem Baumsymbol, die beide unmittelbar sowohl mit den Farben, den Planeten als auch den sefirotischen Intelligenzen und Qualitäten korrespondieren (Abbildungen 54 und 55 auf den Seiten 152 und 153). Hierbei erkennen wir die Beziehung der Metalle zu den Farben vorwiegend durch ihre Oxyde: Rost = rot, Kupferoxyd = Grünspan = grün, Zinnoxyd = blau, Silber ist der Glanz des Violett, Gold der Glanz des Orange und so weiter.

Wieder erkennen wir, wie im Kosmos alles mit allem verbunden ist und wie wir – mit den Worten eines bekannten Physikers unserer Zeit – »durch das Pflücken einer Blume den Kosmos verändern« und in der Betrachtung einer Schneeflocke die Wunder der Natur und die Weisheit Gottes erspüren. So wird uns der Lebensbaum zu einem unerschöpflichen Quell der Erkenntnis der Zusammenhänge in der Natur und des Mysteriums unserer Seele und des Lebens, denn die Ordnung der Sefirot ist Spiegel der Ordnung von All und Allem und spiegelt sich ihrerseits in jeder Sphäre und jedem Bereich des Seins. Sie ist Spiegel der Ordnung der Kristalle und Metalle, der Edelsteine, Mineralien, Pflanzen und Düfte, der Kräfte des Unbewußten, der Archetypen, Urbilder und Symbole, ist selbst hierarchisches Urbild der Ordnung der Engel, Seraphen, Götter, Himmel und heiligen Entelechien, die alle nur Strahlen Seines ewigen Heiligen Namens sind, Angesichte der unendlichen Größe von JHWH.

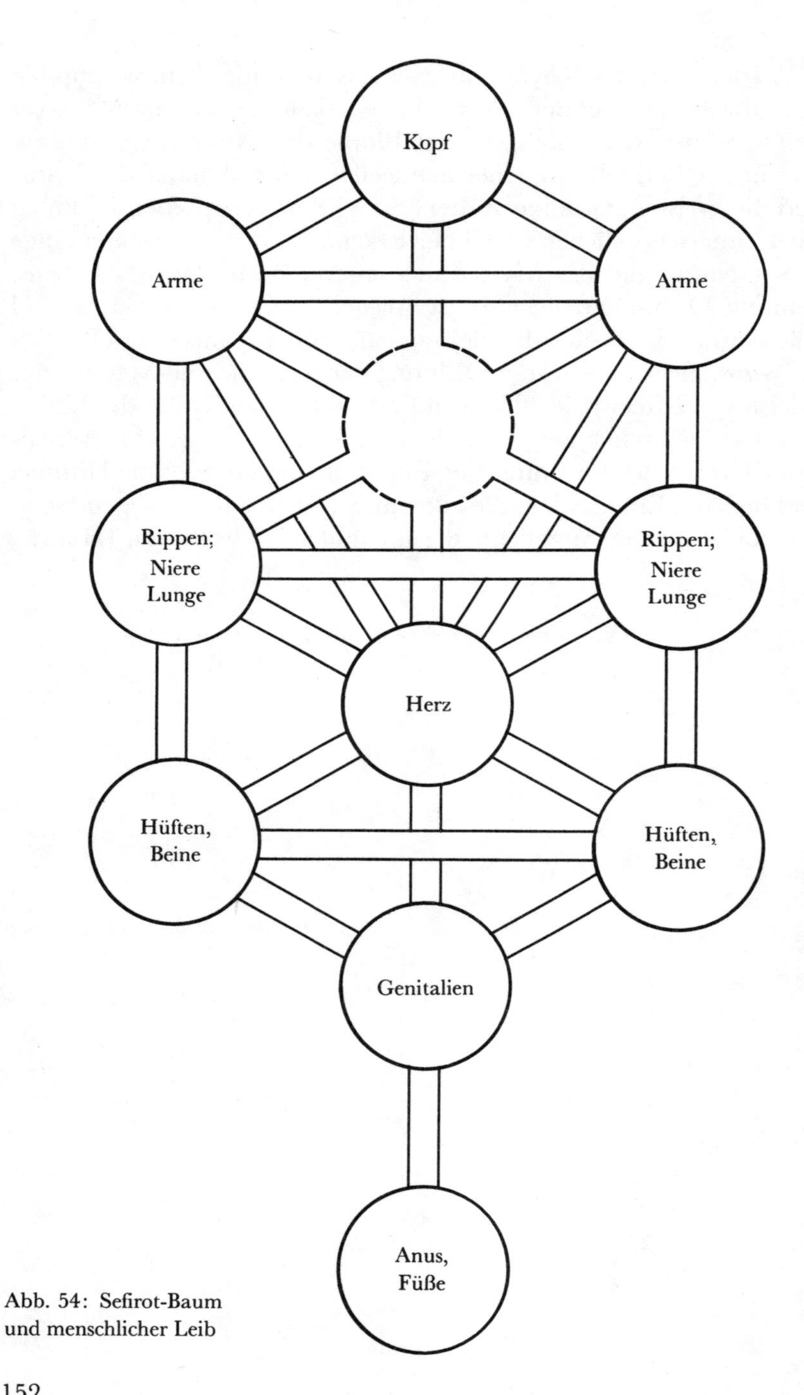

Abb. 54: Sefirot-Baum
und menschlicher Leib

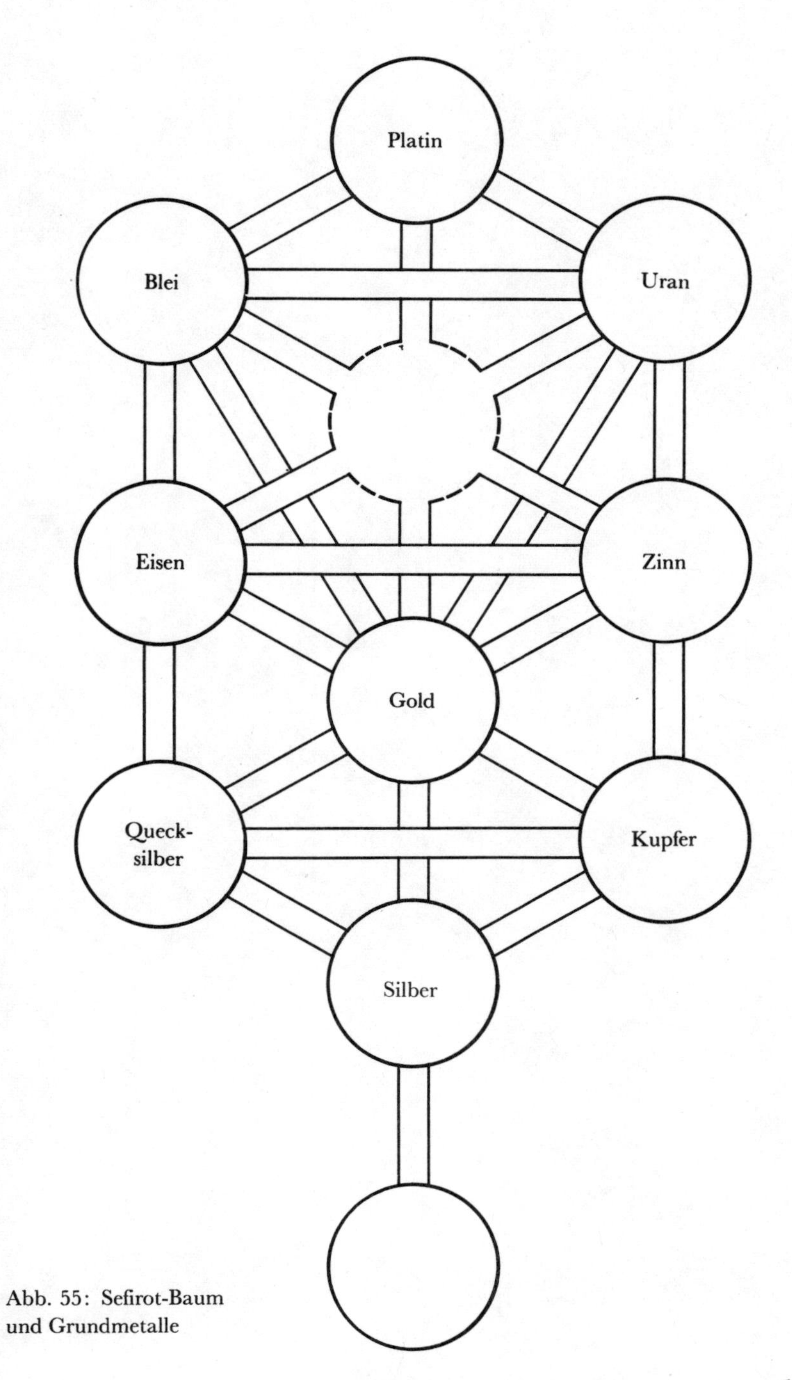

Abb. 55: Sefirot-Baum
und Grundmetalle

VI. Assia: Der Sefirot-Baum und das Reich der Natur

VI. Assia: Der Sefirot-Baum und das Reich der Natur

Assia verkörpert das physische Universum vom kleinsten Sandkorn und Atom über unseren Körper und die Erde bis hinauf zu den Myriarden von Sternen, Sonnensystemen und Galaxien, die es bevölkern. Assia ist die Entfaltung von Malkhut im großen kosmischen Schöpfungsbaum. Mit Malkhut ist dieses physische Universum der Ort der Schekhinah, der welteinwohnenden Herrlichkeit Gottes. Hier in der Welt, verborgen im Stoff, »im Staub der Landstraße«, liegt sie im Exil.

Malkhut heißt im Hebräischen das Königreich. Es ist der Ort, in dem der König herrscht. Doch geht er nicht selbst hinaus in das Reich, sondern schickt seine Matrone, die Königin. Sie, seine ewige Gemahlin, seine welteinwohnende Herrlichkeit ist es, die sein Reich regiert. Er selbst – in untrennbarer Einheit mit ihr – ist die Höchste Wirklichkeit, das eine Selbst und der Herr der Welt.

Malkhut gliedert sich in vier Segmente. Diese sind Sinnbild der vier Elemente und der vier Dimensionen von Raum und Zeit. Als unser physisches Universum, unsere materielle Welt, ist Malkhut Gottes Thron, dessen Haus und Leib. Deshalb heißt es in der Überlieferung: »Die Welt ist Gottes Ort, aber Gottes Ort ist nicht die Welt«. Unmöglich ist es der Welt in ihrer Begrenztheit und Endlichkeit, Seine unermeßliche Fülle zu fassen oder aufzunehmen. Und dennoch hat Er Platz im kleinsten Atom. Das ist die Bedeutung der Worte: »Seine Herrlichkeit erfüllt alle Welt.«. Oder: »Wo immer du suchst, findest du Mich.« Gibt es doch keinen Ort als Ihn.

Malkhut trägt die Zahl zehn. Hier wird alles Geschaffene vollendet, hier erlangt es seine Vollkommenheit (vgl. Band 1, Zahl Zehn). Jakob sieht im Traum Malkhut, die Erde, als den Standort der Himmelsleiter, darauf Engelwesen und Seelen auf- und absteigen: Sie steigen herab, um sich in heiligendem Dienst zu vervollkommnen, und steigen auf, um sich mit dem Vollkommenen zu einen. In der Genesis heißt es: »Jakob erwachte aus seinem Schlaf und sprach:

›Wahrlich, JHWH ist an dieser Stätte, und ich gewahrte Ihn nicht.‹ Er erschrak bei dem Gedanken und sprach: ›Wie ehrfurchtgebietend ist dieser Ort (– die Erde und die Welt [der Verfasser] –). Hier ist nichts anderes als Gottes Haus, und das ist die Pforte des Himmels.«

Und wahrlich, die Erde ist das Tor der Seligkeit. Jedoch erbaue kein Haus auf ihr, sondern gehe darüber wie über eine Brücke, hindurch durch das Leben wie durch ein Tor, um Eingang zu finden in sein inneres Sein.

Assia ist der unterste, für die Evolution der Geschöpfe jedoch bedeutendste Ort. Hineingefallen in den Stoff, treten sie von hier aus ihren Weg der Befreiung und der Rückkehr zu Gott an. Die Gesetze der Materie und die Begrenzungen von Raum und Zeit auf sich nehmend, entfalten sie sich durch die ihnen innewohnende göttliche Kraft und gemäß dem ihnen eingeborenen Inbild und Plan. Hier auf Erden, in dieser Welt, erringen sie ihre Erlösung und ihre Vollendung, ihre Befreiung und die Verwirklichung der ihnen eingeborenen göttlichen Intention. Hier finden und einen sie sich mit seiner Herrlichkeit, und sie führt sie heim in des Vaters heiliges Gemach.

Dies ist der Gang der Welt, der Äonen währet.

Wenden wir den Sefirot-Baum auf das physische Universum an, so liefert er uns zuerst die bekannte Gliederung der Natur in ihre vier Reiche: Wir finden das Mineralreich in Malkhut, die Welt der Pflanzen in Jesod, das Tierreich in Tiferet und den Menschen in Kether (siehe Abbildung 56). – Wie nun ein ganzes Universum im Symbol des Lebensbaumes sein Bild und Gleichnis findet, so ist es auch mit jeder seiner Sphären und jedem seiner Teile, die eine in sich geschlossene, organische Ganzheit bilden.

Dementsprechend ist es auch möglich, Mineralien, Elemente, Pflanzen, Tiere und auch den Organismus des Menschen in ihm abzubilden. Da wir uns hier jedoch mit der seelisch-geistigen Seite von Natur, Mensch und Universum beschäftigen, wollen wir diese Aufgabe jenen überlassen, die die Weisheit des Lebensbaumes auf die Naturwissenschaften anwenden möchten. Wir wollen hier nur nochmals an die Darstellung der Metalle und der inneren Organe des Menschen im Lebensbaum erinnern, wie sie in den beiden Abbildungen 54 und 55 wiedergegeben sind. Diese weisen insbesondere Bezüge zur Alchimie und Astrologie auf. Weitere Entsprechungen, insbesondere zu den Heilpflanzen, sind im zweiten Teil des Anhanges (XII. 2.) wiedergegeben.

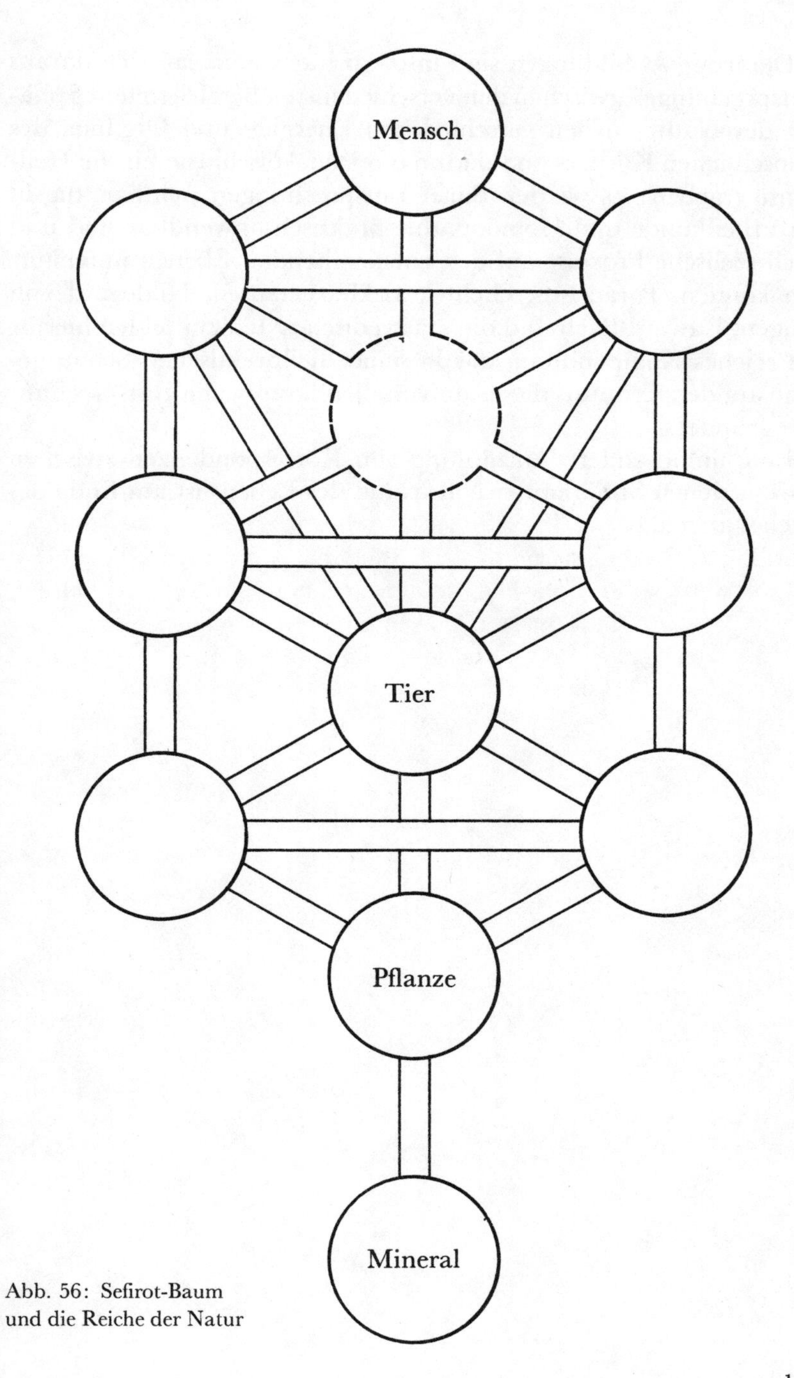

Abb. 56: Sefirot-Baum
und die Reiche der Natur

Derartige Abbildungen sind insofern interessant, als sich daraus Entsprechungen zwischen den verschiedensten Bereichen und Sphären der Natur zu den verschiedenen Energien und Organen des menschlichen Körpers und dadurch reiche Aufschlüsse für die Heilkunst ergeben. Es werden darin Entsprechungen sichtbar, die in Naturheilkunde und Homöopathie praktisch anwendbar sind und auch seelische Prozesse auf den entsprechenden Ebenen unterstützen können. Paracelsus, Gichtel, Eckhartshausen, Hildegard von Bingen, Edward Bach und die ayurvedische Medizin bilden hierfür ein reiches Kompendium, das in seiner heilpraktischen Schau gerade auf der Kenntnis dieser universellen kosmischen Entsprechungen gründet.

Eine umfassendere Aufzählung von Korrespondenzen zwischen verschiedenen Sphären der Natur und des Lebens ist am Ende des Buches angefügt.

VII. Jezirah: Das Leben der Seele (Nefesch) und der Weg der Verwandlung

1. Der Sefirot-Baum und die zehn Aspekte der Seele

> Aber die Menschenseele ist ein Saatfeld
> voller Keime geistigen Lebens.
> Jedes Organ, jedes Glied
> ist eins mit einer Kraft des Alls.
>
> Antwort der Engel

Im folgenden wollen wir unsere Aufmerksamkeit erst einmal der ausführlichen Betrachtung der Seele des Menschen widmen. Sie umfaßt jenen »inneren Raum« des Menschen, den wir im kosmischen Sefirot-Baum in der unteren Triade, in der Jakobsleiter im dritten Feld (= Jezirah), als den Baum der »Formung«, als Nefesch oder den Astralleib des Menschen kennengelernt haben (vgl. Abbildungen 57 und 58). Nefesch bildet die Anima oder den Lebensleib, der den Körper (repräsentiert durch den unteren Baum von Assia in Abbildung 58) beseelt, ihm Leben und Ausdruck verleiht. Wollen wir die Dynamik und das Leben der Seele näher untersuchen, so ist es sinnvoll, dieser Betrachtung die differenzierte Darstellung des Menschen und seiner Glieder im Bildnis der Jakobsleiter zugrundezulegen. Darin findet sich die Seele (Nefesch) selbst als vollständiger Baum wiedergegeben, der in seinen zehn Sefirot sämtliche Aspekte der Seele spiegelt. In dieser Betrachtung wird der Sefirot-Baum selbst zum Bild der Seele (Nefesch) und als solches auch gerne als »Seelenbaum« bezeichnet.

In Abbildung 59 ist der Seelenbaum in seiner symbolischen Gestalt dargestellt. (Er bildet das dritte Glied in der Jakobsleiter.)

Als unser Formungs- oder Astralleib bildet Nefesch, die niedere Seele – insbesondere in ihren unteren Regionen – den Ort und Raum unseres vordergründigen täglichen inneren Erlebens. Ihre Regungen, Empfindungen und Impulse sind es, die nahezu unser gesamtes Denken, Fühlen und Tun bestimmen.

Sie bildet – nach einem Ausdruck des Sohar – den Sitz »der heiligen Richte«, das heißt den Kern unseres ungeformten, animalischen, emotionalen, sinnlichen, gedanklichen und empfindenden Erlebens, das durch eine rechte innere Haltung – mit den Worten

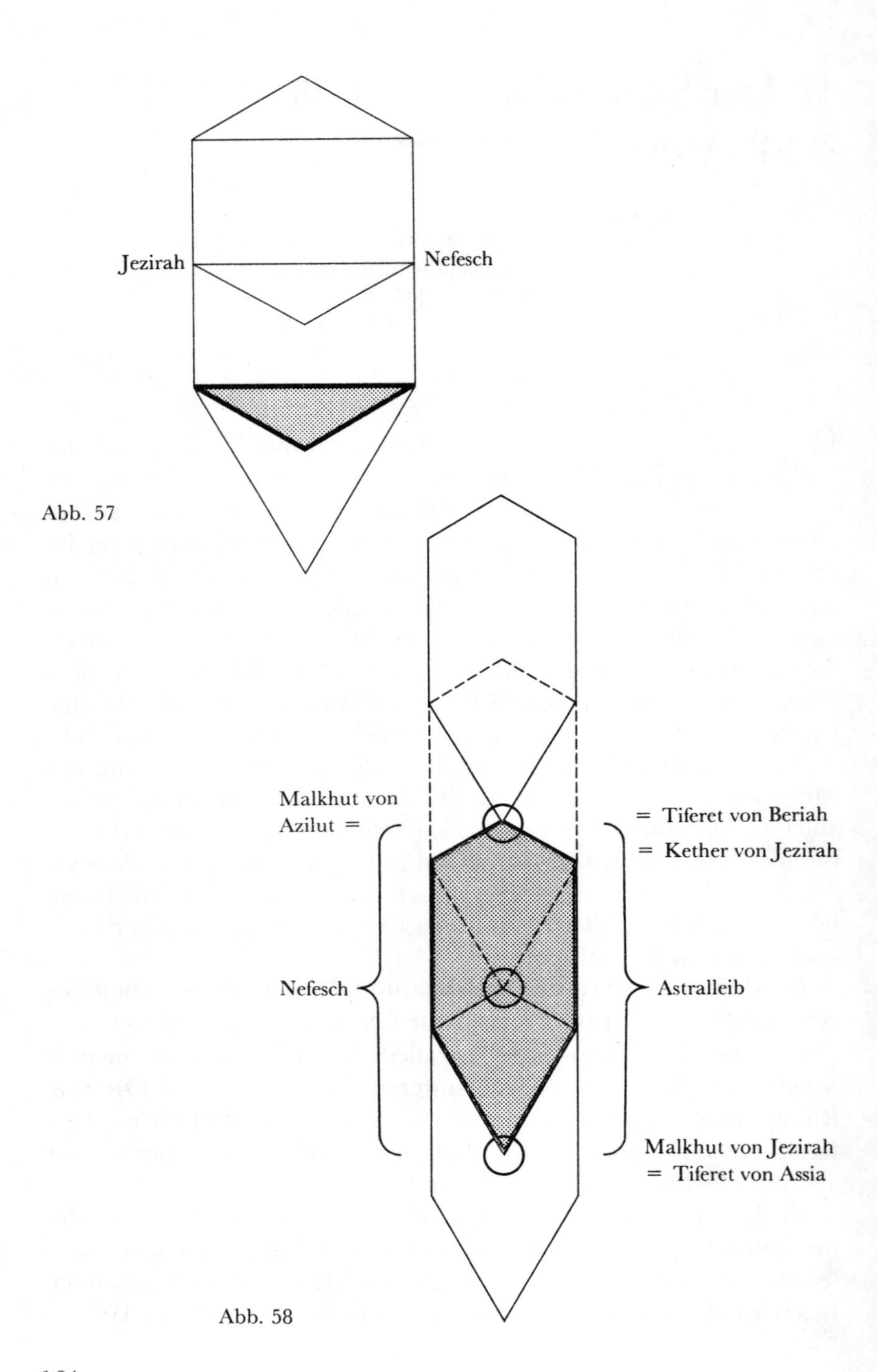
Jezirah
Nefesch
Malkhut von
Azilut =
= Tiferet von Beriah
= Kether von Jezirah
Nefesch
Astralleib
Malkhut von Jezirah
= Tiferet von Assia

Abb. 57

Abb. 58

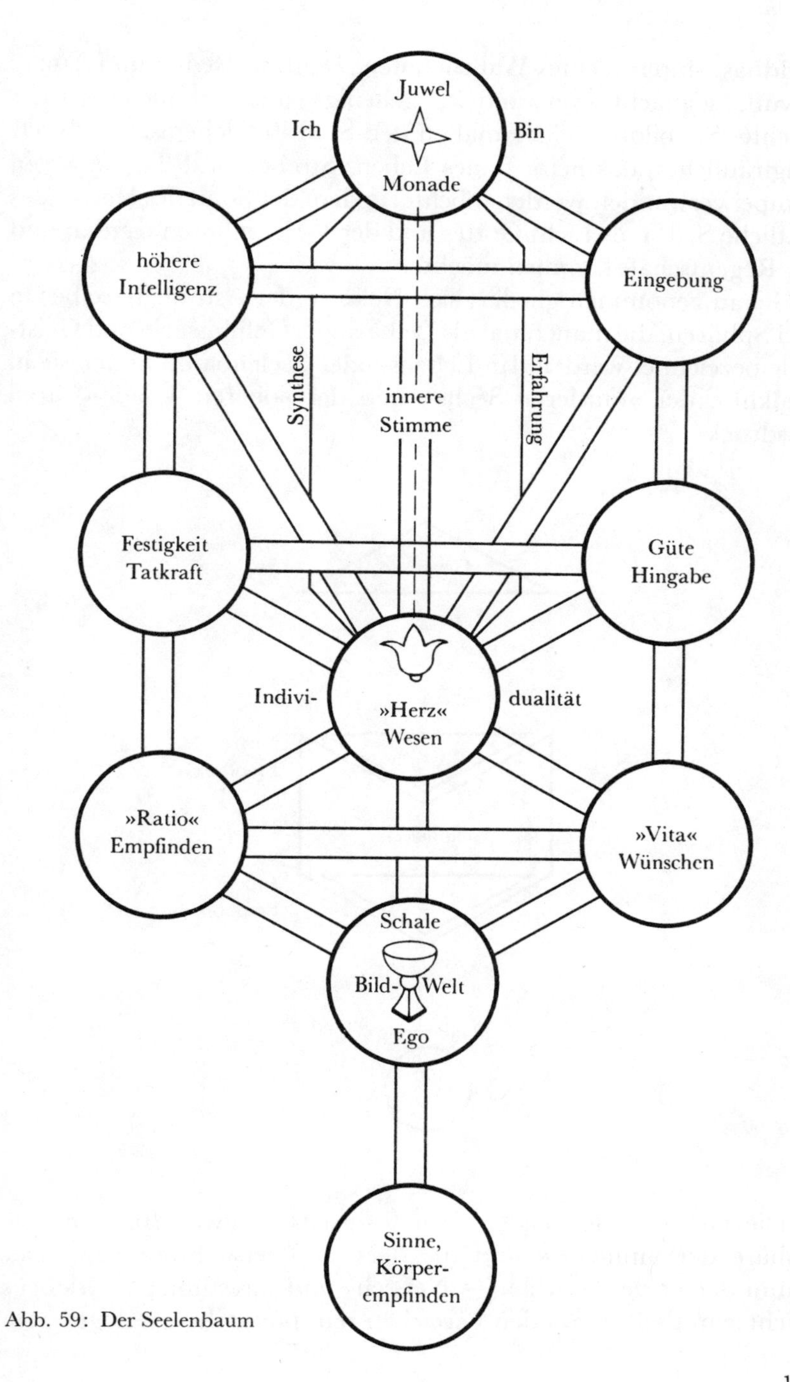

Abb. 59: Der Seelenbaum

Buddhas: durch rechtes Wahrnehmen, Denken, Reden und Tun – bewußt gemacht, verwandelt, geheiligt und erhoben werden möchte. Sie bildet gleichermaßen den Stall Bethlehems, der durch jungfräuliches, das heißt reines Leben, Streben und Tun in jenen Tempel verwandelt werden möchte, in dem der Sohn des Herrn, das göttliche Selbst als Licht Gottes und der Welt, geboren werden und zur Regentschaft kommen möchte.

Genau genommen gliedert sich Nefesch, der Astralleib, selber in drei Sphären, die manchmal als Leibesseele, Gefühlsseele und Geistseele bezeichnet werden. Im Lebens- oder Seelenbaum finden sie in Malkhut, der »mittleren Sechs« und der »oberen Triade« ihren Ausdruck:

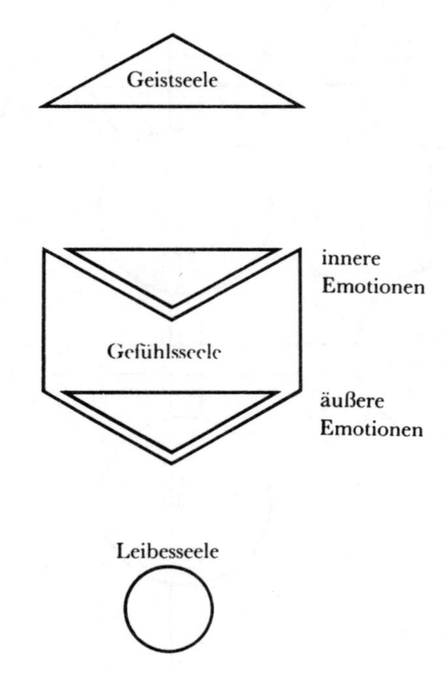

Abb. 60

Die Gefühlsseele gliedert sich ihrerseits in zwei Sphären: die Sphäre der »inneren« und die der »äußeren« Emotionen. Der Baum der niederen Seele (= Nefesch) und ihres inneren Erlebens reicht somit selbst von den Bereichen rein physischen Bezuges, rein körperlich-leiblichen Erlebens, über die Sphären niederen Begehrens und Denkens, reinen menschlichen Empfindens, individuellen schöpferischen Selbstausdrucks über die reine Empfängnis geistigen Lebens und höherer Inspiration bis hinauf in die Sphäre reinen göttlichen Seins (Abbildung 59).

Hat der Seelenbaum seine unteren Wurzeln (Malkhut) im Herzen und Zentrum der physischen Welt (= Tiferet von Assia), die er beseelt, so entfaltet er sich nach oben in, mit und aus der Kraft des Geistes (Beriah), bis er in Kether – stehend in seiner vollen Blüte – hineinmündet ins Erleben ekstatischer Einung (Jichud) der Seele (und der ihr einwohnenden Schekhinah) in und mit ihrem ewigen Bräutigam, JHWH, Gott, ihrem Herrn (= Malkhut von Azilut). (Siehe Abbildung 58)

Das ist wahrhaftig die Skala unseres Erlebens, daß sie hinunterreicht bis in das Empfinden der Befindlichkeit des Leibes und hinauf bis in die Verzückung der alldurchdringenden Gegenwart Gottes. Im ungeteilten Umfassen der gesamten Skala, finden und entfalten wir auch die ungeteilte Einheit unserer Seele und unseres inneren Erlebens als Mensch: daß wir teilhaben können an der wunderbaren Einheit Gottes und der Welt in unserer Seele.

Ist Kether der Sitz des reinen göttlichen Bewußtseins, des höchsten Lichtes, jenes Kleinods oder strahlenden Diamanten, den wir kennen als Jechidah, die Monade oder den göttlichen Funken und Sitz des höchsten *Ich-Bin*, so ist Malkhut die Wurzel der Seele im Leib und in der Welt. Tiferet, das Herz, in der Mitte des Baumes hat unmittelbare Verbindung zur Krone (Kether), deren Licht und Leben es einen individuellen schöpferischen Ausdruck verschafft. Die Verbindung zu Malkhut, zum Leiblichen, besteht nur unmittelbar, vermittels Jesod. Jesod bildet die Brücke zwischen beiden – oder deren Kluft. Dieses Zusammenspiel der Sefirot werden wir jedoch erst später unter die Lupe nehmen.

Betrachten wir die Seele und ihre verschiedenen Aspekte im Spiegel des Sefirot-Baumes, so erkennen wir diese Aspekte gerade als Ausdrucksformen der Sefirot. Besser gesagt manifestieren sich die Sefirot in der Seele in Gestalt von Kräften (Bewußtseinslichtern), Funktionen, Fähigkeiten, Qualitäten oder seelischen Organen. Ihrer Offenbarung als seelische »Lichter«, Funktionen oder Organe wollen wir hier als erstes nachgehen. Beginnen wir somit den Baum der Seele von unten her aufzurollen.

Malkhut – das Königreich

> »Wisset ihr nicht, daß euer Leib
> ein Tempel des Heiligen Geistes ist,
> der in euch wohnet und den ihr von
> Gott empfangen habt, und daß ihr
> nicht euch selbst angehöret?
> Verherrlicht also Gott in eurem Leibe.«
>
> 1. Korr. 19-20

Wie bereits angesprochen, entspricht Malkhut jener Fläche in der Seele, mit der sie den Körper berührt und durch die sie mit ihm verbunden ist. In Malkhut findet die Seele ihre Wurzel im Leib. Malkhut entspricht jener Kraft, die den Leib belebt und ihn über ein ätherisches Energiefeld – das sogenannte ätherische Doppel oder den Energieleib des Menschen – nicht nur mit Lebenskraft auflädt, sondern auch steuert, lenkt und leitet, aber aus seiner engen Verbindung mit ihm auch dessen Reize und Empfindungen aufnimmt. Durch den Leib ist die Seele erst in Berührung mit der physischen Welt. Außerhalb des Leibes, nach seinem Verlassen im Augenblick des Todes, ist sie nur ein ungreifbarer Beobachter in dieser Welt.

Die Kontaktfläche des Körpers zur Seele bilden das Nervensystem (vor allem *Gehirn, Rückgrat* und *Plexen*), die Drüsen und das Blut. Im Astralleib sind es die Chakras. Die Brücke bilden das Energiefeld des ätherischen Doppels und das sogenannte silberne Band. (Wie wir aus den Abbildungen 43 und 58 ersehen, haben neben Malkhut auch die Sefirot Hod, Nezach, Jesod und Tiferet [in der Übertragung des Willens] Anteil an der Verbindung von Seele und Leib.)

Diese Verquickung von Leib und Seele bildet die Grundlage der Psychosomatik. Gemäß dem Gesetz, daß alles Seelische und Geistige seinen Ausdruck und Niederschlag im Leibe findet, bildet das Leibliche den Spiegel der Seele und des Geistes. So hat auch jede Krankheit ihre Wurzeln im Geiste oder der Seele, denn die Materie, der Stoff, ist von sich aus rein und jenseits von Krankheit. (Dies gilt auch für genetische oder karmische Krankheiten, denn auch das Karma hat seinen Sitz im Geiste, im Mental- oder Kausalleib des Menschen.)

Malkhut ist vor allem der Sitz des Körperbewußtseins und des Körperempfindens. Hier begegnet uns die Frage nach unserem bewußten Bezug zu unserer Leiblichkeit. Wie bewußt nehme ich meinen Körper überhaupt wahr, mit welchem Bewußtsein wohne ich in ihm? Wie gehe ich mit ihm um? Wie weit pflege ich ihn und gebe ihm das, was er braucht? Mißbrauche ich ihn, beute ich ihn aus in meiner Hetze und im Streß meiner Geschäfte? Oder verhätschele ich ihn, ohne ihn zu fordern? Wie weit höre ich ihn, achte auf seine Signale? Ist er uns doch solch ein wunderbarer Spiegel unserer Seele, daß er die feinsten Schwingungen des Herzens auszudrücken vermag und die Anspannungen, Ängste und Verkrampfungen unserer Seele in seiner Haltung, seiner Verfassung und Konstitution widerspiegelt. Müssen wir erst krank werden, den Organismus – Nerven, Kreislauf, Stoffwechsel – zum Zusammenbruch bringen, bevor wir erkennen, daß wir in uns nicht mehr stimmig sind und ihn mit unserer aus der Seele stammenden Spannung und Ungereimtheit überlasten? Wieviele Menschen leiden heute an chronischen Muskelspannungen, kurzem Atem, nervösen Leiden oder sterben gar gebrochenen Herzens, ohne ihre Unstimmigkeit in Seele und Geist wahrzunehmen oder wahrnehmen zu wollen!

Wie hilfreich und leicht ist es doch – für den, der auf Gesundheit, seelisch-geistiges Wohl und innere Entfaltung Wert legt –, allein immer wieder auf seinen Atem zu achten. Wieviel sagt er uns doch über unsere innere Haltung. Ändern wir sie, so ändert sich auch unser Befinden.

Auch unsere Körperhaltung ist uns ein guter Spiegel. Wie leicht können wir ihr, sitzen wir etwa am Schreibtisch in unserem Büro oder stehen wir in der Küche am Herd, entnehmen, mit welcher inneren Haltung oder Einstellung wir die Dinge tun. Es liegt jeweils an uns, diese Haltung oder Einstellung zu ändern, an unserer Wahrnehmung, aber auch an unseren Werten und Prioritäten, ob wir den äußeren Erfolg oder das Heil unserer Seele, ein Leben in der Welt oder eines in Gott im Auge haben.

Wieviele Formen *einfühlsamer* und behutsamer Übung gibt es heute, die Beweglichkeit, Entspannung, Durchlässigkeit und Sensitivität des Leibes – und damit auch der Seele – zu fördern und zu üben. Machen wir doch Gebrauch davon. Immerhin ist der Leib der Tempel der Seele, ihr Instrument und Gefährt in der Welt! Wir sind für kurze Zeit in ihn gebettet. Wenn es gut geht, leben wir 80, 100 oder 120 Jahre in ihm. Die Frage ist: Was mache ich, wie nütze ich diese Zeit? Der Körper ist mein Instrument. Wieweit bin ich mir überhaupt bewußt, daß ich als Seele in die Welt gekommen, in einen Leib eingeboren bin, um ein Werk zu vollbringen, eine Aufgabe, einen Auftrag hier zu erfüllen, zumindest mein Inneres zu entwikkeln, wenn nicht es in einen höheren Dienst zu stellen?

Wie wichtig ist ein gesundes Körperempfinden! Schon zu unserem eigenen Wohl! Dennoch: Er ist unser Instrument, geheiligt durch das Leben und den Sinn, der ihm gegeben. Nicht mehr und nicht weniger. Es fördert nicht unser Leben, ihn zu hätscheln, ihn zu bemalen, ihn aufzumachen mit allerlei Putz, noch ihn zu kasteien in unnützer Askese. Gewähren wir ihm doch sein natürliches Recht: gesunde Nahrung, die notwendige Reinheit und Pflege, die nötige Achtsamkeit im Umgang mit ihm, wie auch die nötige Bewegung.

Ich sagte eben: Der Körper ist das Instrument, das heilige Instrument der Seele. Über ihn nur kann die Seele ihr inneres Leben nach außen bekunden. Er ist ihre Brücke, ihr Bindeglied zur Welt. Er ist der Seele so wesentlich für die Erfüllung ihres Lebens, Auftrages und Sinnes, wie einem Boten Gottes die Sprache oder einem Pianisten das Klavier. Die Seelen, die aus dem Körper gegangen sind, können genauso jetzt hier im Raume anwesend sein; sie sind um uns herum, schauen uns zu (und schmunzeln, weil wir uns in vielem so ungeschickt anstellen). Die sehen all das Innere. Aber was sie nicht haben, ist dieses Instrument, das uns zur Verfügung steht, daß wir miteinander reden können, einander hören, einander bei unserem Namen rufen oder einander umarmen können, daß wir überhaupt mit all dem Irdischen in unmittelbarer Berührung sind. Was ihnen fehlt, ist der Leib, durch den sie zu uns sprechen könnten, sich uns mitteilen und zu erkennen geben könnten, mit einem Wort: durch den sie erst Teil hätten an *unserem* Leben und *unserer* Welt.

Wichtig ist hierbei auch, zu erkennen, daß die Kräfte und Gründe, die eine Seele bewegen, sich zu inkarnieren, je nach ihrem Bewußtseinsstand sehr unterschiedlich sind. Seelen, die durch ihr starkes Wunschleben noch erdgebunden sind und sich demgemäß in einem mehr dumpfen, oft traumartigen Bewußtseinszustand befinden und im Zwischenreich (zwischen Tod und neuer Geburt) oft nur in einem unbewußten Dämmer- oder Trancezustand verweilen, gehen auch nicht bewußt in diese Welt herein. Sie werden mehr durch ihre Instinkte, ihren inneren Hunger nach den Genüssen und Vergnügungen des Lebens in einen Leib, in eine neue Geburt hineingezogen. Wie in der Geburt, so sind sie dann auch später im Leben mehr die Sklaven ihrer Instinkte als deren Herren.

Je mehr jedoch die Seele gereift ist, je mehr sie versteht und erkennt, was der Sinn dieses irdischen Daseins ist, um so bewußter tritt sie in dieses Leben und erkennt sie die ihr gegebene Chance und Verantwortung für ihre innere Entwicklung. Tatsächlich ist *keine* im Leib eines Kindes eingeborene Seele ein unbeschriebenes Blatt. Jede trägt in sich die Früchte und Samen vergangener Existenzen sowie ein reiches Geleit und Erbe von Weisheit und Erkenntnis, die sie, je nach ihrem inneren Stand, aus der Belehrung in den himmlischen Hallen, zu denen sie zugelassen war, empfangen hat.

In Psalm 139.16 heißt es: »Meine Keimformen haben Deine Augen gesehen...« Der Sohar kommentiert: »Alle Seelen seit Erschaffung der Welt kommen, ehe sie zur Erde herabsteigen« – und nachdem sie sie verlassen [der Verfasser] – »vor den Allheiligen zu stehen in jener Bildform des Leibes, welche ihnen dann auf der Erde eignet.« Das heißt, daß die Seele vor ihrer Inkarnation und nach dem Heimgang in *ihre* Welt vor Gott steht und in seinem Anblick ihre Berufung und ihre Bestimmung erschaut und damit die vor ihr liegende Aufgabe oder die hinter ihr liegende Errungenschaft (oder Verfehlung) erkennt. Daraus ergibt sich ihr weiterer Weg.

Wir alle wissen und spüren, daß da doch Aufgaben vor uns liegen, die gemeistert werden wollen. Da geht es zum einen darum, alte karmische Schuld abzutragen, verschiedenstes in uns zu bereinigen, zum anderen aber auch darum, unser inneres Potential zur Entfaltung zu bringen. Ich sage oft, daß wir, indem wir hier auf Erden leben, in unserem Leib aus Fleisch und Blut, an der ersten Front des Lebens stehen, ganz vorne, mitten drin.

Der Leib ist somit nicht nur die Grundlage all jener – gleich ob schmerzlichen oder erfüllenden – leibhaften Erfahrungen, die wir auf diesem irdischen Plan zu machen haben, um aus unserer Bindung an diese Welt frei zu werden sowie an Seele und Geist zu reifen, sondern darüber hinaus den inneren, gefallenen Menschen wieder aufzurichten, die ihm gegebene Individualität zu ihrer vollen Blüte und Vollendung zu bringen und die ihr innewohnende, sie durchstrahlende Herrlichkeit Gottes hier auf Erden zu offenbaren und zu ihrem vollen Ausdruck zu bringen. Erst dadurch werden wir frei und beginnen wir teilzuhaben an jenem Erlösungs- und Vollendungsplan Gottes, dem sein ungeteilter Wille innewohnt, jeden im

Stoff wohnenden Funken und damit alle Materie, ja die ganze Schöpfung in seinen Schoß zurückzuführen.

Die Kabbala spricht deshalb davon, daß »alles, woran der Mensch teilhat, seine Freunde, seine Verwandten, seine Tiere, seine Pflanzen, seine Geräte, daß alles Funken birgt, die der Wurzel seiner Seele zugehören und von ihm zu ihrem Ursprung zurückgeführt werden wollen.... Deshalb soll einer sich seiner Geräte, all seines Besitzes in Liebe annehmen, um der heiligen Funken willen, die darin sind.« (Baal Schem Tow)

Erst, wenn wir unseren Teil und Auftrag darin erfüllt haben und dadurch von allen Bindungen an die Welt freigeworden sind, sind wir auch erlöst aus unserer Bedingtheit und Begrenzung in körperlicher Form. »Der überwindet, den will ich zu einer Säule machen in meines Vaters Haus, und er soll wahrlich niemals mehr aus ihm herausgehen.« (Offenbarung 3.12) »... und ich werde darauf schreiben den Namen meines Gottes und den Namen Seiner Stadt, des neuen Jerusalem«, der wird eingehen in das Lichtreich Gottes als dessen Sohn und nicht mehr hinabsteigen auf die Erde in einen fleischlichen Leib.

Bis dahin ist es jedoch ein weiter Weg, und wir finden ihn erst, wenn wir erkennen, daß wir alle Glieder des einen Leibes Christi sind, daß unser Leib die Behausung unseres inneren Lebens ist, durch den dieses Leben sich in seiner Vielfalt als Rede, Bewegung, Gestik, Mimik, Handlung und Tat bekunden möchte. So laßt uns unseren Leib heiligen, indem wir das Werk Gottes darin vollbringen.

In Malkhut geht es somit grundsätzlich darum, ein gesundes Körperempfinden zu entwickeln, das uns nicht nur erlaubt, unserem Körper sowie dessen Bedürfnissen und Notwendigkeiten gerecht zu werden, sondern, indem wir seine Sprache, seine Mitteilungen, Signale und Symptome lesen und als Botschaften der Seele erkennen lernen, ihn auch als deren Spiegel zu begreifen wissen. Darüber hinaus ist er ja als Gefährt der Seele auch deren bedeutendstes Instrument für ihr Wirken in der Welt. Sehen wir zu, daß er wohlgestimmt sei, denn die Seele möchte in und auf ihm musizieren und das Preislied ihres Lebens durch ihn hindurch zum Klingen bringen.

Hod – die Herrlichkeit

Ich möchte vorerst Jesod überspringen und direkt auf die Sefira Hod übergehen. Sie ist die erste oder unterste Sefira des linken – als Säule der Strenge bezeichneten – Pfeilers. Sie trägt die Farbe gelb und die Signatur des Planeten Merkur.

Hod bedeutet im Hebräischen *die Herrlichkeit.* Diese Herrlichkeit manifestiert sich in der Seele als Glanz des Geistes und verkörpert jene Kräfte, die wir summarisch als unsere *Ratio* und unser *Empfinden* zusammenfassen. Tatsächlich bezeichnet sie einen äußerst differenzierten Bereich. Hod umfaßt den ganzen Bereich des *Denkens,* des Erinnerns, des *Gedächtnisses,* des Intellekts, auch der reinen Sinneswahrnehmung, des Empfindens und der Empfindsamkeit. Aber auch die *Sprache* gehört hier dazu und überhaupt unser ganzes *Sprachvermögen,* daß wir Worte finden, formulieren und zusammensetzen und einander etwas mitteilen können.

Natürlich ist es nicht zufällig, daß wir hier in Hod auch die Signatur des Merkur, des Götterboten, finden, denn gerade zusammen mit dem Gelb wird uns das Merkurische zum Ausdruck der Kommunikation, des Ausstrahlens und des Mitteilens. Darüber hinaus gehören auch die Fähigkeiten des Rechnens, Planens und Kombinierens hierzu, ja alle Fähigkeiten, die die heutige Psychologie unter dem Begriff der »psychischen Funktionen« zusammenfaßt. Hod ist aber auch Sitz unserer handwerklichen Geschicklichkeit, der Neugier und des Forscherdranges. Natürlich stehen auch Philosophie und Handel unter der Domäne von Hod.

Hod verkörpert somit den rationalen Menschen, den *homo sapiens.* Von ganz besonderer Bedeutung ist, uns bewußt zu machen, wie eng Sprache, Denken und Sprachvermögen mit unserer Empfindsamkeit und unserer Sensitivität in der Seele zusammenhängen, und wie achtlos und unbewußt wir mit unserer Sprache umgehen. Wie oft schleudern wir mit Worten um uns und wundern uns dann, wie wir durch achtlos gesprochene Worte andere verletzen.

Ist doch jedes Wort, jeder Gedanke Ausdruck einer Empfindung oder Wahrnehmung der Seele. Genauso berührt jedes mitgeteilte Wort die Seele, dringt es in sie ein und übermittelt ihr Botschaft und Kraft. So ist es auch ganz natürlich, daß Worte gleichermaßen verletzen und heilen können, je nachdem, wie und mit welchem

Bewußtsein wir sie sprechen. Denken wir doch auch an die wunderbare Wirkung echter Poesie, an die Heilkraft großer Dichtung oder gar der Worte großer Weiser oder Eingeweihter.

Aber wieviel unmittelbarer sind doch unsere Worte zu unseren Nächsten. So laßt uns deshalb auch mit Achtsamkeit und Liebe zueinander sprechen! Wie wichtig ist es deshalb, daß wir einen bewußteren, empfindsameren Umgang mit der Sprache üben, daß wir bewußter unsere Worte wählen, bewußter ihren Sinn erwägen und damit auch ihrer Wirkung mehr bewußt werden.

Wie großartig ist doch die Sprache! Welch ungeheure Möglichkeiten liegen in ihr! Sie ist das Medium der Wissenschaft und der Poesie, der Vermittlung von Erkenntnis und Weisheit, ja der Übermittlung der tiefsten Geheimnisse des Herzens und des Lebens. Machen wir uns bewußt: Jedes Wort und jeder Gedanke haben eine Wirkung auf die Seele. Spreche ich achtlos und unbewußt, so verkümmern das eigene Empfinden und die Fähigkeit der Unterscheidung. Die Achtlosigkeit in der Sprache ist auch ein Ausdruck der Verwahrlosung unserer Seele! Wie das Denken ein Spiegel dessen ist, wie ich zu mir und zum Leben stehe, so ist die Sprache Ausdruck des Denkens und der inneren Haltung des Menschen!

Je nach ihrem Gebrauch kann Sprache sowohl Brücke zum Du als auch Barriere sein. So möge jeder prüfen, inwieweit er sie benützt, um sich mitzuteilen, sich zu zeigen und verständlich zu machen und die Gedanken und Empfindungen seines Herzens zum Ausdruck zu bringen und dadurch das Du zu erreichen und ihm im Herzen zu begegnen, oder ob er sie benützt, um sich zu schützen und zu verbarrikadieren. Wieviele Menschen bauen geradezu einen undurchdringbaren Wall von Worten auf, um sich und ihre wahren Gefühle dahinter zu verbergen. Wie oft überschwemmen wir einander mit einem Schwall von Worten, ohne zu spüren, wo wir selbst und der andere innerlich stehen.

Oft sprechen wir so schnell, daß die Seele und die Gefühle den Worten kaum zu folgen vermögen. Die Mitteilung ist dann abgetrennt von der Person, unpersönlich und schal. Das Resultat ist ein »Gerede darüber« anstatt einer Mitteilung aus der eigenen Mitte. Und beide gehen leer aus: Der eine redet, ohne daß er im Worte das Leben und Empfinden seiner Seele ausgießt und darin sich verwandeln und wachsen könnte, und der andere hört unbeseelte Rede ohne Substanz. Sie fällt auf die Erde wie totes Laub.

Jede Rede ohne Seele ist wie das Atmen von sauerstoffarmer Luft. Beides ist Bewegung ohne inneren Fluß. Beides führt dazu, daß die Seele erstickt. Wahrlich, oft wäre es weiser zu schweigen und die regenerierende Kraft der Stille zu atmen, in der die Seelen einander wortlos berühren, als ihre feinen Regungen andauernd in einem mechanischen Wortschwall zu ersticken. Wie viele Menschen leiden heute an solchermaßen mechanischer Sprache und substanzlosem Wort.

Was es braucht, ist eine neue Sprachkultur, eine Sprachhygiene, in der wir die Sprache reinigen und kultivieren und ihr ihren ursprünglichen Charakter eines Mediums des Herzens zurückgeben, in dem jeder den anderen versteht und wir einander in unserem Ringen um die Wahrheit und uns selbst wiederfinden. Und die Grundlage hierfür ist die Verankerung unseres Empfindens und Lebens, unserer Sprache und unseres Denkens im Herzen (= Tiferet). Wer sein Bewußtsein in ihm gründet, steht in beständigem Kontakt mit dem ewigen Fluß des Lebens. Und »wes das Herz voll ist, des kündet der Mund.«

Leben wir bewußt, mehr und mehr im Gewahrsein des Ewigen, so ändert und verfeinert sich unsere Sprache wie von selbst. Alle große Literatur, alle große Dichtung kommt daher, daß Menschen ein Feingefühl haben für ihre Seele und ihren Sinn. Daß der Hauch des Göttlichen und der Liebe durch ihre Seele weht und Hod im Widerschein des wortlosen Glanzes Seiner Herrlichkeit aufleuchten läßt.

Das sind immer Menschen, die ihre Seele berührt und kennengelernt haben, die die Farben und Schattierungen, die Tiefe des Lebens und der Seele mit Feingefühl und Achtsamkeit beobachtet, wahrgenommen und verinnerlicht haben und nun versuchen, das in der Sprache widerzuspiegeln. Es waren im obersten Rang Menschen, die gelernt haben, der Stille zu lauschen und darin das Wort Gottes wahrzunehmen.

Es geht ja nicht darum, daß wir alle große Dichter werden, was wohl gar nicht so bedenklich wäre, sondern daß wir bewußter werden in uns selbst und lernen, unsere Gedanken bewußter wahrzunehmen, sie zu lenken und auch zum Abklingen zu bringen, daß wir empfänglicher werden für den Klang des tieferen Seins, der stets durch die Stille tönt.

Verfeinern wir unser Wahrnehmen und Denken und unsere ganze

Empfindsamkeit in dem Bewußtsein, daß die Gedanken und Worte, die wir aussenden, lebendige Wesen sind, so wird sich darin unser ganzes Leben verändern! Überhaupt ist es von großer Bedeutung, unsere Denkkultur zu reinigen und zu verfeinern; hat doch das Denken größten Einfluß auf unser inneres Befinden und Leben. Immer ist es Ausdruck unserer inneren Haltung und der Weise, wie wir unserem Leben gegenüberstehen. Das gleiche, was wir festgestellt haben für die Sprache im Bereich der Kommunikation und der zwischenmenschlichen Beziehung und darüber, wie sie dasteht als Spiegel und Ausdruck der Weise, wie wir einander begegnen, das gilt auch für das Denken in bezug auf uns selbst.

Wo immer unser Denken sich trennt vom Gefühl, ablöst vom inwendigen Fluß des Lebens, wird es leblos und leer. Leicht droht es dann in einer schematischen, mechanischen Form zu erstarren. Dies gilt für einzelne Gedanken gleichermaßen wie für ganze Gedankengebäude. Werden sie ohne innere Schau oder Erfahrung als leeres Schema behauptet, gedacht und ausgesprochen, so ersticken und töten sie das Leben und natürliche Empfinden der Seele. Das gilt gleichermaßen für persönliche Auffassungen und Meinungen sowie für Wissenschaft und Religion. Sie alle entarten dadurch zur Tyrannei von Ideologien, die nichts anderes als Zwangsjacken der Seele und des selbständigen Denkens sind. Wie viele intellektuelle Systeme, Ideologien und Moralismen wurden auf diese Weise in die Welt gesetzt, und wie tief haben sie den Menschen in seinem inneren Empfinden und seiner Würde als Mensch verletzt. Wie viele Menschen waren in ihrer Existenz durch sie bedroht, wie viele wurden ihretwegen verbannt oder exekutiert.

Heute stellt sich neben dem dogmatischen oder ideologischen Denken, das zwar nach wie vor noch sein Unwesen treibt, für uns weit mehr das Problem des Intellektualismus und des Primates des analytischen, mit Logik argumentierenden Verstandes. Er ist der Tyrann unserer Zeit.

Gerade unsere westliche (sogenannte wissenschaftliche) Welt ist heute so tief geprägt durch die unbarmherzige Methode der Analyse und des Sezierens, daß wir kaum an einem lebenden Ganzen vorbeikommen, ohne es zu sezieren. Gerade dort, wo Leben am schönsten blüht, neigen wir dazu – anstatt uns einer stillen Betrachtung hinzugeben –, es zu »pflücken«, zu zerlegen und mit dem Skalpell unseres Verstandes zu analysieren. Ist es nicht die Blume, der Grashalm draußen in der Natur, so sind es die zarten Gefühle in unserem Herzen, die Botschaften der Träume, die religiösen Erfahrungen oder die Liebesbezeugungen unserer Mitmenschen, die wir auf dem Seziertisch unseres Verstandes, unseres kühlen Intellekts auseinandernehmen und mit unserem Zweifel zersetzen, bis das in ihnen schwingende Gefühl und Leben entwichen ist.

Gerade hier im begrifflichen Denken liegt die Wurzel der Zweifel. Trauen wir unseren Sinnen und Empfindungen, unserer eigenen Wahrnehmung nicht mehr, so beginnt der Zweifel. Das einzige, was den Zweifel ausrottet, die beständigen »Wenn« und »Aber« unseres losgelösten Intellektes bezwingt, ist die leibhaftige Erfahrung *dessen, was ist*, die unmittelbare Berührung des *Seins*, der einen unzerstörbaren Wirklichkeit des Geistes und des inneren Lebens. Doch sie zu finden, bedarf es der inneren Stille, daß die permanenten Störungen des Intellekts abklingen und wir hinter dem Schleier unserer Gedanken das eine unteilbare Sein erkennen. Nur so finden wir jene Gewißheit, die kein Argument, kein Gedanke erschüttern kann.

Immer ist es der Intellekt, der uns betrügt, blendet und täuscht. Er ist es, der unser natürliches Fühlen und Empfinden mit raffinierten Argumenten vergiftet. Er ist das luziferische Licht. Indem wir ihm glauben, verraten wir uns selbst. Laßt uns erkennen: Ehrlich sind immer nur das Gefühl, das reine Empfinden und die Wahr-Nehmung des Herzens. Der Verstand ist es, der uns belügt. So laßt uns Vertrauen fassen im Gefühl, in der Erkenntnis und im Empfinden des Herzens. Laßt uns sämtliche Beteuerungen unseres eigenen Intellekts, unserer Verwandten, unserer Freunde wie auch öffentlicher Meinungen, tradierter Überlieferungen, religiöser Lehren stets im eigenen Herzen prüfen. Mißtraut dem Intellekt und dem klugen Argument in der Erkenntnis, daß der Intellekt alles beweisen und alles widerlegen kann, wie er will.

Sicherheit, Gewißheit und Wissen finden wir nur im Herzen (Tiferet). Jeder kann die Wahrheit nur selbst erkennen kraft der inneren Wahrnehmung und Einsicht seines Herzens. Was wir im Herzen erkannt haben, das darf Hod, unser Verstand und Empfinden, in Worte kleiden. Dann erfüllt Hod seine wahre Funktion: als *Sprachrohr des Herzens*. Nicht umsonst heißt es deshalb: »Der Intellekt ist ein guter Diener, aber ein tyrannischer Herr!«

Wenn ich vorhin sagte: im Herzen prüfen, so meinte ich nicht kritische Analyse oder die Haltung eines eingefleischten Zweiflers, sondern das unumstößliche, sichere Empfinden des Herzens, das sich entfaltet, wenn Hod fest an Tiferet gebunden, das Empfinden tief im Herzen verankert ist. Dieses wird uns niemals täuschen, nur braucht es stille, innere Sinne, seine Regungen und Flüstertöne wahrzunehmen.

Wir erkennen an dieser Stelle bereits, daß die Qualität und Weise, wie sich eine Sefira in der Seele eines Menschen offenbart, stets abhängig ist davon, wie weit ihre Kraft und Energie im Menschen geläutert und wie sie in den Verband des Baumes als Ganzes eingegliedert ist.

So stellt sich die Frage, ob wir Hod als kalten, despotischen Intellekt oder als einfühlsamen, am Leben anteilnehmenden Geist, als einen mit dem Skalpell eines analytischen Intellekts, Leben sezierenden und zerstörenden Verstand, oder als (einfühlsames) Organ inspirierter Rede und einfühlsamen Lenkens und Leitens der heiligen Ströme und Kräfte des Lebens entfalten wollen. Immer ist es eine Frage des Zusammenwirkens der Kräfte, hier in unserem Fall von Hod, Nezach, Tiferet, Jesod und Geburah.

Nezach – Kreislauf, Sieg und Ewigkeit

Gehen wir nun hinüber zu dem Hod gegenüberliegenden Kreis. Er symbolisiert die Sefira Nezach und trägt die Farbe grün. Nezach heißt im Hebräischen soviel wie Kreislauf, Sieg, Ewigkeit. Ihren Ausdruck in der Seele bilden in erster Linie *Vitalität*, *Sinnlichkeit* und die urwüchsige *Lust am Leben*. Welch ein dynamischer und heikler Aspekt auf unserem geistigen Weg! Nicht umsonst trägt Nezach die Signatur der Venus, jenes Planeten, der der eifernden Liebesgöttin Aphrodite Pate steht. Wir erkennen sofort: der lebende Gegenpol zu Hod.

Nezach umfaßt den Bereich unserer Bedürfnisse, Triebkräfte (mit Ausnahme der Sexualität), Wünsche und Begierden, wie auch unserer Sinnlichkeit, Gestaltungskraft, unseres ästhetischen Empfindens und unserer Beziehung zu den Kräften und Rhythmen der Natur. Dazu gehören gerade auch die primären Bedürfnisse nach Nähe und Berührung, nach Zärtlichkeit und Kontakt. Wie viele Menschen leiden heute geradezu an einem tiefen Mangel an nährenden Kontakten. Wie tief sitzt da doch oft der Hunger nach etwas Nähe und Zärtlichkeit. Und wie unsicher sind wir im Umgang mit diesen Bedürfnissen und Gefühlen. Wie leicht verwechseln Menschen Zärtlichkeit und Zuneigung mit sexuellen und erotischen Gefühlen, und wie wenig können sie sie trennen. Damit ist vielen schon dieser ganze Bereich tabu.

Sehr schnell tun wir dann unsere Bedürfnisse ab oder verdrängen sie, nur weil wir nicht wissen, wie mit ihnen umzugehen. Damit ist aber wenig getan, denn untergründig arbeiten sie in der Seele, drängen immer wieder zum Durchbruch und bestimmen – über den weit ungesünderen und unnatürlicheren Weg der Kompensation und der Ersatzhandlung – den größten Teil unseres Denkens, Fühlens und Tuns. Die verdrängte Not und der unerlöste Mangel diktieren dann unser gesamtes Reden und Verhalten. Wie wichtig ist es deshalb, unsere Bedürfnisse kennenzulernen. Nicht, um sie bedingungslos ausleben zu können, sondern, um sie erfüllen oder verwandeln zu können. Nur, wenn wir in Berührung mit ihnen sind, ist es möglich, sie zu verwandeln.

Weitere Aspekte von Nezach bilden aber auch der Impuls zu tanzen, zu gestalten, zu malen oder in die Natur zu gehen und das Fluidum der Wiesen, Wälder und Auen zu atmen. Gerade der Tanz, der tänzerische und gestalterische Ausdruck hat hier seinen Sitz. Auch Mimik und Gebärde gehören hierzu. Mit einem Wort: der ganze Bereich des *Gestalterischen*, des *Körperausdruckes* und der *Körpersprache* fällt unter die Domäne von Nezach. Repräsentiert Hod die Grundlage der verbalen Äußerung und Kommunikation, so verkörpert Nezach die des non-verbalen Ausdrucks des Menschen.

Wir finden hier Vitalität und Sinnlichkeit in verschiedenster Form: von der ausschweifenden Genußsucht bis hin zur verfeinerten Form des künstlerischen Schaffens und Empfindens, zu einem tieferen Sinn für Ästhetik, Schönheit und Harmonie, für ausgewogene Form und Grazie in der Bewegung. Beide Bereiche, das Triebhafte und das Schöne, gehören ja zu dem Bereich der Venus. Sie sind zwei Seiten Aphrodites und sind auch in der Seele wesenhaft verbunden und verwandt.

So ist es auch nicht zufällig, daß gerade Künstler sehr oft einen ausgeprägten Sinn dafür haben, das Leben zu genießen, ihm die besten Seiten abzugewinnen. Viele neigen zu einem ausschweifenden Leben. Immer aber sind sie, tragen sie die Bezeichnung als Künstler zu Recht, in der einen oder anderen Weise in Kontakt mit ihrer Vitalität und in Berührung mit ihren Bedürfnissen und ihrer Sinnlichkeit. Wären sie es nicht, wäre ihr Schaffen ausgetrocknet, mechanisch und leer.

Ein Intellektueller ist kein Künstler, und ein Künstler kein Intellektueller. Im Weisen jedoch sind beide Seiten vereinigt, wächst doch gerade aus dem Bezug zum Sinnlichen und zur Vitalität der Sinn für das Schöne, insbesondere das sinnlich Schöne und die Schönheit in der Natur.

Wenn wir kurz hinüberschauen nach Hod: jemand der ganz im Kopf, im Rationalen lebt, kann zwar sehr feinfühlig und empfindsam sein, aber oft fehlt ihm völlig der Bezug zur Natur, zum Vitalen. Meist hat er sich bereits früh von seinem Triebleben abgeschnitten. Solch einem Menschen fehlt dann auch der Saft, die notwendige *Lebensenergie* und Freude.

Wir sehen: Das Sinnliche kann sich bis ins feinste Künstlerische steigern. Das gilt nun wiederum vor allem für die Bildende Kunst und die Plastik, aber auch für Grafik und Malerei. Es sind jene Künste, die am unmittelbarsten mit dem Körperlichen, der Berührung, dem Er- und Begreifen des Stoffes und der Erde und dem Beschauen der Form zusammenhängen, es reicht aber in seiner Verfeinerung und Beschaulichkeit bis ins Übersinnliche. Es ist nicht zufällig, daß meist solche Menschen übersinnliche Fähigkeiten entfalten, die diese Seite, ihre Vitalität, in gesunder Weise entwickelt haben. Dazu möchte ich noch betonen, daß dieses Übersinnliche nicht gerade das Erstrebenswerteste ist, gibt es doch auch da sehr unterschiedliche Qualitäten.

Wenn wir Nezach in dieser Weise betrachten, so ist es wichtig, zum einen zwischen Wünschen und Bedürfnissen und zum anderen zwischen wahren und falschen (wesenhaften und unwesenhaften) Bedürfnissen zu unterscheiden.

Wurzeln Wünsche stets in Sehnsüchten unseres unverwirklichten Wesens, die durch unsere Imagination und Vorstellungskraft (Jesod) die vielfältigsten Gestalten und Erscheinungsformen in unserem Bewußtsein annehmen, so sind Bedürfnisse, soweit sie wesenhaft sind, grundlegende Voraussetzungen und Notwendigkeiten einer Schicht unseres Leibes oder unserer Seele, die diese für ihr Leben und ihre Funktion, ihr Wachstum und ihre Entfaltung benötigen.

Wie unser Leib feste Nahrung, Flüssigkeit, Luft, Wärme, Bewegung und Licht benötigt, so bedürfen auch Seele und Geist verschiedenster Grundlagen, um sich frei entfalten zu können. Das Verlangen nach diesen Grundlagen bildet die Basis der wahren Bedürfnisse.

Falsche Bedürfnisse dagegen sind Verhaltenstendenzen und Neigungen, die sich als Gewohnheiten in der Seele etabliert haben und durch verschiedenste (meist fehlgeleitete) Kräfte der Seele und des Geistes genährt werden. Ihre Befriedigung ist für die Entfaltung unseres Wesens nicht nur nicht förderlich, sondern grundlegend hinderlich. Letztere zu überwinden und auszumerzen ist für unseren inneren Weg einer der wesentlichsten Aspekte. Niemals dürfen wir zulassen, daß sie unser Leben bestimmen. Ihre Unterscheidung von den wahren Bedürfnissen ist deshalb wesentlich. Sie geschieht durch Hod und Tiferet.

Zu den wahren Bedürfnissen zählen insbesondere die Bedürfnisse nach Nähe, nach Kontakt und Berührung, nach Zärtlichkeit, Selbstausdruck und Bewegung, Raum und innerer Freiheit. Sie sind wahrhaft elementar. Sie sind es, die ihren Sitz in Nezach haben und auch unbedingt erfüllt sein möchten. In welcher Weise auch immer wir ihnen gerecht werden, wichtig ist es, ihnen Wege zur Erfüllung zu bahnen, denn stets gibt es eine Fülle von Möglichkeiten, ihnen zu begegnen.

Immer ist es notwendig, unserer Bedürfnisse gewahr zu werden und ihnen zu ihrem Recht zu verhelfen. Das ist eine elementare Voraussetzung des Lebens und des Wachstums unserer Seele. Wenn die Seele darbt, kann sie ihr Potential und ihre Schönheit weder zum Ausdruck noch zur Entfaltung bringen.

Im Buch der Engel (Antwort der Engel) finden wir eine Stelle, wo eine der vier Suchenden ihre Sehnsucht zum Ausdruck bringt, doch fliegen zu können. Ihr Meister antwortet ihr darauf mit dem Satz: »Lerne zuerst zu umarmen, dann lernst du auch zu fliegen.« Welch wahrer Satz! Nichts darf übersprungen werden. Erst indem wir den Notwendigkeiten von Seele und Leib gerecht werden, entwachsen wir den unteren Sphären und erheben uns in eine neue Dimension.

Es geht somit darum, zuerst die wahren Bedürfnisse zu erkennen und wahrzunehmen und ihnen zukommen zu lassen, wonach sie verlangen. Sodann finden wir immer feinere Weisen und Wege, sie zu erfüllen, wodurch sie sich selbst verfeinern. Unsere Sinnlichkeit und Vitalität wird dadurch immer subtiler, bis sie sich in eine reine, vergeistigte Form verwandelt. Der Weg dorthin führt jedoch niemals über das Übergehen, sondern stets über das Annehmen, Verfeinern und Verwandeln unserer vitalen Natur.

Wie wir sehen, sind auch die wahren Bedürfnisse Gegenstand der Verwandlung. Finden sie anfangs ihre Erfüllung nur über einen sinnlich-leiblichen Weg, so stillen sie sich später mehr und mehr im Strom eines übersinnlich-geistigen Lebens. Erst darin läutert und verwandelt sich Nezach.

Um jene Verwandlung und Balance in Nezach zu verwirklichen, bedarf es aber wiederum des Wechsel- und Zusammenspiels mit Hod, Tiferet, Hesed und Jesod.

Malkhut, Hod und Nezach – Kutsche, Kutscher und Pferd

Wie wir sehen, sind Hod und Nezach gegensätzliche Pole. Sie wirken miteinander und ergänzen einander; meist sind sie in unserer seelischen Wirklichkeit jedoch nicht in Balance. Bei den meisten von uns ist der eine mehr, der andere weniger entwickelt. Wir tendieren dann entweder mehr zu einer rational-analytischen oder einer eher emotional-sinnlichen Lebenshaltung.

Betrachten wir die drei Sefirot in ihrem Zusammenhang als Einheit, so bietet sich hierfür ein lebendes Bild an: die Kutsche. Darin entspricht Malkhut dem Kutschwagen. Der entspräche dem Körper, und ihre vier Räder entsprächen – wie auch im Himmlischen Wagen Ezechiels – den vier Elementen. Genauer gesagt wäre es der ganze untere Baum von Assia. Malkhut hat darin seinen Sitz, entspräche also dem Kutschbock (Abbildung 61).

Wenn wir beim Bild der Kutsche bleiben, wer oder was in dem Bild entspräche dann Nezach? Das wären natürlich die Pferde! Unsere ganze Triebkraft und Vitalität und unsere ganze Kraft der Bewegung findet in ihnen ihre Verkörperung, ihr Symbol. Das gilt insbesondere auch für die meisten Pferdeträume, daß sie Ausdruck sind unserer Lebenskraft und unserer Vitalität.

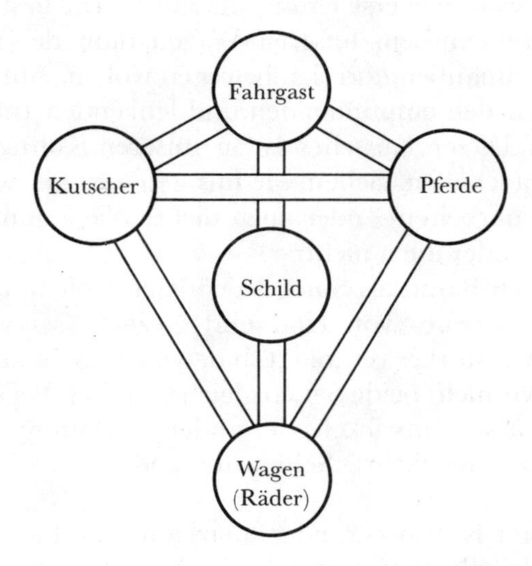

Abb. 61

Wie wunderbar ist es, wenn wir Pferden zusehen, wie herrlich sie sich bewegen, wie sie ausgreifen im weiten Galopp, wenn wir ihnen freien Lauf geben. Es wirkt geradezu wie im Flug, wie sie graziös und scheinbar ohne Gewicht über den Boden gleiten. Wahrhaft ein wundervolles Bild der vollen Entfaltung von Nezach. Welche Schönheit liegt doch darin.

Das gleiche offenbart sich auch im Tanz und in der freien Bewegung. Darin, diese Kraft zu entfalten, sie zu steigern, zu bündeln und zu erheben, liegt auch der Sinn der im Sufismus üblichen Wirbeltänze der Derwische.

Im Traum sind Pferde meist Ausdruck der Instinkte, der Lebenskraft, Triebkraft und Vitalität; auch des Unbändigen in uns! Manchmal gehen sie durch und manchmal bocken sie auch, meist sind sie sehr eigenwillig.

Auf der anderen Seite, in Hod, finden wir den Lenker des Wagens, unseren Kutscher. Der sitzt hoch auf dem Bock und lenkt den Wagen: hoffentlich, denn manchmal schläft er auch, und die Pferde laufen dann dorthin, wo sie wollen. Manchmal zerren sie auch in verschiedene Richtungen, das eine nach links und das andere nach rechts. So ist es eben mit unseren Wünschen und Begierden.

Betrachten wir aber erst einmal das Bild: Da bestehen wir als Menschen aus einem Leib, unserem Wagen, dann den Pferden – die wiehern und schnauben und sich bewegen wollen. Auf der anderen Seite haben wir den empfindenden und lenkenden Intellekt, unseren Kutscher. Dieser Kutscher ist in unserer Kultur meist recht merkwürdig beschaffen. Sehen wir uns genauer an, wie diese drei Pole zusammenarbeiten – oder auch nicht. Wie kommt diese Kutsche in Fahrt – oder auch nicht?

Wenn wir den Baum als Spiegel benützen wollen, dann können wir auf dieser Ebene (von Hod und Nezach) schon sehen, auf welcher Seite wir stärker veranlagt sind, wo wir mehr zu Hause sind. Meist haben wir nicht beide Seiten gleich entfaltet. Bei dem einen ist der eine Pol stärker entwickelt, der andere verkümmert, bei einem anderen wieder umgekehrt. Selten nur finden wir uns wirklich in Balance.

Ein in unserer Kultur besonders markanter und häufiger Typ ist der typische Intellektuelle im Sinne eines Menschen, der seinen analytischen Verstand, sein logisches Denken besonders entwickelt hat, meist auch viel Wissen angehäuft hat – ganze Bibliotheken finden wir oft in ihm –, während er seine Bedürfnisse und Vitalität hat aushungern lassen. Dementsprechend ist auch seine Lebenskraft und Vitalität nur schwach entwickelt.

Ein typischer Ausdruck eines Menschen, der überstark in Hod verankert ist, ist der, daß er zu Nezach ein eher feindliches Verhältnis hat, daß er oft lebensfeindlich ist, insbesondere gegen sich selbst; daß er seiner Sinnlichkeit und seinen Bedürfnissen feindlich gegenübersteht, meistens aus dem Grunde tief eingefleischter lebensfeindlicher Werte, oft auch, weil seine Wünsche nun auch so ungeheuer groß geworden sind, sein Defizit so hoch, daß er nicht weiß, wie er mit ihnen umgehen, wie er sie zügeln kann. Mancher gleicht dann einem Kutscher, der viel Theoretisches über Pferde gelernt hat, alles über sie weiß, aber noch nie ein Pferd gesehen oder berührt hat.

Es gibt ja heute auch so viele kluge Psychologen, die alles über die Seele wissen, aber sich selbst kennen sie nicht. Das entspricht einem Kutscher, der alles weiß über Pferdekrankheiten, über Pferdedressur, über Pferdearten und -rassen, der sie auch wunderbar einordnen kann; er sieht ein Pferd, sprich: einen Menschen, und weiß schon, was für ein Typ das ist; das kann man ja auch überall nachlesen. Aber er hat noch nie ein Pferd berührt, es gestriegelt, gefüttert, gepflegt oder ist auf ihm geritten. Einen lebendigen Bezug zu dem Pferd, seinem eigenen im besonderen, hat er nicht.

Gerade darauf kommt es an, daß dieser Kutscher in unmittelbarer Berührung sein möchte mit seinen Pferden. Daß er mit den Pferden liebevoll umgeht und nicht wie verrückt am Zügel reißt, so daß sie ganz wund werden, aber daß er auch auf dem Kutschbock nicht einschläft oder die Zügel fahren läßt und die Pferde tun, was sie wollen. Sicher ist es gut, sie gelegentlich auf die Weide zu bringen und frei laufen zu lassen. Aber sie müssen dann auch kommen, wenn der Kutscher sie ruft.

Die Kunst des Kutschers ist, die Pferde zu lenken. Lenken heißt, ihre ganze Kraft zur Entfaltung zu bringen, sie zu nutzen und mit ihnen, daß heißt unseren Bedürfnissen und unserer Vitalität, in solch vollendeter Harmonie zusammenzuschwingen, daß wir sie mühelos dorthin lenken können, wohin wir sie lenken wollen. Wenn die Pferde spüren, daß der Kutscher Verständnis für sie und ein empfindsames Gespür hat, dann gehen sie auch überall willig hin, wohin er möchte.

Es ist schön beim Dressurreiten zuzusehen; zu sehen, in welch enger Berührung ein guter Reiter mit seinem Pferd ist. Er erkennt an jeder Muskelzuckung seines Pferdes, an dem feinen Spiel seiner Ohren genau, was das Pferd will. Genauso reagiert das Pferd auf jede Geste des Reiters, auf seinen leichtesten Schenkeldruck und tut, was er will. Pferd und Reiter bilden eine Einheit, alles ist eine Bewegung.

Ich benutze dieses Bild, um darzustellen, wie eng unsere steuernde Vernunft, unser gedankliches Bewußtsein in Kontakt sein sollte mit dieser anderen Seite, unserer Lebenskraft, Sinnlichkeit und Vitalität in Nezach. Was dann entsteht, ist ein natürliches *organisches* Miteinander, wo auch das Denken sich ganz anders entfaltet. Das ist *kein mechanisches Denken*, durch das ich meinen Körper, mein Leben und andere Menschen wie Maschinen betrachte, *sondern ein organisches Denken,* worin ich mir bewußt bin, was da an Lebenskräften und Gefühlen, an Bedürfnissen und Notwendigkeiten mitschwingt. Daß wir dem Leben in seiner Ganzheit gerecht werden. Wir schön ist die Kraft von Nezach, wenn wir sie nur richtig lenken können.

Unser Problem besteht hier darin, zu lernen, mit unseren Pferden richtig umzugehen, sie gut zu nähren, sie kräftig und lebendig zu halten und ihnen soviel Spaß zu gewähren, wie sie wirklich brauchen; aber auch nicht mehr. Mißhandeln wir sie, werden sie bissig, unwillig oder krank. Behandeln wir sie mit Achtsamkeit und Liebe – auch Festigkeit! – so werden sie gehorsam und gehen, wohin wir wollen.

Es besteht also die Möglichkeit, einen Wagen zu lenken, der glückliche, gesunde und kräftige Pferde hat, die auch gehorsam sind.

Neben dem überlasteten Kutscher gibt es auch das andere Extrem, nämlich Menschen (Kutschen), die aussehen, als hätten sie gar keinen Kutscher. Das ist auch ein bedenkliches Bild, denn sie sind geradezu »machtlos« ihren wechselnden Launen und Bedürfnissen ausgeliefert, die sie dann einmal dahin-, das andere Mal dorthin ziehen. Es gab eine Weile die Auffassung, auch in der mißverstandenen »humanistischen Psychologie«, daß diese Pferde alles machen dürften, was sie gerade wollen. Es wurde geradezu zur Mode, daß Menschen mit ihren Launen und Gefühlen nur so um sich warfen, ohne den anderen nur im geringsten zu berücksichtigen. Das ist übertrieben und führt auch an kein Ziel.

Worum es geht, ist, das gesamte Volumen unserer Vitalität zu entfalten, aber es auf das Ziel, in seinen ursprünglichen, ewigen Ursprung zurückzuführen.

Jesod – das Fundament

Jesod steht im Zentrum des unteren Dreiecks und bildet die gemeinsame Mitte von Malkhut, Hod und Nezach. Jesod stellt das Zentrum des unteren Gesichtes dar, den Schwerpunkt des »natürlichen«, »aus dem Fleische geborenen« Menschen, unserer niederen Natur, deren Aufmerksamkeit vorwiegend um die Eindrücke des irdischen Lebens, die vitalen Impulse von Leib und Seele sowie deren Reflexion im Denken kreist. Jesod heißt *Fundament* und ein Fundament ist immer etwas, das in der Lage ist, ein Gebäude, ein Bauwerk oder eine Struktur zu tragen. Jesod bildet demnach die Grundlage, auf der das Leben unserer Seele, ihre Erfahrungen, ihre Entwicklung, ihr Wachstum und ihre innere »Gestalt« gründen und aufgebaut sind.

Jesod ist der Sitz schöpferischer Kräfte und Substanzen, die beständig Formen, Eindrücke und Bilder in der Seele hervorbringen, aufnehmen, aufzeichnen und aufbewahren. Es sind jene Kräfte der Seele, aus denen sie ihre innere Welt, ihre Gestalt und ihren subtilen Leib aufbaut.

Jesod ist der Sitz unserer Imagination, unserer Phantasie, unserer bildhaften Vorstellung sowie der Gesamtheit der Eindrücke, die die Seele seit ihrer Schaffung in einer Fülle von Inkarnationen und Daseinsformen in den verschiedensten Welten beziehungsweise Sphären der Schöpfung aufgenommen hat. Hier werden alle inneren und äußeren Eindrücke der Seele, sämtliche Empfindungen unserer äußeren Sinne, Düfte, Farben, Geräusche sowie all die Wahrnehmungen von inneren Empfindungen, bildhaften Vorstellungen über unsere Träume bis hin zu Visionen und geistigen Offenbarungen in ihren erlebten Zusammenhängen aufgezeichnet. Alle Erfahrungen, Eindrücke, Impulse und Entscheidungen unseres Lebens, bis weit zurück vor unsere Geburt, sind hier gespeichert wie in einer mehrdimensionalen Film- und Tonbandaufzeichnung. Darüber hinaus verkörpert Jesod den ganzen Umfang unserer Imagination sowie der *vorstellenden und bilderschaffenden Instanz unseres Bewußtseins*, die wir als unser Ego bezeichnen. In der kabbalistischen Tradition wird Jesod oft als das »Arsenal der Bilder« oder die »Schatzkammer der Seele« bezeichnet. Tatsächlich ist Jesod Sitz unserer gesamten »inneren« Bild-Welt, aufgebaut aus all den über Äonen aufgezeichneten Eindrücken unserer inneren und äußeren Sinne.

All die Wunsch-, Angst-, Leit-, Traum-, Ideal-, Phantasie-, Trug-, Irr- und Wahnbilder unseres Lebens sind schließlich aus ihnen errichtet und haben hier ihren Platz. Sie zusammen formen jene umfassende Vorstellung unseres Lebens, die sich in *Welt-Bild*, *Ich-Bild* und *Lebens-Bild* gliedert. Während unser Ich-Bild all das enthält, was wir meinen zu sein oder wovon wir uns einbilden, es sein zu müssen (um akzeptiert zu werden in der Welt), bringen Welt- und Lebensbild vor allem unsere Auffassung um Sinn, Zweck und Bestimmung von Welt und Leben zum Ausdruck. Sämtliche Vorstellungen, wie die Welt sei oder sein solle, wie auch unsere Haltung gegenüber dem Leben haben darin ihre Wurzel. Auch all die Erwartungen, Ansprüche und Forderungen an unsere Umgebung, an unsere Ehefrauen und -männer, Lebenspartner, unsere Freunde und Kinder und im Grunde an alles, was lebt, haben ihren Sitz und Ursprung hier in Jesod. Vielfach leben, denken und verhalten wir uns so, als müßte alles Geschaffene sich nach unseren Vorstellungen richten.

Jesod umfaßt all die Bilder, die wir in uns tragen, wie eine Ansammlung von Korsetts, in die wir uns und andere versuchen hineinzupressen, um – unserem inneren Bild gemäß – gut dazustehen in der Welt. All unsere Vorstellungen, Wertungen, Meinungen und Bilder über die Menschen, uns selbst, Gott und die Welt liegen hier in der Seele eingegraben, so wie wir sie seit Urzeiten in sie hineingebildet haben. Sie bilden das Material all dessen, woraus wir unsere äußere und innere Fassade erbauen, wie wir nach außen hin erscheinen möchten und uns geben in der Welt. Jede Form von Einbildung kann sich hier entfalten. Oftmals bringen gerade die »großartigsten« Ausbildungen die gewaltigsten Einbildungen hervor. Gar mancher meint, wenn er eine besondere Ausbildung genossen hat – etwa in Jura, Mathematik, Pädagogik oder Medizin –, dann sei er auch ein besonderer Mensch, »ein Jurist«, »ein Mathematiker«, »ein Lehrer« oder »Arzt«, etwas Bedeutendes eben. Alles pressen wir in Wertungen, Vorstellungen und Bilder und vergewaltigen so die Welt, das Leben, unsere Mitmenschen und uns selbst, indem wir niemanden und nichts nehmen und sein lassen wie er oder es ist.

Jesod ist aber auch die Projektionswand des »Unbewußten« und des Höheren Selbstes, denn all unsere Träume und all die bildhaften Botschaften aus den verschiedenen Tiefenschichten der Seele bilden sich hier ab. Auch Visionen, die wir aus den Sphären des göttlichen Lebens empfangen, leuchten hier auf und erscheinen auf dem Bildschirm unseres Bewußtseins.

Als Sitz unserer Vorstellungskraft ist Jesod auch jene Instanz, in der wir die Leitbilder unseres Lebens schaffen, durch die wir eine positive Ausrichtung finden. Es ist auch der Sinn der Visionen, daß sie uns Halt und Richtung für die Ausrichtung unseres Denkens, Fühlens und Tuns vermitteln. So können wir die Kräfte von Jesod bewußt nutzen, um in positiven Imaginationen fruchtbare Leit- und Lebensbilder zu schaffen oder diese aus dem Innern aufsteigen zu lassen. All diese Bilder, von unseren Träumen über die Imaginationen bis hin zu den Visionen, sind nichts als Hilfen oder Brücken zum Selbst und zur Wirklichkeit, die ihrerseits losgelassen und durch neue Botschaften und Wahrnehmungen ersetzt werden möchten.

Selbst die wunderbarsten Visionen werden zur Fessel und zur Falle, wenn wir uns an sie klammern. Das Sein möchte sich Augenblick um Augenblick in neuen Schattierungen und Nuancen unserer Seele mitteilen und ihr seine Botschaften zuflüstern. Insbesondere bei den bewußten Imaginationen ist es nötig aufzupassen, daß wir nicht unsere Wunschbilder in ihnen konservieren und uns damit einen neuen Traum schaffen, der mit unserem Wesen nichts zu tun hat. Das ist auch die Gefahr, die im falsch verstandenen »positiven Denken« liegt, nämlich daß wir uns damit erneut ein Bild aufzwingen oder überstülpen, das unsere innere Wirklichkeit verdrängt und unserem wahren Wesen nur als Fremdkörper aufgesetzt wird. Positives Denken und Imaginieren im echten und fruchtbaren Sinne kann nur heißen, die positiven und schöpferischen Kräfte und Perspektiven, wie sie in der Tiefe unseres Wesens (Tiferet) verankert sind, bewußt werden zu lassen und zu fördern sowie auch den positiven Wert der unerlösten und ungewandelten Kräfte der Seele zu erkennen und in einem schöpferischen Sinn mit ihnen umgehen zu lernen. Innerlich zu leiden und sich einzureden: »Mir geht es gut, mir geht es gut, alles ist in Ordnung ...«, ist schiere Dummheit. Das Leid aber wahr- und aufzunehmen, seine Wurzeln zu erkennen und aufzulösen und darin den Schmerz und das Übel zu verwandeln, ist positives, schöpferisches Denken und Sein.

So verstehe ich auch unter der positiven Nutzung der Kräfte der Imagination nichts anderes als das zum Heile, zur Heilung, zum Inneren Wachstum und zur Festigung gereichende Leuchten und Leiten der schöpferischen Kräfte unserer Seele. Hierzu gehört zum Beispiel die zu Heilzwecken geübte Imagination und Meditation von Farben, die (durch unsere Vorstellung vollbrachte) Lenkung und Leitung des Heilmagnetismus in unserem Körper sowie verschiedene Formen katathymen Bilderlebens, autogener Entspannung und geleiteter Meditation. Sie alle bezwecken, wenn richtig angewendet, die Erweckung und Mobilisierung heilender, regenerierender und schöpferischer Kräfte in der Seele.

Die Kräfte von Jesod sind es, aus denen wir unsere innere Welt, unser Selbstbild, aber auch unser Erscheinungsbild nach außen, unsere Maske oder Persona, errichten. Wenn wir wieder das Gleichnis der Kutsche betrachten, so entspricht Jesod der Dekoration, also der Aufmachung der Kutsche und ihrer Bemalung. Vor allem aber trägt sie oben ein Schild – schön beschriftet und eingerahmt (mit allerlei Schnörkeln) – und da drauf steht dann etwa: »Baron« oder »Baronesse von Müller«, daß auch jeder gleich weiß, wer da kommt. Somit verkörpert Jesod auch das »Image«, die äußere Erscheinung, das, was wir nach außen hin darstellen.

Jesod wird so zum Fundament unserer »persona«, unserer Maske oder Persönlichkeit. Selbst aufgebaut aus all den Bildern, Erfahrungen, Eindrücken, Entscheidungen und Wertungen unserer Geschichte bildet sie das Fundament, auf dem wir unser Leben, unser Schicksal und unser äußeres Ich errichten. So erkennen wir Persönlichkeit, Welt-Bild, »Life-Script« und »Ich« als Kristallisationen der durch Jesod verkörperten schöpferischen Kräfte.

Je nachdem, wie wir die schöpferischen und bildnerischen Kräfte von Jesod in unserem Leben anwenden und zur Entfaltung bringen, kommen wir zu einer reinen, naturgemäßen oder gottgewollten Entwicklung der Seele oder zu einer »ganz gewaltigen Einbildung«. Die Botschaft des Gleichnisses vom Sündenfall zeigt uns, daß wir alle, die wir hier auf Erden leben, erstmals damit begannen, uns unsere eigene Welt, unseren eigenen Traum zu schaffen, in dem wir nun leben und gefangen sind. Alles was wir Person, »persona« oder Maske nennen, hat hier seine Mitte, insbesondere natürlich auch all die Vorstellungen von den verschiedenen Rollen, die wir im Leben spielen und erfüllen. Wir suchen in ihnen Schutz und Sicherheit. Unsere große Illusion liegt darin, daß Bilder keine Wirklichkeit sind. Kommen sie durch die Konfrontation mit der Wirklichkeit einst ins Wanken, so wankt auch das ganze Gebäude darüber. Unser Kartenhaus (oder Luftschloß, der elfenbeinerne Turm unseres Lebens) droht einzustürzen. Wir sind verzweifelt und wissen nicht, wo wir noch Halt finden können.

Wir bauen auf Ruhm und Anerkennung, auf einen geliebten Menschen oder unsere Kinder. Wir leiten unseren Sinn und Wert davon ab, daß andere uns schätzen, brauchen und lieben. Doch verläßt uns der geliebte Mensch, stirbt er, geht er weg oder andere Wege, so fühlen wir uns verlassen, vom Schicksal betrogen, leer, einsam und öde.

Unser – meist unbewußt erbauter – Lebenstraum geht zu Ende. Wir sind ent-täuscht. Schon in dem Wort klingt an, daß es sich um das Ende einer Täuschung handelt, der Täuschung, daß wir irgend etwas Bleibendes, Unvergängliches, Dauerhaftes, daß wir Reichtum, Glück und Liebe in vergänglichen Dingen, in Gegenständen oder bei Menschen, finden könnten. Es wird offenbar, daß wir lange einer Täuschung, einer unbewußten Vorstellung und Illusion angehangen haben, die sich nun als solche enthüllt.

Es ist oft so, daß Menschen, die einen geliebten Menschen verlieren, bewußt wird, daß sie in diesem Menschen etwas suchten, das ihnen wertvoll ist und von dem sie meinen, daß sie selbst es nicht hätten. Der Verlust hinterläßt eine Lücke, ein Loch, das sich nur in uns selbst füllen und schließen kann. Eine tiefe Sehnsucht steigt in der Seele auf, die sich an der Erinnerung des verlorenen geliebten Menschen festmacht. Lösen wir sie von der Person ab, so führt sie uns auf einen anderen Weg, auf den Weg nach innen zu uns selbst und zu Gott. Es wird uns hierdurch allmählich offenbar, daß alles, was wir suchen, in uns selbst liegt in unserem wahren, ewig leuchtenden Kern.

In der Enttäuschung liegt eine große Chance zum Erwachen. Wenn wir sie ergreifen, erkennen wir nach jahrelangem Schlaf endlich, daß alles Beständige, alles Glück, alle Erfüllung nur in uns selbst zu finden ist. Daß wir beginnen, unser Welt- und Ich-Bild zu hinterfragen und zu erforschen, was wahrhaft wirklich und dauerhaft ist und daß wir uns auf den Weg machen, unser wahres Selbst und den ihm innewohnenden ewigen göttlichen Schatz endlich zu finden, das ist der Auftrag von Jesod.

Jesus sagte: »Erkenne die Wahrheit und sie wird dich frei machen.« Das Orakel zu Delphi ruft zu uns in den Worten: »Erkenne dich selbst, und du wirst das Universum und die Götter schauen.« Darin liegt wohl der Kern der Sache, so wie sie sich uns in Jesod stellt. Haben wir keinen Halt im Selbst oder in Gott, so beginnt mit der Enttäuschung und dem erlittenen Verlust meist das Erwachen, nämlich die Suche nach der Wirklichkeit.

Jesod umfaßt die gesamte Fülle von Vorstellungen von Gott, der Welt und uns selbst, die wir in uns tragen. Diese Vorstellungen sind jedoch nicht nur bildhafter Natur. Vielmehr äußern sie sich als Wertungen, die sich in verschiedenster Weise in uns etablieren und auch in Sinnesqualitäten wie Klängen, Geräuschen, Farben und Gerüchen.

Ein großer Teil dieser Vorstellungen und Bilder erscheint in der Seele in Gestalt innerer Monologe oder Dialoge, die oft wie ein Mantra, meist jedoch unbewußt, in der Seele abrollen. In dieser Weise sind der Seele verschiedenste Ich- oder Welt-Bilder eingeprägt. Es sind jene inneren Monologe, die uns etwa einreden, ohnedies nur ein Versager zu sein, ein Taugenichts, dem, was immer er anfaßt, mißlingt. All diese fixen Ideen und Grundvorstellungen, die uns meist tief in den Knochen stecken, gehören hierzu. Sie sind vielfältig wie das ganze Leben und meist so stark, daß sie es auch ganz bestimmen.

Viele solcher Monologe laufen wie Tonbänder seit Urzeiten ununterbrochen in uns ab. Sie scheinen so eng mit uns verknüpft zu sein wie unser innerstes Wesen, und so halten wir sie für unsere eigene Natur. Alles tönt hier, alles spricht: »Wo du hinkommst, lachen sie über dich,« »Bemühe dich erst gar nicht, dich mag ohnedies niemand.« »Was du anfaßt, geht schief.« »Nur nicht auffallen, daß niemand sieht, wie wertlos du bist.« Oder: »Jetzt aber komme ich.« »Ich werds euch zeigen.« »Jetzt nur nicht schwach werden.« »Wehe, du gibst auf.« Oder: »Ich bin der große Held; vor mir gehen alle in die Knie« – auch so eine Einbildung. »Ich bin überhaupt der Größte.« Wie wunderbar!

Es gibt die verschiedensten Facetten von Ich-Bildern, die meist mit allem zu tun haben, nur nicht mit der Wirklichkeit. All diese Bilder sind Traum, und die Weise, wie wir die Welt, unsere Mitmenschen und uns selbst *in unseren Bildern* wahrnehmen ist stets Illusion. Sein offenbart sich stets jenseits der Bilder. Wir erkennen Gott, uns selbst und die Welt erst, wenn wir bereit sind, alle Bilder loszulassen.

Wichtig bei der Beobachtung dieser Bilder ist, daß sie meist sehr hintergründig, oftmals völlig unbewußt und unterschwellig abrollen. Trotzdem sind sie äußerst bestimmend (und meist folgen wir ihnen aufs Wort), denn sie sitzen uns tief im Fleisch. Viele dieser inneren Tonbänder und Monologe, die in uns hineinsprechen, kommen aus Erfahrungen der Kindheit. Manchmal wurzeln sie auch in inneren Entscheidungen, die wir als Kind getroffen haben. Wenn ein Kind, das viele Demütigungen hat hinnehmen müssen, etwa in sich spricht: »Mich kriegt keiner« oder: »Wenn ich groß bin, dann werde ich es ihnen zeigen«, dann entfaltet sich daraus meist eine ganze Dramaturgie, ein ganzes Lebensskript. Alles, was dieses Kind später anfängt und tut, folgt nun diesem Skript. Es lebt und wirkt dann allein darauf hin, es Vater oder Mutter, die dann meist gar nicht mehr da sind, zu beweisen, daß es doch gut und erfolgreich ist und sich durchsetzen und behaupten kann. Solch absurden Intentionen wird dann oft ein ganzes Leben gewidmet.

Nicht alle diese Tonbänder stammen aus unserer Kindheit. Viele bringen wir bereits in der Form von »Lochkarten« mit in diese Geburt. Sie entsprechen karmischen Bereitschaften und bei der rechten Gelegenheit rasten sie ein, greifen das aktuelle Erlebnismuster auf und übersetzen den »Lochstreifen« in ein Drehbuch oder Tonband der gegebenen passenden Situation. Jeder Mensch hat von Geburt her eine karmisch bedingte Neigung, bestimmte Tonbänder, Drehbuchtexte oder Dramaturgien aufzunehmen und andere nicht. Meist bildet die Seele zu jedem Text auch einen Gegentext, der als Antwort oder Verhaltensregel aufgezeichnet wird. Auch die Antworten sind je nach Seele verschieden. Die eine wählt, sich zu widersetzen, die andere, sich klein zu machen, eine dritte, sich zu entziehen. Die Bereitschaft hierfür bringt die Seele bereits mit.

Die Erfahrungen einer Seele in ihrer Kindheit sind keine ersten Prägungen einer reinen, makellosen Seele, sondern vielmehr die Entfaltung eines angelegten Keimes. So sind die Erfahrungen unserer Kindheit nichts anderes als das Aufgreifen eines Lebensthemas, das keimhaft bereits in unserer Seele angelegt ist. Die Eindrücke der Kindheit bilden dann den Stoff, den wir meistern sollen und mit dem die meisten von uns sich auch tatsächlich während ihres ganzen Lebens auseinanderzusetzen haben. Natürlich treten darüber hinaus meist Kräfte und Impulse unseres höheren Selbstes in unser Leben, die ihm dann erst seine entscheidende oder bestimmende Richtung geben. Dies ist jedoch bereits eine Frage des Bewußtseins. In all dem, was wir auf diese Weise erfahren und erleiden, entfalten sich Themen und Aufgaben unseres Lebens, soweit sie karmischer Natur sind. Dies ist ein wichtiger Punkt, denn unser innerer Weg beginnt damit, daß wir im Erkennen, Loslassen und Überwinden unserer Bilder auch unser Karma einlösen, denn in den Bildern, in ihren Fixierungen findet die Seele ihr karmisches Band. Es aufzulösen ist ein Aspekt unserer Befreiung.

Jesod bildet somit den Sitz und die Summe all unserer Eindrücke und Erfahrungen sowie all dessen, was wir durch unser eigenes Entscheiden daraus geformt haben. So ist Jesod wahrlich die Grundlage unserer Persönlichkeit.

Alles, was wir an Wertungen in uns tragen, hat hier seinen Platz. Das gilt nicht nur in uns, sondern auch außen, für unsere Bilder von der Welt. Es gibt beispielsweise eine Menge Menschen, die mit der Einstellung durchs Leben gehen, daß »diese ganze Welt eigentlich nur eine Hölle, ein einziges Jammertal« sei. Gerade im Christentum ist diese Haltung sehr verbreitet: »Die Welt ist ein Jammertal und unser Leben Sünde.« Nach solchen Bildern, solch verrückten, selbstquälerischen Weltauffassungen gestalten wir dann unser Schicksal.

Oder wir sagen: »Die Welt ist verkommen, nur ich bin gut, denn ich opfere mich in ihr auf.« Oder: »Alle sind gut, nur ich bin unwürdig, nichts wert.« All dies sind seit Jahrtausenden tradierte, eingefleischte Wertungen und Bilder, die uns die Sicht auf die Wirklichkeit verstellen. Sie sind die Wurzeln des Leides, die es abzustreifen gilt.

Wie wahr, wenn Epiktet sagt: »Woran der Mensch leidet, ist nicht die Welt (oder das Leben), sondern sind die Bilder, die er sich von ihr macht.« Hier in Jesod sind wir geprägt von Bildern, Vorstellungen, Tonbändern, Wertungen, Vorurteilen und vielem mehr. Wie immer wir sie nennen mögen, sie bilden das Zentrum unseres unteren Dreiecks. Um es kreisen die drei anderen Pole und sie alle werden von Jesod überformt. Jesod bildet das Material, die Impulse der anderen Sefirot in die verschiedensten Gewänder einzukleiden. Unsere Bilder lenken und steuern nicht nur unser Denken (in Hod), sondern unser ganzes Fühlen, Treiben und Tun. Auch Nezach mit all seinen Bedürfnissen und vitalen Impulsen gliedert sich hier ein. So entstehen aus einfachen Impulsen die phantastischsten Wunsch- und Traumbilder, die wir mit unserer Imagination und gestauten Vitalität oftmals zu gigantischen Ballons aufblasen, deren Schatten uns dann auch »furchtbar« erschrecken.

Wir erkennen unmittelbar, wie die Art und Weise, in der wir mit unseren Bedürfnissen und unserer Vitalität umgehen, wiederum geprägt ist durch die Inbilder unserer selbst. Sie bestehen in Gestalt von Verboten, Ansprüchen, Ausflüchten und vielem anderen mehr. So flüchten manche Menschen in eine Genußsucht, in der sie ihre Bedürfnisse unreflektiert und wahllos ausleben, bis sie sich den »Magen« verderben. All dies ist aber meist Ausdruck einer inneren Leere oder Verzweiflung.

Wir behaften alles mit den Etiketten unserer Wertungen. So sind auch unser Körper, unsere Bedürfnisse und unsere Gefühle mit Etiketten versehen. Kommt ein bestimmtes Gefühl in der Seele hoch, so kommt auch sofort ein automatisches Tonband: »Das darfst du nicht zeigen.« Bei einem sind es etwa Ärger und Wut. Kommt er mit Ärger oder Wut in Berührung, ertönt es schon laut vom Tonband: »Weh dir, du wirst alles kaputt machen!« und er sagt sich: »Ich bin doch gar nicht wütend, ich bin ja ein frommer Mensch. Ich weiß gar nicht, was Wut überhaupt ist.« Wir sehen, daß diese Stimmen in allen Facetten kommen, zu allem haben sie ihren Kommentar. Ein anderer schämt sich, wenn er traurig ist. Wieder ein anderer, wenn er verletzt ist, und so tun sie alles, ihre Traurigkeit und ihre Verletzung zu verbergen. »Für Traurigkeit ist kein Platz in der Welt. Das darf nicht sein; wer traurig ist oder verletzt, ist kein würdiger Mensch mehr.« So schlucken wir unsere Gefühle in uns hinein, bis sie uns krank machen an Seele und Leib.

Wir sind alle Sklaven, versklavt von unseren Bildern. Epiktet, die Griechen, die Ägypter und die östlichen Weisen, sie alle kannten den Fluch der Bilder, und wir erinnern uns an Mose, der uns als eines der ersten Gebote sagt: »Du sollst dir keine Bilder machen.«

Es geht – auch bei der Anbetung des goldenen Kalbes – gar nicht so sehr darum, äußerlich etwas zu vergötzen; das Schlimmere sind die Götzen, die wir im Inneren haben, die wir anbeten; um unsere Vorstellungen vom idealen Leben, vom idealen Mann, von der idealen Frau, vom idealen Ich-Sein, von der idealen Weise zu fühlen etc. Das sind die wirklichen Götzen, denen wir mit unserem ganzen Sein und Leben dienen.

Die Bilder verstellen uns die Sicht und Wahrnehmung der Wirklichkeit, innen wie außen. Wie Mattscheiben trüben sie unseren Blick, wie Dias stellen sie sich vor unsere Augen, und wir projizieren sie in die Welt. Es ist von grundsätzlicher Bedeutung, dies zu verstehen, denn hier liegen die Wurzeln unseres Leidens.

Eine der wichtigsten Lernerfahrungen auf unserem inneren Weg ist, daß wir uns dieser Bilder bewußt werden, daß wir gewahren, wie sie aufsteigen und sich vor unsere Augen stellen. Wo immer wir hinkommen, geschieht dies: etwas taucht außen auf; wir haben kaum Zeit, es im Herzen wirklich zu gewahren, schon steigt ein Bild auf, ein Tonband, ein Gedanke, und wir sehen die Welt durch dieses Dia hindurch.

Wir fühlen uns bedroht, abgelehnt oder nicht ernst genommen, nur weil die Geste oder der Blick eines Anwesenden uns äußerlich an unseren »bösen« Vater oder unsere »böse« Mutter erinnert, und schon kommt eine ganze Maschinerie von Gedanken, Gefühlen und Reaktionen in Gang, die uns erst recht blind macht und in der wir schließlich untergehen.

Auch wenn kein realer äußerer Anlaß besteht, kann ein solches mit Emotionen geladenes Bild der Erinnerung, das sich vor unser inneres Auge schiebt, im Nu beginnen, unser gesamtes seelisches Befinden zu bestimmen. Wir handeln dann nach einem solchen Bild, weisen Menschen ab, sind ungerecht, setzen uns selbst ins Unrecht, verletzen einander und zerstören Schritt für Schritt unser Leben. Wieviele Vorstellungen hegen und pflegen wir doch in der Seele und hadern ständig mit Gott, daß sie sich nicht erfüllen. Doch sollten sie sich erfüllen, so erkennen wir, daß in ihnen auch nicht das wahre Glück geborgen liegt. Statt uns an unsere Vorstellungen zu hängen, sollten wir vielmehr beten, daß sie sich ja nicht verwirklichen. Wie schrecklich, wenn sich all unsere Vorstellungen verwirklichten! Das Chaos wäre noch unermeßlicher als es ohnehin schon ist. Also, Gott behüte uns vor unseren Vorstellungen!

Viele dieser inneren Bilder haben wir selbst über viele Jahre hin mit viel Liebe aufgebaut, haben sie selbst gezimmert und sind manchmal geradezu unsterblich in sie verliebt. So sind sie zu unserer zweiten Natur, unserem zweiten Ich geworden. Selbst, wenn wir nach einer Weile bereits bemerken oder spüren, daß nach dieser oder jener Vorstellung zu leben uns gar nicht gut tut, können wir oft immer noch nicht von diesem »verdammten, blöden« Bild lassen, weil wir selbst es doch so schön ausgemalt haben. Haben wir doch viele Jahre unseres Lebens diese Bilder in unsere Seele hineingeträumt, sie ausgemalt, einen wunderbaren Rahmen darum gemacht, sie signiert, gepflegt, ihre Rahmen vergoldet, bis sie so wertvoll erschienen, daß wir sie nun kaum noch lassen können.

Schließlich haben wir unser ganzes Leben auf diesen Bildern aufgebaut. Wie schrecklich, wenn sie die Wirklichkeit ins Wanken bringt, wenn sie zusammenbrechen, dann scheint unser ganzes Leben und Sein erschüttert oder zerstört. Natürlich, wo sie doch zu unserer zweiten Natur, unserem zweiten Ich geworden sind.

Wenn wir zur Wirklichkeit selbst, zu unserem eigenen Kern, unserem wirklichen Sein vordringen möchten, besteht die Kunst darin, diese Bilder, die uns behindern, los- und fallenzulassen und bewußt auszuräumen. Da sie uns teilweise tief im Fleisch und in den Knochen sitzen, ist dies ein schmerzlicher Prozeß. Sind jedoch einmal die grundsätzlichen Widerstände beseitigt, so wird dies zu einem kontinuierlichen kathartischen Prozeß, in dem die Bilder – angeregt durch die täglichen bewußten Erfahrungen – aus der Tiefe der Seele aufsteigen, ihre Botschaft offenbaren, die in ihnen gebundenen Gefühle entlassen und sich darin erlösen.

Für viele Menschen ist die Wirklichkeit jedoch oft recht verfänglich. Manchmal erscheint sie der Seele – bewußt oder unbewußt – untragbar, dann flüchtet sie in ihre eigene bildhafte Welt. Mit aller Kraft möchten sie der Wirklichkeit entfliehen. Weder möchten sie wahrhaben, wer und wie sie selber sind, noch was und wie ihre Geschichte wirklich war, noch wie ihr jetziges Leben aussieht. Sie setzten alles daran, ihre Lebens-Träume zu verteidigen und ihre Erinnerungen zu verdrängen aus lauter Angst, die Wahrheit könnte sie überwältigen oder die Vorstellungen, Träume und Idealbilder (von Vater, Mutter, Leben, Welt und mir selbst) könnten zusammenbrechen. Es könnte sich erweisen, daß alles nur Traum, Einbildung und Illusion war.

So finden wir uns in einem Vorstellungsraum gefangen, der im Grunde ein Gefängnis ist, nur daß wir die Illusion aufrecht erhalten, es sei gar kein Gefängnis, weil es doch rundum bestückt ist mit Kunstgegenständen, mit Bildern und sonstigem vertrauten Mobiliar aus unserer Vergangenheit. Wir haben unser Gefängnis selbst vergoldet. Wahrlich, alle inneren Bilder erweisen sich letztlich als Gefängnis unseres Geistes, an das unser wahres Ich gefesselt oder gekreuzigt ist. Erst wenn wir erwachen, wenn wir in Berührung kommen mit einer anderen Dimension des Seins, wird uns allmählich bewußt, daß unser trautes Heim, unser Weltbild oder zweites Ich doch im Grunde ein Gefängnis ist. Wir erkennen, daß wir darin gefangen sind und in der Tiefe unserer Seele daran leiden. Zunehmend kommt dann das innere Erwachen und Sehnen über uns, uns aus dieser toten Bild- und Traumwelt zu befreien.

Oft werde ich gefragt: »Was ist der Sinn dieser Bilder, warum gewinnen sie Gewalt über uns?« Dazu möchte ich hier nur folgenden Hinweis geben: Wenn wir das Leben recht verstehen, dann erkennen wir, daß die Seele, wenn sie hereingeboren wird in diese Welt, keineswegs, wie manche Menschen meinen, unbefleckt und rein ist, sondern, je nach den Werken und Erfahrungen früherer Erdenleben, bestimmte Seiten in sich mehr, andere weniger entwickelt hat. Sie trägt die Früchte und Keime früherer Leben (wie Lochkarten) in sich. Dieses Erbe, das wir Anlagen nennen, sowie das jedem Menschen zugewiesene spezifische Schicksal seiner Eingeburt ist nicht ein Akt einer Willkür Gottes, sondern Ausdruck einer allumfassenden göttlichen Weisheit und Gerechtigkeit, die dem Menschen das zuweist, was er sich selbst einbrockt und was er somit für seine eigene Entwicklung benötigt, um sein Wesen zu erkennen.

Manches ist in den Vorgeburten bewußt geworden und zur Entfaltung gekommen, vieles dagegen ist unbewußt und im Verborgenen geblieben. Wird die Seele nun in einem Leib geboren, so trägt sie aufgrund der blinden Flecken und un- oder fehlentwickelten Ansätze aus vergangenen Leben eine bestimmte Bereitschaft und Empfänglichkeit in sich, spezifische Einflüsse ihrer Umwelt in spezifischer Weise aufzugreifen und als prägende Bilder oder Tonbänder aufzubewahren. Je nach ihrer Bereitschaft, bestimmte Muster in sich aufzunehmen, entwickelt sie gleichzeitig auch Gegen- oder Verhaltensmuster, durch die sie sich schützt und ihre Neigungen und Anlagen der Situation gemäß anpaßt. Die Gesamtheit dieser Bildwelt, die vor allem einen Verhaltenskodex enthält, und die das konstituiert, was unser Ego oder Schein-Ich ist, bildet sich somit nur *auf der Basis der noch unbewußt gebliebenen un- oder fehlentwickelten Fläche unserer Seele.*

Jesod als das »Arsenal der Bilder« wird zum Sitz des »Ego«, des aus Bildern aufgebauten »Pseudo-Ich«, dem Zentrum der Persönlichkeit. Es ist gekennzeichnet durch Ich-Empfinden, Einbildung, Illusion und falsche Identifikation. Dieses Pseudo-Ich verstellt die ungetrübte Sicht und die Offenbarung dessen, was ist und muß beseitigt werden, sofern wir das wahre Wesen unseres Selbst und der Welt erkennen und damit in unserem wahren Sein frei werden wollen.

Ist eine Seele in vergangenen Leben fast in ihrer ganzen Fläche erwacht, das heißt, hat sie ihr eingezeugtes Potential fast zur Neige vollendet, so könnte sie in jede Situation hineingeboren werden. Sie kann eventuell leiblich sterben (wenn sie mißhandelt wird), aber ihr Inneres, ihr seelisches Sein bleibt durch sie merkwürdig unberührt. Sie scheint wie durch eine geheimnisvolle Hand beschützt und alles Gift der Welt kann sie weder schädigen noch selbst vergiften. Rasch erinnert sie sich ihrer wahren Natur und wird stets ihr göttliches Licht offenbaren. In der unterschiedlichen inneren Entfaltung liegt auch der Grund, warum sich Seelen in gleicher Umgebung doch so unterschiedlich entwickeln, warum manche Seelen die Not, die sie erleben, viel rascher und leichter bewältigen als andere. Letztere sind es, die in besonderem Maße unserer Hilfe bedürfen.

All diese Dinge hängen mit dem zusammen, was man gemeinhin

das Karma nennt, also die Früchte der vergangenen Leben. Mir geht es hier aber weniger darum zu erkennen, *warum* dies so ist, sondern *daß* es so ist; daß die Bilder uns gefangenhalten, uns die Wirklichkeit verstellen und die Wurzel des Leides sind.

Wo immer ein Bild ist, da gibt es einen Schatten, und der Schatten, den das Bild wirft, ist das Leid, die Entfremdung. Wo immer ein Bild liegt in der Seele, da gibt es auch das Verdeckte, und was das Bild verdeckt, ist die unerkannte, unverwirklichte, unrealisierte Wirklichkeit der Seele. Jesod ist somit gleichzeitig der Sitz von zweierlei Schatten: der Projektion des Ich-Bildes und des Verbergens des wahren Gesichts der in Entwicklung befindlichen Seele. Oft deckt ein Bild das andere, so daß wir sagen können: das Ego deckt und verteidigt seine eigenen Machinationen. Das ist das Teuflische an ihm. Es versucht, uns durch seine Tricks endlos zu verwickeln.

Erst wenn wir erkennen, welche Wirkung die Bilder auf das tiefere Sein der Seele haben, werden wir mehr und mehr bereit, sie zu lassen. In dem Moment, da wir den Effekt eines Bildes auf unser Leben leibhaftig erfahren, wo er uns mit ganzem Wesen erkennend und spürend schmerzend bewußt wird und wir wirklich bereit sind, das Bild loszulassen, uns von seiner Versprechung oder seinem Fluch zu lösen und zu verabschieden, erst da beginnt es sich ab- und loszulösen und damit erst beginnt unsere Befreiung. All das, was wir in unseren Kinderjahren aufnehmen, ist das Aufgreifen eines Lebensskriptes.

Indem wir uns zuerst darin verwickeln, um es sodann zu entwirren, führt es uns, gerade auch durch den Schmerz, den wir darin erfahren, allmählich zu einer neuen Geburt, zu einem neuen Erwachen, in dem wir – wenn wir die Chance gewahren – wagen uns dort bewußt zu werden, wo wir vorher unbewußt waren, wagen uns dort anzunehmen, wo wir uns vorher nicht annahmen. Bilder können – wie gesagt – nur dort entstehen, wo blinde Flecken sind. Wo das Licht der Erkenntnis und des Selbstes leuchtet, lösen sie sich ab oder auf. Sie bleiben bestenfalls als Erinnerung, aber losgelöst von der Seele, ohne ihr wahres Wesen zu beflecken. Dort, wo die Seele voll entwickelt ist, wo sie ihr Wesen erkennt, kann das Gift der Illusion und der Täuschung, des Nichtwissens und des Verrates nicht mehr treffen oder berühren. Erst wenn uns leibhaft fühlend, empfindend und erkennend bewußt wird, welch tragischen Einfluß ein Bild auf unser Leben und unsere Seele hatte, kann es erlöst werden.

All die darin gebundene Energie, all das darin gebundene Leben wird in einem kathartischen Akt des Wiedererlebens oder der mystischen Verklärung freigesetzt und beginnt wieder als ursprüngliche Lebenskraft durch Leib und Seele zu strömen. Wesentlich hierbei ist das Bewußtwerden des Bildes, das Zulassen des darin gebundenen Gefühles sowie die Öffnung für das – immer als heilende Gnade gegenwärtige – Neue und die Bereitschaft, das Alte nun auch wahrhaftig loszulassen.

Nach diesem kathartischen Akt erst kann eine neue Ausrichtung im Leben geübt und etabliert werden. Aus dieser Erkenntnis heraus sprach Mose: »Du sollst dir keine Bilder machen«, und er fuhr verdeutlichend fort: »... weder von dem, was oben im Himmel, noch von dem, was auf der Erde, noch von dem, was unten im Wasser ist.« Wir sollen somit weder die geistige Welt, Gott und sein Lichtreich noch die irdischen Dinge, noch das, was in unserem Unbewußten, in den Tiefen der Seele lebt, vergötzen oder durch irgendwelche Vorstellungen, Wertungen und Bilder vergewaltigen, sondern allem Sein rein und wertfrei begegnen. Uns in reinem Gewahrsein und wertfreier Wahrnehmung zu verankern, ist der einzige Weg, die Wirklichkeit der Welt und unser eigenes Sein in ihrer beziehungsweise seiner ungetrübten, göttlichen Schönheit zu erkennen. Schöpfer, Welt und Seele erscheinen uns sodann in einem beständigen, unergründlichen Fluß ewigen Lebens, das im Allwesen des einen Seins umfaßt, von Ihm gespiegelt und von Ihm wahrgenommen wird.

Gott, Welt und Ich, Seher, Gesehenes und Sehen zerrinnen im Selbstgewahrsein des *Ich Bin* als höchste Offenbarung des universellen Seins.

Alles in allem erkennen wir Jesod als den Sitz des »Pseudo-Ich« oder Ego, des Zentrums der Persona, des Welt-Bildes und des Schattens, die alle im Pseudo-Ich umfaßt sind. Jesod trägt die Signatur des Mondes und bekundet darin erneut die Natur dieses Schein-Ichs, denn wie der Mond so kreist auch unser kleines Ich beständig um die Erde und klammert sich an die vergänglichen Erscheinungen dieser Welt. Wie der Mond nicht Licht hat aus sich selbst, sondern bestenfalls Spiegel des Lichtes der Sonne ist, so leuchtet auch das Ego niemals aus sich selbst – mag es sich noch so strahlend und groß dünken. Es spiegelt allein das Licht des Selbstes, das es empfängt und wiedergibt aus Tiferet, dem sonnenhaften Kern, der über ihm steht und der aus seiner eigenen Kraft heraus strahlt. Das Pseudo-Ich abzulegen und transparent zu werden für das Ewige, den sonnenhaften Kern in uns, ist denn auch unsere Aufgabe am inneren Weg, daß Jesod rein wird wie ein Spiegel, der das innere Licht des Selbstes unverzerrt widerspiegelt in der Welt, daß wir »zum Zeugen werden des überweltlichen Lebens in der Welt«. (Graf Dürckheim).

Soweit wir den Menschen bisher besprochen haben, ist es nur ein sehr dumpfes Bild des Menschseins. Wenn wir uns umsehen, in welchem Geiste heute Psychologie gelehrt wird, so werden wir rasch finden, daß sie sich genau und gerade in dem erschöpft, was hier von dem unteren Dreieck umfaßt wird. Darum nenne ich das, was hier in Jesod in der Gestalt von Bildern zusammengefaßt ist, das »Schein-« oder »Pseudo-Ich«. Es ist das, was konventionell, jedoch weniger wertfrei mit den Begriffen des »Ego« und der »Persona« zum Ausdruck gebracht wird. Es umfaßt unser Ich- und Welt-Bild und bildet unser Ersatz-Ich, das dort entwickelt wird, wo das wirkliche Wesen, das wirkliche Ich noch nicht gefunden ist. Das ist eine der wichtigsten Grundlagen und Erkenntnisse für unseren inneren Weg.

Der dreidimensionale Mensch

Wir haben nun die unteren vier Sefirot betrachtet und erkennen: In ihnen verkörpert sich alles, was unser rein funktionales Menschsein betrifft. Es umfaßt unser Körperempfinden, unseren seelischen Bezug zu unserem leiblichen Dasein (Malkhut), unser Denkvermögen, unseren Intellekt, unser Gedächtnis, unsere Sprache, unser Empfinden, mit einem Wort: unsere gesamten psychischen Funktionen oder unsere Ratio (Hod), ferner unsere Bedürfnisse, Triebe, Begierden, Wünsche, unsere Sinnlichkeit und Vitalität; das sind die psychischen Kräfte (Nezach) sowie unsere Imagination, Vorstellung, Bild-Welt, unser Ich-Empfinden und unsere äußere Identifikation und Identität, zusammengefaßt im Pseudo-Ich oder Ego mit dem Sitz in Jesod. Verankert hierin finden wir all die Wertungen und Dinge, die uns so viele Schwierigkeiten machen. Wir sehen, daß wir mit diesen vier Sefirot alles haben, was die heutige Psychologie vom Menschen kennt und in den Universitäten über seine Seele lehrt. Sie erforscht die Intelligenz, das Gedächtnis, die Wahrnehmung, das Triebleben, bedient sich der Informationstheorie und der Statistik, aber um den inneren Menschen, um unser ethisches Wesen und unseren ewigen Kern kümmert sie sich nicht. Sie definiert die Krankheiten der Seele und ihre Neurosen, aber vom Heilsein weiß sie nichts. So war es jedenfalls noch vor nicht zu langer Zeit, und ich erwarte mit Freude, daß sich dies ändert.

Ein bekannter deutsch-amerikanischer Sozialpsychologe prägte den sehr treffenden Begriff vom dreidimensionalen Menschen. Das ist die Summe jener Aspekte unseres äußeren Menschseins, die in unserem Lebensbaum durch das gleichseitige Dreieck von Malkhut, Hod und Nezach dargestellt sind und ihren gemeinsamen Mittelpunkt in Jesod haben (Abbildung 62). Wir nennen diesen unteren

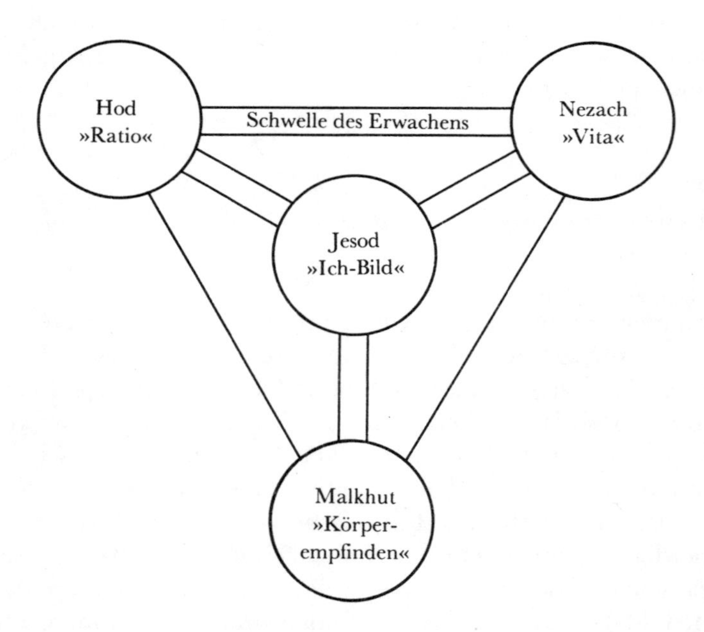

Abb. 62: Der »dreidimensionale« Mensch oder die Persönlichkeit

Teil des Seelenbaumes die Persönlichkeit. Sie zentriert sich im Pseudo-Ich oder Ego, verkörpert die niedere Natur, den niederen Astralplan unseres Selbst und bildet den Raum unseres persönlichen, ich-bezogenen Lebens.

Sie enthält jene Aspekte, Kräfte und Funktionen unserer Seele, die an unserem täglichen Leben und Erleben vorwiegend beteiligt und uns auch zum größten Teil bewußt sind, wenngleich die Erkenntnis und das Verständnis ihrer Zusammenhänge meist noch fehlt. So bildet dieses Dreieck den Raum, worin wir uns als Person und Mensch vorwiegend bewegen. Darauf beschränkt sich meist unser ganzes Leben und Sein, und die Vielzahl der Geschehnisse unserer Seele läuft darin auch mehr oder minder mechanisch ab.

Ich will hierfür ein einfaches Beispiel geben, das aufzeigt, wie die einzelnen Aspekte zusammenwirken.

Wir stellen uns vor: Wir sitzen in einem Büro und haben gerade einen Eilbrief geschrieben, den wir zur Post tragen wollen. Wir gehen hinaus auf die Straße – es ist kurz vor 12.00 Uhr; auf dem Weg zur Post kommen wir an einem wunderbaren Spezialitäten-Restaurant vorbei. Die Türen sind weit geöffnet, und die köstlichsten Düfte steigen in unsere Nase.

Was geschieht? Wir laufen hier vorbei, und unsere Nase nimmt die Düfte auf. Wir nehmen sie wahr. Dies geschieht in Hod. Wir nehmen sie auf, und nun erwecken sie in uns ein Geschmacksempfinden; wir sagen zu uns: »Ach herrlich, diese wunderbaren Delikatessen...«. Es ist kurz vor 12.00 Uhr. Wir verspüren Appetit und möchten am liebsten gleich ins Restaurant. Dieses Erwachen des Appetits geschieht in Nezach. (Abbildung 63 auf Seite 204)

Wir sehen schon die gebratenen Hühner, Steaks, orientalischen Gemüse oder sonstige Delikatessen vor unserem inneren Auge vorüberziehen. Die ganze Bild- und Phantasiewelt ist in mir mobilisiert! Das ist Jesod. Eine breite innere Aktivität hat sich entsponnen.

Kaum haben wir die Hühner vor unserem inneren Auge gesehen, fragt schon unser Hod: »Was die wohl kosten, wenn ich drei nehme oder vier?« Wir schauen nach, ob wir unsere Geldbörse dabei haben und rechnen nach, was die ganze Geschichte wohl kostet. »Ob ich mir das leisten kann?« Gleichzeitig denken wir: »Ich muß doch diesen Brief noch einwerfen.« Und vor lauter Gedanken und Träumereien stolpern wir vielleicht über einen Mann, der gerade aus der Seitenstraße (oder dem Restaurant) kommt, und können uns gerade

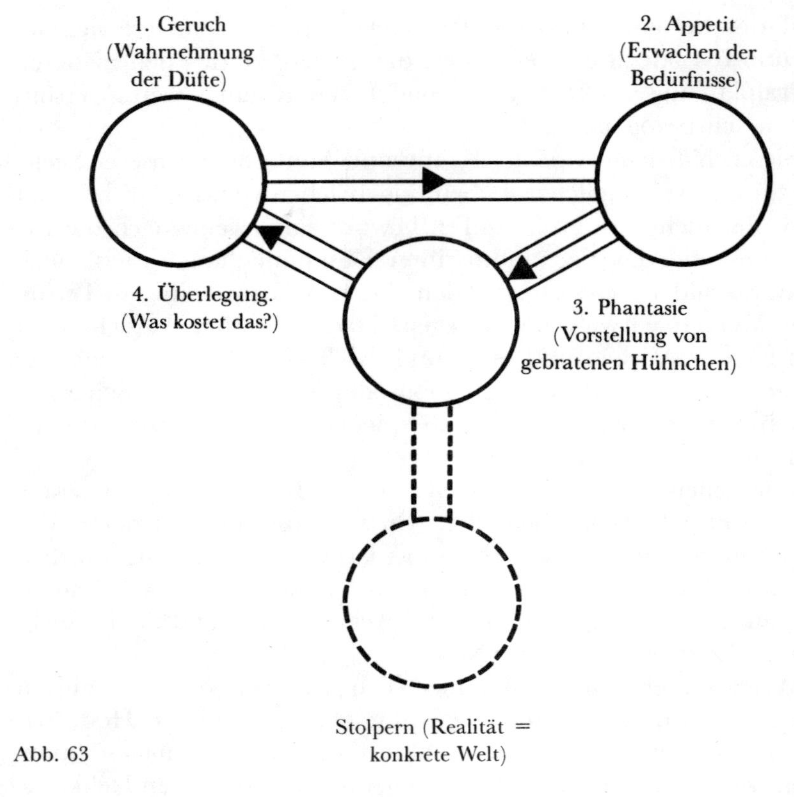

Abb. 63

noch fangen, weil wir so versunken sind und eigentlich nur mehr gebratene Hühner sehen und nicht, wo wir sind und was um uns geschieht. Doch das Stolpern bringt uns zurück. Jetzt sind wir wieder hier, ganz gegenwärtig. Der nahe Sturz hat uns herausgerissen aus unserer Traumwelt. (Abbildung 63)

So kreist unser Bewußtsein hier von Hod zu Nezach und über Jesod und Hod und so fort. Und falls wir Glück haben, reißt uns Malkhut heraus.

Das ist nur ein kleines Beispiel. Doch so geschieht es laufend: Wir denken an die Vergangenheit, träumen von der Zukunft, einem herrlichen Urlaub, einer Liebelei oder was sonst noch alles in unserer Seele kreist. Diese Dinge laufen beständig ab in uns und sind kaum zu stoppen.

Ein anderes Beispiel: Ich bin dabei, meine Wohnung umzugestalten und habe ein neues Bild, das ich dort an die Wand hängen will.

Ich überlege: »Ja, das Bild müßte hier hin, aber jetzt, verflixt nochmal, habe ich keinen Hammer. Am besten gehe ich zum Nachbarn und leihe mir einen Hammer aus.« Das ist ein Gedanke. Ich gehe hinaus, und während ich hinübergehe, erinnere ich mich, daß mich der Nachbar gestern nicht gegrüßt hat. »Wer weiß, vielleicht hat der was gegen mich.«

Bevor ich noch zur Tür komme, denke ich: »Mein Gott, der hat was gegen mich, der gibt mir sicher seinen Hammer nicht.«

In mir beginnt einiges in Bewegung zu kommen, alle möglichen Gefühle fangen an, in mir zu kreisen, ich fühle mich unsicher, trau mich jetzt nicht rein, bin sowieso ein unsicherer Mensch. Und wenn ich es überhaupt schaffe, dahin zu kommen und beim guten, lieben Nachbarn anläute, dann sage ich vielleicht gerade noch verbittert. »Ich weiß schon, Sie wollen mir den Hammer nicht geben – behalten Sie ihn ruhig.«

Das ist vielleicht ein wenig überzeichnet, aber vieles läuft so ab, wenn unsere eigenen Vorstellungswelten beginnen, in sich zu kreisen. Wenn wir uns in Gedanken verlieren, verlieren wir natürlich auch den Bezug zur Realität. Dies läuft oft sehr mechanisch ab. Es beginnt meistens damit, daß durch irgendwelche Reize, die wir in Hod aufnehmen, entweder Bedürfnisse oder Vorstellungen in uns erwachen. Bedürfnisse werden lebendig und produzieren ihre eigenen Phantasien. Immer sind es die Wünsche, die diese Gedankenkreise in Bewegung halten und sie speisen. Das Schlimmste ist, wenn uns unsere Bedürfnisse nicht bewußt sind; dann sind sie dennoch da und heizen enorm viel Phantasie unbewußt auf, und wir sind innerlich voller Unruhe. Im Moment, wo uns unsere Bedürfnisse bewußt sind, können wir sie schon gezielter handhaben.

Worauf ich hinaus will? Ich möchte aufzeigen, wie oft wir in unserem täglichen Leben mechanisch reagieren: Reiz – Empfindung – Hunger – Phantasie. Alles geschieht automatisch. Was fehlt, ist die übergeordnete Instanz des Bewußtseins, der Sinnbezug, die Fühlung des Selbst. Sie erst bringt uns zurück in die Wirklichkeit des Hier und Jetzt.

So begrenzt sich unser tägliches Leben meist auf diesen »dreieckigen, dreidimensionalen« Raum eines vorwiegend personalen, weltbedingten, mechanischen Erlebens.

Alles tiefere, überpersönliche Menschsein und Leben beginnt erst jenseits dieses Horizontes, der als waagrechter Pfad aufgespannt ist zwischen Hod und Nezach. Erst, wenn wir ihn in unserem Bewußtsein überschreiten, sprechen wir von einem allmählichen Eintreten in ein überpersönliches, überweltliches Bewußtsein und Sein. Mit dem Überschreiten dieser Schwelle erst dämmert uns der wahre Sinn unseres Lebens, und damit beginnt das allmähliche Erwachen aus einem jahrtausendelangen Schlaf.

Tiferet – das Wesen, die Individualität

Mensch, sei wesentlich!
A. Silesius

Schauen wir nochmals auf den Lebensbaum, so finden wir einen Weg von Jesod nach Tiferet. Er ist es, auf dem wir die Schwelle vom Persönlichen zum Überpersönlichen hin überschreiten.

Tiferet entspricht unserem *Wesen*. Das Wort bedeutet im Deutschen *Schönheit*. Das Wesen ist das Licht und der Kern unseres Menschseins. In ihm liegt die wahre Schönheit, der wahre Glanz unseres inneren Seins, all das, was wir wirklich sind und wozu wir berufen sind, hier in der Welt in der uns gegebenen individuellen Form zu zeugen. Manche Kabbalisten nannten diesen Kreis auch *Rachamim*, die Barmherzigkeit. Es ist der Ort unseres wahrhaften Menschseins und unseres wahren, reinen menschlichen Empfindens. Tiferet trägt die Signatur der Sonne. Dies bedeutet, daß wir hier wahrhaftig unserem sonnenhaften, leuchtenden Wesenskern nahekommen, der in unserem Herzen lebt, wirkt und ist, im Lotus des Herzens seinen Sitz hat.

Wenn wir zu dem Bild der Kutsche zurückkehren (Abbildung 61), dann ist Tiferet der Platz des Herrn, des Fahrgastes, der in der Kutsche sitzt und der an sein Ziel gelangen möchte. Er sitzt innen im Verborgenen, und tatsächlich sind wir uns seiner nur selten bewußt, noch hören wir auf seine leisen Wünsche oder Befehle. Dieser Kern verkörpert unsere Individualität, die uns unsere gottgegebene Wesensart und Identität verleiht und in unserem ewigen »Namen« verankert ist. Er ist die Wurzel unserer wahren Natur als Söhne und

Töchter Gottes, hineingeboren in das Gefäß der Persönlichkeit, um sie zu durchlichten, zu verwandeln und an ihr Ziel zu bringen.

Dieser individuelle Kern ist gleich einem Prinzen, der in der Kutsche sitzt, berufen, sie zu lenken und zu leiten und heimzuführen in das Haus des Vaters. Er ist es, um den es bei der Kutsche eigentlich geht. Um seinetwillen sind da überhaupt Pferde, Kutscher, Kutsche und all die Aufmachung und Dekoration. Hier wird nochmal deutlich, welche Position der Kutscher wirklich hat. Er ist nicht der Herr, sondern des Herren Knecht und Wagenlenker.

Tiferet ist somit der Sitz unseres individuellen Bewußtseins und wahren Ichs, in dem wir uns erleben als Erben eines umfassenden sinnbezogenen Menschseins. Allein, wenn wir gewahren und mit allen Zellen unseres Wesens erleben, daß jeder Moment unseres Daseins unwiederbringlichen Sinn trägt, den wir nur in der Unmittelbarkeit des zeitlosen Jetzt erschließen und einlösen können, dann sind wir hier angekommen, dann sind wir in uns, unserer wirklichen Wesensmitte. Tiferet mit seinem Sitz im Herzen ist der Ort unseres wahren Ichseins, durchdrungen von einer Kraft, die sich diesem Dasein bedingungslos hingeben möchte.

Das Sonnensymbol ist der sinnbildliche Ausdruck dafür, daß hier in Tiferet, in unserem Herzen, ein Licht und Feuer brennt, das nach außen hin strahlen möchte. All das Leben und die Wärme und die schöpferische Kraft, ja das inwendig klingende Lied des Lebens, diese ganze Fülle, die wir hier in uns tragen, möchte sich nach außen hin ergießen. Nicht umsonst ist das Goldorange die Farbe dieses Kreises.

Liebe, Licht, Freude und Lebenskraft sind es, die der Natur unseres Wesens innewohnen. Freude, Liebe und Licht sind uns als Mensch so wesensgemäß, wie das Strahlen wesensgemäß ist für die Sonne. Die Sonne strahlt nicht unseretwegen, weil sie meint, wir armen Menschen bräuchten das Sonnenlicht, oder weil sie uns imponieren oder gefallen möchte, sondern, weil es ihre Natur ist zu strahlen. So neigt sie sich liebevoll über uns, weil dies ihre Bestimmung ist.

Wenn wir diesen Wesenskern in uns finden, in ihn eintreten, dann müssen wir uns nicht mehr bemühen, für jemand oder etwas Liebe und Verständnis zu finden, sondern es sind all diese Empfindungen in uns lebendig, weil wir von innen her von Liebe, Mitgefühl und Verständnis durchdrungen sind. Diese Liebe ist ein Aspekt unseres

Wesens und möchte zum Ausdruck kommen. Das ist eine ganz natürliche Sache, nur daß wir es in der Regel verhindern.

Das gleiche gilt für die Sicherheit. Wie viele Menschen suchen nach Sicherheit draußen in der Welt und schließen allerlei Versicherungen ab, weil sie ihr Wesen nicht kennen. Nichts und niemand kann uns von außen Sicherheit geben. Wenn Gott will, stürzen alle Formen, auf die wir uns stützen, in einem einzigen Augenblick in sich zusammen. Wirklichen Halt, wahrhafte Sicherheit finden wir nur in unserem Wesen. Das Wesen sucht keine Sicherheit, sondern birgt die Sicherheit in sich. Es ist und weiß sich getragen und durchdrungen von dem universellen, göttlichen Sein, das es von oben aus Kether aufnimmt und trägt und ausgießt in die Welt. Sicherheit finden wir nur im Ewigen, und das Ewige ist Gott. Wer sein Leben gründet in ihm, der ist wahrlich geborgen vor den Stürmen der Welt. »Der Vater und ich sind eins«, hat Jesus gesagt und das entspricht dem Empfinden der untrennbaren heiligen Einheit, die zwischen uns als Menschen und dem ewigen Sein Gottes besteht, die kein Weltuntergang erschüttern kann.

In dem Moment, wo wir in Berührung kommen mit unserem Kern und Wesen, kommen wir auch in Berührung mit dem wahren Grund allen Seins, denn der Seinsgrund liegt in ihm. Es verhält sich wie mit einem glühenden Goldball: Die Glut von Kether und das Gold von Tiferet sind in ihm untrennbar eins.

Spreche ich von Individualität, so meine ich die Weise, wie ich als Mensch von Gott gedacht bin, denn er hat uns aus einer bestimmten Intention erschaffen. Diese Intention ist die Berufung, die Bestimmung, die er in uns hineingelegt hat. Es ist unser Name, durch den er uns ins Sein gerufen hat und dessen verborgene Botschaft wir in und durch unser Leben offenbaren möchten. In jedem von uns offenbart Gott sich in spezifischer Gestalt. Diese Gestalt ist unsere Individualität.

Manchmal vergleiche ich das Wesen mit einem Diamanten. Sein spezifischer Schliff entspricht unserer wahren Gestalt, unserer individuellen Form und Weise, Mensch zu sein, und das Licht, das ihn durchdringt, entspricht dem einen unteilbaren Sein, dem einen *Ich Bin*, das alles Geschaffene erleuchtet und belebt.

Da das Wesen des Diamanten selbst Licht ist, er aus dem Licht kommt, in ihm ist und in es zurückkehrt, bilden Licht und Diamant, Individualität und universelles göttliches Sein eine unauflösbare

Einheit. Kether ist in Tiferet, Tiferet in Kether. Individuelles und göttliches Selbst sind eins.

Die indische Tradition nennt die Individualität *jiva.* Sie hat ihren Sitz im Lotos des Herzens und ist sowohl der Ort des Gewahrseins, des wahren Ich-Gefühles, des tiefen Denkens und der Entscheidung. Hier in Tiferet, in unserem Herzen, vernehmen wir die Stimme der Wahrheit, hier empfangen wir Führung, Weisheit und Gewißheit. Hier empfinden wir mit Gewißheit, was stimmig und was unstimmig, was recht und unrecht ist. Tiferet ist der Ort der Unterscheidung dessen, was wirklich und was Illusion, was ewig und was vergänglich ist. Es ist auch der Ort des tiefen Denkens, des schöpferischen Selbstausdruckes, des Sinnes für Freundschaft, echte Brüderlichkeit und inneres Verbundensein.

Die ganze Problematik unserer Menschwerdung wird deutlich, wenn wir uns die mittlere Achse des Lebensbaumes anschauen. Es wird dabei sichtbar, daß dieses Menschsein, das in unseren Herzen wohnt und sich nach außen verwirklichen und ausdrücken möchte, keinen Weg findet herauszukommen. Denn sein Weg ist versperrt durch die Bild-Welt des Pseudo-Ich. Die große Barriere unseres Lebens ist die *Persona* oder Maske, die unser Wesen verstellt. Sie verstellt das Licht, das in uns leuchtet. Die erste Aufgabe ist somit, all diese Barrieren aus dem Weg zu räumen.

Es ist ja nicht der Fall, daß wir gleich, nachdem wir jahrhundertelang in diesem Ich-Kreis gelebt haben, durch einen einzigen Lichtmoment in unser Wesen eindringen, sondern erst langsam damit in Berührung kommen, es erahnen, spüren, bis dieses Wesen allmählich selbst mehr danach drängt, an die Oberfläche zu kommen. Nun beginnt erst die wirkliche Arbeit an uns selbst, nämlich das innere Licht zu erschließen und die Schatten, die es verstellen, zu beseitigen. Je mehr wir die Schatten erkennen, also die Wirkungen, die die Bilder in unserer Seele haben, um so mehr werden wir auch bereit, die Bilder selbst wahrzunehmen, zu erkennen und abzulegen. Durch das Licht des Selbst werden sie sichtbar und durch das Licht des Selbst fallen sie. Wichtig ist, daß wir den Mut haben, diese Bilder und ihre Botschaft wahrzunehmen, sie anzunehmen. Nicht dadurch, daß wir sie verdrängen, abtöten oder wegschieben erlösen wir uns von ihnen, sondern dadurch, daß wir bereit sind, das Leid, das diese Bilder in und mit sich tragen, zu erkennen und anzunehmen. In dem Moment, wo das Bild vor unsere Augen tritt und der

Schmerz des langen Leidens aufsteigt, beginnt sich das Leid, das im Bild verankert ist, ab- und aufzulösen.

Mit Schatten meine ich die Konsequenz, die diese Bilder haben, die Schatten, die sie auf die Seele werfen, die Betrübnis der Seele. Im Evangelium des Johannes ist die Rede vom Lamm Gottes, das da trägt die Sünden der Welt. Wir müssen es vielleicht besser in die Worte kleiden: Das Lamm Gottes, es trägt das Leid der Welt. Leid und Sünde sind ganz dasselbe. Die Sünde ist nichts anderes als die *Absonderung* vom Licht durch die Anhaftung an ein Bild, das es verstellt. Das Leid ist der Schatten, den das Bild in die Seele wirft. Absonderung ist Ursache, Leid ist Konsequenz. Das heißt übertragen: Das Licht der Sonne des einen Selbst gibt uns die Kraft, uns von den Bildern zu lösen. Das Leid hört auf, wenn die Verhaftung an das Bild überwunden ist. Die ganze Crux der Erlösung liegt in der Auflösung der eingebildeten Bilder. Darum besteht die Kunst, die in allen Traditionen als die erste gelehrt wird, darin, uns durch die Erkenntnis des Lichtes und in der Übung inneren Gewahrseins von ihnen zu lösen. Die Verwandlung ist das Werk des Lammes, des Höchsten *Ich Bin*, das in Tiferet, in unserem Wesen, Wohnung nimmt.

Tiferet ist die Instanz in unserer Seele, die Träger und Sitz unseres individuellen Bewußtseins ist. Je mehr es uns gelingt, uns hier zu verankern, um so unmittelbarer sind wir am Puls des Lebens und offenbaren das, was wir wirklich sind.

Tiferet ist der Sitz des Zeugen, jenes Aspektes, durch den wir wahrnehmen, was in und um uns geschieht, und durch den wir Bewußtsein haben um unser eigenes Sein.

Ich möchte nochmal betonen: Mit Wahrnehmen meine ich nicht Nachdenken. Wahrnehmen und Nachdenken sind zwei grundverschiedene Dinge. Mich wahrzunehmen heißt eigentlich, das Licht des Bewußtseins in mich hineinleuchten zu lassen, um mich in dem Licht des Bewußtseins zu erkennen, zu erkennen, welche Gedanken da sind, welche Gefühle mich bewegen, in welcher Verfassung ich bin, und auch gleichzeitig mit einzubeziehen, was um mich herum geschieht. Ich brauche noch gar nicht darüber nachzudenken. Die Schwierigkeit besteht darin, daß wir viel mehr über uns nachdenken als wir wahrnehmen. Oft erwachen innere Bilder von uns. Wir stellen uns vor, so und so zu sein und beginnen, darüber nachzudenken, wie wir eventuell anders sein und uns ändern könnten. Wir ersetzen alte Bilder durch neue und quälen uns dann mit den neuen Ansprüchen, anstatt uns zu bemühen, zu erkennen und wahrzunehmen, *wer* und *wie* wir wirklich sind, und dies dann ganz unmittelbar zum Ausdruck zu bringen.

Die Kunst der Wahrnehmung ist wahrlich eine der wichtigsten und höchsten Künste. Ich will dies verdeutlichen: Das Wahrnehmen fällt uns in der Natur leichter. Wenn wir über eine Wiese spazierengehen und eine Blume am Waldrand stehen sehen, auf die die Sonne scheint, dann kann es passieren, daß die Gedanken schweigen. Die Blume steht einfach da. Und wir sehen sie an. Wir brauchen nicht zu denken: »Das ist eine Margarite oder eine Akelei«. Wir erkennen sie, sie spricht uns an, berührt uns im Herzen in der schlichten Weise, wie sie schweigend dasteht. Diese Blume hat ihr ganzes Geheimnis offenbart und uns anvertraut. Und was tun wir meistens? Dafür sind wir hier im Westen geradezu berühmt, berüchtigt: Wir sehen eine Blume und denken nach, fangen an zu philosophieren über die Blume und sehen sie gar nicht mehr. Dennoch gelingt es uns in der Natur noch eher, die Schönheit zu erkennen.

Meist fällt es uns sehr, sehr schwer, uns wirklich wahrzunehmen und zu erkennen, wer wir wirklich sind.

Betrachten wir nochmals unsere Kutsche. Unten in Malkhut ist der Wagen, das Gefährt. Dann kommt Hod, der Kutscher. Die Kräfte, die das Gefährt ziehen, unsere Bedürfnisse, Triebkräfte, Vitalität und so weiter, haben ihren Sitz in Nezach und erscheinen als die Pferde. In der Kutsche verborgen sitzen die hohen Herrschaften. Sie bilden Sinn, Zweck und Inhalt der ganzen Kutsche, sprich: unseres irdischen Lebens, denn dieser innere Kern, das, was wir unsere Individualität nennen, unsere Seele, das, was wir in unserem Herzen empfinden, möchte irgendwo ankommen. Dieses Innere strebt nach Licht, möchte erfüllt sein von Leben, Licht und Glück. Und dieser innere Kern im Herzen ist es, der immer wieder ruft und strebt und sich nach Erfüllung sehnt. Er möchte heimkehren in seines Vaters Haus.

Das ist der Sinn des äußeren Lebens, und dieses äußere Leben ist Ausdruck des im Herzen pochenden inneren Lebens, und der reinste, vollendetste Ausdruck dieses inneren Lebens ist die Liebe, die alles umfaßt, was ist. Der Grundausdruck des inneren Wesens ist Liebe: Daß dieses Wesen strahlen möchte, sich mitteilen möchte, aber genauso sich vereinen möchte mit dem höchsten Ursprung seiner selbst. Je mehr wir uns dieses Aspekts in uns selbst bewußt werden, je mehr wir erwachen aus diesen ziellosen Kreisläufen des Denkens, die uns mal rechts, mal links hintreiben, desto mehr erkennen wir Ziel, Richtung und Bestimmung unseres Seins. Denn die Liebe erst gibt dem Leben Richtung und Sinn.

Immer wenn wir Berührung finden mit unserem Herzen, mit unserem Wesenskern, wird uns auch die Frage beschäftigen: »Wo will ich hin, was ist das Ziel und der Sinn meines Lebens, und wie kann ich ihn verwirklichen?« Aber nicht nur die Frage, sondern auch die Antwort finden wir, wenn wir still werden und hineinlauschen in uns selbst. Als Empfinden, als leises Flüstern, als spontane Gewißheit oder sonstige Wahrnehmung tut sie sich unserem Gemüt kund. Dann werden wir bemüht sein, all diese Impulse dem Kutscher mitzuteilen: »Schau mal, dort und dort möchte ich hin.« Wir achten dann darauf, daß wir die Pferde so lenken lernen, daß wir auch dort ankommen, wo wir als Insasse der Kutsche hin möchten.

Um dieses Bild noch zu verdeutlichen: Bevor wir geboren sind und die Seele sich vorbereitet, in einen Körper einzutreten, in einem Körper geboren zu werden, wird die Seele sehr gründlich vorbereitet und geschult und ist sich bewußt, was Auftrag und Sinn dieses Erdenlebens sind. Nun geschieht es, daß die Seele, die vor ihrer Geburt in einer feinstofflichen Sphäre weilt, hineinspringt in ein anderes Element. Sie schließt die Augen und springt, um sich erstmal schreiend, quietschend, in einem physischen Leib gefangen wiederzufinden. Als Kleinkind geboren, trägt sie noch stückweise die Erinnerung dieser anderen Welt in sich und muß sich erst sehr mühsam zurechtfinden in diesem Gefängnis des Körpers. Es funktioniert nicht so, wie sie will. Es ist wichtig, auch zu erkennen, wie schwierig es für Kinder ist, sich überhaupt im Körper zurechtzufinden. Zum Glück hat die Seele am Anfang oft noch viele Erinnerungen in sich, insbesondere ist sie noch sehr stark aufgeladen mit der Kraft, die sie aus der anderen Welt mitbringt. Wir müssen uns vorstellen, daß es ähnlich ist, wie wenn wir in der Frühe aus einem tiefen Schlaf erwachen und uns gekräftigt, regeneriert und frisch fühlen. Wir erwachen morgens und wissen nun: hier bin ich, erinnern uns aber nicht, wo wir herkommen. Wir waren ja nachts auch irgendwo. Meist haben wir nachts viele seelische Begegnungen, und manchmal ist es auch möglich, sich morgens zu erinnern, wo wir nachts gewandert sind.

Es gibt Wege, sich zu erinnern. Normalerweise ist es jedoch schwer, und wir wissen kaum, wo wir waren. Wir sagen, wir haben geschlafen, wir waren weg, irgendwo. Ähnlich ist es auch für die Seele, nachdem sie hier geboren ist. Wir finden uns hier und wir wissen nicht, wo wir herkommen. Wir finden uns zunächst nur mühsam zurecht.

Was ich zum Ausdruck bringen möchte, ist die Tatsache, daß der Seele eine tiefe Vision des bevorstehenden Lebens eingepflanzt ist. Wenn nun die Seele in dieses Leben eintritt, um bestimmte Erfahrungen zu sammeln, um sich auf dem Weg zum Licht, auf dem Weg zu ihrem Ursprung, weiterzuentwickeln, dann treten diese Visionen im Unbewußten in Aktion. Ich habe bereits angedeutet, daß es nicht irgendeine Willkür ist, daß wir nun für soundsoviele Jahre hier auf Erden leben, sondern daß wir hier in diesem irdischen Leben die Möglichkeit finden, uns der in uns angelegten Fähigkeiten und unserer göttlichen Natur zu erinnern, sie zu erkennen und zu verwirklichen. Es ergäbe sicher ein trauriges Bild, wenn wir Bilanz ziehen würden, wie viele Menschen sich hier auf Erden verlieren und all die wesentlichen Seiten des Lebens vergessen, um sich mehr oder minder im Labyrinth der Welt zu verirren. Es ist, als wäre der Insasse der Kutsche unterwegs verlorengegangen.

Wir kommen mit der Intention auf die Welt, durch diese Landschaft, die wir Erde nennen, hindurchzugehen, um unseren Auftrag hier zu verwirklichen. Wir wollen einen Weg gehen, Etappe für Etappe uns unserem Ziel nähern. Und was geschieht? Wir sind so verklärt, so angezogen von den vielen Dingen, die uns in dieser Welt ansehen, daß wir meistens völlig vergessen, warum wir hier sind und wo wir ursprünglich hin wollten. Wir machen die Welt zu einem Marktplatz oder Museum. Es ist, als gingen wir durch ein großes Kaufhaus und jede zweite Auslage lenkte uns ab. Besser: wir lassen uns ablenken! Wir schauen rechts und links und verlieren das Ziel aus den Augen. Der Fahrgast in der Kutsche ist vergessen. Die Seele verfällt in einen tiefen Schlaf. Manchmal – im Traum – hofft sie auf den Prinzen, der sie wachküßt.

Es ist, als wollten wir einen Freund besuchen, der uns sehr, sehr lieb und wichtig ist. Aber unterwegs sehen wir so viele wunderbare Dinge in den Auslagen, gehen in das eine oder andere Geschäft, fragen nach den Preisen von allerlei interessanten Artikeln, handeln hin und her. Das ist nur eine relativ kurze Ablenkung. Im Leben aber ist es meistens so, daß wir uns so sehr von den Attraktionen dieser Welt fesseln lassen, daß wir unser Ziel schließlich völlig aus den Augen verlieren. Ob es der Beruf ist oder die Anerkennung, die wir im Leben suchen – wir laufen hinter allerlei Tätigkeiten her und tun alles mögliche, um von allem ein bißchen anzuhäufen. Oder wir frönen der Lust, uns an allerlei Schauplätzen zu vergnügen, oder viel Geld zu verdienen, weil wir meinen, das mache uns glücklich. Damit verlassen wir recht bald den Weg, der uns unserem Ziel, der Begegnung mit unserem Freund, entgegenführt. Schließlich sind wir in unseren Geschäften so absorbiert, daß wir unsere Freundschaft völlig vergessen.

Der Punkt ist, daß in der Begegnung mit dem Schaufenster so viele latente Wünsche in uns erwachen, die uns alle dorthin ziehen und zum Stehenbleiben verleiten. Und schon sind wir gefangen und machen alle möglichen Geschäfte in diesem oder jenem Laden, und wenn wir endlich weiterkommen, dann gehen wir in die nächste Einkaufsstraße. Die Schaufenster sind Sinnbilder der Gelegenheiten dieser Welt. Die eine nennen wir unseren Beruf, die andere Ausbildung oder Karriere, die dritte die Gesellschaft, die uns umgibt, und schließlich gibt es dann noch den Bekanntenkreis, mit dem wir auch noch allerhand (psychologische) Transaktionen abwickeln. Ich habe es vielleicht etwas überzeichnet, aber es ist sicher zutreffend, daß wir auf vielfältige Art und Weise unser Leben verleben.

Die Gnade, die erste Gnade, die wir in unserem Dasein erleben – wenn wir nicht ganz stumpf geworden sind –, ist dieses Stückchen Licht der Erinnerung, das stille Drängen und Rufen der Seele, das ein Zweifeln oder Fragen in uns anheben läßt: »Ja, nun, ist das alles?« Darin liegt der Sinn des Ganzen, daß wir in uns ein Sehnen oder Rufen vernehmen. Darin besteht das Erwachen, daß uns bewußt wird, daß in unserem Wesensgrund etwas drängt. Und bevor wir es ganz töten, beginnen wir vielleicht doch noch, genauer hinzuhören und den Schutt, der den Ruf erstickt, allmählich abzutragen.

Ich habe dieses Thema sehr ausführlich dargestellt, um aufzuzeigen, wie ernst es ist. Denn diese Mechanik unseres Handelns läuft geradezu automatisch in uns ab. Sie läßt sich nur überwinden – und ich möchte sagen, alle Teufelskreise des Lebens lassen sich nur überwinden –, indem wir entschieden daraus austreten. Das gelingt, wenn wir durch die Kraft des Bewußtseins erkennen, wo sie uns hinführen, denn das Bewußtsein ist das Licht, das diese Kreise erhellt, sie aus einer anderen Dimension beleuchtet. Dieses Licht ermöglicht uns zunehmend, alles Geschehen von einer anderen Ebene aus zu betrachten, wenn wir ihm folgen. Dies ist der einzige Weg der Befreiung. Das Licht gibt uns zu erkennen, daß die Dinge, die uns begegnen, Bedeutung haben, daß ihr Sinn aber nicht ist, uns an sie zu hängen. Alle Dinge, all die Schaufenster, die uns begegnen, hinterlassen eine Botschaft, die als Akkorde anklingen möchten in der Seele, als Erinnerung, als Klang des Ewigen. Unser Wesen selbst will darin erklingen. In jedem Augenblick klopft es an die Tür und fragt:

»Hörst du nicht?«

Damit beginnt das innere Erinnern. Am Anfang ist es mühsam. Es ist ein wenig so, als ob wir träumten und aus diesem Traum allmählich geweckt würden. Wir erkennen: Der Traum ist nicht alles, sondern es ist da noch etwas anderes, aber wir sind noch halb im Traum, halb erst im Erwachen. Es beginnt allmählich erst zu dämmern. Was ist Traum und was ist Wirklichkeit? Hier in Tiferet, in unserem Herzen, klingt die Welt an, hier berührt sie das Wesen. Tiferet entspricht dem, was wir im Herzen wahrnehmen. Tatsache ist, daß unsere Herzen anfangs meist sehr stumpf sind, daß wir wenig geübt sind in der tieferen Wahrnehmung des Herzens. Viele Dinge, die wir im Leben erleben oder erleiden, führen uns erst allmählich dahin, daß wir in unserem Herzen empfänglich und berührbar werden. Die vielen Enttäuschungen und Verletzungen, die wir im Laufe der Zeit erleben, wirken formend auf unser Wesen und bringen unser Herz so Schritt für Schritt zum Erwachen. Es ist diese Welt eine Art Intensivstation, auf der wir oft kräftige Herzmassagen bekommen. Das Leben knetet uns gelegentlich ganz gewaltig. Wir wehren uns dagegen, wir bäumen uns auf, doch später, wenn wir auch von Schmerz und Enttäuschung ergriffen werden, werden wir erkennen, daß das Leben uns deshalb knetet, damit die im Herzen schlummernde Erinnerung und Liebe erwachen. Lieben will erst erlernt werden, oft – merkwürdigerweise und gar nicht zufällig – über Leid und Schmerz, die wir erfahren.

Das ist das Wunderbare, daß die Ereignisse des Lebens uns im Grunde dahin führen, uns selbst mehr zu finden. Aber es *muß nicht* durch Schmerz und Leid sein. Es ist viel öfter so, daß uns plötzlich etwas aufrüttelt, daß um uns herum oder in uns etwas geschieht, wir ganz tief getroffen oder berührt sind und durchdrungen werden von einem anderen Sein. Es kann ein Musikstück sein, das plötzlich alle Schleusen öffnet; und wir finden uns in einem anderen Seinszustand oder in der Natur oder in der Begegnung mit einem Menschen. Dann beginnen wir, diesen inneren Kern, der solange im Verborgenen lag, allmählich ganz behutsam zu berühren und auszuloten.

Viele Menschen, die ihr ganzes Leben nur auf äußeren Ebenen verlebt haben, spüren, wenn der Tod naht, enorme Panik. Es wird ihnen bewußt, daß das Innerste, dieses zarte innere Menschsein, zu kurz gekommen ist und unerfüllt und unverwirklicht in die andere Welt zurückkehren wird. Die Einladung, die an jeden von uns ergeht, ist, mehr und mehr zu erkennen, warum wir hier sind, und so allmählich die Chance zu ergreifen, unser Leben – Stunde um Stunde, Minute um Minute – bewußter zu leben, den Auftrag unseres Lebens zu verwirklichen und göttliches Sein als Individuum in der Welt zu offenbaren. Nicht umsonst trägt Tiferet die Signatur der Sonne, ist nicht zufällig orange und liegt nicht zufällig in der Mitte. Aus dem unendlichen Licht von Kether kommt es hier im Herzen des Menschen, unserer wahren Wesensmitte, zum Strahlen. Dieses Strahlen fließt durch unsere Augen, unsere Hände, unser ganzes Denken, Fühlen und Tun und erleuchtet es mit seiner inneren Glut.

»Wes das Herz voll ist, des geht der Mund über«, hat Jesus einst gesagt, und wahrlich, wer seine Seele an ihre obere Wurzel bindet, sein Herz in Gott läßt, wo immer er geht, dessen Sein und Leben wird überflutet von innerem Licht, und alles, was er tut, ist gesegnet. Wenn wir das wahre Wesen, diesen eigenen Kern wahren Menschseins, in uns gewahren, entdecken wir, daß das gesamte innere Leben, all seine Impulse, nur hindrängen auf ein einziges Ziel: sich dem Großen Leben hinzugeben, sich an es zu verschenken und den Glanz und die Herrlichkeit des inwendig pulsierenden Seins zum Ausdruck zu bringen. Alles drängt dann hin zu dem Einen Sein, wo kein zweites ist. Alle Verlangen münden in Es, alle Gedanken, alle Gefühle, alle Taten, alles mündet in Ihm. Immer sind es Gnade und eigene Bemühung, die uns hinführen zu solch reinem Leben. Es ist die Gnade des Seins, die uns berührt und ein kleines Feuer entfacht, wodurch das Suchen in uns seinen Anfang nimmt. Ist unser Herz einmal entzündet, so hören Suche und Bemühung nicht auf, ehe wir den göttlichen Gemahl in seinem Schlosse finden.

Die Kunst ist nun, dieses innere Feuer zu pflegen und seinem

Brennen und Drängen nachzugehen, denn es selbst führt uns ans Ziel. Die Impulse, die wir hier wahrnehmen und die durch diese erste Gnade erweckt sind, verkünden einen inneren Aufbruch ins Licht und in die Seligkeit. Je ehrlicher wir sind, je tiefer wir mit diesem Inneren in Berührung kommen, um so mehr können wir auch in uns hineinhören und werden so in wachsendem Maße erkennen, wo diese Kraft hingeführt sein möchte. Wir werden in uns entdecken, daß manche Dinge, die uns im Leben so wichtig schienen, ihren Wert und ihre Bedeutung verlieren und sich stattdessen stets Neues offenbart. Wir erkennen: »Wie blind oder wie unbewußt habe ich bisher Dinge getan. Wie oberflächlich bin ich bisher Menschen begegnet. Wie wenig Zeit habe ich mir genommen, mich selbst zu erkennen und das Mysterium des Menschseins zu hinterfragen.« In jedem von uns birgt sich ein ewig unergründliches Geheimnis. Und so beginnt mit diesem Erwachen erst der Weg des Schatzgräbers, und wir unternehmen fortan alles, um den Schatz zu bergen.

Es geht gar nicht mehr darum, mühselig zu unterscheiden, was wirklich ist und was nicht. Ich bin mitten drin. Wenn der Strom des Lebens sich so voll entfaltet, wird alles zu einem einzigen kräftigen Fluß, wo sich höchstens am Rande noch einiges kräuselt. Diesem Kräuseln am Rande schenke ich weniger Beachtung. Wichtig ist, daß ich mich von dem Strom tragen lasse, denn er ist hingerichtet auf ein Ziel. Das ist, was manche Menschen als Glauben bezeichnen. Jedoch ist das eigentlich kein Glauben mehr, sondern ein ganz Hingegebensein an das Sein, das uns trägt. Der Grundsatz besteht in der Wahrnehmung und Ruhe, darin, daß wir erkennen mögen, was der Ewige uns zuflüstert, was wirklich und was unwirklich ist und uns dem bedingungslos hingeben, was wir als ewig und wirklich erkennen. Wahrhaft glauben heißt, so felsenfest in Gott zu sein, daß kein Sturm uns erschüttert.

So entfaltet sich das Leben. Am Anfang ist es ein Tröpfeln, bis ein Bächlein plätschert. So wird es mehr und mehr zu einem mächtigen Strom, der hineinfließt in den uferlosen Ozean göttlicher Seligkeit. Das Wesen des Selbst ist Seligkeit, tiefe Freude, da zu sein. Freude ist nicht etwas, das wir machen können, sondern das wir empfinden. Die Freude, die wir suchen, liegt anfanglos in uns. Wenn wir sie finden, wenn sie uns bis an unsere Wurzel tief bewegt, dann sind wir auch durchdrungen von Dankbarkeit. Diese Seligkeit ist die ursprünglichste und vollendetste Ausdrucksform des Lebens. Sie ist identisch mit der Liebe. Die Freude, die wir aus dem Eingetauchtsein in das bewußte Dasein schöpfen, die Beglückung des Daseins, die nach oben quillt, möchte sich mitteilen, sie möchte alles in sich einhüllen. Auch Liebe ist nicht etwas Gemachtes, sondern Ausdruck jenes inneren Glückes, das in uns wohnt. Es ist das Bewußtsein, eins zu sein, und daraus quellen Verständnis, Geduld, Weisheit und unerschütterlicher Friede. Die Worte Jesu, die die Schrift überliefert: »Liebt euren Nächsten wie euch selbst«, könnten wohl übersetzt werden durch die Formel »Liebet eure Nächsten *als* euch selbst in dem Bewußtsein, daß es nur ein Selbst gibt und ihr im Wesen des Du diesem Selbst als eurem ureigensten Ich begegnet.« Es ist dieses eine *Ich Bin*, das das ganze Universum beseelt und jedes Geschöpf mit seinem Licht erleuchtet.

Es ist der eine Quell, aus dem alles Leben entspringt. Er offenbart sich in jedem von uns als unser eigenes Sein. So ist das reine Lieben etwas, das nichts und niemanden *sucht*, nicht sich abmüht, den anderen zu erkennen, ihn zu verstehen, sondern das den anderen im eigenen Sein umfaßt. Dieses Lieben ist ein Zustand des Ruhens in sich selbst, aus dem wir auch den anderen erkennen. Auch wenn er selbst sein Wesen nicht gewahrt – wir erkennen es. Das ist der wahre Stand im Selbst.

Gehen wir von Tiferet weiter, so gelangen wir auf eine Ebene, wo wieder zwei Sefirot einander gegenüberstehen. Es sind dies Geburah und Hesed: Strenge (Stärke, Festigkeit) und Güte (Barmherzigkeit, Herzenswärme). Sie bilden gleichermaßen die sich polarisierenden Kräfte von Tiferet, zwischen denen unser inneres Empfinden schwingt und die in Tiferet selbst balancieren und in einer größeren Einheit umfaßt sind. Wie auf der tieferen Ebene der Persönlichkeit Hod und Nezach einander gegenüberstehen als (empfindender) Intellekt und Vitalität, die in Jesod ihre Mitte und ihre gemeinsame Wiederspiegelung finden, so sind es nun die zwei Aspekte oder Grundkräfte der Individualität und des Herzens, die uns hier gegenüberstehen.

Wie Hod und Nezach, so sind auch Geburah und Hesed im Menschen meist nicht im Gleichgewicht, so daß der eine wiederum mehr zu Geburah und der andere dagegen mehr zu Hesed tendiert, worin er dann auch seine vorwiegende Stärke und seine vorwiegenden Charakterzüge findet.

Bevor wir uns dies ansehen, wollen wir jedoch Geburah und Hesed erst im einzelnen näher betrachten.

Geburah – die Strenge oder die Festigkeit

Geburah heißt im Hebräischen die *Stärke*. Die ihr entsprechende Farbe ist rot, ihr planetarischer Regent ist der Mars. Tatsächlich umfaßt Geburah ziemlich durchgehend jene Qualitäten und Eigenschaften der Seele, die wir in der Betrachtung der Farbe rot (Band 1) kennengelernt haben.

So ist Geburah zuallererst der Sitz der männlichen Kraft des Wollens und des Entscheidens. Hier finden wir den Mut, uns durchzusetzen, zu entscheiden oder abzugrenzen. Von hier aus entfalten sich Selbstbehauptung, Kraft, Mut und Aktivität.

Überwiegt Geburah im persönlichen Baum-Profil oder ist sie nicht durch Hesed balanciert oder aus dem Herzen (=Tiferet) gesteuert, so neigt der Mensch zu Eigensucht, Rücksichtslosigkeit, ja sogar zur Gewalttätigkeit. Wir neigen dann dazu, unsere Gedanken, Ideen oder Wünsche durchzusetzen, ohne den Mitmenschen oder die Umgebung in unsere Erwägung und unser Entscheiden einzubeziehen. Es ergibt sich das weit verbreitete Bild falscher Männlichkeit: Härte, Ellenbogenmanieren und die typische Ambivalenz zwischen abgesetzter Kühle und unberechenbarer Hitzköpfigkeit regieren dann die Seele. All dies sind Schattenseiten, die auch die dunklen Aspekte des zugehörigen Kriegsgottes Ares oder Mars charakterisieren.

Die helle, mit den übrigen Kräften des Baumes ausgewogene Seite von Geburah entspricht dem, was wir unter wahrer Ritterlichkeit verstehen. Dazu gehört eine wache, innere Bereitschaft und Entschlossenheit, die genausogut gelöst und entspannt sein kann. Willigkeit, Mut und Bekenntnis, die Bereitschaft, jemand oder etwas zu unterstützen oder für etwas oder jemanden auch einzutreten, ohne gleich den Richter spielen zu wollen.

So ist es auch unmöglich, die Werte, Erkenntnisse und Empfindungen des Herzens im Leben zum Ausdruck zu bringen, wenn uns dieser Mut fehlt. Es braucht Kraft, das Heilige in uns zu bekennen und zu leben. Fehlt sie, so bleibt es im Inneren verborgen und kann weder zur Entfaltung noch zur Verwirklichung kommen.

Vielen Menschen, die innerlich sehr feinfühlig und empfindsam sind, fehlt oft gerade dieser Mut und diese Kraft, für sich einzutreten. Sie ist dort oft unterdrückt oder gebrochen und damit Wurzel vielen Leides und vieler Verletzungen. Oft steht die verkehrte Vorstellung dahinter, daß wir als Menschen auf dem geistigen Weg lernen müßten, zu erdulden und zu ertragen, was uns die Willkür anderer aufbürdet oder antut. Das Ergebnis ist, daß wir innerlich hart, starr oder gar verbittert werden, ohne es zu bemerken. Wir machen gute Miene zum bösen Spiel. Zu erstarren oder hart zu werden, ist jedoch eine ausgesprochene Fehlentwicklung des Rot von Geburah. Es gründet auf einem falschen Verständnis vom Tragen des Kreuzes, denn oft bedeutet das Annehmen und Tragen des Kreuzes nicht, sich stillschweigend der Willkür und Unterdrückung von seiten anderer zu beugen, sondern das Kreuz der Herausforderung anzunehmen und Stellung zu beziehen, sich zu wehren, mit einem Wort: aufzustehen und für seine innere Würde als Mensch einzustehen.

Oft ist diese Kraft, dieser Mut, dieser gesunde Lebenswille bei Menschen jedoch so tief verletzt, unterdrückt oder geknickt, daß es eine ganze Weile und auch vieler Unterstützung von außen braucht, bis sie, vorderhand noch gebunden und gefesselt am Grunde der Seele zusammengerollt, beginnt, sich zu befreien.

Mancher scheint Unterdrückung bis ins Endlose zu dulden. Doch ist das Maß voll, so entfaltet sich irgendwann plötzlich jene so lange zurückgehaltene Kraft und kommt dann in einem Ausbruch von Wut oder Entschlossenheit zum Ausdruck. Und wahrlich, diese aufwallende Wut ist der Beginn der Heilung des gebrochenen Willens.

Wichtig ist, daß wir solchermaßen erwachte Wut nicht ziellos und ungerichtet entfesseln oder gar zerstörerisch nach außen richten, sondern in ihr jene Kraft und jenen Mut finden, um endlich jene Entscheidungen und Konsequenzen *für* unser Leben zu ziehen, die seit langem überfällig sind. Die unzerstörerische Weise, Geburah zu entfalten, ist immer diejenige, *für* das Innerste, das Heiligste in uns einzutreten, es in uns zu wahren, zu schützen und zu verteidigen, selbst auf Kosten äußerer Einbuße, wenn es notwendig sein sollte. Gewaltfreies Entscheiden und Handeln richtet sich niemals gegen etwas oder jemanden. Es bricht nur Verhärtetes und Erstarrtes auf, um das Innere, das in der verkrusteten Form gefesselte und gefangene Leben zu befreien. Es ist immer ein Eintritt *für* das Leben. Auf diese Weise entfaltet, wandelt sich die entfesselte Wut allmählich in Mut, Entschlossenheit und Kraft, die Herausforderungen des Lebens anzunehmen und durchzustehen.

Selbst Jesus spricht vielerorts von der Notwendigkeit des Mutes, denn Mut braucht es, sowohl um sich selbst zu bekennen, als auch die Ignoranz der Welt, ihre Willkür und Abwendung an- und auf sich zu nehmen.

So sagt Jesus an einer Stelle: »Ich bin nicht gekommen, Frieden zu bringen, sondern das Schwert, denn ich bin gekommen, den Menschen zu entzweien mit seinem Vater und die Tochter mit der Mutter und die Schwiegertochter mit ihrer Schwiegermutter... Wer Vater oder Mutter mehr liebt als mich, ist meiner nicht wert. Und wer Sohn oder Tochter mehr liebt als mich, ist meiner nicht wert. Wer nicht sein Kreuz auf sich nimmt und mir nachfolgt, ist meiner (des ewigen Lebens, des Lichtes und der Kraft des *Ich Bin*) nicht wert.« (Matthäus 10.34-38)

Hier ist angesprochen, daß es sogar nötig ist, all die Bande familiärer und affektiver Bindungen zu überwinden, zu zertrennen und abzuwerfen, wenn sie die Befreiung und Entfaltung des inneren Lichtes und Lebens behindern. Es erfordert Mut, sich abzulösen und die nur äußerlich heile Welt zu verlassen, ja selbst all das Vertraute und Gewohnte zurückzulassen, wenn es die Entfaltung des göttlichen Selbstes, des Christus in uns, sein Rufen und Drängen in unserem Herzen, erfordern sollten.

Wenn äußerer Schein, Tradition, Bequemlichkeit, tote Familienrituale und Gewohnheiten wichtiger sind als der Aufbruch ins Ewige, dann sind wir wahrlich des inneren Lichtes und des inneren Lebens nicht wert. Es geht hier nicht um eine Konfrontation um der Konfrontation willen, sondern um den Mut, tote und erstarrte Muster aufzubrechen und stillschweigende Erwartungen auch von außenher zurückzuweisen, wenn es das Innere notwendig macht. Die Treue zum Innersten, zu dem heiligen Funken in uns, ist stets das erste Gebot, und daraus erst wachsen wahre menschliche Begegnung, Liebe und wirkliches Verständnis.

Darin liegt auch der Sinn und die Botschaft der Bhagavad Gita, wo Arjuna von Krishna (der Verkörperung des ewigen Selbstes) aufgerufen wird, gegen die Heerscharen seiner versammelten Verwandten zum Kampf anzutreten. Natürlich zittern ihm erstmal die Knie, denn sie alle sind ihm doch auch lieb und seit Kindestagen wohl vertraut.

Diesen Kampf der Ablösung, der in der Seele ausgefochten wird, muß jeder irgendwann aufnehmen. Es ist vor allem ein innerer Kampf, der jedoch oft auch Konsequenzen nach außen hat. Nicht, daß wir unsere Nächsten mutwillig verletzen mögen, sondern, daß wir allein aus Liebe und Wahrhaftigkeit, jedoch mit der unbeugsamen Entschlossenheit von Geburah, für die notwendige Entwirrung und Unabhängigkeit in unserem Leben eintreten, die für die Befreiung des göttlichen Funkens in uns und die Entfaltung seines inneren Lichtes unbedingte Voraussetzung sind.

Immer geht es bei Geburah um Kraft und innere Festigkeit. Es ist jene Festigkeit, die uns felsenfest im Wesensgrund des Selbst verankert und durch die wir den Stürmen des Lebens und der Welt standhalten. Nicht Härte oder Starrheit sollte es sein, sondern gelöste, ja losgelöste Kraft, die mit den Ereignissen schwingt und elastisch äußeren Angriffen und inneren Anfechtungen standhält. Es ist eine innere Standhaftigkeit, die uns nur aus innerer Ruhe und Gelöstheit zuwächst. Es ist jene Kondition, die die Japaner als Hara bezeichnen.

Härte ist immer Ausdruck mangelnder innerer Festigkeit. Wo wir unsicher sind oder unentschlossen oder ängstlich, da bildet sich Härte. Sie ist immer eine Kompensation, und ich nenne sie oft das aufgesetzte Rot. Wo das flüssige Rot, die strömende Kraft des Bauches und des Herzens fehlt, dort produzieren wir Erstarrung und Härte, um uns zu schützen. Es ist die harte Haut, die uns schützen soll in unserem weichen Kern.

Jedoch hilft uns der erhoffte Schutz nur bedingt und wird uns selbst gar leicht zur neuen Fessel, wenn es uns nicht gelingt, ihn zu verwandeln, indem wir die innere Kraft finden, die uns aus der Wesensmitte stützt. Härte, Eigensinn und Stolz bedingen immer innere Vereinsamung und behindern – indem sie unsere Berührbarkeit hemmen – das unmittelbare Empfinden des Flusses des Lebens. Auch bedrohen unvorhersehbare Einbrüche und äußere Schicksalsschläge den Verhärteten und in festen Formen Erstarrten in seiner seelischen Existenz, während der elastische und biegsame Mensch, der im Selbst verwurzelt ist, sämtliche ihn einholende Ereignisse auffangen und in neue Lebensimpulse verwandeln kann. Er wird zum Meister des Schicksals, denn das Harte bricht, aber das Bewegliche schwingt kraftvoll aus.

Im Tao Te King heißt es:

»Der Mensch, geboren zart und biegsam,
verhärtet und wird steif durch den Tod.
Grüne Pflanzen sind zart
und mit Lebenssaft gefüllt.
Verdorrt und trocken sind sie im Tode.
So lernt der Harte und Unbeugsame vom Tode,
der Sanfte und Biegsame vom Leben.
Das Harte bricht, das Starre geht unter.
Das Sanfte und Biegsame aber steht auf und wird überdauern.«

Tao 73

Nicht eine falsche Nachgiebigkeit ist gemeint, sondern ein Schwingen mit dem Fluß des Lebens und dem göttlichen Plan. Weder ein Forcieren noch ein Blockieren können seinen Lauf verändern. Was Er will, können wir nicht verhindern, was Er nicht will, können wir nicht erzwingen.

Der Weise beugt sich dem Einen Willen und trägt sein Kreuz mit Lust und Kraft. Er ist demütig vor Gott, aber nicht vor der Welt. Er beugt sich dem Selbst, dem göttlichen Du, wo immer er es erkennt, aber nicht menschlicher Willkür. Der so eintritt für den Geist, die Wahrheit, den Weg und das Leben, der ist wahrhaft Bekenner, Leuchte und Ritter der göttlichen Schar und des einen *Ich Bin*.

Indem wir unserem »kleinen Ich« und seinem eigenen Willen abschwören, erkennen wir in seinem Willen den Impuls unseres eigenen Wesens und in seinem Wirken und Sein unser wahres Ich. Er verletzt niemals das Leben, aber verschont nicht die fesselnde, äußere Form. So begegnet er – die Hand fest am Griffe des Schwertes der Wahrheit – sich selbst und der Welt.

Geburah ist der Sitz der Entschlossenheit und der inneren Entscheidung. Zusammen mit Hesed steuert sie den Fluß des Lebens. Sie baut ihm ein Bett oder staut ihn hinter einem Damm. Hesed öffnet die Schleusen, Geburah schließt sie und dämmt den Fluß.

Geburah ist deshalb auch der Sitz unserer Kontrolle. Es ist jene Instanz des »kleinen Ich«, die das innere und äußere Leben, den zarten Fluß der Seele und der Kraft des Selbst lenken möchte, so wie sie will, so wie sie denkt und sich vorstellt, daß es sein sollte.

Geburah ist durch Hod verknüpft mit Jesod und alle drei stehen oft zusammen in einem festen Bündnis und Pakt. Wollen wir uns innerlich erheben, uns befreien aus dem kalten Griff des Schicksals und den Bindungen der Welt, so ist es nötig, alle Kontrolle, alles Wollen und allen Eigensinn fallen und fahren zu lassen und sich allein der höheren Instanz des göttlichen Willens anzuvertrauen. Es ist die Kraft des Heiligen Geistes, die alle Werke tut, und der kosmische Christus ist die Instanz, die ihn lenkt. In diesem Bekenntnis zu dem »Dein Wille geschehe, Herr, und nicht der meine« erst folge ich jenem Impuls, der mich von innen heraus hinführt zur Verwirklichung und Erfüllung meines eigenen Seins. So ist der Anfang aller Übung in Geburah das Loslassen der eigenen Kontrolle, die Hingabe des eigenen Willens, unserer Gewaltakte des Strebens und unserer Widerstände gegen sämtliche Manifestationsformen des inneren göttlichen Lebens. Es selbst wird sich behaupten und durchsetzen, wenn ich seine Impulse nicht behindere, sondern ihnen ein wohlgeformtes und elastisches Bett baue, durch das sie frei fließend sich entfalten können. Ohne tätig zu sein (vom Ich her) gewahre ich, wie das innere Leben sich durch meine tätige Person manifestiert. »Ich tue nichts, und dennoch bleibt nichts ungetan«, heißt es im Tao, denn »Nicht ich, sondern Christus in mir wirkt die Werke und das Leben.« Paulus – »Denn ich bin gestorben, Er aber lebt in mir.«

Hesed – die Güte und die Barmherzigkeit

Hesed heißt die *Güte* und bildet den Gegenpol zu Geburah. Hesed trägt die Farbe blau und die Signatur des Jupiter, womit die Qualität dieser Sefira schon recht deutlich umschrieben ist. Tatsächlich verkörpert sie im Gegensatz zu Geburah Offenheit, Weite, Herzenswärme, Großmut und Hingabe, alles Qualitäten, in denen die Seele sich ausdehnt und weitet. Überhaupt ist Hesed Sitz und Ausdruck eines grundsätzlichen Wohlwollens..., von Zuneigung, Liebe und

Mitgefühl. Hesed ist die Grundlage jener Haltung, durch die der Mensch dem Leben zugeneigt und ergeben ist.

Ist Geburah in ihrer primären Form erstmals auf die Behauptung und Durchsetzung der eigenen Person oder Individualität und ihrer Abgrenzung gegenüber den Übergriffen der Welt gerichtet, so verlangt Hesed gerade das Gegenteil: die Hingabe ans Große Ganze, das Übersteigen und die Aufgabe der eigenen Person. In Hesed liegt – wenn an Tiferet gebunden – eine ganz ursprüngliche Neigung der Anteilnahme am Du, am Mitmenschen und Mitgeschöpf schlechthin. Hier liegen echte Empathie, Verständnis und Mitgefühl für den anderen, sein eigenes Ringen, seine Sorgen, seine Zweifel, seine Not, aber auch die Mitfreude mit seinen inneren Fortschritten, Errungenschaften und Entdeckungen. Solche Anteilnahme gründet immer auf dem Erkennen des »eigenen« Selbstes im Du, daß ich teilhabe am Mysterium der Kreuzigung und der Auferstehung Christi im Mitgeschöpf sowie an der gesamten Natur. Es ist der Impuls, über das eigene Ich, die eigenen Grenzen hinauszuwachsen und in Kommunion zu treten mit der gesamten Schöpfung. Es ist die umfassende Ehrfurcht vor dem Leben, von der Albert Schweitzer so oft spricht und die herausquillt aus dem Leben selbst, wenn wir seinen heiligen Puls im eigenen Herzen empfinden. Alles Leben ist Ehrfurcht und Dienst an der Erfüllung seiner selbst.

Das ist auch wahre Hingabe, daß wir uns restlos an das Leben verschenken, daß wir unser eigenes Sein seinem heiligen Odem weihen, es in Ehrfurcht, Liebe und mit Achtung und Respekt begehen und seiner Verherrlichung und Vollendung in der Hypostase der Liebe mit unserem ganzen Wesen dienen.

Wer so im Leben und in sich selbst zu Hause ist, findet auch wahre Geborgenheit. Er wohnt im Herzen Gottes und erkennt das ganze Universum als sein Heim. Ihm gehört die ganze Welt, und er ist überall daheim.

Hesed ist auch Ausdruck von Sanftmut, Demut, Geduld und Duldsamkeit sowie einer grundsätzlichen Lebensbejahung. Derjenige, der wirklich in Hesed und Tiferet verankert ist, wird niemanden gegen sein Vermögen und seinen Willen zu etwas drängen. Er geht bestenfalls selbst voran und lädt den anderen ein, ihn zu begleiten, ihm zu folgen, wenn er möchte. Aber er versteht, duldet und fördert den anderen selbst dann in seinem Innersten, wenn er andere Wege geht oder geleitet wird.

So wie Geburah sowohl als rücksichtsloser Eigenwille für egozentrische, eigensüchtige Motive als auch als ritterlicher Mut im Bekennen und Eintreten für den ewigen, allumfassenden und heiligen Willen Gottes mobilisiert werden kann, in dem der Mensch sein eigenes Ich weder schützt noch schont, so kann sich auch *Hesed* sowohl *als Hingabe an Gott* als auch als solche *an die Welt*, ihre Genüsse, Sinnesfreuden und subtilen Verlockungen offenbaren. Grundsätzlich hat der Mensch, der sein Schwergewicht mehr auf der Seite von Hesed findet, sicher weit mehr Talent, das Leben zu feiern und seine Freuden zu genießen, als jemand, der mehr in Geburah verankert liegt. Der in Geburah Liegende ist immer von einer eher strengen, disziplinierten Lebensart mit meist ausgeprägtem Willen und Pflichtgefühl gekennzeichnet, während wir in Hesed mehr den Lebenskünstler beheimatet finden, der oftmals, von der Muse geküßt, das Leben von der leichteren Seite nimmt.

Während der eine überaktiv und meist sehr gründlich ist, neigt der andere eher zu Nachlässigkeit und einem jovialen Laissez-faire. Ist Geburah im Persönlichkeitsprofil eines Menschen nur schwach entwickelt oder stark unterdrückt, so wird Hesed oft zu seiner Schwäche. In der mangelnden Fähigkeit, sich abzugrenzen und für sich selbst einzutreten und seine eigene Würde zu verteidigen, beginnt sich Hesed oftmals in Form widerspruchsloser Unterwürfigkeit und stillem Schlucken auszubreiten. Ein solcher Mensch wagt kaum, Übergriffen von außen entgegenzutreten, ja meist erduldet er schweigend Willkür und Ungerechtigkeiten, die ihm von außen widerfahren, ohne sich zur Wehr zu setzen. Wortlos erleidet er Verletzungen durch Mißachtung seiner Person und leidet still in sich hinein. Manchmal geht es soweit, daß er sich selbst ständig demütigt und daß er geradezu zum beständigen Reiz für andere wird, auf ihm herumzutrampeln. Indem er alles willenlos mit sich geschehen läßt, wird er zum Abladeplatz von Launen und zur Fußmatte seiner rücksichtslosen Mitmenschen. Wir sehen ein schreckliches Bild entarteter Güte, in der der Mensch seine eigene Würde verliert und oftmals auch den Glauben an und den Respekt vor sich selbst. Das ist auch das Profil des typischen Alkoholikers oder sonst Süchtigen, daß ihm die Kraft, für sich selbst einzutreten, sein eigenes Leben in die Hand zu nehmen und auch die nötige Disziplin zu finden, weitgehend verloren ging. Er wird so zum Spielball der Welt und des Schicksals.

Wir sehen hier wiederum, wie wichtig die Balance zwischen Geburah und Hesed ist. Fehlt Hesed, so wird der Mensch hart, rücksichtslos, eigenwillig und stur, hart und starr auch gegen sich selbst oder zum Sklaven seiner »Pflichten« und »Ideale« und damit zum blinden Verfechter lebloser Werte. Fehlt hingegen Geburah, so tendiert der Mensch zu Verweichlichung, Genußsucht und Nachlässigkeit oder gar zu krankhafter Unterwürfigkeit, Ergebenheit und selbstentwürdigender Duldsamkeit.

Wie bereits angesprochen, steht da meist eine verkehrte Vorstellung vom Tragen des Kreuzes dahinter, daß wir meinen, wir müßten jede Willkür dulden und jede Verletzung schlucken. Tatsächlich bedeutet das Tragen des Kreuzes oftmals aber das Annehmen der Herausforderung, den Mut, sich zu stellen und äußerer Willkür entgegenzutreten. Wahrlich, wer in solcher Weise für seine eigene Würde eintritt, wer sein Innerstes ernst nimmt, dem werden auch die anderen mit Respekt und Ernst begegnen, sofern sie nicht gerade von schrankenloser Ignoranz und Ichsucht zerfressen sind. Aber auch dann vermögen wir das, was immer uns begegnet, aufrecht und in Würde zu tragen, ohne den Kern unseres Wesens, Christus in uns, zu entweihen oder zu demütigen.

Wir sehen, die Demut, die wir suchen, ist immer eine Demut vor Gott, niemals jedoch vor der Welt. Demütig stehen wir vor Gott in Erkenntnis der Nichtigkeit der eigenen Person, aber aufrecht schreiten wir durch die Welt und aufrecht verstrahlen wir das innwendig leuchtende Licht!

Im Engelbuch heißt es deshalb auch: »Die wahre Demut erhebt, die falsche erniedrigt.« Wir sehen: Demut vor Gott verlangt Mut in der Welt. Hesed und Geburah gehören zusammen, und wenn eines fehlt, so fallen wir rechts oder links vom »Damm«. Wir haben weiter oben gesagt: Geburah und Hesed erscheinen wie zwei Pole von Tiferet. Wenn dies so ist, dann spiegeln sich alle Eigenschaften und Qualitäten des Herzens in ihnen. Das ist tatsächlich so und gilt insbesondere auch für den innersten Ausdruck des Herzens, nämlich die Liebe.

Viele Menschen glauben, Liebe erschöpfe sich in dem einen Pol, in Hesed. Sie meinen, Liebe bestünde allein in Sanftmut, Zärtlichkeit, Mitgefühl und Zuneigung. Sie dulde alles, nehme willenlos alles hin, schwelge in Gefühlen und wiege sich in einer unauflöslichen zärtlichen Gefühlsumschlingung. Das ist jedoch nicht Liebe, sondern Sentimentalität. Wir schmachten nach dem »Schätzchen«, machen ihm tausend Beteuerungen unserer Liebe, aber wenn es um die Fakten des Lebens, um die reale Tat oder die Verwirklichung von inneren Werten geht, oder um die gegenseitige Unterstützung auf dem Weg zu uns selbst, dann hört es sich oftmals auf mit der Liebe. Liebe ist aber nicht das Versinken in einem Brei von Sentimentalitäten, ein Dahinsinken in eine bodenlose Illusion, sondern sie ist Bekenntnis zum inneren Kern des Menschen. Sie bekundet sich in der Tat, bezeugt sich in unserer Haltung.

Novalis sagte einmal: »Mit Recht können manche Weiber (Seelen) sagen, daß sie ihrem Gatten (Geliebten = Gott) in die Arme sinken. Wohl denen, die ihrem Geliebten in die Arme steigen.« Wahrlich, die echte Liebe zeigt sich stets darin, daß sie uns innerlich erhebt, heraushebt aus der Zeit und empor in das Reich zeitloser Seligkeit.

Liebe ist auch nicht blind gegenüber unseren Schwächen, sondern erkennt sie und heilt sie durch ihre Kraft. Sie tritt ein für die Wahrheit und sprengt Irrtum und Illusion. Niemals läßt sie den Geliebten ins Verderben laufen oder in die Verstrickung, ohne ihn mit aller Vehemenz und Anteilnahme des Herzens zu rütteln und wachzurufen. Dennoch verläßt sie den scheinbar Irrenden nicht, wenn er auf verworrenen Wegen jene Erfahrungen sucht, durch die er erst sein wahres Ich findet.

Wir sehen, auch die Liebe bedarf der Festigkeit des Herzens. Wer liebt, ist stets bereit und entschlossen. Er ist mutig, voller Kraft und bereit, die größten Entbehrungen und Opfer zu tragen. Jesus sagte einmal: »Was ist es schon für ein Verdienst, die Freunde zu lieben? Das kann jeder. Wahrlich, derjenige hat große Liebe, der selbst seine Feinde liebt.« Und: »Niemand hat eine größere Liebe als der sein Leben hingibt für seinen Nächsten.« Erst in solch unerschütterlichem Bekenntnis, in dem bedingungslosen Bekenntnis zu dem inneren Sein, bezeugt und offenbart sich die wahre Liebe. Das gleiche gilt insbesondere auch für die Erziehung. Auch hier braucht es beides: bedingungslose Zuneigung sowie Festigkeit und Konsequenz.

Wenn wir uns umsehen in der Geschichte, so können wir erkennen, daß überall dort, wo Geburah und Hesed nicht gemeinsam in Tiferet ausgewogen und verankert sind, immer wieder ein Pendeln zwischen den Extremen von Geburah und Hesed sichtbar wird. Dies zeigt sich ganz besonders im Bereich der Erziehung. Immer ist sie auch ein Spiegel der Haltung des Menschen gegenüber sich selbst. Im Umgang mit Kindern erkennen wir stets auch die Haltung gegenüber dem Heiligsten, dem empfindenden Kern oder göttlichen Kind in uns selbst. Die Kinder draußen sind sein Spiegel. Davon künden auch in mannigfaltiger Weise unsere Träume.

Wenn wir die Geschichte der Erziehung betrachten, so sehen wir im Überblick über die letzten achtzig Jahre auch hier ein deutliches Pendeln von Geburah nach Hesed. Wurden unsere Großeltern und Eltern vorwiegend durch Strenge erzogen, immer und unaufhörlich zu Disziplin und Ordnung gerufen, so erkennen wir heute eher das Gegenteil. Ich erinnere mich, daß mir meine Großtante noch erzählte, daß sie ihren Vater ihr Leben lang nur per Sie ansprach und eine größere persönliche Nähe kaum jemals möglich war. Wir alle kennen die Erzählungen unserer Eltern, die mit Büchern unter den Armen am Eßtisch saßen, um auch die rechte Haltung bei Tisch zu lernen, denn Anstand und Form machen den Menschen; »Kleider machen Leute«, hieß es in alten Werken vom »Guten Ton«. Gefühle mußten unterdrückt und in Zaum gehalten werden, und auch für das Zeigen von Schmerz und Zuneigung war wenig Raum. Oftmals glich Erziehung mehr einem Akt strenger Dressur als einem liebevollen und von Verständnis gelenkten Erwecken und Heranziehen der kindlichen Seelen zu Gott. Alles war hingerichtet auf Erfolg, Leistung und äußere Form.

Eine ganze Generation, ja nahezu ein ganzes Jahrhundert war geprägt durch diesen starren Geist, bis der Krieg jene alten Werte zerbrach. Nach dem Krieg (insbesondere in den sechziger Jahren) erlebten wir ein Umschwenken ins andere Extrem. Eine Abkehr von äußeren Zwängen, von Leistungsmotivation und sinnlosen Formen; das Aufgreifen des Gedankens der freien Entfaltung des Kindes waren die ersten Zeichen, die einem neuen Impuls den Weg bereiteten. Freie Schulen und »Kinderläden« wurden gegründet; die antiautoritäre Erziehung und die These von der Selbstregulierung des Kindes wurden verkündet und mit Eifer verfochten. Rasch schlug das Pendel über das Ziel hinaus und tendierte ins andere Extrem.

Die Kinder wurden vielfach sich selbst überlassen; jedes Eingreifen von seiten der Erwachsenen war als »autoritär« verpönt, und auch sonst wußte niemand recht, wie und ob man ihnen Strukturen hätte anbieten und gesunde Grenzen hätte setzen sollen. Oft breitete sich ein unübersehbares Chaos aus; aber all das wäre ja gar nicht schlimm, hätte sich nicht allmählich herausgestellt, wie orientierungslos und verloren sich viele Kinder dieser falsch verstandenen Freiheit ausgeliefert fühlten. Ich erinnere mich noch an die Zeit, da jener paradoxe Satz aufkam, der die Ironie und Tragik der Situation wohl am besten charakterisierte. So hieß es, daß die Kinder nach einem neuerlichen Versuch »ungelenkter Aufforderung zur Selbstregulierung« den Erzieher fragten: »Dürfen wir wieder tun, was wir müssen, oder müssen wir noch immer tun, was wir wollen?« Darin spiegelt sich die ganze Paradoxie des Versuches, der mit Sicherheit ein ernst- und gutgemeinter Ansatz war, die überkommenen, erstarrten Formen durch einen alternativen Ansatz abzulösen.

Leider zeigten sich die Schwächen und Konsequenzen dieser Erziehung erst viel später. Viele dieser Kinder sind wirklich innerlich verwahrlost, haben weder genügend Anregung und gerichtete Förderung ihrer Fähigkeiten erlebt noch gelernt, Grenzen anzuerkennen und auch Frustrationen zu ertragen. Oftmals hat sich eine ungedämmte Ichsucht oder Launenhaftigkeit in ihnen ausgebreitet, die später nur mehr schwer in Schranken zu lenken ist. Viele Jugendliche erkennen keine Lebensrichtung und treiben orientierungslos dahin. Natürlich ist es dabei auch nicht verwunderlich, daß letztlich viele zu Drogen greifen oder das Leben in sonstiger Weise verweigern.

Wie wichtig ist es doch, Kindern Grenzen zu setzen, und wie dankbar nehmen sie sie an, wenn sie aus innerer Einsicht, mit Liebe und aus Erkenntnis der Notwendigkeit, nicht aus Willkür oder Rechthaberei, gesetzt werden. Die Seele hungert geradezu danach, gelenkt und geleitet zu werden und eine gesunde innere Struktur zu entwickeln. Wie soll der Heranwachsende je fähig werden, den Willen des Vaters zu tun oder wirklich lieben zu können, wenn er nie gelernt hat, Grenzen anzunehmen und anzuerkennen? Müssen wir warten, bis Schicksal, Leben und Gesetz den Menschen durch ihre Härten die Richtung zur Wahrheit weisen? Nein, wer liebt, läßt nicht zu, daß heiliges, uns anvertrautes Leben sich in ufer- und grenzenlosen Weiten verliert.

Im Exodus spricht Gott, im Nachklang an die Nöte und Entbehrungen, die die Kinder Israels auf ihrem Weg ins Gelobte Land ertragen, zu Mose die Worte: »Diejenigen, die Ich liebe, erziehe Ich mit Strenge.« Und wahrlich, auch in der Erziehung sind Festigkeit und Konsequenz unbedingt notwendig. Niemals jedoch Härte, Willkür oder Rechthaberei, um etwa beweisen zu wollen, wer hier die Macht oder die Autorität hat.

Immer ist die Verbindung von Wohlwollen, Liebe und Festigkeit nötig. Das Kind muß spüren, daß auch die Festigkeit, die wir haben, auf Liebe gründet und nicht auf Rechthaberei, daß die Grenzen zu seinem eigenen Wohl oder aus eigener Notwendigkeit gesetzt sind. Wir sehen: Erziehung, aber auch unser eigener, innerer Weg, gleichen der Arbeit eines Gärtners, der die wachsende Pflanze mit Liebe pflegt, ihren Boden bereitet, sie gießt (mit den Wassern von Zuneigung, Weisheit und Verständnis), darauf achtet, daß sie genügend Licht (Freiheit und geistige Nahrung) hat und nicht im Schatten sonstiger Pflanzen steht, der sie aber auch weise zieht und dort, wo Wildwuchs entsteht, wo sie wild auswächst, sie bedachtsam beschneidet. Dies gilt tatsächlich sowohl für die Erziehung unserer Kinder als auch für die Arbeit an uns selbst, daß wir nicht erst warten, bis uns das Schicksal zusetzt, sondern daß wir die Triebe wilden, unfruchtbaren Denkens, Wünschens und Lebens selbst beschneiden und möglichst bereits in ihren Keimen ausmerzen.

Wir sehen: Welchen Bereich des Lebens wir auch betrachten, immer geht es um das Gleichgewicht zwischen den beiden Säulen und die Verankerung all ihrer Kräfte im mittleren Strang des Baumes. Real sieht es jedoch meist so aus, daß jeder von uns erstmal mehr zu der einen *oder* der anderen Sefira neigt. Wichtig ist es deshalb, herauszufinden, in welcher der beiden Sefirot wir unseren Schwerpunkt finden, aber sodann auch nachzusehen, wie wir mit der betreffenden Kraft umgehen; ob wir durch sie unser Pseudo-Ich und seine Neigungen, den Baum der Erkenntnis und des Todes oder die Entfaltung des wahren Selbst, des Baumes des Lebens, in uns fördern.

So gilt es zuerst, durch wertfreie Wahrnehmung herauszufinden, ob wir mehr zu Sanftmut oder innerer Festigkeit, zu Vergnügen oder Pflicht, zu Hingabe oder Disziplin, zu Gemüt oder Tatkraft, zu Auflösung oder Erstarrung neigen, denn jede einseitige Tendenz zu Hesed mündet in innere *Aufweichung*, bis zu Schwäche, Verweichlichung und Haltlosigkeit, jede einseitige Neigung zu Geburah dagegen in *Verhärtung*, Erstarrung und Verengung des Herzens. Nur, wenn wir das Ungleichgewicht in unserer Seele wahr-nehmen, kann es gelingen, das fehlende Gleichgewicht herzustellen oder zuzulassen. Erst, wenn es uns gelingt, Geburah und Hesed so zu balancieren und in den Dienst der Entfaltung unserer Individualität (Tiferet) und des ihr innewohnenden göttlichen Lichtes (Kether) zu stellen, finden wir wirkliche Harmonie und Ausgewogenheit. Hierdurch erst entfaltet der innwendig in uns wachsende Baum des Lebens seine ebenmäßige und vollendete Gestalt.

Die obere Triade

Steigen wir von Geburah und Hesed weiter auf, so gelangen wir auf die Ebene von Binah und Chokhmah, die zusammen mit Kether die oberste Sphäre unseres seelischen Erlebens und damit die Wurzel unseres Astralleibes bilden. Diese drei sind gleichsam die Widerspiegelung der Dreieinheit des Geistes beziehungsweise der Trinität Gottes. Und wie die göttliche Trinität so ist auch diese oberste Triade von Jezirah unteilbar. Sie ist Sitz des Höheren Selbstes des Menschen, unseres göttlichen Kerns. Jenseits von Gegensatz und Polarität offenbart Er sich als das eine unteilbare Leben, denn Leben, Wahrheit und Licht sind immer ganz, unteilbar und eins.

Gemeinsames Symbol und gemeinsamer Ursprung dieser Einheit ist Kether selbst. Kether versinnbildlicht das eine umfassende und unteilbare Licht, den göttlichen Kern, der die Seele krönt und dessen Licht das Haupt des Erwachten in die bekannte Aureole einhüllt.

Obwohl dieses Licht oder Atom, das wir als unsere Monade bezeichnen, in sich unteilbar und bar allen Dunkels und Gegensatzes ist, erscheint es in der manifesten Welt stets polar oder gegensätzlich. Die zwei Erscheinungsformen dieses einen Lichtes in der Welt, in unserem eigenen Gemüte, unserer eigenen, inneren Welt und unserem eigenen Bewußtsein, sind Chockhmah und Binah. Sie sind gleichsam die zwei »Augen« der Seele, durch die sie die Welt der Gegensätze von Licht und Dunkel sowie die Welt der Dreiheit, nämlich des Gegensatzes samt der umfassenden Einheit gewahrt.

Erheben wir uns in unserem Bewußtsein über diese Ebene hinaus, so gewahren wir, daß alles eins, alles Sein und alle Vielfalt in Wirklichkeit ewiges, unauslöschliches Licht ist, das sich in jener Vielfalt von Formen gleichermaßen verbirgt und offenbart.

So erscheinen uns Binah als das »Sonnenauge« und Chokhmah als das »Mondauge« und Kether als das eine Sehzentrum, in das die Augen das gemeinsame Bild des Gesehenen projizieren. Aus höherer Sicht entspricht Kether der einen Sehkraft des höheren Selbstes, dessen Licht durch die beiden Augen in die äußere Welt hinausfließt und sie geistig erhellt beziehungsweise die Erscheinungswelt von Hell und Dunkel überhaupt Gestalt werden läßt (Abbildung 64).

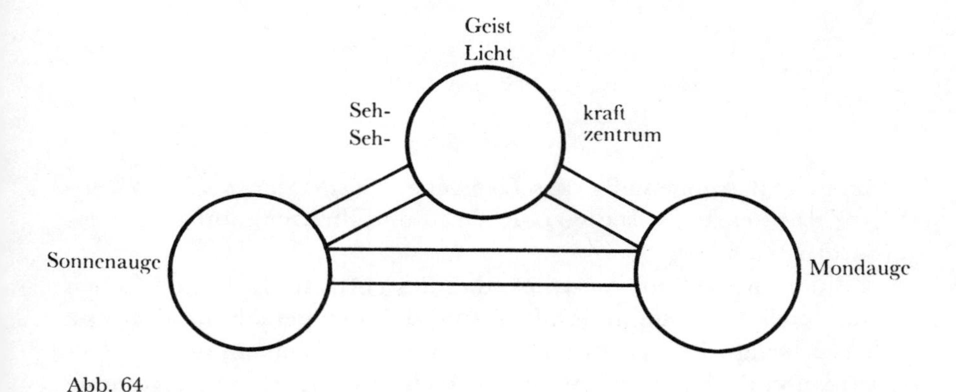

Abb. 64

Das ist auch der Sinn der Worte Jesu, der uns sagt: »Wenn dein Auge einfältig ist, so wird dein ganzer Leib Licht sein.« Das heißt: Wenn wir uns in unserem Bewußtsein über die eigene Person und die Welt von Raum und Zeit, von Gegensätzlichkeit, Ursache und Wirkung erheben, so erkennen wir, daß unser eigenes Wesen und die ganze Schöpfung nichts als Licht sind, das aus sich selber zeugt, leuchtet und ist. Betrachten wir Kether von der höchsten Ebene der Schöpfung aus, so repräsentiert sie das eine Licht und Leben, das aus dem Logos hervorgegangen, Ursache, Wurzel und Beweggrund der gesamten Schöpfung und aller Geschöpfe ist. Dieses Licht erscheint aus der Sicht der Geschöpfe und der Welt in sich polar und gegensätzlich: einmal als Chokhmah, das andere Mal als Binah. Binah verkörpert die eine unbeugsame Intelligenz und Ordnung, der alles Geschaffene unterliegt, Chokhmah dagegen die allem Geschaffenen innewohnende Fülle, das ihm eingeborene ewige Licht und Leben.

So begegnen uns in Binah und Chokhmah jene beiden umfassenden Offenbarungsformen Gottes, in denen er uns Menschen aus unserer polaren Sicht heraus jeweils erscheint und auch in den verschiedensten Religionen der Geschichte vorgestellt wird: nämlich als ehernes Gesetz und barmherzige Gnade.

Binah – die kosmische Intelligenz, ihr Gesetz und die göttliche Ordnung

Gott ist Gesetz, Maß und Zahl.

Binah heißt sinngemäß übersetzt *höchste Vernunft* oder *kosmische Intelligenz*. Ihre Farbe ist Indigo oder Grau und ihre Signatur ist die des Saturn.

Binah bringt zum Ausdruck, daß das göttliche Licht und Leben eine intelligenzbegabte Kraft ist und daß demgemäß alles, was sie hervorbringt, jede Form und Erscheinung, von einem inneren Gesetz durchdrungen und in sich nach einer wunderbaren Harmonie und Ordnung gestaltet und aufgebaut ist. Binah ist somit Sinnbild nicht nur der allem Geschaffenen innewohnenden Intelligenz, sondern auch des göttlichen Gesetzes und der göttlichen Ordnung, die alles Geschaffene, jedes Geschöpf, jeden Namen und jede Form, jeden Stein, jedes Atom und jedes Universum gleichermaßen regiert.

Sicher kennen viele von Ihnen den aus dem Yoga bekannten Ausdruck »Prana«. Die Yogis bezeichnen damit die alle Körperfunktionen steuernde und vor allem dem Atem innewohnende Lebenskraft. Es ist eine Kraft, die aus sich heraus das Leben steuert und nach der ihr innewohnenden Intelligenz in gesunde Bahnen lenkt und seiner eigenen Vollendung zuführt. In diesem Sinne ist unter kosmischer Intelligenz nicht ein großer Computer oder gigantischer Intellekt Gottes gemeint, sondern die einfache und schlichte Tatsache, daß alles Leben, jeder Gedanke, jede geschaffene Form und jede angestoßene Bewegung sich aus sich heraus organisch entwickelt (wenn nicht ein störender, unvollkommener Wille sich dazwischenschiebt).

Binah kennzeichnet jene allem Leben innewohnende Intelligenz, jenes eingeborene Gesetz, nach dem es sich entfaltet. Es ist die eine Kraft, das eine Gesetz, nach dem ein Samenkorn austreibt, ein Baum wächst, eine Raupe sich verpuppt und in einen Schmetterling verwandelt, nach dem die Planeten um die Sonne kreisen, die den Molekülen eines Kristalles ihren wunderbar symmetrischen Aufbau verleihen, nach dem das Kind im Bauch der Mutter wächst, nach dem unsere Wunden heilen und nach dem sich Seele und Geist des Menschen entfalten. Intelligenz und Gesetz sind jene Aspekte der schöpferischen Kraft, die allem Geschaffenen seine Gestalt, seine Form, seinen Halt und seine Ordnung verleihen. Ohne sie würde das ganze Universum in sich zusammenfallen.

Wir sehen: Binah oder das göttliche Gesetz ist nicht etwas »Böses«, durch das Gott seine Geschöpfe straft oder einer beliebigen Willkür preisgibt, sondern vielmehr Ausdruck der Tatsache, daß das gesamte Universum von einer wunderbaren Ordnung und Harmonie getragen und durchdrungen ist, ja daß alles Leben, alle Bewegung, jedes Wachstum durch eine wunderbar weise Intelligenz, einen großen umfassenden Plan gelenkt und gesteuert wird. Nichts geschieht zufällig, nichts ohne Plan, und hinter allem steht und wirkt eine unfehlbare Gerechtigkeit.

Binah ist jener Aspekt, der Dingen und Lebewesen sowohl ihre äußere Form und ihren inneren Aufbau verleiht als auch das Leben in ihnen aufrecht hält.

Gesetz, Ordnung und göttliche Gerechtigkeit sind der endliche Ausdruck der einen, unmanifestierten göttlichen Intelligenz, Seines unabänderlichen Seins und Seiner ewigen Wirklichkeit in der Relativität von Raum und Zeit. Und so sind auch diese Ordnung und ihr Gesetz unabänderlicher Ausdruck Seines unabänderlichen Seins. Es heißt, daß selbst Gott das Gesetz nicht aufheben oder verändern kann, da es Ausdruck seines eigenen Wesens ist. So sagt auch Jesus: »Eher fallen sämtliche Sterne vom Himmel, als daß nur ein Jota vom Gesetze Gottes geändert wird.« Deshalb ist es auch nur konsequent, wenn er andernorts sagt: »Ich bin nicht gekommen, das Gesetz aufzuheben, sondern es zu erfüllen.«

Darin, daß wir das Gesetz, in dem sich doch der Wille des Vaters kundtut, erfüllen, entäußern wir uns nicht – wie manche unbewußt fürchten – unseres Wesens, sondern erfüllen die dem Leben und uns selbst innewohnende Bestimmung. Denn das Gesetz ist nicht ein von Gott willkürlich aufgestellter Kodex von Regeln oder eine Sammlung von äußerlich dem Leben aufgepfropften Verordnungen, die uns von irgendeiner äußeren Instanz vorgehalten wird, uns vorschreibt, was wir tun sollen und was nicht, und nach der wir, wenn wir ihr folgen oder sie verletzten, Lohn oder Strafe empfangen. Es ist vielmehr die allem Leben und unserem eigenen Wesen innewohnende Intelligenz und Ordnung, nach der alles Geschaffene lebt, besteht und sich entfaltet.

In einem Psalm Davids heißt es: »In mein Herz hast du dein Gesetz geschrieben, hast meinem Herzen deine Weisung aufgeprägt.« Und wahrlich, hier in unserem eigenen Herzen (aus der Verbindung von Binah und Tiferet) tut es sich kund: als Gewissen, als feines ethisches Gespür, als Empfinden für Recht und Stimmigkeit.

So besteht auch der Verstoß gegen das Gesetz nicht in der Verletzung einer äußeren »Verordnung«, sondern in einer Verletzung des im eigenen Herzen, im Geiste, in der Seele und im Leibe pochenden Lebens! Es ist ein Verstoß gegen die ihm innewohnende weise Ordnung, seine ursprüngliche göttliche Natur. Und so ist ja auch jede Abwendung von Gott eine Abwendung und Verneinung unseres eigenen innersten Wesens. Wer Gott verneint, verneint auch sich selbst, sein eigenes Sein und Wesen. Auch das Leid ist eine natürliche Konsequenz unseres Verstoßes gegen die Ordnung des Lebens. Indem wir das Gesetz des Lebens verletzen, verletzen wir das Leben, und weil wir mit allem Leben verbunden und eins sind, natürlich uns selbst. Daran, daß wir Seinen Plan und Willen durch unser eigensinniges Wollen und Trachten immer wieder verneinen, liegt es, daß wir unser Wesen, Christus in uns, immer wieder ans Kreuz schlagen. So sehen wir, daß Leid keine Strafe Gottes, sondern die Folge unserer Verletzung des Lebens ist.

Wo immer wir gegen die Ordnung des Lebens verstoßen, seinen natürlichen inneren Lauf behindern, blockieren oder forcieren, sind Krankheit, Leid und Schmerz die natürlichen Folgen. Und wie umfassend verletzen wir doch heute die natürliche und göttliche Ordnung des Lebens in und um uns! Wir beuten die Natur aus, vergiften unsere Umwelt, Wasser, Luft und Erde, dringen gewaltsam in Bereiche des Lebens ein, die wir von unserer eigenen Herzensreife und verkümmerten Ethik her noch gar nicht verantwortlich handhaben und steuern können, verstoßen laufend gegen unsere eigene leibliche und seelische Gesundheit und wundern uns dann (beziehungsweise weigern uns wahrzunehmen), welch verheerende Folgen all diese Eingriffe in und Verstöße gegen die Natur nun zeitigen. Jeder Verfehlung folgt nach dem Gesetz von Ursache und Wirkung ihr Rückschlag. Dies ist die unausweichliche Konsequenz der ehernen göttlichen Ordnung (die paradoxerweise in unserer Naturwissenschaft erkannt, aber im praktischen Leben nicht anerkannt wird). Nun, offensichtlich muß noch vieles geschehen, bis wir endlich lernen und die Zeichen der Zeit rechtzeitig erkennen.

Jedoch laßt uns nicht nach außen schauen, denn das verleitet uns leicht, den Finger zu erheben und auf andere zu deuten, wobei wir uns meist selbst übersehen.

Nachdem jede Veränderung in der Welt in uns selbst beginnt, ist es nötig, stets und unablässig in uns selbst hineinzuschauen und nachzusehen, wie weit wir selbst in unserem Leben jenem göttlichen Willen und seiner wunderbaren Ordnung und Harmonie Ausdruck verleihen. Es geht nicht darum, nur mit unserem physischen Leben, unserem Leib, in Einklang zu leben und uns allein um unsere Gesundheit zu kümmern, sondern vor allem darum, unser seelisch-geistiges Leben zur Entfaltung zu bringen und in einem umfassenden gefühlsmäßigen, gedanklichen und geistigen Einklang mit allem Leben zu sein, um mehr und mehr in den Schwingungsbereich des kosmischen Allbewußtseins emporzusteigen, wodurch wir das Leben erst in seiner wahren Form zum Audruck bringen. Erst hierdurch werden göttliches Gesetz und göttliche Ordnung sichtbar, die sich überall im Leben als wunderbare Harmonie, Ordnung und Stimmigkeit offenbaren, ja oftmals geradezu als weit in die Welt hineinreichender göttlicher Plan im eigenen Leben deutlich erkennbar werden.

Die göttliche Ordnung erfüllen, heißt im Grunde in unserem ganzen Wesen, in unserem gesamten Wollen, Denken, Fühlen und Tun von ihr durchdrungen zu sein. So ist bereits ein abweichender Gedanke, eine dem heiligen Impuls des inneren Lebens zuwiderlaufende emotionsgeladene Regung ein Verstoß gegen die heilige Ordnung des Lebens, auch wenn dieser Gedanke noch gar nicht ausgesprochen oder in eine äußere Handlung umgesetzt wird, wir ihm aber Wohlwollen, Aufmerksamkeit und Kraft schenken. Wir wissen doch, wie rasch negative Gedanken, Haß, Neid oder Eifersucht uns in der eigenen Seele vergiften, wenn wir ihnen nachgeben. Sie sind Gedanken wider unsere eigene Natur, wider unser wahres Wesen.

Wichtig ist es, diese Gedanken von den Wurzeln her auszurotten, indem wir ihrer zerstörerischen Tendenz widerstehen und ihre ursächlichen Erfahrungskeime auflösen. Wir halten heute so viel von unserem Denken, halten es für so intelligent. Doch sehen wir uns um, wie wir leben! Ist das Ausdruck echter Intelligenz? Wahrlich – unser Denken ist weniger intelligent als vielmehr sehr schlau, raffiniert und heimtückisch! Wie gut kann es argumentieren, und immer kann es beweisen, was es will. Wie oft und leicht hat es uns schon betrogen.

Der Sitz der höheren Intelligenz ist in Binah und findet seinen Ausdruck im Herzen! Diese höhere Intelligenz können wir nur in der Tiefe unseres Wesens erspüren. Sie ist es, die uns weise lenkt und leitet. Die Erfüllung des Gesetzes meint somit die Erfüllung des eigenen Wesens mit dem Geist des Lebens selbst, mit dem Geist Gottes.

Allein in diesem Sinne sind auch die »Gebote« Moses zu verstehen. Auch sie sind nicht als von außen aufgesetzte Ordnung zu verstehen. Sie sind vielmehr die liebevolle Empfehlung eines Weisen, der in seinem Herzen die Weisung Gottes vernahm und die große Ordnung des Lebens und der Welt erschaute. Moses sagt: »Liebe Freunde, erwacht, seht, in welche Anarchie des Fleisches und der Unvernunft wir hinabgesunken sind, wie überall Ignoranz, Ichsucht und Orientierungslosigkeit unser Leben zerfurchen. Laßt uns doch in die Tiefe gehen und erschauen, was Gott von uns will. Und wenn wir wahrlich eingehen möchten in das verheißene Land Gottes, so tut es not, daß wir unser kleines Ich anschirren, unser Herz und unsere Fleischeslust beschneiden (Deuteronomium 10.16., Jeremiah 4.4) und dem Geist der Ewigkeit folgen.«

In der Weisung des Moses geht es nicht allein um »nicht stehlen« oder »nicht betrügen«. Sie enthält, wie auch die Genesis, einen weit tieferen Sinn, eine esoterische Botschaft, die hinter den Worten verborgen ist. Darauf bezieht sich auch Jesus, als er in seiner Bergpredigt die innere Bedeutung der Gebote Moses offenlegt.

Nehmen wir ein Beispiel: Da heißt es: »Du sollst nicht ehebrechen!« Was ist denn hier mit Ehe gemeint? Etwa ein Bündnis nur des Fleisches? Daß zwei Menschen vereint sind zu Tisch und Bett? Nein, die Ehe ist zuallererst des Menschen Bündnis mit Gott, daß wir eins und einig sind in uns selbst, in beständigem Einklang mit unserem eigenen innersten Kern. Und so bedeutet auch Treue zuallererst die Treue zu Gott, zu Christus in uns. Ihm allein sind wir doch auf ewig (ehewig) angetraut. Er ist unser wahrer Geliebter, unser Bräutigam. Das bedeutet, daß wir auch im Partner Ihn erkennen, in unserer Beziehung und Verbindung Ihn ehren, lieben und heiligen mögen; daß wir die Schönheit, Feinheit und Tiefe, das unergründliche Geheimnis, das das Du in sich, in seiner Seele trägt, erschauen, erfühlen und berühren mögen; daß wir auch selbst dem Partner durch unsere eigene Hingabe, Haltung und Transparenz Gefährte in Vertretung Gottes seien; daß die Frau Verkörperung von Liebe, Sanftmut, Anmut, innerer Schönheit und unantastbarer Reinheit, der Mann dagegen Repräsentant der Wahrheit, des Rechtes und der Aufrichtigkeit (des Aufrechten) sei und werde; daß wir einander zum lebendigen Symbol des ewigen Gemahles oder der ewigen Geliebten werden, die in der Ergebenheit und Liebe zueinander die reine Liebe und Ergebenheit der Seele gegenüber Gott finden und empfinden mögen.

Der wahre Kern der Ehe ist, daß jeder in und aus dem Grunde des eigenen Selbst den anderen finden und ihm darin begegnen möge, daß wir erkennen, daß wir nur im Geiste und im Wesen eins, im Fleische und in der Person jedoch auf immer getrennt sein werden.

So besteht auch der Ehebruch nicht primär darin, daß wir als Ehepartner einander betrügen und untreu sind, sondern daß wir den heiligen Bund der Ehe in uns brechen, wir uns selbst, Christus in uns untreu werden, daß wir uns selbst verlassen und verraten, was uns innerlich heilig ist. Die äußere Handlung ist erst Folge der inneren Veruntreuung, und man hüte sich, andere des Äußeren wegen zu verurteilen. Wer dem inneren Lichte folgt, der mag manchmal auch Wege geführt werden, die der Welt fremd sind. Was zählt, sind allein die Reinheit und Aufrichtigkeit des Herzens vor Gott sowie der Respekt vor der Verletzlichkeit und die Wahrung der Würde des Menschen.

Wirklich fähig zu einer Partnerschaft ist nur derjenige, der in guter Ehe mit sich selbst lebt, wer in sich ganz und mit sich im Einklang lebt. Solche Ehen, solche Partnerschaften sind wahrlich im Himmel und vor Gott geschlossen, da die Partner bereits vorher in Ihm sind und aus Ihm zusammenfanden. Dann erst gilt auch der Satz: »Was Gott zusammengefügt (das heißt aus dem Gewahrsein des Selbst zusammenfindet), das soll der Mensch (die leibliche, ichverhaftete Person) nicht trennen.« Niemals aber heißt es, daß Menschen, die aus verschiedensten fleischlichen, persönlichen und sonstigen irdischen Motiven oder Umständen zusammenkamen und die nun nach einer Zerrüttung ihrer Beziehung in unauflöslicher Disharmonie miteinander leben, sich nicht trennen dürfen. Es heißt nicht, daß das, was Gott selbst gefügt und nun getrennte Wege geführt hat, nicht geschieden werden dürfe. Immer liegen Wahrheit und Recht im eigenen Herzen, und jeder prüfe sich selbst, denn jeder hat all seine Schritte – vor Gott und dem wahren Selbst – zu verantworten, niemals aber vor einer äußeren, weltlichen Instanz.

Ich möchte noch einmal betonen, daß Ehebruch stets darin besteht, daß wir uns selbst veruntreuen, daß wir erlauben, daß die Welt einbricht in unser heiliges Bündnis mit Gott, daß Sinnlichkeit, Habgier, Fleischeslust, Ehrgeiz, Begierde oder sonstige Schwächen unserer niederen Natur sich zwischen unser Empfinden und unser ewiges Ich stellen, so daß sie Geist, Seele und Leib mit ihren Schwingungen vergiften. Interessant hat Paulus dies ausgedrückt, als er über sein Leben vor seiner inneren Wandlung schrieb. Er sagte: »Nicht ich handle, sondern die in mir wohnende Sünde.« (Römer 7.17). »Ich tue nicht, was ich möchte, sondern das, was ich hasse, das tue ich.« (Römer 7.15) »Denn ich war unter der Gewalt des Fleisches, verkauft unter die Gewalt der Sünde.« (Römer 7.14). »Ihr seid jedoch nicht im Fleische, wenn der Geist Gottes in euch wohnt.« (Römer 8.9) Niemand kann in Gott und im Fleische gleichzeitig sein. Entweder gehören wir Gott und halten ihm die Treue oder wir gehören der Welt und dem Fleische.

Wir sehen, daß Treue und Ehebruch zwei Formen einer inneren Haltung des Menschen gegenüber Gott und sich selbst sind. Und so ist es sogar Ehebruch, wenn jemand nach seiner eigenen Frau oder seinem eigenen Gatten allein fleischlich begehrt, ohne auf seine Seele und seine innersten Gefühle, ohne das Herz und die innere Würde des anderen zu sehen und sie hoch zu achten. Wie viele Menschen fühlen sich heute »falsch« oder »unwert« oder frigide, weil sie in der Seele anders empfinden.

So werden uns allmählich auch die Worte Jesu verständlich, der in Erläuterung der Gebote Moses' sagt: »Ihr habt gehört, daß gesagt wurde: ›Du sollst nicht ehebrechen.‹ Ich aber sage euch: Jeder, der eine Frau (oder einen Mann) begehrlich anblickt, hat (ganz gleich, ob verheiratet oder nicht) in seinem Herzen schon die Ehe gebrochen.« Matthäus 5.27

All dies versteht sich nicht als äußere Vorschrift, sondern es ist Ausdruck des inneren Gesetzes des Lebens, wie es sich uns im Herzen offenbart. Also lassen wir uns nicht von äußeren Forderungen bestimmen, sondern folgen dem Gebot des Herzens, so wie es uns jeweils faßbar und reinen Gemütes erkenntlich wird. Wer so handelt, lebt stets recht. Wer allein der Liebe folgt, der braucht sich auch nicht um Recht und Gesetz zu kümmern, denn die Liebe erfüllt, wenn sie uns wahrlich selbstlos und rein durchglüht, stets alle Notwendigkeiten und Gesetze des Lebens. Als vollendetster Ausdruck des Lebens selbst kann sie gar nicht anders als des Lebens Ordnung und Notwendigkeit zu erfüllen. Deshalb nennt Moses und verdeutlicht Jesus die Liebe zu Gott und dem Nächsten als das oberste Gesetz. Wer wahrhaft liebt, wer in der ekstatischen Betrachtung Gottes ist, wird blind für die fahlen Verlockungen der Welt. Ihn drängt es, allein Seinen Willen zu tun, Ihm allein zu gefallen. Er wächst über das Gesetz und die weise Ordnung der Welt hinaus.

Deshalb sagt Augustinus: »Liebe und tue dann, was du willst.« Denn wer aus Liebe handelt, handelt im Sinne und im Geiste aller, Gottes und seines Gesetzes. »Die Liebe ist die Vollendung des Gesetzes und des Lebens.« (Römer 13.10)

Deshalb heißt es auch bei Paulus: »Durch Mose ist das Gesetz in die Welt gekommen, durch Christus aber kam Gnade um Gnade.«

Wenn wir wollen, können wir sagen, die wahre Liebe sei ungerecht, den sie gibt mehr als nötig, mehr als das Gesetz oder die Gerechtigkeit fordern. Sie sagt nicht: »Der Nachbar hat mich nicht gegrüßt, heute grüße ich ihn auch nicht«, sondern es wächst aus einem inneren Empfinden der Impuls: »Mein Nachbar ist umfinstert, er braucht Licht. Ich will ihn hell und fröhlich mit meinem Gruß umfangen.« Sie denkt gar nicht, sondern strahlt ihn an, lächelt ihm aus unergründbarer Tiefe einfach zu.

Wahrlich echte Liebe kennt keine Grenzen: sie umstrahlt oder umhüllt uns, ob wir wollen oder nicht, ob wir uns ihrer würdig erachten oder nicht. Das Gesetz ist Ausdruck der Intelligenz und inneren Ordnung des Lebens in der Welt. Gehören wir dem Fleische, dem Stoff und der Welt, so stehen wir unter dem Gesetz, gehören wir jedoch Gott durch unsere Liebe, so stehen wir über der Welt und ihrem Gesetz. Deshalb steht Chokhmah höher als Binah, obwohl beide nur zwei verschiedene Erscheinungsformen der einen Wirklichkeit Gottes sind.

Binah ist Ausdruck der göttlichen Intelligenz innerhalb von Raum und Zeit, Chokhmah dagegen ist jenseits aller Begrenzungen und Endlichkeit.

Eines der grundlegenden geistigen Gesetze, das alles Geschaffene regiert, allem manifestierten Leben innewohnt, ist das Gesetz des Karma, das Gesetz von Ursache und Wirkung. Jesus sagte: »Wie wir säen, so werden wir ernten.« Und wahrlich, die Taten, Worte, Gefühle und Gedanken, die wir hinausstreuen in das Universum, werden als Ereignisse, Worte, Gefühle und Gedanken wieder zu uns zurückkehren. Jede Entscheidung, jeder Entschluß, den wir hier und jetzt, jeden Augenblick treffen, hat seine Wirkung und seine Konsequenz sowohl in der Welt als auch in unserer Seele. Unsere Gedanken, Entscheidungen, Worte und Taten sind die Keime unserer eigenen Zukunft. Wenn wir Freude, Liebe und Gerechtigkeit ernten wollen, so müssen wir auch die Keime von Freude, Liebe und Gerechtigkeit aussäen, nicht Ignoranz, Eigensucht und Haß. Jede Handlung, jeder Gedanke trägt seine eigenen Früchte. Das ist das Gesetz. Diesem Gesetz Rechnung zu tragen allein ist weise, denn wir können ihm nicht entkommen. Oft versuchen wir, davonzulaufen, aber hinter der nächsten Ecke holt es uns schon ein. Auch meinen wir manchmal: »Ja, diesen Bereich meines Lebens möchte ich ändern, denn hiermit fühle ich mich nicht wohl. Das muß anders werden; all das andere jedoch möchte ich beibehalten, meine Bequemlichkeit, meine Genüsse, meine Anerkennungssucht, meine Achtlosigkeit; das alles möchte ich nicht aufgeben.«

Das sind halbe Sachen, die uns vielleicht helfen, einen Anfang zu machen. Wer jedoch das bedingungslose Glück sucht, wer in Christi Herz und Licht leben, wirken und sein will, der soll bereit sein, alles zu lassen, der muß darauf vorbereitet sein, daß sein ganzes Leben sich verändert, denn alles hängt zusammen, und alles ist eins.

In diesem Sinne spricht Christus auch in der Offenbarung zu dem, der den Geist Gottes in der Seele empfangen hat: »Siehe, ich bin gekommen und mache *alles* neu.« Nicht ein Stein wird auf dem anderen bleiben, und das ist das Mysterium von Tod und Auferstehung, das wir überall in der Natur, in der Seele und im Geiste unaufhörlich wahrnehmen. Gerne möchten wir das, was wir erleben und erleiden, verändert sehen, aber unser Leben, unsere innere Haltung, unsere Lebensweise, unser Denken, Fühlen und Tun möchten wir nicht ändern. Wir sind doch so sehr daran gewöhnt, so sehr damit verwachsen. Wahrlich, »wer nicht sein Kreuz auf sich nimmt und mir nachfolgt, der ist meiner nicht wert.«

Wie oft in unserem Leben trennen wir Erleiden und Tun; wie oft meinen wir, das eine hinge mit dem anderen nicht zusammen; wir sehen oft die Einheit und die Zusammenhänge des Lebens nicht, sind blind für die Konsequenzen unseres Tuns. Und doch ist *alles*, was wir erleiden, alles, was in Gestalt als Schicksal in unser Leben tritt, nichts anderes als Konsequenz, Wirkung oder Frucht unseres eigenen Denkens, Fühlens und Tuns! Wenn es auch manchmal hinter den Horizont unseres Erinnerns, vielleicht weit in frühere Leben zurückreicht.

Die Inder nennen die Summe dessen, was wir an Früchten ernten, was wir erfahren und innerlich erleiden, *Karma*. Der Stamm dieses Wortes bedeutet *tun*. Das ist höchst bemerkenswert, denn darin spiegelt sich in aller Klarheit die Erkenntnis der Einheit von Tun und Leiden. Immer ist unsere Tat die Wurzel unserer Leiden, und unser Leiden ist Frucht, Folge oder Wirkung unseres Tuns. Niemals können wir unser Denken, Fühlen, Sprechen und Tun abtrennen oder loslösen von dem, was wir erleiden. Tun und Leiden sind eins. Nur wer aufhört, aus seinem »kleinen Ich« heraus, aus seinen begrenzten Vorstellungen, seinen Wünschen und fixen Ideen, seinem eigenen Wollen heraus zu handeln, wird wirklich frei von Leid, Karma, Welt und Gesetz.

Je mehr er sich dem Einen Licht, dem Christus in sich hingibt und tut, was Er ihm eingibt, was sein Herz, das zu Seiner Wohnstatt wird, ihm gebietet, um so mehr kann er mit Christus sagen: »Sehet, ich habe die Welt überwunden.« »Tod, wo ist dein Stachel, Hölle, wo dein Sieg?« Denn in ihm allein übersteigen wir die Bindungen der Welt, des Fleisches und der eigenen Person.

Gesetz und Ordnung regieren alles Geschaffene, von den materiellen Dingen über die feinstofflichen Elemente und die Ebene der Emotionen bis hinauf in das Reich der subtilsten Gedanken. Solange wir uns mit irgendeiner dieser Ebenen identifizieren, unterliegen wir deren Gesetzen und deren Ordnung. Übersteigen wir sie durch bedingungslose Hingabe an Gott oder die reine Erkenntnis des Selbstes, so erfahren wir die ungetrennte Einheit des ungeschaffenen Ich im Schöpfer jenseits der Welt und weilen damit an der Wurzel allen Lebens. Wir erkennen, daß unser eigenes Wesen beides in einem ist: ehernes Gesetz und unerschöpfliche Gnade in der Einheit der Liebe, des Lichtes und der Seligkeit des sich selbst erkennenden *Ich Bin* (Kether).

Chokhmah – die göttliche Weisheit und Gnade

Chokhmah heißt übersetzt die *göttliche Weisheit* und verkörpert das allem Geschaffenen eingezeugte und *eingeborene Leben*, seine Fülle, seine Gnade, seine Nahrung, seine innewohnende Seligkeit. Es verkörpert jenen Aspekt des Lichtes, der sich als unerschöpflich aus sich leuchtende Fülle, als reines, lebenspendendes Elixier, als göttliches Manna, als umfassende Weisheit und überströmende Seligkeit offenbart. Chokhmah verkörpert eine unendliche, unbegrenzte, alle menschliche Vernunft überschreitende Weisheit, die sich uns als heiliger Odem oder als göttliche Gnade in unserem Herzen kundtut. Chokhmah erscheint als kaleidoskopisches Spiel aller reinen Farben. Sie funkeln in ihr wie die Samen der Welt. Als planetarische Signatur trägt Chokhmah die des Uranus.

Chokhmah verkörpert den dem Gesetzesaspekt gerade gegenüberliegenden, scheinbar entgegengesetzten Aspekt, nämlich die Gnade Gottes. Und doch sehen wir, daß beide zusammengehören, denn ohne das Gesetz gibt es nicht die Erfahrung der Gnade, und auch im Gesetz offenbart sich die Gnade. Weder ist das Gesetz ohne Gnade, noch waltet die Gnade ohne Gesetz.

Chokhmah heißt vom Wort her »Weisheit«, und es gibt keine höhere Ausdrucksform göttlicher Weisheit als das Wirksamwerden Seiner Gnade. Sie offenbart sich in ihrer unendlichen Fülle überall im Universum, im Leben und manchmal unvermittelt als ekstatische Überwältigung der Seele durch die unvorhersehbare und von keiner unserer begrenzten Fakultäten faßbare Berührung Gottes.

Göttliche Weisheit, Gnade und Offenbarung sind Geschenke der Ewigkeit an die Zeit. Sie sind in ihrer Überzeitlichkeit nicht faßbar, und doch verwandelt sie die in Zeit und Welt lebende Seele. Sie heben sie vorübergehend aus der Zeit heraus und erfüllen sie mit neuem Geist und Leben.

Chokhmah verkörpert die umfassende Weisheit und Fülle Gottes, mit der Er alles Lebende nährt, beatmet und erfüllt. Chokhmah ist Sitz Seines Odems, den Er allem Lebenden einhaucht, durch den alles Geschaffene teilhat an Seinem Leben. Sie verkörpert die Fülle des Lebens selbst, die unser Da-Sein inspiriert, erleuchtet, seinen Sinn erhellt, und durch die Gott uns das Geheimnis der Schöpfung, unseres eigenen Lebens und Seines eigenen Wesens offenbart.

Chokhmah verkörpert unablässige Erneuerung, Neuschöpfung und Verwandlung in Seele und Welt. Gießt sie ihr Wasser (oder ihr Feuer) über uns, so schwemmt sie alle Unreinheiten, alle Sorgen, Nöte und Leiden aus unserem Herzen.

Gnade ist immer das Erleben der Berührung unserer Seele durch die Ewigkeit, sie umfaßt grenzenlose Seligkeit, Empfängnis und Ausgießung in einem.

Die Kabbala und der indische Shaivismus teilen den Gedanken, daß der ganze Sinn der Schöpfung allein in der Offenbarung und im Wirksamwerden der unermeßlichen Gnade Gottes besteht. Wenn wir zu begreifen beginnen, daß alles Sein, alles Leben, jeder Atemzug, jede Blume, jede Begegnung, jeder Blick, jeder Stern ein Geschenk des Schöpfers, ein Ausdruck Seiner Gnade ist, dann nähern wir uns jenem Empfinden heiliger Stille und Demut, in der Seine Seligkeit, Sein Licht und Seine Weisheit Wohnung nehmen. Das ist Empfängnis von Gnade. Im engeren Sinne verstehen wir Gnade immer als Empfängnis des Heiligen Geistes. Sie erfüllt das Herz mit Liebe, den Geist mit Weisheit und Inspiration und unseren Leib mit Kraft.

Viele Menschen meinen, die Gnade sei ein Gegensatz zum Gesetz oder dessen Aufhebung oder zumindest von ihm unabhängig. Tatsächlich ist aber die Gnade, die wir erfahren, nicht etwa ein Akt gesetzloser Willkür, sondern vielmehr Ausdruck der allumfassenden Allgegenwart Gottes, die jedoch der Welt, das heißt unserem Leben und unserer Seele, stets nur gemäß einer umfassenden Gerechtigkeit und einem inneren Gesetz zuteil wird. Die Gnade, die wir erfahren, ist niemals Akt einer übermenschlichen Willkür, sondern stets Bestimmung oder Verdienst.

Wir erfahren sie, wenn wir in Gott sind und Seiner Ordnung und Seinem Gesetz, Seiner Liebe und Seinem Licht in unserem Leben Ausdruck verleihen. Umgekehrt ist es auch Gnade, daß wir zum Beispiel zu einem bestimmten Zeitpunkt erkranken, denn die Krankheit ist uns ein Zeichen, ein Signal, daß irgendwo in unserem

Leben etwas nicht stimmt oder daß wir nun eine bestimmte Folge alten Tuns zu tragen haben. Bevor wir ganz abstürzen oder ganz unseren Weg verlieren, werden wir immerhin noch krank. So sehen wir, daß auch das, was wir erleiden, ja Leid und Schicksal selbst, stets einen Funken Gnade enthalten, denn beide rütteln an uns, um uns zu erwecken, sie begegnen uns als Chance, endlich zu erkennen, worum es geht. So erkennen wir: Gesetz und Gnade sind nur zwei Seiten, zwei Erlebnisformen der einen Wahrheit und Seines unabänderlichen Seins. Leben wir in Gott und im Einklang mit dem umfassenden Klang des Lebens, so erleben und erfahren wir Ihn als Gnade, als unbegrenzte Fülle von Weisheit, Liebe und Barmherzigkeit, doch stellen wir uns gegen Ihn (und unser eigenes Wesen), so offenbart Er sich als Gesetz. Und als solches fordert Er seine Konsequenz. Deshalb heißt es in Psalm 18.27: »Bei den Heiligen bist du heilig, bei den Verkehrten bist du verkehrt.«

Solange wir mit Gott in Einklang sind, kommen wir mit dem Gesetz gar nicht in Berührung. So ist es auch im weltlichen Leben: Mit dem Gesetz kommen wir nur dann in Berührung, wenn wir dagegen verstoßen. Dem entspricht im geistigen Leben: Je mehr wir gegen die geistige Ordnung, die Intelligenz und die innere Natur des Lebens verstoßen, um so mehr kommen wir mit dem Gesetz in Berührung. Wir ernten Leid, Krankheit und Disharmonie, und das nennen wir dann den strafenden Gott. Tatsächlich gibt es keinen strafenden Gott, sondern nur eine Konsequenz unseres eigenen Verstoßes gegen die Ordnung und Wirklichkeit des Seins.

Tatsächlich wechselt Gott nicht seine Wesensart, daß er einmal straft und dann begnadigt, sondern wir begegnen Ihm hier nur in Seiner Unabänderlichkeit. Er ist, wie Er ist, nur wir versuchen dagegen anzulaufen. In Wahrheit ist Gott unabänderliche Liebe und Barmherzigkeit, und jeder, der aus seiner Verirrung zurückkehrt, wird diese Seine Gnade unmittelbar erfahren, sofern er ihr nicht bereits alle Wege in der Seele verbaut hat. Dann müßte er zunächst seine Barrieren beseitigen.

Jesus macht in seinem Gleichnis vom verlorenen Sohn deutlich, daß der Vater uns nicht zürnt in unserem Irren, sondern uns vielmehr Schritt um Schritt mit Bangen begleitet und uns mit großen Schritten entgegeneilt, wenn wir uns Seiner erinnern und Verlangen empfinden, in Sein und unser Haus zurückzukehren.

Nicht Er muß uns vergeben, denn Er ist Vergebung, sondern wir selbst müssen uns vergeben, und dies geschieht durch das schmerzliche Erwachen in unserem Herzen, das wir manchmal Reue, manchmal Bedauern, manchmal Umkehr nennen, in dem aber der unauslöschliche Funke des inneren Lichts liegt, dessen Aufstieg in der Seele wir als Gnade erfahren und empfinden. Denn tatsächlich wandeln wir immer und überall in Seiner Gegenwart und Gnade, nur daß wir ihr von uns aus einmal näher, das andere Mal ferner sind.

Binah und Chokhmah als Gewissen und Inspiration

Dies sind Gedanken zu Binah und Chokhmah im kosmischen Weltenbaum. Übertragen wir sie auf die Ebene von Nefesh und Jezirah, so offenbaren sich Binah und Chokhmah – um es zunächst in die beiden zentralen Begriffe zu fassen – als *Gewissen* und *Inspiration*.

Verstehen wir Gewissen im rechten Sinn, nicht als programmierte Instanz eines eingefleischten Über-Ichs, so verkörpert es das im Herzen zu gewahrende gewisse Empfinden oder die ebenfalls da empfundene Gewißheit dessen, was im Augenblick not tut, was recht und billig und dem inneren Wesen entsprechend ist. Wir müssen hierfür weder intelligent noch geschult sein oder reich belehrt über die göttliche Ordnung. Allein die Bereitschaft und die innere Bildung des Herzens sind die Voraussetzungen, um den inneren Ruf des Lebens zu vernehmen. Denn: »Das Gesetz steht in deinem Herzen, ist eingeprägt in deinem Sinn.«

Binah ist auch Sitz des Verständnisses, der Einsicht nicht nur in die Ordnung der Dinge, sondern in ihre innere Logik. Chokhmah dagegen ist der Sitz unserer Intuition und Inspiration, jene Instanz, durch die wir neue Erkenntnisse und Ideen, Visionen aus der geistigen Welt, ja selbst göttliche Offenbarungen in unserer Seele empfangen.

Nicht von ungefähr entsprechen diesen beiden Sefirot auf der physischen Ebene den beiden Hemisphären unseres Gehirns, worin die linke Hemisphäre Sitz des analytischen Verstandes, der logischen Verknüpfungen, der Sprache und des Rechnens, die rechte dagegen Sitz des ganzheitlichen Erkennens, der Synthese und Gestaltfähigkeit, der Intuition und des musischen und künstlerischen Empfindens ist.

Wir sehen, das sind alles Begriffe, die eine Überschneidung einmal von Binah mit Hod, das andere Mal von Chokhmah mit Nezach ergeben. In Abbildung 65 erkennen wir die Überlappung Binahs von Jezirah mit Hod von Assia und Chokhmahs von Jezirah mit Nezach von Assia.

Auf der astralen Ebene wiederum entsprechen Binah und Chokhmah den beiden »Blütenblättern« des Ajna-Chakras oder Dritten Auges.

Kether – die Krone, das allumfassende Licht

Betreten wir den mittleren Pfad, die mittlere Säule, und steigen dort auf, so gelangen wir zu Kether. Dies ist die Wurzel unserer Seele und der Sitz des reinen Ich-Bewußtseins oder göttlichen Lichtes, worin Chokhmah und Binah und alle anderen Sefirot umfaßt sind. Indem Kether von Jezirah zusammenfällt mit Tiferet von Beriah und Malkhut von Azilut (siehe Abbildung 65), erweist sich Kether als Sitz der göttlichen Neschamah, in der alle anderen Aspekte und Kräfte der Seele als Extension des urzeugenden *Ich Bin* ihren Ursprung haben.

Wenn wir innerlich aufsteigen in dieses höchste *Ich Bin*, erleben wir die Einheit allen Seins als alldurchdringendes Licht oder gewahrendes Bewußtsein, in dem alles, was vom Logos erschaffen, hier als »Gesehenes« in Erscheinung tritt und vom Ich-Bewußtsein bezeugt wird. Dieses ist selbst ein Strahl des großen Lichtes, und wie der Strahl nicht von der Sonne, so kann auch dieses innere Licht nicht von Gott getrennt werden.

In dem Moment, wo wir mit diesem Licht des *Ich Bin* in Berührung sind, sind wir in Berührung mit dem All, dem Universum als Ganzem. Sie kennen vielleicht den Moment der tiefen Freude, wo wir das Gefühl haben, das ganze Universum sei in uns. Wir erleben uns als dem Raum und der Zeit enthoben und in eine unbeschreibbare Seligkeit entrückt, darin wir wahrlich an die Sterne und die Götter rühren. Eine Seligkeit, die grundlos aus der Tiefe aufsteigt

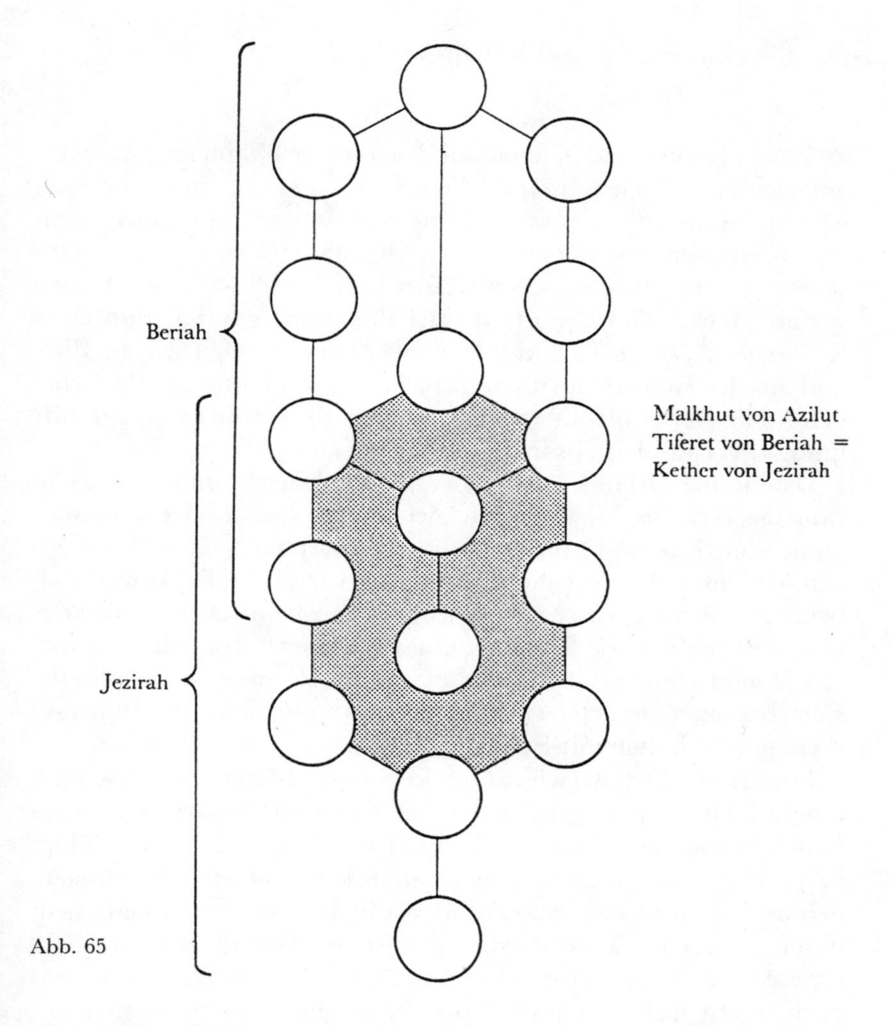

Abb. 65

und bestenfalls beschrieben werden kann als überwältigendes Gewahrsein des eigenen anfang- und grundlosen Seins. Dies ist wahrlich der Ort des Himmelreiches, des Landes, wo Milch und Honig fließen.

Kether bildet den Zenit unseres Ich-Bewußtseins, versinnbildlicht sowohl im Gipfel des Sinai, wo Mose die Allmacht des *Ich Bin, der Ich Bin* erfährt, als auch in der Spitze des Mont Salvat, wo der Gralstempel steht, der jenes *Ich Bin* samt der zwölf Aspekte des Kosmos beherbergt.

Daat – Geheimnis und Synthese

Zwischen Kether und Tiferet, auf der mittleren Säule, finden wir – angedeutet – einen weiteren Kreis. Es ist dies die elfte oder auch »Nicht-Sefira« genannte Sefira. Sie repräsentiert keine eigenständige Kraft, sondern vielmehr einen Ort, nämlich den Ort der Mysterien. In der Mitte zwischen Kether und Tiferet ist es der Ort, wo wir als Mensch Gott – noch in einer Beziehung von Ich zum Du – begegnen. Aus der Tiefe des Herzens (Tiferet) rufen wir zu Ihm, und aus der Höhe seines unendlichen Seins antwortet Er. Wir erheben unser Herz, und Er steigt zu uns herab, berührt uns, verklärt uns und verwandelt uns im innersten Wesen.

Daat ist der Ort des Gebetes, der inneren Einkehr und der Verklärung des Herzens. Hier vollzieht sich das Mysterium der Verwandlung, von Tod und Auferstehung. Wenn Jesus sagt: »Wenn du betest, dann gehe in deine Kammer und schließe die Tür zu und bete da zu deinem Vater«, so spricht er von jenem geheimen Ort der inneren Erhebung des Herzens, den wir finden, wenn wir die äußeren Sinnestelefone absperren, alle Sinne nach innen wenden in die stille Kammer des Herzens, von da aus aufschauen zu Ihm und Zwiesprache halten mit Ihm.

Daat ist der Ort, wo wir die innere Stimme hören, von wo wir das innere Licht empfangen und an dem sich unser gesamtes geistiges Leben kristallisiert. Gleichzeitig mit dem Abbau der inneren Bilder in Jesod kristallisieren sich in Daat unsere inneren Erfahrungen, nehmen sie hier eine ätherische Form an, die zum Fundament unseres täglichen Lebens wird. Sie ist der Grundstock, auf dem unsere innere Ethik gründet und aus dem wir schöpfen, wenn wir auch gerade nicht in unmittelbarer Kommunion mit Gott stehen.

Daat ist in diesem Sinne unser geistiges Ich, ein Körper geistiger Synthese. Daat heißt wörtlich »das innere Wissen« und kann in diesem Sinne ruhig als der Erfahrungsstock des Herzens bezeichnet werden. Daat deckt sich mit Jesod von Beriah und entwickelt sich mit der zunehmenden Reinigung von Jesod in Nefesch. Es ersetzt das Pseudo-Ich durch ein Sammelbecken von kosmischer Energie, die dem Menschen als stützende geistige Substanz zur Verfügung steht und ihn trägt, das aber letzten Endes, wenn alle Sefirot in ihrer ursprünglichen Einheit verschmelzen, selbst ausgelöscht wird; denn alle Eigenschaften, alle Tugenden, die wir annehmen und entfalten, werden letztlich durch die Eigenschaften und Tugenden des Höchsten Ich ersetzt, das in sich selbst alle Tugend ist. Dies sind aber die Attribute Gottes selbst, wie sie in Adam Kadmon und Azilut zur Entfaltung kommen.

2. Der Sefirot-Baum und die Dynamik der Seele

Wenn wir nun die Struktur des Lebensbaumes überschauen, erkennen wir einen hierarchischen Aufbau. Finden wir die Einheit der unteren Sefirot, die wir als den dreidimensionalen Menschen bezeichnet haben, als Träger unserer niederen Natur beziehungsweise all jener Instanzen und Funktionen, die in ihrer ursprünglichen Form unsere ego-bezogene *Persönlichkeit* bildet, so erkennen wir das Dreieck Tiferet-Geburah-Hesed als Sitz und Zentrum unserer *Individualität*, als jene Instanz, die die Verkörperung unserer Identität, unseres Ich-Bewußtseins, unseres freien Willens, unseres Wahrnehmens und unserer Selbststeuerung ist. Dieses Dreieck kennzeichnet unser wahres individuelles Ich. Wir nennen sie deshalb die Individualität. Sie ist die zentrale Schaltstelle unseres Lebens (Abbildung 66).

Wie die Persönlichkeit ihr Zentrum in Jesod, unserem Ego oder Pseudo-Ich hat und ihr ganzes Leben auch um Jesod kreist, so hat unsere Individualität ihre Mitte und ihr Zentrum in Tiferet, unserem Herzen. Als Träger auch des göttlichen Lichtes, das seinen höchsten Sitz in Kether hat, ist es wahrlich unsere Wesensmitte, und jeder, der sich selbst bezeichnet, sein innerstes Ich beteuert, weist mit dem Finger oder der Hand stets auf seine Brust, meist genau auf den Punkt zwei Finger oberhalb des Brustbeinendes, wo das geistige Herz des Menschen, auch Anahata-Chakra genannt, seinen Sitz hat (Abbildung 66).

Die oberste Triade als Sitz und Widerspiegelung unseres göttlichen Kernes, des universellen kosmischen Ich oder Christusbewußtseins, das die eine Wurzel des Weinstockes ist, daran die individuellen Ichs hängen wie die Reben, bildet nun das dritte Glied des Menschen, das *Höhere Selbst.* Dieses höhere Selbst offenbart sich in seiner Dreiheit als reines universelles Ich-Bewußtsein (Kether), als kosmisches Gesetz und allumfassende Gnade. Seine Instanzen in der Seele sind das Erleben der inneren mystischen Einheit (Kether),

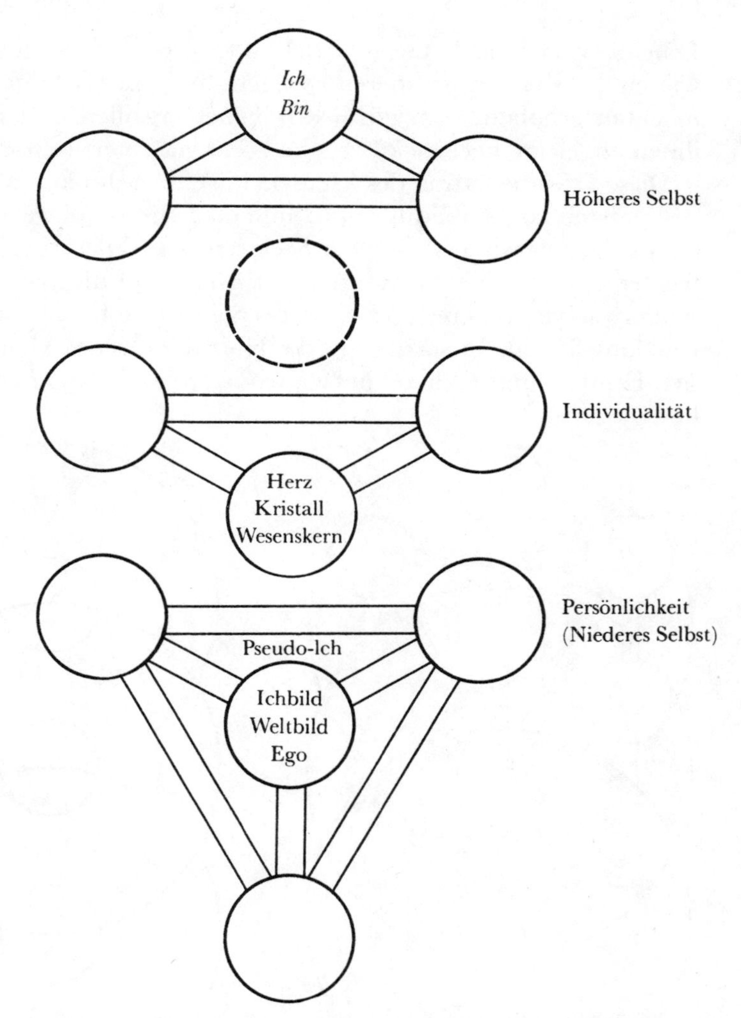

Abb. 66

höherer Inspiration und Offenbarung (Chokhmah) sowie des Gewissens und der höheren Erkenntnis (Binah).

Wir haben diese Dreigliederung des Menschen, wie sie sich in seinem Astralleib ausdrückt, in der Abbildung 66 dargestellt. Höheres, Mittleres und Niederes Selbst bilden darin natürlich ihrerseits eine Einheit. Was wir hier als »nieder« bezeichnen, ist nicht als Wertung zu verstehen, sondern als Sammelausdruck jener Kräfte und Funktionen, die, wie alle Kräfte im Universum, in sich stets göttlich und heilig, jedoch als keimhafte Triebkräfte des inneren

Lebens vorerst noch ungewandelt und unvollendet in der Seele wirken. Sie sind – mit anderen – Gegenstand innerer Wandlung. Sie möchten erhoben, vom göttlichen Feuer ergriffen und in ihre in ihnen angelegte höchste ätherische Form verfeinert werden.

Diese Dreigliederung des Menschen ist auch durch ein Kreismodell darstellbar (Abbildungen 67 und 68). Hierin werden vor allem die Zentren der drei Glieder der Seele sichtbar. Tiferet erscheint hier wieder deutlich als Wesensmitte, in der nicht nur die beiden Säulen, sondern auch Höheres und Niederes Selbst ihre Balance und ihren Einklang finden. Tatsächlich ist das Herz der Ort des Menschen, wo sich Himmel und Erde berühren, wo obere und untere Welten sich finden.

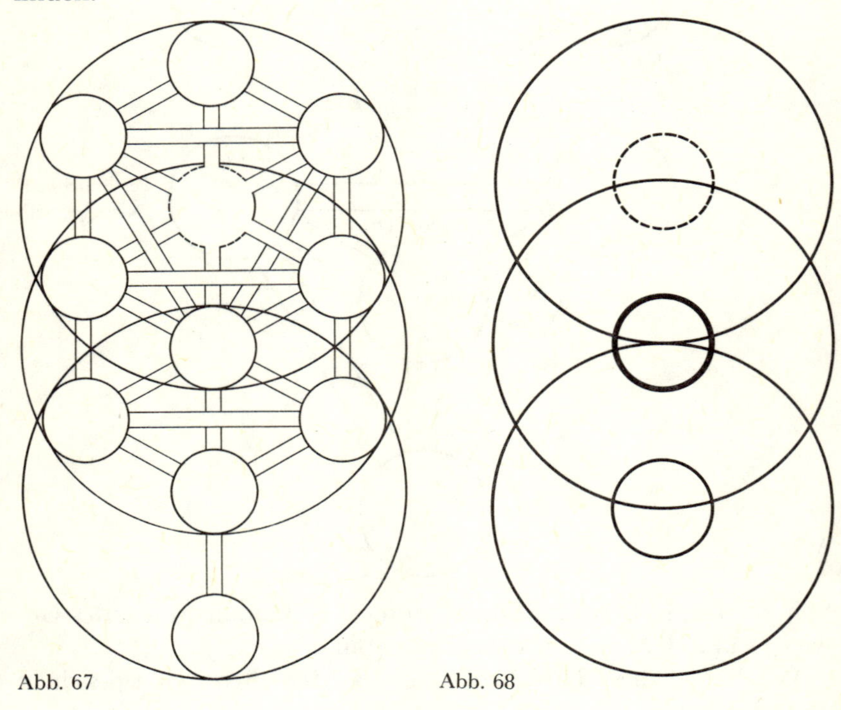

Abb. 67 Abb. 68

Betrachten wir die Darstellung der vier Welten in der Jakobsleiter (Abbildung 69), so wird uns sichtbar, daß sich physische (Assia) und geistige Welt (Beriah) in Tiferet treffen. Assia, die physische Welt, reicht in ihrer Wirkung gerade bis ans Herz, die geistige Welt hat in ihm ihre unteren Wurzeln (Malkhut / Abbildung 69). So ist Tiferet

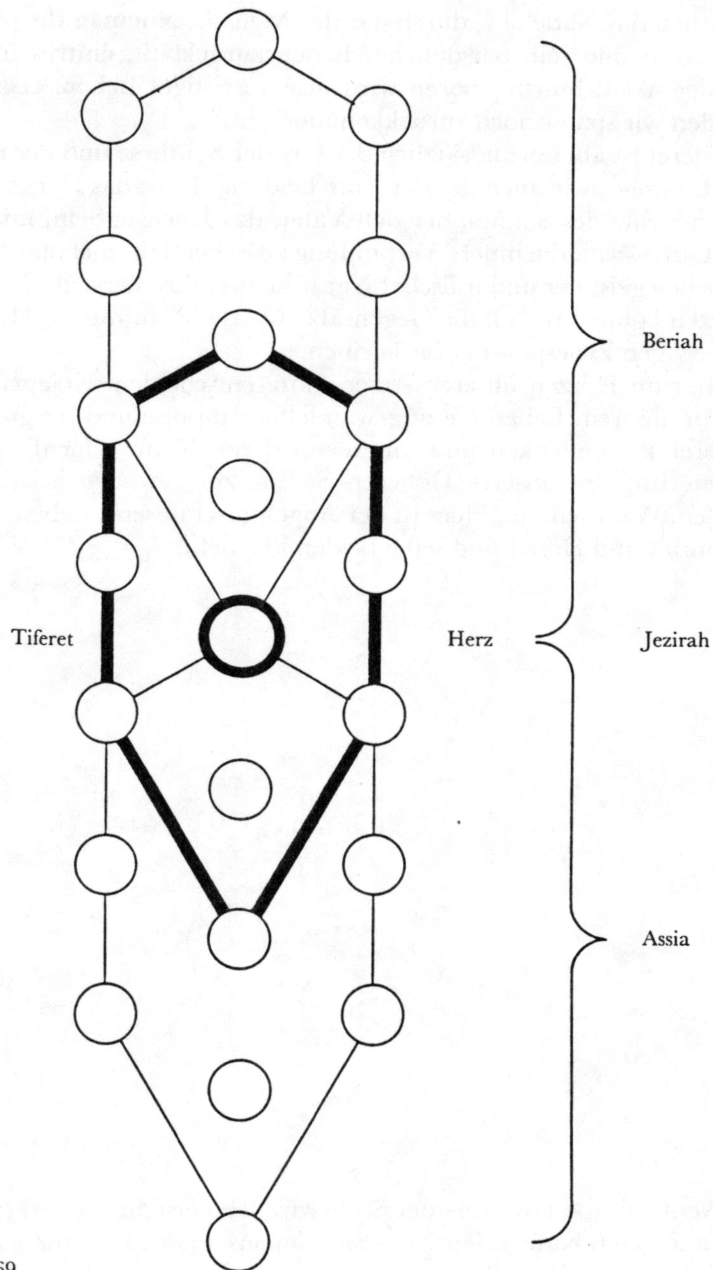

Abb. 69

wahrlich das Nadelöhr, durch das der Mensch, indem er die physische Welt und sein persönliches Leben zurückläßt, eintritt in die geistige Welt, hineingeboren wird in ein geistiges Leben. (Darauf werden wir später noch zurückkommen.)

Tiferet ist aber grundsätzlich der Ort der Synthese und der inneren Einung sowie auch der der Entscheidung. Es ist das Herz wahrlich der Sitz des Sohnes, der den Vater, das Höchste Sein, mit der Welt *»versöhnt«*, die innere Verbindung zwischen Himmel und Erde, zwischen geistiger und irdischer Natur in uns selbst herstellt. Nur im Herzen können wir all die Gegensätze überwinden, nur im Herzen den ewigen Zwiespalt der Seele einen.

Hier im Herzen unserer Wesensmitte entscheiden wir auch, ob wir in unserem Leben die ungewandelten Impulse und Neigungen unserer Persönlichkeit und unserer niederen Natur oder die göttlichen Impulse unseres Höheren Selbsts zum Ausdruck bringen wollen. Wahrlich, das Herz ist der Angelpunkt unseres Lebens, und Geburah und Hesed sind seine beiden »Hebel«.

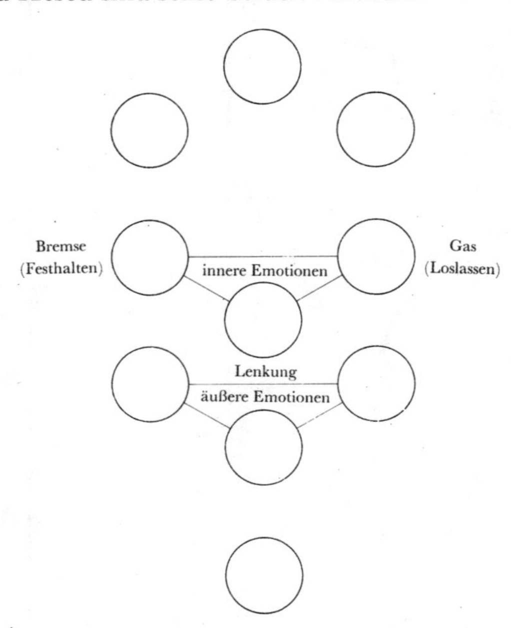

Abb. 70

Wenn wir die Dynamik der Seele wirklich verstehen, so erkennen wir auch zwei Kategorien von »Emotionen« in ihr. Das sind einmal die »äußeren« Emotionen, jene Impulse, Gefühle und Neigungen der Seele, die unmittelbar an die äußere Welt gebunden oder auf sie gerichtet sind, und die »inneren« Emotionen als jene Kräfte, die auf die innere Steuerung, die innere Haltung und Befindlichkeit der Seele gerichtet sind (Abbildung 70). Die »äußeren« Emotionen sind jene, die ihren Sitz in Jesod, Hod und Nezach haben, die sich in unseren Vorstellungen und Bildern, in unseren Gedanken und Wahrnehmungen sowie unserer Sinnlichkeit, unseren Wünschen und unserer Vitalität äußern, die sich alle auf äußere Personen und Dinge richten, an ihnen haften; die »inneren« dagegen sind jene, die den Strom des Lebens durch unsere Seele steuern. Es sind dies Geburah, unser Wollen und unsere Entschlossenheit, Hesed, unsere Hingabe, und Tiferet, unser Selbstgewahrsein. Obwohl natürlich auch Geburah und Hesed in unserem Leben in der Welt nach außen gerichtet und zum Ausdruck gebracht werden, so sind sie doch in erster Linie die Hebel des Ich, durch die wir den Strom der anderen Kräfte einmal von oben durch das Herz, ein andermal von unten lenken und steuern. Geburah und Hesed sind gleichsam *Bremse* und *Gas* und Tiferet das *Lenkrad* unseres inneren Gefährtes, mit denen wir dessen Kurs und Lauf steuern (siehe Abbildung 71).

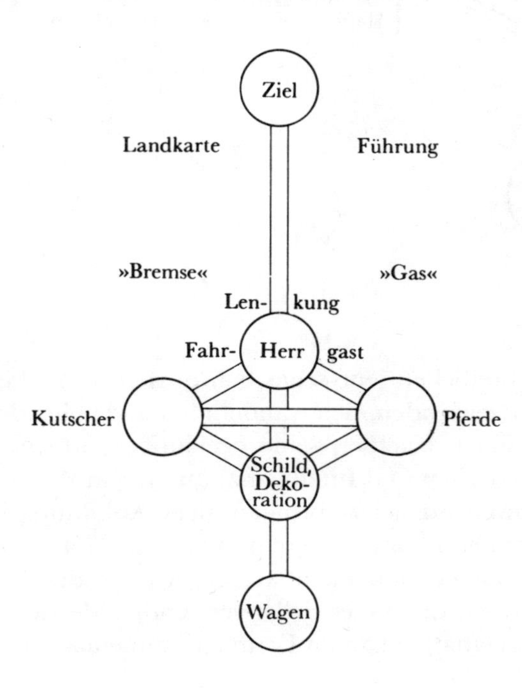

Abb. 71

Neigen die drei äußeren Emotionen grundsätzlich zur Verhaftung mit der Welt, so erkennen wir alle sechs zusammen als die *konstituierenden Faktoren unserer inneren Haltung gegenüber der Welt und uns selbst. Sie sind die zentralen Faktoren unserer Arbeit an uns selbst* (siehe Abbildung 72). *Nicht zufällig* tragen sie *gerade die sechs elementaren* (primären und sekundären) Farben, die wir in Band 1 so ausführlich besprochen haben.

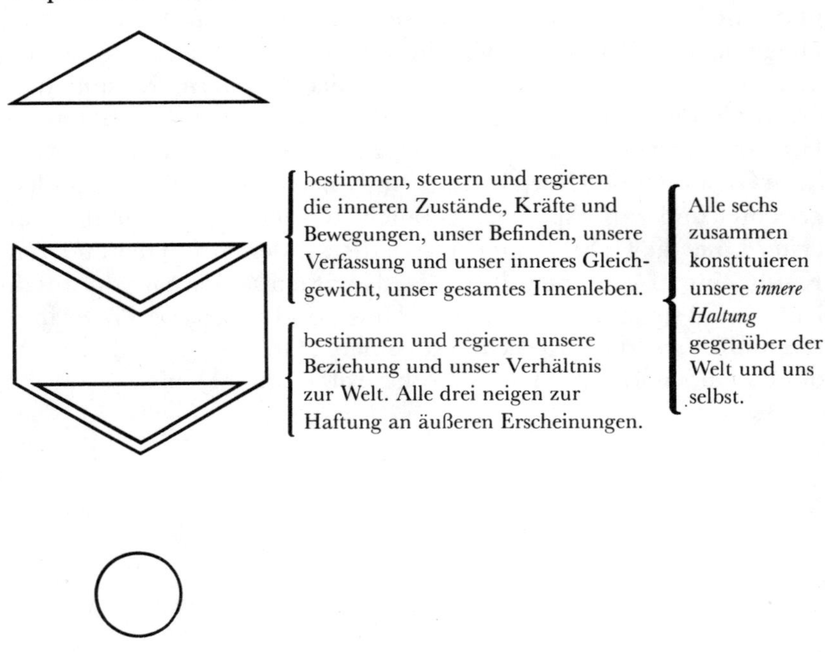

Abb. 72

So versinnbildlichen jene sechs Sefirot den Menschensohn oder den Kern des werdenden, sich wandelnden und vollendenden Menschen, der danach trachtet, seine dreifaltige göttliche Natur (als Wille, Liebe-Weisheit und Intelligenz) durch sein Wesen in der Welt (Malkhut) zum Ausdruck zu bringen (siehe Abbildung 73). Der alte Ausdruck: »ora et labora« – bete und arbeite – sei empfänglich für das göttliche Leben und offenbare es tätig in der Welt, ist eine verkürzte Formel, die dieses Selbstverständnis des Menschseins in der ihrer Zeit gemäßen kargen Form zusammenfassen wollte.

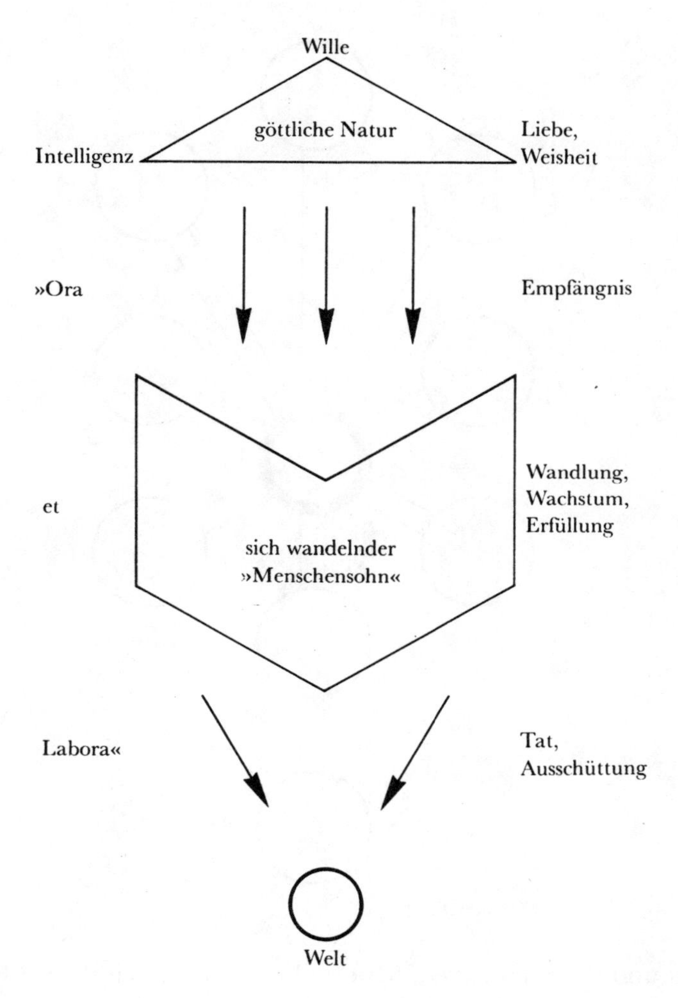

Abb. 73

Tiferet hat als Wesensmitte nicht nur den Mittelpunkt des Baum-Diagrammes inne, sondern ist auch die einzige Sefira, die, mit Ausnahme von Malkhut, zu allen anderen Sefirot eine direkte Verbindung hat. Alle anderen sind mit ihr verknüpft (Abbildung 74). Dies ist wiederum Ausdruck der Tatsache, daß alle Aspekte des Lebens und der Seele im Herzen ihren Ausgleich und ihr Gleichgewicht finden.

Hier einen sich die Gegensätze von Vernunft und Vitalität (Hod und Nezach), von Entschlossenheit und Milde, Festigkeit und Güte,

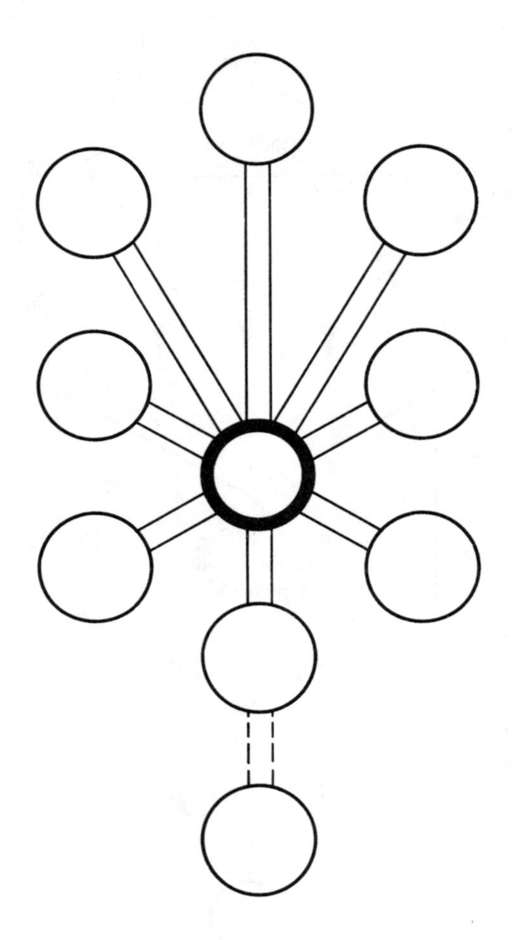

Abb. 74

Kraft und Barmherzigkeit, Mut und Demut (Geburah und Hesed), Gerechtigkeit und Gnade, Logik und Intuition (Binah und Chokhmah) sowie unserer höheren und niederen Natur (Abbildung 74).

Obwohl Tiferet im Baum tiefer steht als Geburah und Hesed, hat Tiferet im Gegensatz zu den beiden sowohl eine unmittelbare Verbindung zu Kether als auch zu Beriah, der geistigen Welt. So empfängt Tiferet einerseits direkt Licht und Leben aus Kether und ergießt sie in die Seele, andererseits bildet sie zusammen mit Binah, Chokhmah und Kether das seelische Fundament der geistigen Welt, Sitz und Träger des mentalen und kausalen Lebens als der Extension unserer gottgegebenen Individualität (Abbildung 75).

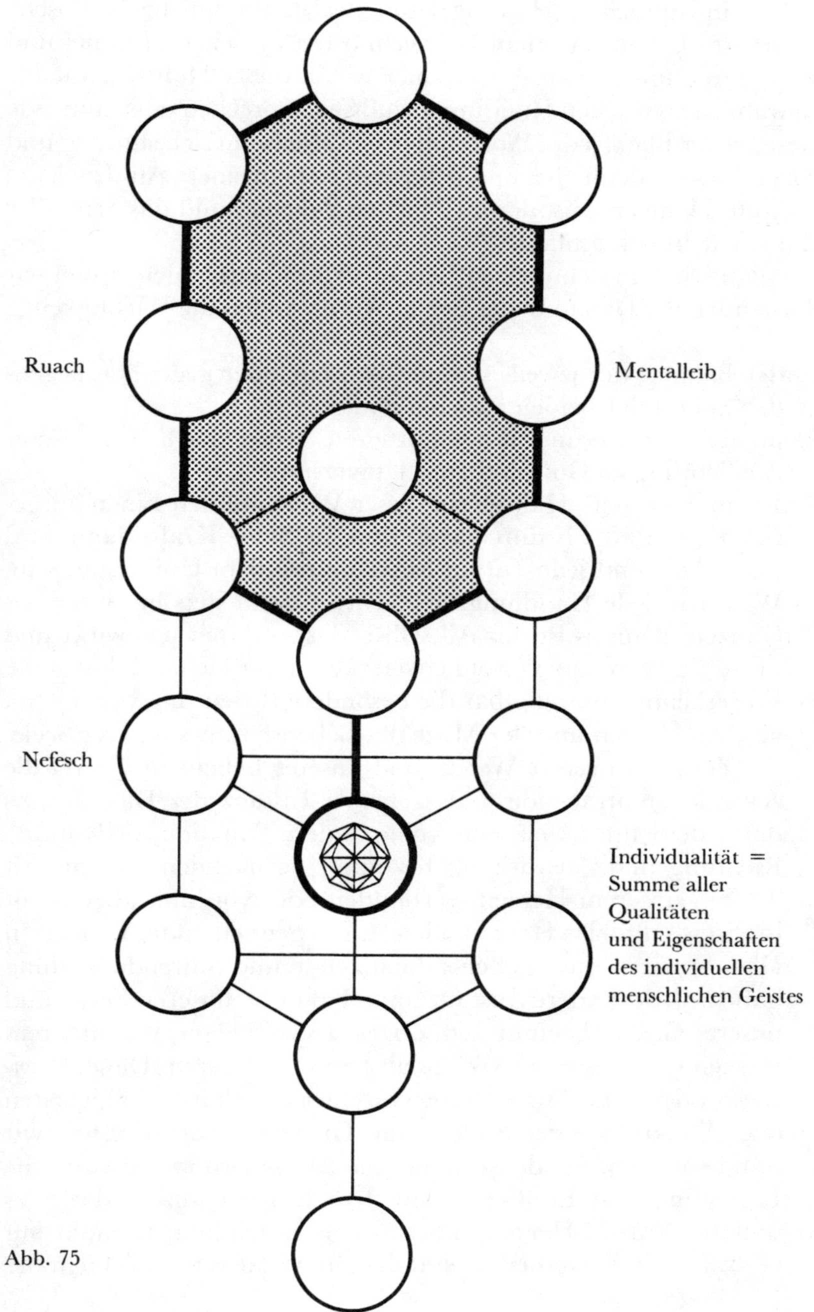
Ruach
Mentalleib
Nefesch
Individualität =
Summe aller
Qualitäten
und Eigenschaften
des individuellen
menschlichen Geistes

Abb. 75

Nur in aufrechter Haltung kann der ursprüngliche kosmische Strom des Lebens aus dem Universum frei zwischen Himmel und Erde durch uns fließen. Was immer wir in dieser Haltung wachen Gewahrsams, wachen Rundumbewußtseins sprechen oder tun, jede Geste, jeder Blick, jedes Wort und jede Tat wird in sich stimmig und vollendet sein, denn alles und jedes wird stets zu einem Ausdruck des gesamten Universums, der die Notwendigkeiten und das Sein aller Geschöpfe in sich umfaßt.

Wenn wir nun den ganzen Lebensbaum überschauen, sehen wir darin auch die Dynamik der Seele. Wir erkennen die Wichtigkeit

1. der Balance der jeweils symmetrisch einander gegenüberliegenden Sefirot der beiden äußeren Säulen,
2. unserer Zentrierung in der mittleren Achse, das heißt, unserer Ausrichtung zu Gott und zum Universum.
   Ist unsere innere Haltung in dieser Weise auf den Einen ausgerichtet, so daß wir durchlässig sind für Seine Kraft, dann wird jedes Wort und jede Tat im Einklang mit dem Universum sein. Wahrlich, jede Handlung, jede Tat ist dann stets im Sinne des Ganzen, denn es ist das All selbst, das so durch uns wirkt und nicht die begrenzte Persönlichkeit oder unser kleines Ich.
3. Wir erkennen unmittelbar die besondere Bedeutung von Tiferet als dem Herzen und der Mitte des Lebensbaumes unserer Seele. Als Zentrum unseres Wesens und unseres Lebens ist Tiferet die zentrale, sinntragende und -gebende Instanz des Da-Seins, so daß jede Sefira jeweils eine völlig andere Funktion, Bedeutung, Richtung und Auswirkung bekommt, je nachdem, ob sie mit Tiferet, unserem Herzen, verbunden oder von ihm abgetrennt ist. Stets sollte das Herz in allen Angelegenheiten des Lebens, in allen Sphären unseres Seins die leitende und führende Stellung haben. Jede andere Instanz und Fakultät unserer Seele und unseres Geistes beginnt sich, abgelöst von Tiferet, von unserem Herzen in ungesunder Weise selbst zu pervertieren. Diese *Absonderung* oder Verselbständigung einzelner Fakultäten, Fähigkeiten oder Funktionen der Seele ist im Grunde genau das, was wir Sünde nennen. Sünde ist immer die Absonderung von Gott, die Lossagung und Loslösung von dem Einen Ganzen, das alles umfaßt. Nur im Herzen haben wir unmittelbaren Kontakt mit Gott. Er selbst (Kether) wohnt ja in ihm (Tiferet). Das Licht des

Ich Bin, das in Kether verkörpert ist, ist es, durch das unsere Individualität – gleich einem Diamanten oder Kristall mit seinem Sitz in Tiferet – zum Ausdruck kommt. Es ist jenes innere Licht, das durch unser Herz in die Welt leuchten möchte.

So wird der Mensch erst im zentrierten Zusammenwirken all seiner Seiten, Kräfte und Fähigkeiten zu jener Einheit, durch die sich erst wahrhaftes Menschsein offenbart. Erst aufgrund innerer *Zentrierung, Balance und Durchlässigkeit* entwickelt sich in uns jener Zustand und jene Verfassung von Ganzheit, der die Möglichkeit von Heil und Heilung, Wandlung und Wachstum, Erlösung und Vollendung unseres Menschseins in Geist, Seele und Leib bedingt. So lassen wir uns hinführen zu jener Ganzheit, die allein Gefäß des ungebrochenen Lebens Gottes und Seines Seins ist.

Es liegt jeweils an uns selbst und ist ganz uns überlassen, ob wir uns der Sonne und dem Lichte des Lebens zuwenden wollen oder nicht. Jeder von uns hat die Möglichkeit, sich im Keller zu verkriechen und darüber zu schimpfen, wie finster es da ist, oder aus dem Keller heraufzusteigen ans geistige Tageslicht der Welt, das unser Leben erhellt. Wenden wir uns dem Licht der Sonne mit unserem ganzen Wesen zu, so wird sie uns erhellen, beleben und erneuern und all die in uns ausgestreuten Keime des Lebens, all die in uns angelegten Talente, Begabungen und Fähigkeiten und unser gesamtes Potential des Ich- und Menschseins zur Entfaltung bringen. Wir alleine haben die Wahl.

3. Sefirot und Archetypen

Wie wir gesehen haben, verkörpern die Sefirot in unserer Seele nicht nur verschiedene Qualitäten und Kräfte, sondern auch ganz bestimmte Aspekte und Weisen unseres Menschseins. Indem jede Sefira ihrem Stande als Urkraft gemäß ein ganzes Repertoire von Eigenschaften, Charakterzügen und Wesensmerkmalen des Menschseins hervorbringt, gestaltet und zeichnet sie Charakter-, Lebens- und Ausdrucksbilder, die in ihrer Variation verschiedener Grundmuster jene Urbilder konstituieren, die wir auch als Archetypen des seelischen Erlebens bezeichnen.

Archetypen sind nach C. G. Jung Urbilder oder Grundmuster menschlichen Verhaltens, die ganze Charaktergestalten definieren. Urbilder sind ihrerseits ganzheitliche Ausdrucksbilder von Urkräften in der Seele. So nimmt es auch nicht wunder, daß wir nun für jede Sefira einen Archetypus menschlichen Verhaltens finden.

Wir wissen ja bereits, daß nach einem Grundgesetz der Holistik jeder Teil einer Ganzheit wieder eine Ganzheit darstellt, die in ihrem inneren Aufbau den Aufbau des übergeordneten Ganzen spiegelt. Wir kennen dies aus der sogenannten Laser-Holographie, in der es möglich ist, aus jedem Teil eines Bildes das Bild als Ganzes zu rekonstruieren, wie auch aus der ätherischen Diagnostik, wo wir in der Iris des Auges, in der Physiognomie des Gesichtes, den Linien unserer Hand, unseren Ohren oder Fußsohlen, ja sogar in den Kernen unserer Körperzellen Spiegel unseres ganzen Leibes finden, in denen sich Aufbau und Verfassung des gesamten Körpers und seiner Organe ablesen läßt. Seinerseits ist der Mensch ein Spiegel des Kosmos, was in unserem Horoskop seinen Ausdruck findet.

So ist es mit jedem Teil des Sefirot-Baumes und den Sefirot selbst. Sie spiegeln als Ganzheiten für sich genommen in ihrem Feinaufbau den Aufbau des gesamten Baumes wider. So formt jede Sefira ihrerseits eine vollständige Gestalt; denn alles Geschaffene entspricht ein und demselben Urbild, dem Bildnis Adam Kadmons.

Auf der obersten Ebene von Azilut, der Ebene der reinen göttlichen Emanationen oder Anblicke Gottes, benannten die hebräischen Kabbalisten jene Gestalten oder Untergruppen von Sefirot als »Parezufim« (Singular: Parezuf) oder »göttliche Personen«. Von der Vielfalt dieser »Personen«, die in Azilut bestehen, sind jedoch nur fünf vollkommen, das heißt, daß nur fünf in vollkommenem Licht erstrahlen. Auf der Ebene von Jezirah, also in unserer Seele, bilden die Sefirot nun jene Urbilder menschlichen Verhaltens, die üblicherweise als Archetypen bezeichnet werden. Und wie die Sefirot untereinander verknüpft sind, so stehen auch die Archetypen miteinander in Verbindung.

Diese Idee der Archetypen ist von alters her bekannt, und wir finden sie als Götter in den verschiedenen mythologischen Traditionen, denn die Götter der Mythologien sind nicht wie die Götter Altägyptens oder die »Ishvaras« Indiens Aspekte und Offenbarungsformen des Alleinen, sondern eben Urbilder des seelischen Lebens und Erlebens, in denen das vielfältige Wirken bestimmter Kräfte in der Seele symbolsprachlich und dichterisch zum Ausdruck gebracht wurde. Diese mythologischen Götter sind auch allesamt weder vollkommen noch vollendet, weder absichtslos noch gerecht, sondern sie tragen in der Regel sämtliche Attribute der Unvollkommenheit in sich, wie sie unser menschliches Leben und Sein kennzeichnen; sie sind alle eine Mischung von Licht und Schatten, wie sie jedem Wesenszug unseres Menschseins anhaftet, der nicht vollkommen geläutert und allein auf Gott hin entfaltet und ausgerichtet ist.

So kennen wir beispielsweise in der griechischen, der römischen und der nordischen Mythologie verschiedenste Götter, die als personifizierte Genien oder Kräfte der einzelnen Planeten die Archetypen dieser planetarischen Kräfte in der Seele darstellen. Wie die planetarischen Kräfte selbst nichts anderes als Manifestationen der sefirotischen Urkräfte sind, können wir eine Reihe dieser Götter unmittelbar als die Archetypen der Ausdrucksform der Sefirot in der Seele erkennen. Jeder dieser Archetypen zeigt grundsätzlich ein ganzes Repertoire von lichten wie auch von dunklen Eigenschaften. Auch wissen wir, daß diese Archetypen und Götter in vielfältigen Verbindungen und Interaktionen miteinander stehen, die nichts anderes sind, als Spiegel und Ausdruck des Zusammen- und Widerspieles der verschiedensten Kräfte in der Seele. In diesem Sinne sind all die Geschichten und Erzählungen der Mythologien, Götter- und Heldensagen, die ganze Fülle der Handlungen, Intrigen, Verhandlungen, Kämpfe und Abkommen der Götter, ja das gesamte Leben des griechischen, römischen und nordischen Pantheons, sowie die Schicksalsverflechtungen in Ilias, Odyssee, Edda und Nibelungen nichts anderes als symbolische Bilder und Erzählungen von den Irrfahrten, Ringkämpfen und Siegen unserer Seele. So ist das ganze Pantheon der Götter, die das Schicksal unserer Welt besiegeln, nichts als ein Spiegel unseres inneren Lebens.

Die Götter verkörpern die Kräfte und Aspekte des Unbewußten, die unser Leben nach dem Gesetz von Ursache und Wirkung in diese oder jene Bahn, diese oder jene Verstrickung hineinführen, die dann erst durch die höhere Instanz des reinen Bewußtseins wieder aufgelöst werden kann.

Verstehen wir die Archetypen als Grundhaltungen und -muster unseres Verhaltens, so ist es wichtig zu erkennen, daß sie – wenn sie sich auch in der Seele ausdrücken und in ihr sichtbar werden – ihre Wurzeln dennoch in Beriah und Azilut, das heißt in unserer mentalen und kausalen Verfassung haben. In diesem Sinne sind auch alle Träume und alle in der Meditation oder Tiefenentspannung auftretenden bildhaften Erfahrungen mit archetypischen Inhalten stets Botschaften der Tiefenschichten unseres Wesens an unsere Seele oder unser Tagesbewußtsein, die das Wirksamwerden bestimmter Urkräfte unseres Wesens (auf kausaler, mentaler oder astraler Ebene) kundtun. In diesem Sinne ist es wichtig, ihre Botschaft auch bewußt anzunehmen, da sich darin meist eine bevorstehende Wandlungstendenz, eine noch unbewußte Blockierung oder eine sonstige Neigung unserer Seele ausdrückt, die auch erkannt und bewußt verarbeitet werden will. Betrachten wir nun den Lebensbaum, so finden wir folgende Entsprechungen als archetypische Ausdrucksformen der Sefirot (siehe Abbildungen 76 und 77).

Während die erste Abbildung die sefirotischen Archetypen als universelle Urbilder wiedergibt, die je nach ihrer Neigung zum Licht oder zum Dunkel in verschiedenen Varianten und Schattierungen auftreten, zeigt die zweite Darstellung deren mythologische Ausgestaltungen aus dem griechischen Pantheon. Je nach Eindeutigkeit der Entsprechung haben wir zu jedem Halbgott auch dessen römischen und nordischen »Verwandten« angegeben (Tabelle auf Seite 268). In Nezach finden wir darüber hinaus noch die Namen der entsprechenden Göttinnen aus vier weiteren Traditionen. Wir

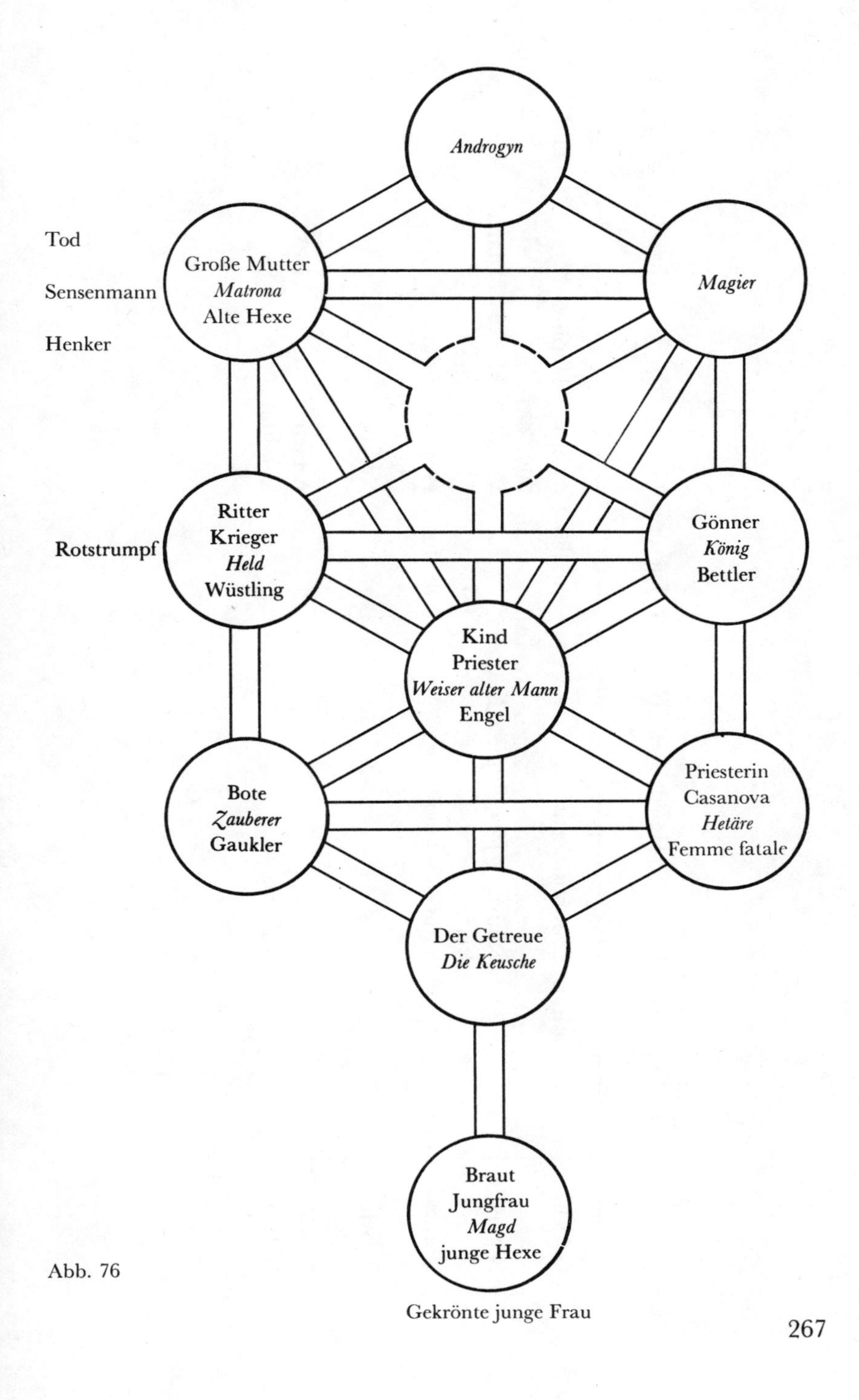
Androgyn
Tod
Sensenmann
Henker
Große Mutter
Matrona
Alte Hexe
Magier
Rotstrumpf
Ritter
Krieger
Held
Wüstling
Gönner
König
Bettler
Kind
Priester
Weiser alter Mann
Engel
Bote
Zauberer
Gaukler
Priesterin
Casanova
Hetäre
Femme fatale
Der Getreue
Die Keusche
Braut
Jungfrau
Magd
junge Hexe
Gekrönte junge Frau

Abb. 76

	Keter	Chokh-mah	Binah	Hesed	Geburah	Tiferet	Nezach	Hod	Jesod	Malkuth
Griechisch		Ouranos	Chronos	Zeus	Ares	Apollo	Aphro-dite	Hermes		Gaia
Römisch			Saturn, Vertu	Jove, Jupiter	Mars		Venus	Merku-rius	Diana	
Nordisch			Saturn	Thor	Tevi	Baldur	Freya	Loki		
Assyrisch							Ishtar			
Babylo-nisch							Nana			
Phönizisch							Astarte		Hekate	
Indisch			Kali				Lakshmi			

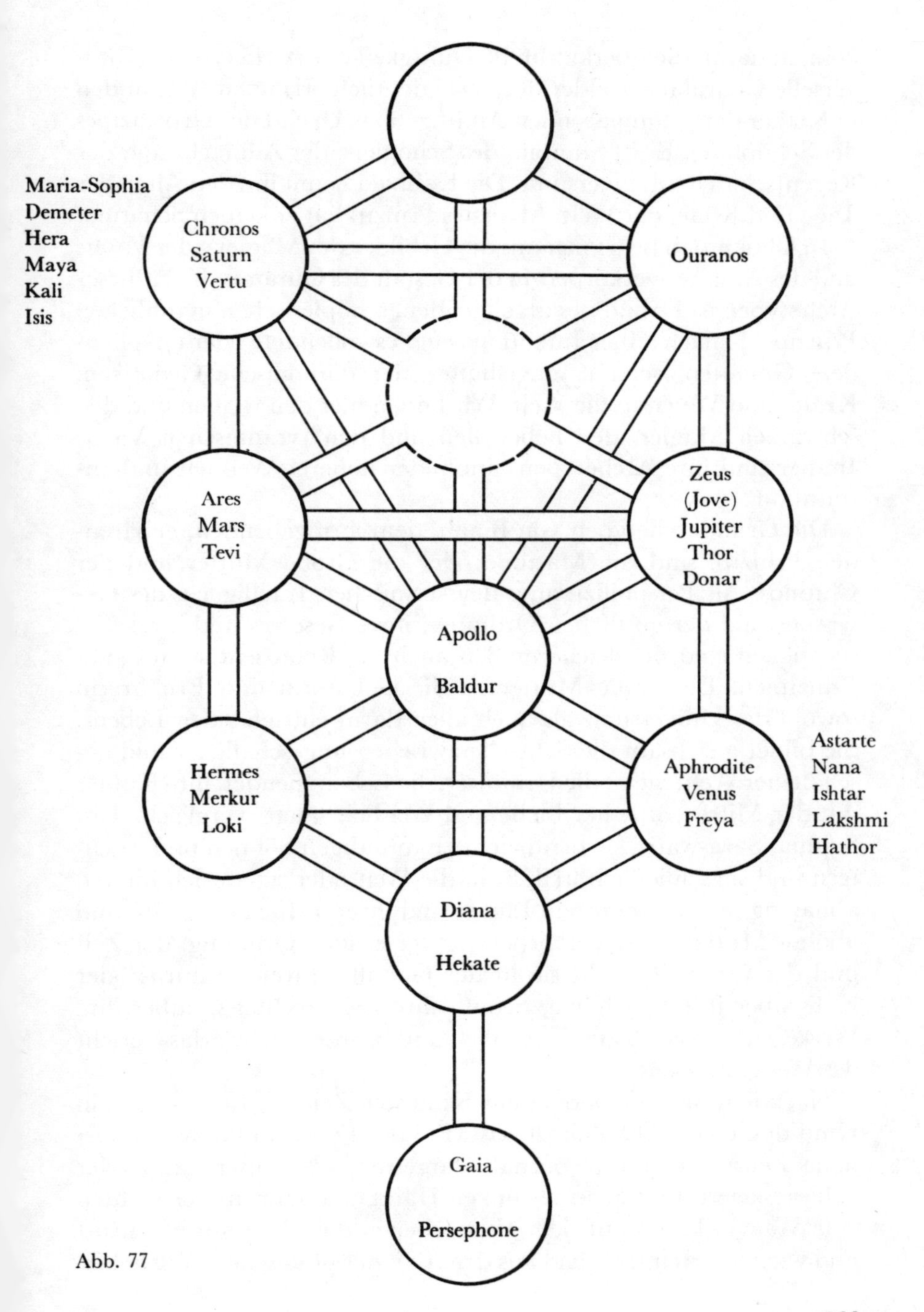
Maria-Sophia
Demeter
Hera
Maya
Kali
Isis
Chronos
Saturn
Vertu
Ouranos
Ares
Mars
Tevi
Zeus
(Jove)
Jupiter
Thor
Donar
Apollo
Baldur
Hermes
Merkur
Loki
Aphrodite
Venus
Freya
Astarte
Nana
Ishtar
Lakshmi
Hathor
Diana
Hekate
Gaia
Persephone
Abb. 77

können daran die überkulturelle Gültigkeit der Archetypen als universelle Charakterurbilder der Seele deutlich erkennen. Wir finden in Kether den allumfassenden Androgyn als Urbild des Urprinzipes der Schöpfung. Er ist Sinnbild des Schöpfers, der Allmacht und der Regentschaft des Universums. Die Kabbala nennt ihn den Alten der Tage und König der Welt. Als erstes Prinzip hat er keinen Schatten.

In Chokhmah begegnen uns die Urbilder des Magiers, des Vaters und des Animus, verkörpert in der Gestalt des Ouranos. Jeder dieser Archetypen ist Urbild des urzeugenden, schöpferischen männlichen Prinzips. Je nach seiner Intention zeugt es vollendete oder unvollendete Gestalten, setzt es engelhafte oder dämonische Gedanken, Kräfte und Wesen in die Welt. Wir finden hier den weißen und den schwarzen Magier, den liebevollen und den tyrannischen Vater. Immer sind ihre Archetypen Sinnbilder höherer Weisheit und Inspiration.

Die Grundarchetypen von Binah, dem formgebenden, gebärenden Prinzip, sind die Matrone oder die Große Mutter und der Chronos. Als Personifizierung der kosmischen Intelligenz, des Gewissens und der göttlichen Ordnung, ihres Gesetzes und ihrer Gerechtigkeit sind sie gleichermaßen auch die Repräsentanten dieser Prinzipien. Die große Mutter ist die Gebärerin und Ernährerin sowohl des Universums als auch allen darin entstehenden Lebens. Sie bildet gleichsam die Schwelle zwischen ungeschaffener und geschaffener Welt. Sie ist die Urmutter, die Leben spendet, ihre Kinder mit der Milch göttlicher Liebe und Weisheit säugt (vergleiche Isis, Sophia, Saraswati), sie heranzieht zu mündigen Söhnen und Töchtern und sie schließlich freiläßt in die Welt oder sie an sich bindet, abhängig macht von ihrem Elixier und ihrer »Milch« (»gute« und »böse« Mutter). Als Verkörperung der ewigen Ordnung, der Zeit und des Gesetzes wacht sie in der Gestalt Chronos-Saturns oder Kalis über ihre Geschöpfe, bemißt ihre Zeit, rechtet sie über ihre Werke, ruft sie sie ab aus dieser Welt und beordert sie vor das Gericht des Weltenherrschers.

Nachdem alles Geborene ein Kind der Zeit ist, ist es auch ein Kind des Todes. Die Zeit ist das Maß des Lebens, und der Tod ist seine Zensur. Chronos, oftmals dargestellt als Sensenmann oder kahles Skelett, hält in seiner linken Hand eine Uhr, in der rechten eine Waage. Er nimmt dem Verstorbenen das Herz aus der Brust und wiegt es. Heimkehrend aus dem Exil der physischen Welt geben wir zurück, was wir zu Beginn der Reise empfangen haben. All unsere Talente werden gezählt, und es wird ermessen, was wir daraus schufen. »Wer hat, dem wird gegeben werden, wer nichts hat, dem wird genommen werden, was er hat.« Und: »Wem viel anvertraut ist, von dem wird auch viel gefordert werden.« All diese Aussagen sind Ausdruck des Gesetzes von Ursache und Wirkung, daß wir ernten werden im Tode, was wir ausgesät haben im Leben. Das Bild des Todes ist im Grunde nur Symbol der Unerbittlichkeit des Gesetzes und der Unabänderlichkeit der einen Wahrheit. Und wahrlich, im Tode begegnen wir der Wahrheit in Gestalt unseres eigenen Höheren Selbstes. Unser eigenes Selbst ist es, das Rechenschaft fordert für jede Tat, jeden Gedanken und jedes Wort.

Hier im Tode begegnen wir der Bilanz unseres Lebens, erkennen wir Wahrheit und Lüge, Getanes und Ungetanes deutlich vor unseren Augen. Wer sein Leben ausschöpft, all seine Gaben und Talente ihm hingibt, der sieht Chronos wahrlich lächelnd in die Augen. Wie Franz von Assisi ruft er zu seinen trauernden Brüdern: »Ich hab das meinige getan, seht zu, daß ihr das eurige tut.«

In diesem Sinne sind Tod, Chronos und Kali als Archetypen des Gesetzes und der Zeit nur die Agenten unseres Gewissens, die uns während des Lebens bereits öfter rütteln, auf daß wir erwachen mögen, um die Chance und den Auftrag unseres Daseins zu erfüllen. Sie begegnen uns im Traum oder auch im Wachen, um uns zu erinnern, daß alle Schätze der Welt, aller Ruhm und alle Ehren vergänglich sind und all unser Streben allein auf Gott und die Verwirklichung unseres ewigen Wesens in der Welt gerichtet sein will.

In diesem Sinne ist auch der Henker nur ein Archetyp unseres eigenen Anspruchs an uns selbst oder unseres mahnenden Gewissens, das uns erwecken will. Dies ist wieder eine Frage der Unterscheidung zwischen wahrem Gewissen und Über-Ich, die jeder nur durch klare Wahrnehmung in sich selbst treffen kann.

Natürlich sind Matrona und Anima auch Urbilder des Mutterprinzipes und des ewig Weiblichen, wie sie in unserer Seele angelegt und durch unsere realen Erfahrungen entfaltet sind.

In Hesed finden wir den Archetypus des jovialen Königs, des großzügigen und gnadenreichen Herrschers, der in der Mythologie durch Zeus oder Jupiter verkörpert wird. Er versteht sich als Diener seines Volkes (der Seele), der mit Großmut und Weisheit die Schätze seines Reiches (von Universum und Seele) verwaltet und verteilt. Ist er schwach, so verarmen wir in der Seele, und der würdige Fürst schrumpft damit zum Bettler.

Das Urbild von Geburah ist der Held. Seine beiden Varianten sind Ritter und Barbar, Krieger der himmlischen Scharen und eifernder Wüstling der Welt. Die Helden- und Rittersagen des Mittelalters, Minnekultur, Gralslegende und die Geschichte Parzivals beschreiben in reichem Kolorit die Schattierungen dieses Typus. Ritterliche Treue, Mut und heilige Minne sind die höchsten Werte dieser Traditionen. Eine weibliche Variante dieses Archetyps bildet der sogenannte Rotstrumpf.

Der Archetyp unseres Wesenskernes, unserer Individualität im Sinne unseres wahren Selbst hat vielfältige Gestalt. Ist sein zentrales Symbol das Urbild des alten Weisen, so erscheint er uns oft jedoch auch als Priesterin, Mönch, innerer Meister, Seelenführer, Engel oder Kind. Fast immer bringt er uns eine Botschaft aus der Tiefe unseres eigenen Seins oder vermittelt eine Offenbarung oder einen Auftrag aus der geistigen Welt. Immer erscheint er in einer Gestalt, die weder Opfer noch Mühen scheut und bereit ist, sowohl Blut, Schweiß und Tränen auszugießen, um seinen Auftrag zu erfüllen.

Als Urbild von Nezach finden wir die Gestalt einer meist unbekleideten schönen jungen Frau. Sie ist gleichermaßen Sinnbild der Schönheit und des seelischen Adels wie auch der Sinnenlust und der ungezügelten Vitalität. Ihre mythologische Personifizierung finden wir in Aphrodite, die sowohl Göttin der Liebe und der Kunst als auch Verkörperung von Zank und Eifersucht ist. Darüber hinaus ist sie auch Sinnbild für Wohlstand, Gesundheit und materiellen Reichtum. Ihre Varianten reichen von der göttlichen Geliebten bis zur Hetäre, von der Priesterin bis zur Tempelhure. Ein ebenfalls bekanntes Bild ist das der »femme fatale«. Das männliche Gegenstück hierzu bildet der Casanova.

In Hod finden wir die Urbilder des Zauberers und des Gauklers als Verkörperungen unseres Intellekts, der beständig seine Kunststücke und Tricks mit uns macht, so daß wir sehr auf der Hut sein müssen, nicht auf ihn hereinzufallen. Zwei Varianten davon – einmal zum Licht, das andere Mal zum Dunkel – sind der Bote und der Taschendieb. Während der eine Nachricht bringt von seinem Herren, sucht der andere Bereicherung seiner selbst.

Jesod am Himmel, verkörpert im lunaren Prinzip, ist ein Licht von großer Ambivalenz. Sein Leuchten ist silbrig kühl bis narkotisierend schwül. Es ist die Wurzel unserer Imagination, unserer Passion, unserer Phantasie sowie unserer Romanze mit der Welt. Jesod ist der Sitz jenes astralen Fluidums, in dessen Zwielicht die Trugbilder der astralen Welt, unserer Träume und unseres vorstellenden Denkens entstehen, und das der Ursprung der großen Verblendung ist, in die unser tägliches Leben solange gebettet ist, bis wir im reinen Licht des Höheren Selbstes erwachen und so das Machwerk dieser großen Täuschung allmählich durchschauen.

Dem zwielichtigen Charakter von Jesod, seinem Spiel von Licht und Schatten gemäß finden wir hier zwei Grundarchetypen. Ihre mythologischen Ausgestaltungen sind Hekate als Repräsentation der dunklen, und Diana als Verkörperung der lichten Seite. So wie Hekate in ihrer verlockenden Weiblichkeit und in Beherrschung der Kunst der Verschleierung und Verblendung zum Sinnbild der Verführung wird, so ist Diana in ihrer unberührten Anmut Symbol für Reinheit, Keuschheit und Enthaltsamkeit. Reinheit und Enthaltsamkeit sind auch die wesentlichen Voraussetzungen, die der Mensch in seiner Seele entwickeln muß, um den Versprechungen und Verlockungen dieser Welt und den Trugbildern unseres imaginierenden, bilderschaffenden Egos zu widerstehen.

Die kabbalistische Tradition bezeichnet Jesod auch als den Sitz des Zaddiks, »des Gerechten«. Es heißt: »Der Zaddik ist das Fundament der Welt«. Und wahrlich, nur wer die Illusion von Jesod meistert, findet einen festen Stand in Gott und wird damit zu einer Säule des Lichtes und der Wahrheit in der Welt. Auf ihm nur kann der Herr den Tempel des Neuen Jerusalem errichten.

Eines der leuchtendsten Beispiele eines Zaddiks finden wir im Alten Testament in der Gestalt Josefs, der allen Machinationen und Versuchungen dieser Welt standhält und niemals nur für einen Moment den Ruf JHWHs, seines Herrn, verläßt. Er erträgt Neid, Verleumdung und Auslieferung durch seine eigenen leiblichen Brüder, verrät niemals seine ungebrochene Liebe zu ihnen, widersteht der wiederholten Verführung durch Potiphars (seines Dienstgebers) Weib, und erduldet erneut Verleumdung und Gefängnis um der

Treue JHWHs willen. Und später, lange, nachdem ihn Pharao zum Regenten Ägyptens gemacht hat, als seine Familie in Kanaan Hunger und Not erleidet, gedenkt er ihrer und nimmt sie in Liebe auf.

Fürwahr, das Fundament jenes Hauses, aus dem der Geist Christi hervorkommen sollte. »Wenige in Israel haben solchen Glauben.« Nur wer seinem Beispiel folgt und unbeirrbar den wechselnden Stürmen seines Lebens standhält, wächst selbst zu einem Licht, das weithin sichtbar wird.

In Malkhut, dem Königreich, darin die Schekhinah als welteinwohnende Herrlichkeit Gottes regiert, finden wir als Urbild eine edle Jungfrau, die eine Krone trägt. Sie ist die Repräsentantin ihres Vaters, seine rechtmäßige Erbin in der Welt. Sie verkörpert die Glorie und Macht des Schöpfers. Mythologische Ausgestaltungen dieses Archetypus finden wir in Sulamit aus dem Hohelied Salomos, in der »Ecclesia«, der Braut des Lammes aus der Offenbarung des Johannes sowie in »Repanse de Schoye«, der Trägerin des Grals. Sie alle sind Verkörperungen der Sehnsucht des Menschen nach einer vollkommenen Welt und einem Leben in Eintracht und Frieden sowie dem Geist wahrer Brüderlichkeit und Nächstenliebe und des Sinnes für echte Gemeinschaft, getragen aus der Liebe und dem Lichte der kosmischen Ursonne, des einen *Ich Bin*, unseres Lammes.

Andere Varianten dieses Archetyps sind Gaia, die Verkörperung irdischer Lust, und Persephone, die Führerin durch die Unterwelt und die Sphären des Unbewußten. Auf beide wollen wir hier nicht weiter eingehen.

Damit haben wir die wesentlichen Archetypen der zehn Sefirot in Kürze umrissen. Wie wir sehen konnten, enthält und verkörpert jeder Archetyp ein ganzes Bündel von positiven und negativen, hellen und dunklen Neigungen. Wenn wir uns bemühen, die Botschaften ihrer Erscheinungsformen wirklich zu verstehen, werden wir erkennen, daß sich in jedem von ihnen eine Aufgabe innerer Verwandlung formuliert. So sind auch tatsächlich alle großen Epen der Menschheit Erzählungen des Ringens des Menschen zwischen Licht und Finsternis. Seien es der Kampf Samsons, die Irrfahrt des Odysseus, das Epos des Gilgamesch, die zwölf Aufgaben des Herkules oder der Weg des Parzival, immer geht es um die Verwandlung des inneren Menschen und den Sieg über sich selbst.

4. Die 22 Pfade des Lebensbaumes und die Großen Arkana des Tarot

Wie wir weiter oben gesehen haben, versinnbildlichen die Pfade im Lebensbaum das Wirksamwerden kosmischer Prinzipien, symbolisiert durch die 22 Buchstaben des hebräischen Alphabetes. Diese treten nun in den verschiedenen Welten als Wechselbeziehungen und Interaktionsmuster zwischen den durch die Sefirot verkörperten Kräften und Aspekten in Aktion. Übertragen auf die Welt der Archetypen und der Mythologien könnte man sagen, daß sie die Konstellation der Dramaturgie und des Beziehungsnetzes der Götter des Pantheons, also der Archetypen in der Seele, begründen.

Wegen der Affinität der 22 hebräischen Buchstaben zu den 22 Großen Arkana des Tarot ist in der jüngeren Geschichte unserer abendländischen Geistestradition – trotz ihrer im einzelnen unterschiedlichen Herkunft – oftmals auf die Verwandtschaft beider hingewiesen und auch eine plausible Verknüpfung hergestellt worden. Erkennen wir die 22 Arkana des Tarot als Archetypen innerer Durchgänge der Seele auf dem Weg ihrer Verwirklichung und ihrer Einswerdung in und mit Gott, so können wir sie auch als Urbilder der 22 Pfade des Sefirot-Baumes unserer Seele (Nefesch) ansehen.

Interessieren wir uns für den Ursprung dieser Bilder, so führt uns die Suche zurück ins alte Ägypten, nach Babylon und Chaldäa. Viele der in ihnen ausgedrückten Motive und Themen finden wir bereits in Bilddarstellungen an Tempeln und Einweihungsstätten jener Zeiten und Kulturen. Die ältesten erhaltenen und überlieferten Kartensätze stammen aus Venedig und Marseille und zeigen in ihren Motiven eine deutliche Beziehung zur Alchimie und zum damaligen Gralsrittertum.

Nehmen wir sie ernst, so erschließen sie uns die Erfahrungs- und Wandlungsaspekte der Seele. Abbildung 78 (Farbtafel nach Seite 276) zeigt eine Zuordnung der 22 Großen Arkana zu den Pfaden im Lebensbaum. Hierbei finden wir den »Turm« auf dem Pfad von Malkhut nach Jesod als Ausdruck der Erschütterung und des Zusammenbruches unseres Welt- und Ich-Bildes (des elfenbeinernen Turmes) an den Ereignissen der konkreten äußeren Welt. Immer sind es Geschehnisse und Erfahrungen an der Welt, die uns aus dem Traum unserer illusorischen Welt herausreißen. Das Zusammenprallen mit der Welt führt zur Erschütterung unserer inneren Werte, Vorstellungen und Bilder. In der hiermit verbundenen inneren Krise bietet sich uns die Chance der Erlösung aus der Gefangenschaft in jenen Burgen und Luftschlössern unserer erträumten Welt, die mit dem allmählichen Übergang aus dem eingebildeten Ich in die Wirklichkeit des Selbstes verbunden ist.

Die »Sterne« als Sinnbild der Reinheit, der Höheren Ideale und der Ausschüttung des Lebens verkörpern den Pfad von Jesod nach Tiferet. Indem wir aus unserem Herzen schöpfen und all unsere Gaben in freien Stücken geben, läutern wir unsere Seele. Wir werden frei von den Bindungen des Ich und entfalten unser wahres Wesen und unsere Individualität.

Gleichzeitig finden wir im »Mond« das Symbol des Unbewußten, das Ausdruck der am Grunde unserer Seele wohnenden, verborgenen Wünsche (Nezach) und Vorstellungen (Jesod) ist. Aus der Verbindung unseres inneren Begehrens mit den verschiedenen Bildern und Vorstellungen dessen, von dem wir meinen, daß es uns Erfüllung brächte, ist diese unbewußte Wunschwelt aufgebaut. Sie zu ergründen und die unter der Oberfläche unseres Bewußtseins verborgenen Antriebe unseres Lebens zu ergründen, ist der Auftrag dieser Arcana des Tarot.

Die Überwindung und Verwandlung unseres Wunsch- und Trieblebens ist das Thema der »Stärke« auf dem Pfad von Nezach zu Tiferet. Indem wir unsere Wünsche und Antriebe – soweit sie uns bewußt geworden sind – rückbinden an unser Herz (Tiferet), erkennen wir unsere wahren Bedürfnisse und den wahren Gegenstand und Inhalt unseres Begehrens. Auf dem Scheideweg des »Liebenden« verwandeln wir schließlich all die ungestümen Antriebe, Verlangen und Kräfte von Nezach in die reine Hingabe von Hesed. Indem wir dem Begehren der Sinne standhalten und uns dem Quell des Einen Lebens selbst verschreiben, finden wir Erlösung von der Versklavung an unsere Wünsche und die wahre Erfüllung unseres inneren Begehrens.

Abb. 78

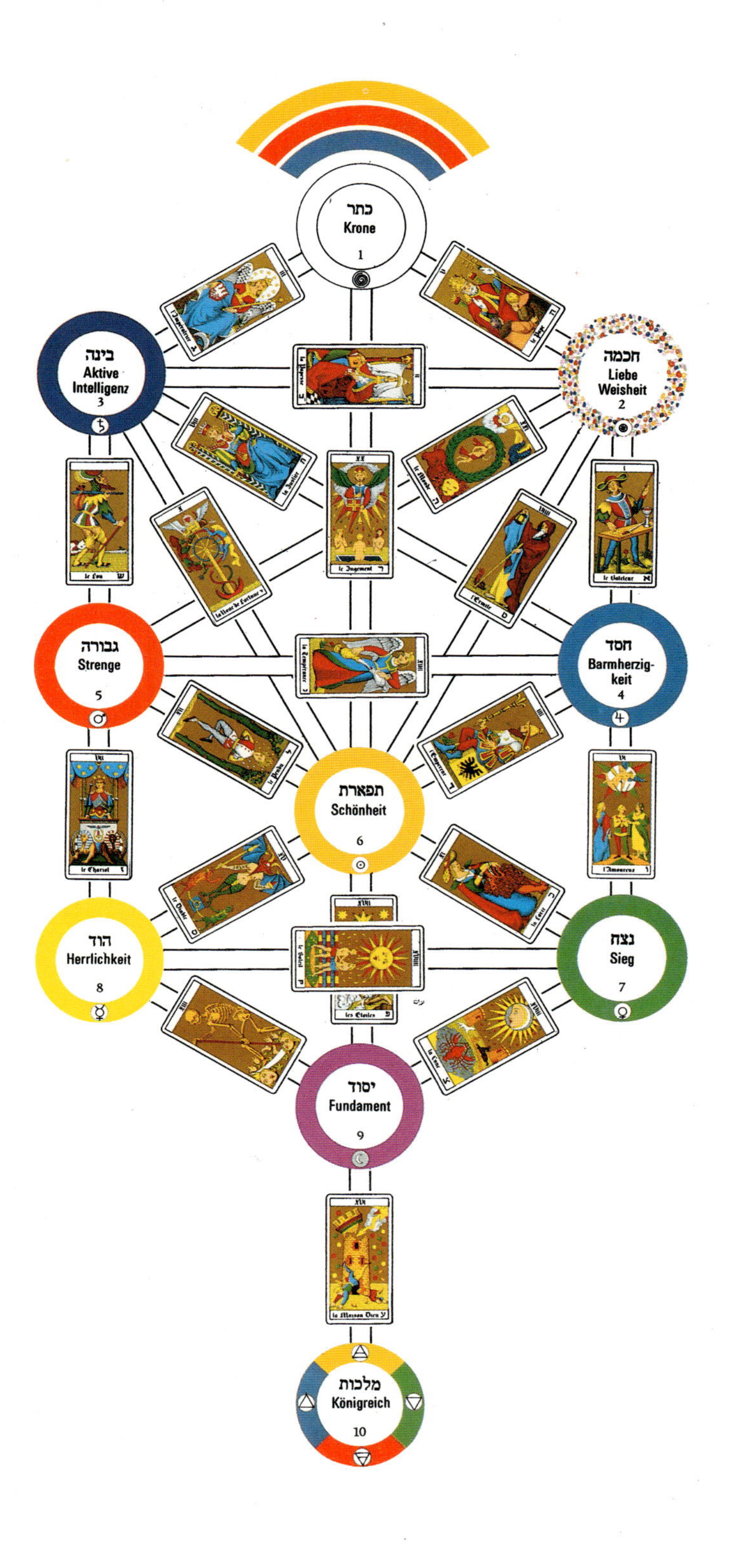
כתר
Krone
1
בינה
Aktive Intelligenz
3
חכמה
Liebe Weisheit
2
גבורה
Strenge
5
חסד
Barmherzigkeit
4
תפארת
Schönheit
6
הוד
Herrlichkeit
8
נצח
Sieg
7
יסוד
Fundament
9
מלכות
Königreich
10

Die »Sterne« auf der mittleren Säule verkörpern ferner den Weg des Dienstes und der Verwirklichung, darin wir unser Wesen und unsere Berufung erfüllen.

Der Tod des falschen Ich und die Überwindung der Versuchungen und Versprechungen unseres Intellektes (Hod) sind die Durchgänge von Jesod zu Hod und von Hod nach Tiferet. Ist der »Tod« das Symbol der Überwindung unseres personalen Ich und der Verhaftung an und in uns selbst, so ist der »Teufel« Sinnbild der verführerischen List unseres Intellektes, der immer wieder versucht, unser Herz zum Verrat seiner selbst zu verleiten. Wir sehen: Wer sein göttliches Ich, seine gottgegebene Individualität verwirklichen und die ihm eingeborenen Anlagen entfalten will, der ringt wahrlich mit Tod und Teufel. Allein die Kraft des *Ich Bin* (in Kether) führt ihn zum Sieg über beide. Wer nach Vollendung seines Weges in Kether seine Einheit mit Gott erfährt, der kann wahrlich frohlocken: »Tod, wo ist dein Stachel, Hölle, wo dein Sieg?« Bis dahin sind beide als Manifestationen unseres eigenen Schattens die Widersacher unseres Herzen, die immer wieder versuchen, es ins Schwanken zu bringen. Unsere irdischen Wünsche und beständigen Zweifel sind nur zwei ihrer Ausdrucksformen, die gemeistert werden wollen.

Der »Triumphwagen« auf dem Pfad von Geburah nach Hod ist Ausdruck der Disziplinierung unseres Denkens und der Zügelung seines eigenen Anspruchs. Die harmonische Verbindung von Hod und Nezach, versinnbildlicht in der Arcana der »Sonne«, ist die Voraussetzung unserer Verankerung in Tiferet. Hier im Herzen haben wir unsere eigene Mitte; von hier aus steuern und lenken wir all die untergeordneten Kräfte und Aspekte unserer Seele.

Ebenfalls aus dem Herzen gesteuert wird die Balance zwischen Hesed und Geburah zwischen Hingabe und Disziplin, Güte und Festigkeit. Sinnbild der Suche nach dieser Balance ist die »Ausgewogenheit« (»Temperance«). Finden wir zu dieser inneren Harmonie zwischen den männlichen Kräften des Wollens und den weiblichen Kräften der Hingabe, so gestaltet sich daraus die Harmonie unseres gesamten inneren Lebens. Geburah und Hesed sind nicht nur die steuernden Instanzen unseres Wesens, sondern gestalten sich aus ihrer Balance auch die Grundlage der inneren Verwandlung. Das Umgießen des Wassers aus dem silbernen in den goldenen Krug symbolisiert die Verwandlung und Erhebung der ungeformten, schöpferischen Kräfte von Jesod in die Kräfte des reinen Selbstausdruckes von Tiferet. Auf dem Weg von Binah nach Tiferet offenbaren sich die Kräfte und Impulse des Karma und des göttlichen Planes (Dharma). Dies ist im Bild des »Schicklsalsrades« zum Ausdruck gebracht. Gesetz und Schicksal sind es, die als höhere Kräfte des Lebens in unser Herz hineinwirken und sich mit der Erfüllung unserer Aufgabe und Bestimmung unseres Lebens verflechten.

Die »Hohepriesterin« als Hüterin des Geheimnisses des höchsten göttlichen Seins steht auf der Schwelle zwischen Binah und Chokhmah und versinnbildlicht die verschleiernde Macht der Maya und die Lüftung des Geheimnisses der Natur in den Mysterien der Einweihung und der Anbetung Gottes. Die zwei Säulen, zwischen denen der Vorhang der aus dem Prinzip der Polarität gewobenen Maya aufgehängt ist, verkörpern den positiv-männlichen und den negativ-weiblichen Pol der schöpferischen Urkraft Gottes. Sie bilden Seine rechte und Seine linke Hand und verkörpern die beiden Grundpfeiler, darauf Gott Sein Werk und Seine Schöpfung gründet. Sie sind im Sefirot-Baum durch die beiden äußeren Säulen dargestellt.

Gelingt es dem Menschen durch die »Einfalt« seines Herzens und seines inneren Auges, die Oberfläche der Erscheinungen zu durchdringen, so lüftet sich ihm der Schleier der äußeren Welt und offenbart ihm die Mysterien des inneren Lebens. Isis enthüllt ihr Geheimnis und führt uns in die Regionen des unteilbaren, reinen Seins. Sie ist es, die die beiden Schlüssel der Mysterien Gottes verleiht: den goldenen Schlüssel zur Schau der einen Wurzel und Wirklichkeit allen Seins sowie der Empfängnis des ewigen Lebens, und den silbernen zur Erkenntnis der Kreisläufe der Natur, der ewigen Wiederkehr in Geburt und Tod sowie der Unwandelbarkeit des innersten Wesens innerhalb jenes Wechsels der Formen.

Durch Gewährung der Schau des einen unwandelbaren Seins errettet sie uns aus den Fängen der Illusion.

Die Arcana »Gericht und Auferstehung« schließlich verkörpert die Erhebung und Erfüllung unseres inneren Kernes (Tiferet) zu und mit der Kraft und dem Lichte des aus Kether herabsteigenden, ewigen Lebens. Indem wir seinem Ruf bedingungslos folgen, führt es uns zur Auferstehung und zur Labung unserer Seele mit dem Licht des *Ich Bin.*

So verkörpert jeder Pfad eine Funktion und ein Wirksamwerden höherer Kräfte in unserer Seele. Die Arcana des Tarot sind deren

Symbole. Darüber hinaus ist uns jedes Bild ein Schlüssel zum Verständnis der Beziehung zwischen den beiden durch den entsprechenden Pfad verbundenen Sefirot.

Da ein umfassenderes Eingehen auf den Tarot den Rahmen dieses Buches sprengen würde, möchte ich den interessierten Leser insbesondere auf das Buch von E. Haich: *Tarot* (München, 1971) hinweisen, das den Tarot ganz aus dem hier vertretenen Geist einer initiatischen Schau des Lebens aufrollt.

5. Die Sefirot als Wandlungsaspekte der Seele und als reine Lichter

Der Baum des Lebens ist das lebendige Symbol des nach seinem Urbild geschaffenen vollkommenen Menschen. Der Glanz seiner Lichter und ihre Helligkeit sind Ausdruck der Reinheit und Entfaltung unserer seelischen und geistigen Kräfte, die ausgewogene Ordnung der Sefirot im Baum dagegen ist Sinnbild der in der Seele errungenen Balance und Harmonie zwischen ihnen. Tatsächlich ist es zur Vollendung unserer Seele nach dem Inbild des ihr in vollkommener Gestalt eingeborenen Sefirot-Baumes (von Azilut) bei Gott ein weiter Weg.

Wie wir in der allgemeinen Betrachtung der Sefirot gesehen haben, verkörpert jede Sefira eine Kraft oder Instanz der Seele, die in den verschiedensten Schattierungen zwischen Hell und Dunkel, den verschiedensten Tönungen und je nach ihrer Entfaltung auch den verschiedensten Intensitäten in unserer Seele in Erscheinung tritt. So ist der eine Aspekt in uns stärker, der andere schwächer entwickelt, der eine mehr in seinen helleren, der andere mehr in dunkleren Tönen aktualisiert. So können wir, hineinschauend in das Bild der vollkommenen Gestalt des Baumes, uns selbst erkennen, fast wie in einem Spiegel, indem wir darin all die fehlenden oder errungenen Gleichgewichte, all die Schwächen und Stärken (hinsichtlich einzelner Aspekte = Sefirot), all die reinen oder getrübten Farben der Lichter, ihre Verschleierungen und Verdunklungen, all die Durchlässigkeiten oder Blockierungen der Pfade zwischen den Sefirot sowie das Bild unserer seelischen Gestalt im Ganzen, sehen.

Gelingt es uns, diese einzelnen Aspekte sowie die Verfassung unserer Seele im Ganzen darin in einer klaren und wertfreien Schau zu erkennen, so wissen wir auch genau, wo wir in uns jeweils anzusetzen und woran wir jeweils in uns zu arbeiten haben, um organisch wachsen und uns nach unserem vollendeten Inbild entwickeln zu können.

Wir müssen hierbei unsere Aufmerksamkeit auf vier Punkte lenken:

1. die Balance zwischen den Sefirot,
2. die Reinheit und volle Entfaltung ihrer Lichter (= Kräfte),
3. die Durchlässigkeit der Pfade (Kanäle) zwischen ihnen und
4. unsere Zentrierung in Tiferet sowie unsere Ausrichtung an der mittleren Achse des Baumes sowie die An- oder Rückbindung unseres ganzen Seins an die obere Wurzel (= Kether).

Wir wollen diese vier Aspekte nun im einzelnen etwas näher betrachten.

5.1 Die Balance der Sefirot

Wie uns bereits in der allgemeinen Betrachtung der Sefirot aufgefallen ist, ist eine der ersten Voraussetzungen, um in unserem Leben und unserer Seele Harmonie und Gleichgewicht zu schaffen, die Balance und Ausgewogenheit zwischen den einzelnen Sefirot, insbesondere den einander in den drei Horizontalen gegenüberliegenden Kräften, Hod und Nezach, Geburah und Hesed sowie Binah und Chokhmah. Die Disharmonie unseres Lebens beginnt meist schon damit, daß wir unseren Schwerpunkt zu weit rechts oder links, auf der Säule der Milde oder der der Strenge haben, das heißt, daß wir meist in einem einseitigen Verhältnis eher unsere weiblichen oder männlichen Qualitäten zum Ausdruck bringen.

Das beginnt bereits im »unteren« Dreieck. Der eine neigt mehr zu Hod, zu einem eher empfindsamen, rationalen, introvertierten oder intellektuellen Naturell, der andere dagegen mehr zu Nezach, zu einer eher vitalen und sinnlichen Lebensart. Wir haben gesehen, welch einseitige Extreme sich dabei entwickeln können, so daß wir wohl sehen, wie wichtig die Balance und das Zusammenwirken beider Aspekte in unserem Leben sind, so daß sich unser Denken und Empfinden enger mit unserer Vitalität und Sinnlichkeit verbinden, dadurch organischer und lebensbezogener werden und wir damit gleichzeitig mehr in die Lage kommen, unsere Vitalität sowie unsere Wünsche und Triebkräfte in schöpferische Bahnen zu lenken. Es wird sicher einige Zeit in Anspruch nehmen, bis wir das wirklich beherrschen und zu einem stabileren Gleichgewicht finden.

Wenn wir das Zusammenspiel der Sefirot wirklich verstehen, werden wir erkennen, daß dieses Gleichgewicht zwischen Hod und Nezach wiederum durch die ihnen übergeordnete Instanz der mittleren Triade – durch Tiferet, Geburah und Hesed – gesteuert wird. Diese Triade ist überhaupt die steuernde Instanz in der Seele, und Tiferet ist der innerste Fokus aller Balance, Einung, Versöhnung und allen Ausgleichs in ihr. Ist Tiferet mit seiner Polarisierung in den beiden Aspekten von Geburah und Hesed der Sitz unserer Selbstwahrnehmung, unseres inneren Unterscheidungsvermögens sowie vor allem auch des Entscheidens, so wird damit auch deutlich, daß alle Steuerung, alle Lenkung von Kräften, Gefühlen, Gedanken und sonstigen Energien in der Seele nur von Tiferet ausgehen kann.

Geburah, unser Mut, unsere Festigkeit, Entschlossenheit und Entscheidungskraft (Tatkraft) als unser männlicher, und Hesed, unsere Hingabe, als unser weiblicher Pol, bilden sodann die ausführenden Instanzen von Tiferet. Diese wollen ihrerseits wieder in einem Gleichgewicht zueinander stehen, so daß Wille und Hingabe, Tatkraft und Verständnis, Festigkeit und Herzensgüte stets balanciert und in einer organischen Verbindung zusammenwirken. Weder Verhärtung noch Verweichlichung dürfen wir hier pflegen, sondern eine Elastizität, die gewährleistet, daß wir in jedem Augenblick die entsprechende Kraft und Energie mobilisieren können, daß wir, wenn es erforderlich ist, mit aller Entschiedenheit und Festigkeit Stellung beziehen oder uns abgrenzen können sowie uns in aller Liebe und allem Verständnis im Herzen weit öffnen und unsere ganze Wärme und Annahme verströmen können.

In der gleichen Weise wollen wir auch Hod, Nezach und Jesod in ihren Impulsen von hier aus lenken, indem wir weder zimperlich noch hart, jedoch konsequent, das heißt sowohl verständig und liebevoll als auch entschieden gegenüber uns selbst sind.

Meist ist es so, daß wir erst einmal mehr auf der einen oder der anderen Seite festgelegt oder auf sie geradezu fixiert sind. Wenn wir dies erkennen, ist es nötig, überhaupt einmal zur anderen Seite hinüberzufinden, sie zuzulassen. Manchmal erscheint uns dann die andere Seite geradezu als *die* Lösung all unserer bisherigen Probleme, und wir wollen sie gar nicht mehr verlassen. Das Pendel

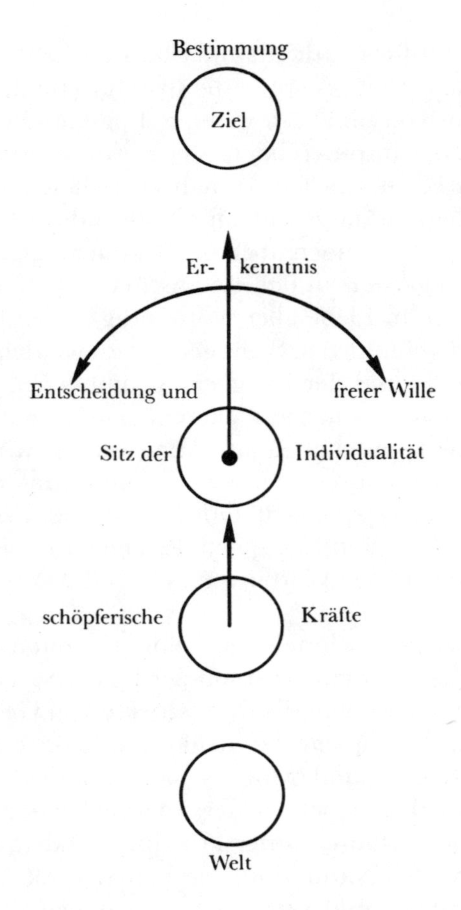

Abb. 79

schlägt aus ins andere Extrem. Immerhin kam wenigstens einmal etwas in Bewegung.

Wichtig jedoch ist es, nicht auf einer Seite sitzen zu bleiben, sondern zu lernen, zwischen den Polen zu pendeln. Wir finden dadurch allmählich den Standpunkt in unserer eigenen Mitte, von dem aus wir dann mehr und mehr jene Energie mobilisieren, die gerade nötig ist. Der Weg zu wirklichem inneren Gleichgewicht besteht darin, daß wir uns in Tiferet festigen und seinen Standort nicht mehr verlassen.

Tiferet ist der Sitz des Zeigers unserer Aufmerksamkeit, der dann jeweils mehr nach rechts oder links ausschlägt, ohne selbst die Verankerung in seiner Achse zu verlieren (Abbildung 79).

Das gleiche gilt für die dritte und oberste Ebene von Binah und Chokhmah. Auch da ist es nötig, die strukturierende und ordnungschaffende Kraft von Binah, ihre innere Logik und formenbildende Intelligenz mit der inspirierenden, stetig erneuernden und formenaufbrechenden Kraft von Chokhmah zu balancieren. Trotz eines festen Empfindens für das Rechte, für Notwendigkeit und Ordnung, sich auch erheben zu können über alle Begrenzungen der Maße und Normen und umgekehrt in der ekstatischen Erhebung über Raum und Zeit dennoch in Liebe aller Notwendigkeit und Gesetzlichkeit des an den Stoff gebundenen Seins gerecht zu werden, ja es mit dem Hauch der Gnade und der Ewigkeit zu umfangen, ist das Thema dieser Ebene. Wenn wir uns aus Tiferet allein nach dem aus Kether strömenden Licht und Leben strecken, werden wir darin wieder beide Prinzipien umfassen, denn wer seinen inneren Blick allein ausrichtet auf die Herrlichkeit Gottes, der segnet mit all seinen Gedanken, Gefühlen und Regungen des Herzens, mit all den Taten seiner Hände und all den Worten seines Mundes Welt, Mitgeschöpfe und sich selbst.

Interessant ist es, nochmals die beiden äußeren Säulen zu betrachten. Da sehen wir zunächst auf der linken Säule in ihrer Ordnung von oben nach unten die drei Aspekte von Gesetz, Wille und Ratio als lauter Prinzipien, die Strukturen, feste Formen und Systeme, Begrenzungen und Maße schaffen, während wir auf der rechten Seite in den Aspekten der überquellenden Weisheit, der Hingabe und der Vitalität lauter Prinzipien finden, die expansiver und expandierender Natur sind. Sie brechen auf, erweitern, verschmelzen, berühren und verbinden und haben damit insgesamt eine eher auflösende Tendenz. So neigt auch jeder Mensch je nach seiner Tendenz zur rechten (»milden«) oder linken (»strengen«) Säule, eher zur inneren *Auflösung* beziehungsweise *Erstarrung*. Der eine ufert leicht aus, kennt kaum Grenzen, neigt zu Schwächlichkeit, Genuß- und Vergnügungssucht und läßt sich überhaupt leicht gehen (manchmal bis zur Verwahrlosung), während der andere eher dazu tendiert, in Normen und Prinzipien, fixen Ideen und selbstauferlegten Pflichten zu erstarren. Je mehr wir nach links hinüberfallen (was im übrigen unserer rechten Körperhälfte entspricht, denn das Bild des Baumes steht uns spiegelbildlich gegenüber), um so mehr werden wir innerlich erstarren. Wir werden stur, versteifen uns auf Meinungen und unseren eigenen Willen und entwickeln im Zusammenhang damit allerlei Ansprüche und meist auch Ängste. Wachsen die Ansprüche aus Geburah, so bilden sich die Ängste in Hod; sie sind Ausdruck verfestigter Gedankenformen (die meist an die Vergangenheit gebunden sind). Es entsteht eine Verhärtung im Denken.

Die Ansprüche bilden einen Gegenpol zu Nezach und stellen meist einen krassen Widerspruch zu unseren Bedürfnissen dar, die nicht selten zu kurz kommen. Mit unseren Ansprüchen und selbst auferlegten Pflichten pressen wir oft unsere ganze Lebendigkeit und Herzenswärme aus unseren Seelenadern; auch für unsere Bedürfnisse nach Kontakt und Berührung bleibt dann wenig Zeit. Wir wissen: Wo die Diktatur der Ansprüche beginnt, bleibt für gesundes Menschsein kaum noch Raum. Umgekehrt finden wir auf der rechten Säule all die verschiedenen Formen von Verweichlichung.

All diese Dinge bleiben nun obendrein nicht nur in der Seele verborgen, sondern manifestieren sich auch im Körper und in unserer Gesundheit. So erkennen wir auch bei den verschiedenen Krankheitsbildern ebenfalls Formen der Erstarrung sowie solche der Auflösung. Ich möchte hier nur auf die diversen Lähmungserscheinungen, Sklerose, Verstopfung, Krämpfe, Katelepsie, Entzündungen, Bandscheibenprobleme, hohen Blutdruck auf der einen, Fettsucht, Durchfall, niederen Blutdruck, Hypotonie und eine Menge mehr auf der anderen Seite hinweisen. Wir finden hier ein weites Gebiet psychosomatischer Forschungsmöglichkeiten.

5.2 Die Reinheit der Sefirot und die volle Entfaltung ihrer Lichter

Für den inneren Weg ist die Schaffung eines inneren Gleichgewichts von ebensolcher Bedeutung wie die Reinigung der von den Sefirot ausgehenden Kräfte und Energien und die vollständige Entfaltung und Vervollkommnung der in ihnen angelegten Funktionen und Ausdrucksformen seelischen Lebens. Es geht also darum, die in den Sefirot angelegten Kräfte und Formen zu ihrem höchsten, reinsten und vollendetsten Ausdruck zu erheben.

Nachdem jede Sefira ursprünglich als Keim eines seelischen oder geistigen Lichtes, einer seelischen oder geistigen Fähigkeit des Menschen mit einer wohldefinierten, eingeborenen Bestimmung anzusehen ist, der anfangs noch unentfaltet in der Seele liegt, wird es verständlich, daß der Weg der Bewußtwerdung und Verwirklichung des Menschen sich im Lebensbaum als Weg der Entfaltung und Vervollkommnung der Sefirot darstellt. Es ist nötig, ihre Kräfte erst zu erwecken, sie kennenzulernen, herauszufinden, was ihre Bestimmung ist, und diese sodann zu verwirklichen.

»An ihren Früchten werdet ihr sie erkennen«, hatte einst Jesus gesagt. Und die Früchte unseres Lebensbaumes sind die Sefirot, an deren Reinheit, deren Entwicklung und deren Leuchten wir erkennen, wo wir innerlich stehen und in welche Richtung wir unsere Seele und ihre Gaben entwickelt haben.

Wie wir nun aus eigener Erfahrung, aus der Betrachtung der Natur und der symbolischen Erzählung vom Sündenfall wissen, haben wir die in uns angelegten Fähigkeiten und Möglichkeiten durchaus nicht geradlinig in jene Richtung hin entwickelt, die ihrer Bestimmung und unserem eigenen höchsten Wohl in bester Weise entsprechen würde, sondern offenbar in einer Weise mit ihnen experimentiert, die auf die Dauer, das heißt im Laufe unserer Entwicklung, alle möglichen Auswüchse und Fehlformen hervorbrachte, an denen wir nun heute laborieren. Wir haben auch bei der Analyse der Sefirot gesehen, daß die durch sie verkörperten Kräfte und Fähigkeiten in den verschiedensten Richtungen und Schattierungen in uns in Erscheinung treten und meist auf blinde, ich-bezogene Ziele gerichtet sind und wir sie oft kurzsichtig für recht kurzlebige Motive und Interessen einsetzen.

Es gilt, die Sefirot durch eine eindeutige Ausrichtung auf den Ursprung, aus dem sie alle kommen, zu läutern, zu reinigen und zu transformieren, daß sie einst in der ihnen bestimmten Weise rein und hell erstrahlen mögen. Diese innere Wandlung und Läuterung setzt aber voraus, daß wir *in jeder Sefira eine bestimmte Haltung einnehmen*, durch die ihr Wesen und ihre Kraft erst zu ihrem reinen und vollen Ausdruck kommen kann. Diese Haltungen, die auf einer grundlegenden Ausrichtung auf Gott beruhen, bringen in der Seele jene Qualitäten hervor, die wir ursprünglich als *Tugenden* bezeichnen. Diese Tugenden sind ihrerseits nichts anderes als reine, auf Gott ausgerichtete Haltungen, die sich in der Seele als feste Eigenschaften oder Neigungen etabliert haben.

Sie bilden in den Sefirot jene Qualitäten heraus, durch die ihre Kräfte beginnen, sich in ihrer reinsten und vollendetsten Form zu offenbaren. (Dieser Zusammenhang ist für die einzelnen Sefirot in der Tabelle auf Seite 288 und in der Abbildung 80 auf Seite 289 nochmals zusammengefaßt.) Sie treten sodann als besondere Fähigkeiten oder Gaben der Seele hervor. Sie erstrahlen dabei als *reine Lichter* und offenbaren das ihnen innewohnende göttliche Potential. Diese innere Wandlung in der Form der Etablierung einer neuen inneren Haltung empfängt ihren Impuls grundsätzlich von Kether, dem uns innewohnenden Christusprinzip oder Höheren Selbst, wird jedoch durch Tiferet, der Entscheidungsinstanz, den individuellen Kern in unserem Herzen, gesteuert.

Wir erkennen dabei, daß im Grunde nur die beiden peripheren Sefirot der mittleren und die drei der unteren Triade Gegenstand der Wandlung sind, also Geburah und Hesed, sowie Hod, Nezach und natürlich Jesod. Das Geschehen in Malkhut ist vorwiegend eine Folge der Wandlungen der oberen Sefirot. Tiferet selbst ist nicht Gegenstand der Wandlung, sondern als Sitz des individuellen Bewußtseins die Instanz, die die Wandlung in den anderen Aspekten steuert. Darüber hinaus geht es in Tiferet jedoch vor allem um die Entfaltung unseres geistigen Potentials, unseres Selbstausdrucks sowie um die Entdeckung unserer spezifischen Aufgaben und unserer Berufung als Individuum und Mensch. Für Tiferet gilt in unmittelbarer Form der Ausruf: »Werde, der du bist!« Und – bezogen auf Jesod – »Versuche nicht zu sein, was du nicht bist.«

Die Sefirot der obersten Triade stehen ebenfalls jenseits jeder Wandlung. Trotzdem sind sie Gegenstand innerer Erschließung und Entfaltung.

Neben den fünf Wandlungsaspekten der mittleren und unteren Triade ist – in besonderer Weise – auch Malkhut Gegenstand der Wandlung. Dem wollen wir im folgenden gleich näher nachgehen. Überhaupt wollen wir die einzelnen Sefirot nun nochmals betrachten und ansehen, in welcher Weise wir ihre Kräfte und Funktionen so läutern und verwandeln können, daß sie in ihrer reinsten Form zur Entfaltung kommen, welche inneren Haltungen und Tugenden wir dafür entwickeln müssen und als was, als welche Qualitäten, Kräfte und Funktionen sie dann in uns in Erscheinung treten.

Sefira	Aspekt	Fehlhaltung, Schwäche	rechte Haltung, Tugend	reines Licht, (Offenbarung) Frucht
Malkuth	Körperbewußtsein	Habgier, Trägheit	einfaches Leben, Unabhängigkeit	Gesundheit
Hod	Vernunft, Sprachvermögen, Empfindsamkeit	Fanatismus, Lüge	Ehrlichkeit, Wahrhaftigkeit	Wort Gottes
Nezach	Vitalität (und Sinnlichkeit)	Wollust, Sinnenlust, Eifersucht	Selbstüberwindung, Losgelöstheit	Heilkraft Gottes
Jesod	Schöpferische Kraft und Bildwelt	Selbstsucht, Verhaftung, Täuschung, Einbildung	Selbstlosigkeit, Opferwilligkeit, Reinheit	Verklärung, Charisma, Lichtleib
Tiferet	Individualität	Stolz	Treue (zu sich selbst) Kreuztragung, Dienst	»ewiger Name«, Berufung, Menschsein, Erfüllung, Verwirklichung, Diamantleib
Geburah	Willenskraft	Machthunger, Gewalttätigkeit	Mut, Disziplin	Wille Gottes
Hesed	Herzenswärme	Verweichlichung, Vergnügungssucht, Scheinheiligkeit	Hingabe an Gott	Anteilnahme, Liebe Gottes
Binah	Gewissen	Erstarrung	Verbindlichkeit, Ruhe	Freiheit
Chokhmah	Inspiration	Auflösung	Verständnis	Weisheit
Kether	Sitz der Monade		»Devekuth« Verankerung in Gott	Einheit, Erkenntnis Gottes

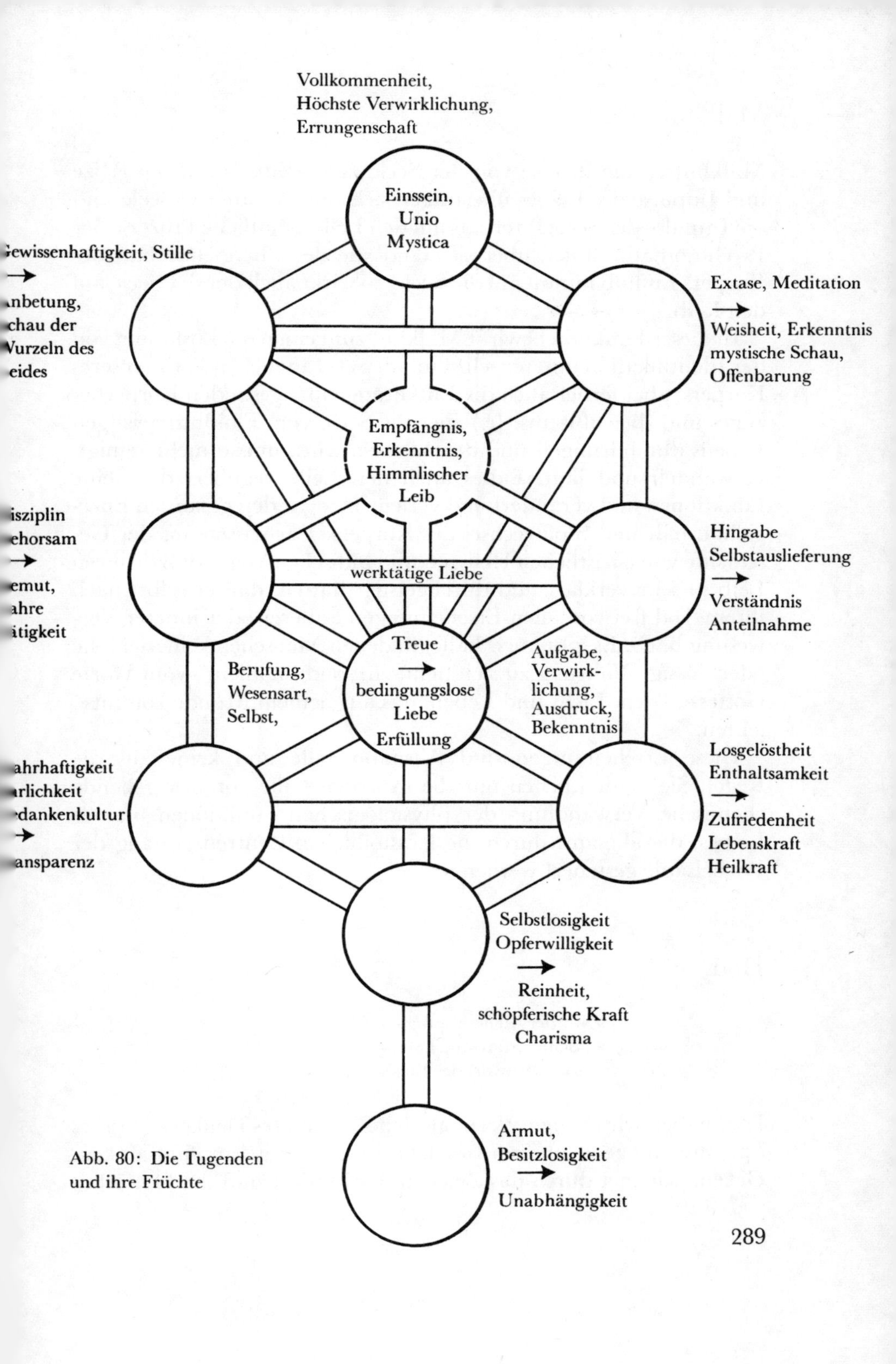

Abb. 80: Die Tugenden und ihre Früchte

Malkhut

Malkhut ist die Brücke von der Seele zum Leib. Sämtliche Reize und Impulse des Leibes übertragen sich über sie auf die Seele und die Impulse der Seele ihrerseits auf den Leib. Sämtliche Prozesse der Psychosomatik laufen über sie. Und wie der Energiehaushalt des Körpers Einfluß nimmt auf die Seele, so wirkt auch der der Seele auf den Leib.

In dieser Funktion bewirkt Malkhut zum einen die Loslösung von der Identifikation unserer selbst mit der vergänglichen Form unseres Körpers, aber ferner auch die Entfaltung eines gesunden Körperbezuges und -bewußtseins. Je feiner die Seele vom Fluidum geistigen Lebens durchdrungen und durchflossen wird, um so mehr reinigt, verwandelt und läutert dies auch den Leib, reguliert dies seine Funktionen und verändert und verfeinert sogar den gesamten Energiehaushalt und Stoffwechsel des Körpers. Wir wissen aus der Geschichte von christlichen Heiligen und indischen Yogis, daß sie ihren Leib so sehr verklärt und durchgeistigt hatten, daß er selbst nach ihrem Tod frei von allen Erscheinungen äußerer oder innerer Verwesung blieb. Es gibt auch Fälle, in denen Menschen keinerlei feste oder flüssige Nahrung zu sich nehmen, sondern allein »vom Worte Gottes«, »dem Licht und Leben, das aus Seinem Munde kommt«, lebten.

Diese Erscheinungen sind Ausnahmefälle und keinesfalls die Regel. Sie verdeutlichen nur die in jedem Falle vor sich gehende chemische Verwandlung der physiologischen Funktionen unseres Leibes, die allesamt durch die feinstofflichen Zentren entlang der Wirbelsäule gesteuert werden.

Hod

> »Nur der Mensch spricht –
> an Seiner Statt spricht er.«
> Antwort der Engel

Hod haben wir kennengelernt als den Sitz unseres Denkens, unseres Sprachvermögens, unseres Intellekts und unserer Empfindsamkeit. Gekennzeichnet durch das Zeichen des Merkur und des Götterboten Hermes erkennen wir seinen Sinn und seine Aufgabe in erster Linie in der Übermittlung innerer Empfindungen, Wahrnehmungen, Erkenntnisse, Gefühle und Gedanken von der unmittelbarsten persönlichen Ebene bis hin zu Botschaften und Offenbarungen aus den höchsten Ebenen des Geistes. Wie wir gesehen haben, kreist jedoch Hod in Gestalt unseres Denkens meist um sich selbst, um unsere Vorstellungen und Wünsche, und dient in der Regel mehr als Schutzwall um uns selbst, denn als Brücke zum Du und zum eigenen Wesen. Ferner ist unser Denken meist so losgelöst von unserem wahren Sein und auch so wenig transparent für die feineren Schwingungen des inneren Lebens, daß es seiner Bestimmung als Brücke zwischen Gott und Welt kaum gerecht werden kann. Meistens erstarrt Hod dann zu einem toten Intellekt und einer bezuglosen Bibliothek zahlloser gespeicherter Informationen.

Erst wenn wir uns bemühen, durch unser Denken, Sprechen und Empfinden mehr in *Berührung* zu kommen *mit dem Puls des inneren Lebens*, wenn wir sie mehr und mehr verfeinern, uns absoluter *Ehrlichkeit* und *Wahrhaftigkeit* befleißigen und eine bewußte *Gedankenkultur* und *Sprachhygiene* in uns pflegen, indem wir nicht wahllos mit Worten um uns werfen, sondern sie bewußt wählen, um das, was wir mitteilen möchten, auch spürbar zu machen, erst dann kann Hod allmählich zu einem brauchbaren Organ oder *Instrument des Geistes* werden, durch das die Herrlichkeit Gottes sichtbar und die Geheimnisse und der Klang der geistigen Welt hörbar werden. So ist es unbedingt nötig, zuerst unser Wahrnehmen und Empfinden sowie unsere Sprache und unser Denken zu reinigen. Erst indem wir empfänglich werden für das Flüstern des Windes, das Raunen der Nacht, die Wogen des Herzens und die schweigende Tiefe der Ewigkeit, gewinnen sie (Sprache und Denken) jene *Transparenz* und jene Kraft, durch die unser inneres Wesen und das sich in ihm offenbarende göttliche Sein hindurchstrahlt. All unsere Worte und Gedanken sind dann belebt und durchleuchtet von dem Licht der Seele und der Liebeskraft des Herzens.

Wahrlich, wer sein ganzes Denken und Empfinden stets auf Christus hin ausrichtet, der tritt auch ganz in den (Einfluß-)Bereich Seiner Schwingungen. Er *denkt Seine Gedanken* und *spricht Seine Worte*. Baal Schem Tov sagte einst: »Wenn ich meine Gedanken an den Schöpfer hefte, lasse ich meinen Mund reden, was er will, denn jedes Wort ist an seine obere Wurzel gebunden.« Schließlich: »Wes das

Herz voll ist, des geht der Mund über.« Derjenige, der sein Denken und Empfinden, ja sein ganzes Wesen in der Wahrhaftigkeit Gottes gründet, der wird zu Seinem Sprachrohr, und *jedes Wort*, das er spricht, *ist ein Wort des Herrn.*

Entfalten wir Hod in seiner reinsten Form, so offenbart sie sich als reiner Geist, durch den der Glanz und die Herrlichkeit Gottes sichtbar werden und die ursprüngliche Kraft des Wortes zum Ausdruck kommt. Denn die reinste und vollendetste Weise, in der das Licht von Hod erstrahlt, ist die Sprache und der Klang von Gottes Wort im Munde des Menschen.

Nezach

»Wer überwindet, dem will ich
die Krone des Lebens geben.«
Offenbarung

»Gott allein ist die Erfüllung
all meiner Begierden.
Er allein ist meine Lust.«

In unserer allgemeinen Betrachtung der Sefirot haben wir bereits andeutungsweise erkannt, daß Nezach als Sitz unserer Sinnlichkeit, unserer Vitalität und unserer Wünsche und Bedürfnisse die Herberge von Triebkräften ist, die uns – verfeinert und verwandelt – zu einer neuen Qualität inneren Lebens führen. Um diesen Vorgang innerer Wandlung näher zu betrachten, möchte ich nochmals auf die drei Grundbedeutungen von Nezach zurückkommen: Kreislauf, Sieg, Ewigkeit. Diese drei Begriffe hängen auf merkwürdige Art zusammen. Wenn wir diesen Zusammenhang erfassen, verrät er uns ein bedeutendes Gesetz.

Es sind stets unsere Triebe, Bedürfnisse, Wünsche und Begierden, durch die wir an das Leben und die Erde, an den Kreislauf der äußeren Natur, an den Kreislauf des Werdens und Vergehens, von Geburt und Tod, gebunden sind. In unseren Begierden liegt die Wurzel des Leidens und der Wiedergeburt! Das ist auch die zentrale Botschaft der Lehre Buddhas: »Überwinde deine Begierden, und du überwindest Tod und Leid.« Aus Begierde griff Eva nach dem

Apfel, den glitzernden Früchten der Zeit und der vergänglichen, sinnlichen Welt, und erntete Mühsal und Tod.

Jesus sagt uns: »Ihr habt Angst in der Welt, ich aber sage euch, ich habe die Welt überwunden.« Oder: »Wer an seinem Leben hängt, der wird es verlieren, wer es verliert, der wird es finden.« »Wer überwindet, dem will ich die Krone des Lebens geben.« Die Betonung liegt auf der Verwandlung. Diese Weisheit ist tief und alt und wurde, seit sie bekannt ist, auch mißverstanden.

Leider wissen wir immer noch nicht, wie wir unsere Begierden verwandeln können, und wie immer in Zweifelsfällen spaltet sich die Menschheit in zwei Lager. Die einen predigen Kasteiung, Unterdrückung, Askese, meinen Wünsche und Begierden zu überwinden, indem sie sie unterdrücken, aushungern, verdrängen oder versuchen, sie abzutöten, während die anderen dafür plädieren, ihnen freien Lauf zu lassen und sie bis zur Neige auszuleben, in der Meinung, daß sie dadurch – irgendwann gesättigt – letztlich zu einem Ende kämen oder sich auflösen würden. Tatsächlich stellen weder Unterdrückung noch zügelloses Ausleben der Begierden einen gangbaren Weg dar. In beiden Fällen wachsen sie – bis ins Uferlose. Ein altes Sprichwort sagt: »Begierden sind wie Wölfe; je mehr du sie fütterst, um so gieriger werden sie. Sperrst du sie in einen Käfig, so werden sie hinterlistig, gefährlich und wild.« (Hierauf gründet übrigens auch die astrale Erscheinung des Werwolfes!)

Weder das Unterdrücken noch das Ausleben führen zur gewünschten Verwandlung. Wie immer liegt der Weg in der Mitte. So haben wir bereits zwischen Wünschen, wahren und falschen Bedürfnissen unterschieden und gesehen, wie notwendig es ist, die falschen Bedürfnisse auszumerzen und den wahren zu ihrem Recht zu verhelfen. Das setzt die Fähigkeit der Unterscheidung und des Bewußtwerdens (Erwachens) im Herzen (= Tiferet) voraus. Erst dadurch beginnt eine innere Verwandlung.

Darüber hinaus sind all unsere Wünsche und Begierden ja keineswegs sinn- oder ziellose Kräfte, die uns Gott eingepflanzt hat, um uns zu quälen. In ihnen liegt vielmehr ein Funke heiliger Kraft, der an sein Ziel, in seinen Ursprung gelangen möchte. Die Wünsche und Begierden, wie wir sie erleben, sind allesamt nichts als Verkleidungen dieser ursprünglichen reinen Kräfte. Sie erscheinen unserem Gemüt in diesem oder jenem Gewand.

Das bedeutet, daß alle Wünsche und Begierden im Innersten

einen wahren Kern tragen, nämlich das Streben nach Einheit, Erfüllung, Liebe und Glück, ein Begehren nach Gott und ewigem Leben. Dieses erscheint auf dem Bildschirm unseres Bewußtseins in dieser oder jener Form! Die ihnen innewohnende *Sehnsucht* nach Gott, nach Vollkommenheit, nach Hingabe, Glück und Erfüllung ist der wahre Keim und Kern aller Wünsche. Sie wurzeln in der Unkenntnis unseres wahren Wesens, das all das enthält, wonach wir – geschlagen mit der Blindheit eines falschen Ichs – in der Welt vergeblich suchen.

Die Erlösung aus der Versklavung durch die phantomhaften Gestalten unserer Wünsche beginnt mit dem Bewußtmachen jener wahrhaften Sehnsüchte am Grunde unserer Seele, die keimhaft in den verschiedenen Wünschen verborgen sind. Der Weg der Verwandlung besteht somit darin, unsere Wünsche von den mit ihnen verknüpften Vorstellungen zu entkleiden und herauszufinden, welches echte Verlangen, welche Sehnsucht des Herzens sich darin verbirgt. Wenn ich hungere und dürste, muß ich herausfinden, woran meine Seele darbt, anstatt mich mit Schlemmereien vollzustopfen oder meinen Mangel durch Einkaufs- oder Eroberungsorgien zu kompensieren. Erst wenn ich erkenne und wenn mir bewußt wird, wonach meine Seele wahrhaft hungert und schreit, und wenn ich beginne, mich ihrem Rufen, ihrem inneren Drang und Sehnen hinzugeben, erkenne ich mehr und mehr, was die Seele wahrhaftig sucht, und werde so auch den Weg finden, ihr Verlangen zu erfüllen.

Erst jedoch, wenn wir erkennen, daß alle Schätze und Errungenschaften der Welt, alles äußere Suchen, ganz gleich, ob in Dingen oder Personen, in Wissenschaft, Technik oder Natur niemals bleibende und vollkommene Erfüllung bringen, ja im Gegenteil nur unvollkommene und vergängliche Freuden spenden, uns mehr und mehr versklaven und spätestens mit dem Sterben verlorengehen, mit einem Wort: unsere innere Leere, unser inneres Sehnen und Suchen in keiner Weise stillen, erst dann wird sich unser Sehnen ganz von selbst nach innen wenden, um den Schatz des inneren Glückes, die Fülle des ewigen Selbstes zu bergen. Erst wenn wir mit unserem ganzen Sein nach diesem Höchsten Schatz – Gott oder dem Selbst – suchen, stehen wir an der Schwelle der Befreiung, der Erlösung aus der Sklaverei unserer Wünsche und dem Quell wahrer Erfüllung. Erst wenn alle Begierden, Wünsche und Verlangen hineinmünden in das eine Verlangen nach Gott, nach Freiheit, nach

Verwirklichung, betreten wir den Weg der Erlösung und zur Seligkeit.

Nicht durch Wollen finden wir ihn, sondern allein durch das reine Verlangen des Herzens. Solange wir nicht dürsten nach Gott, werden wir ihn weder wahrhaft suchen noch finden. »Selig, die hungern und dürsten nach Gerechtigkeit« hat Jesus gesagt. Und wahrhaft, nur wer den Hunger und Durst nach Gott in seiner Seele fühlt, sich ihnen hingibt und wagt, mit seinem ganzen Sein in ihnen aufzugehen, der findet auch die Labung, die stets ausgeht von Ihm, um die Dürstenden mit Seinem Elixier zu erquicken und all ihr Verlangen zu stillen.

Denken wir nur an die Begegnung Jesu mit der Samariterin, in der er zu ihr spricht: »Jeder, der von diesem Wasser trinkt, wird wieder Durst bekommen. Wer aber von dem Wasser trinkt, das ich ihm geben werde, der wird in Ewigkeit nicht mehr dürsten, sondern... wird in ihm zu einem Quell von Wasser werden, das ins ewige Leben sprudelt.« Die zweierlei Wasser, von denen Jesus hier spricht, sind die Wasser des sinnlichen und des geistigen Lebens. Das eine verdampft im Feuer der Leidenschaften, das andere quillt unerschöpflich aus dem Grund der erweckten Seele.

So ist es mit den vielfältigsten Verlangen. Alle möchten sie hineinmünden in die Suche nach dem ewigen Selbst, dem Quell und Ursprung unseres eigenen Seins.

Auch wenn unsere Seele nach Anerkennung sucht, sind wir aufgerufen zu erkennen, wie und wodurch wir sie in uns finden, anstatt ihr außen hinterherzujagen. Wie oft verleugnen wir uns selbst, verstellen, verkaufen oder verdrehen uns oder passen uns an, nur um eines kleinen bißchen Anerkennung willen, einer Anerkennung, die ohnehin nichts wert ist, weil sie weder vom Herzen noch von »oben« kommt.

Um wieviel dagegen wächst unsere innere Anerkennung, unser inneres Wertgefühl, wenn wir uns unabhängig machen von der billigen Meinung anderer, wenn wir unserem ureigensten Empfinden treu sind, uns zu unserem eigenen Sein und Wesen bekennen, darin »leben, wirken und sind« oder gar danach trachten, uns Gott zu ergeben, ihm zu gehören und seinem stillen Ruf zu folgen. Sicherlich, es ist oft ein langer Weg, ihn zu hören, diesen wahren Kern zu finden. Diesen Weg jedoch zu gehen ist bereits Erfüllung. Wichtig ist vor allen Dingen zu erkennen, daß hinter jedem Wunsch, hinter jedem Begehren, eine Sehnsucht des Herzens verborgen liegt, die zur tragenden und leitenden Kraft unseres Suchens, Strebens und Ringens nach der Wahrheit, nach dem Glücke, nach Gott gereichen will.

Der Weg zum wahren Glück, zur wirklichen Erfüllung liegt stets darin herauszufinden, wonach wir in der Tiefe streben und suchen und diesem wahren Ziel nun mit aller Kraft nachzugehen. Das geschieht weder, indem wir unsere Wünsche und Bedürfnisse unterdrücken noch sie zügellos ausleben, sondern allein darin, daß wir *bewußter* mit ihnen umgehen, um so herauszufinden, wo, wie und worin unser Leben seine Erfüllung findet.

Manche Menschen meinen, daß es nötig wäre, die Wünsche zuerst zu befriedigen, bevor sie darauf verzichten könnten. Ramana Maharshi aber entgegnete einem Sucher, der dieser Ansicht war: »Ebensogut können Sie ein Feuer löschen, indem Sie Benzin hineingießen. Je mehr Wünsche erfüllt werden, um so tiefer wurzeln Ihre Neigungen. Sie müssen vielmehr geschwächt werden, bevor sie aufhören, sich durchzusetzen.«

Tatsächlich hat derjenige, der sein Leben der Wahrheit weiht und sich ganz Gott ausliefert und ihm mit allen Kräften dient, kaum Zeit, sich um seine Wünsche zu kümmern. Mit der Zeit, durch die zunehmende Erfüllung in Gott, werden all die Wünsche abfallen, nahezu ohne daß wir es merken.

In anderen Worten: Wir brauchen uns nicht zu kasteien, sondern müssen nur dem Wesentlichen folgen und das Unwesentliche abfallen lassen. Das heißt: Es geht darum, mehr und mehr zu gewahren, daß alles Begehren sowie die Freude seiner Erfüllung in uns selbst, aus der Tiefe unseres Wesens heraufsteigen.

Wenn wir den wahren »Gegenstand« unseres Verlangens finden und damit unsere Aufgabe und Berufung als Individuum und Mensch, dann fallen all die vielfältigen Wünsche mehr und mehr ab. Je mehr wir einkehren in Gott, in den Kern unseres Selbst und uns inmitten des Lebens beheimaten, um so mehr finden wir jene Erfüllung, jenes Glück, jene Einheit, Wahrheit, Liebe und Seligkeit, nach der wir so viele Jahrtausende vergeblich suchten. Der Weg besteht darin herauszufinden, was wir wirklich suchen, herauszufinden, welches die wahren Sehnsüchte des Herzens sind und in dieser Sehnsucht ganz aufzugehen, denn in der Sehnsucht selbst, in ihrem Kern, liegen Kraft, Richtung und Inhalt ihrer Erfüllung. Das ist eines der großen Mysterien. Die Sehnsucht selbst ist das Tor, der Wunsch, die Brücke zur Seligkeit. Lasse ich mich in ihrem *Kern* aufgehen, so finde ich den Quell. Diene ich ihrem Fluß, so finde ich meine Erfüllung. Und diese Erfüllung ist wahrhaftig und von Dauer.

Es gibt keine größere Erfüllung als sich dem Ozean des Seins hinzugeben, ihm mit aller Kraft zu dienen, denn nichts ist größer als der Drang in der Tiefe unseres Herzens, in Gott zu sein und ihm zu dienen.

Nur das vollkommene Sein (in uns) stillt jeden Mangel. Aus ihm quillt die »Fülle des Lebens«, darin alles Begehren, alles Wünschen, alles Denken versiegt. Nur im Quell des Glückes und des Lebens selbst sind wir frei. Darin finden wir wahrlich wunschlose Seligkeit. Wenden wir unsere Wahrnehmung und all unsere Wünsche nach innen, in ihren Ursprung, so finden wir Freiheit und Glück, wenden wir sie nach außen und heften sie an die Welt, so machen sie uns zum Sklaven ihrer unersättlichen Willkür und der Welt. Das Wünschen hört erst auf, wenn wir jenes unversiegbare Elixier inneren Lebens finden, das es wahrhaft und dauerhaft stillt. Jede äußere Befriedigung ist vergänglich und schürt nur das Feuer neuen Begehrens. Nur wer in Gott ist, in seiner Seligkeit, leidet weder Mangel noch Not. Wozu könnten ihm äußere Dinge noch nutzen? Wie könnten sie seine Fülle und sein Glück noch vermehren?

So finden wir den Schlüssel zu dem Dreiklang von Nezach: Nur wenn es uns gelingt, unsere ungeformte Natur zu verwandeln, aus der Kraft göttlicher Erkenntnis und Gnade die unbewußten Impulse unserer niederen Neigungen und Begierden zu überwinden, im Ringen mit ihnen sie zu *besiegen*, befreien wir uns aus dem »ewigen« *Kreislauf* von Geburt und Tod und treten ein in ein ewiges Leben. »Wer sein ›niederes‹ Leben läßt, es im Streben um Wahrheit hingibt, der wird es wiederfinden.« Der tauscht das Vergängliche gegen das Ewige.

Um jene Verwandlung und Balance in Nezach zu verwirklichen, bedarf es aber wiederum des Wechsel- und Zusammenspieles mit Hod, Tiferet, Hesed und Jesod. Wir sehen, daß Nezach zu einem gewaltigen Quell innerer Freude und Kraft, ja zu einem Treibsatz innerer Entwicklung wird, wenn es uns gelingt, all die Triebkräfte der Seele entgegen ihren äußeren Neigungen in ihren inneren Ursprung zurückzuführen. Das ist nur möglich, wenn wir bereit sind, all die Wünsche ihrer äußeren Tendenz zu entkleiden, uns ihres

Einflusses auf unser Leben zu entziehen und ihren »natürlichen« Neigungen zu widerstehen.

Das bedeutet aber, daß wir all unser Trachten und Tun nicht unter das Kommando unserer Wünsche stellen, sondern sie allein dem Gebot des Herzens unterstellen, daß wir wohl unsere wahren Bedürfnisse erfüllen und den hinter der Verkleidung der Wünsche versteckten Sehnsüchten des Herzens folgen, aber nicht dem oberflächlichen Begehren unserer Sinne. Durch diese – wahrlich heikle, weil so leicht mißverstandene – Kunst der inneren *Überwindung*, die auch beinhaltet, daß wir lernen, all den Verlockungen des Fleisches und der Sinne zu entsagen, *ohne uns* dabei *zu kasteien* (!), entwickeln wir eine Haltung inneren *Losgelöstseins*, in der sich Nezach verwandelt und worin all ihre Kräfte und Neigungen in einer neuen und subtileren Form zum Ausdruck kommen.

All unsere Vitalität wird zum Quell schöpferischer Kreativität, die sich allen Bereichen des Lebens kundtut. Sie reicht von einer umfassend erlebten Lebendigkeit, Lebenskraft und Lebensfreude bis hin zu spezifischen gestalterischen und künstlerischen Fähigkeiten sowie einem natürlichen Sinn für ästethische Form, Anmut und Schönheit.

Gelingt es uns auf diese Weise, unsere Wünsche und Begierden in ihren Ursprung zurückzuführen und dort zu verwandeln, so werden sie zum Quell tief empfundener Seligkeit, Kraft und Lebensfreude, der uns innerlich nährt, heilt, erneuert und regeneriert. Als Verkleidungen reiner geistiger Lebenskraft, die die Yogis Prana- oder Ananda-Shakti nennen, führen uns Vitalität und Begierden – wenn recht verwandelt – direkt an deren Quell. Gelingt es uns, Nezach in dieser Weise durch Enthaltsamkeit und Losgelöstheit zu läutern, zu verfeinern und zu verwandeln, so entfaltet sich Nezach zum *Strom reinen geistigen Lebens*, in dem sich unser ganzes Wesen an Seele und Leib regeneriert, labt und erneuert. Diese Lebenskraft kann sich bis zur reinen Heilkraft und zum höheren Magnetismus steigern, daß wir schon mit der Berührung durch unsere Hand oder bereits durch unsere leibliche Nähe Lebenskraft übertragen, Heil und Heilung, Zuneigung, Ausgewogenheit und Vertrauen vermitteln.

So wird Nezach in seiner höchsten Offenbarung, in der wir uns von all unseren persönlichen Wünschen gelöst haben, zum vollkommenen Ausdruck reinen göttlichen Lebens, das seiner Natur gemäß stets auch heilt, regeneriert; denn stets ist es das Leben, die Kraft des

Lebens selbst, die Lebendiges heilt, indem es das in ihm verkümmerte, blockierte oder versiegende Leben erneut anregt und in Fluß bringt. So wird derjenige, dem diese innere Verwandlung gelingt, selbst zu einem Brunnen Mirjams, dessen Wasser Genesung, Heil, Erneuerung und Leben spenden; denn wer immer heil und ganz ist, wird stets selbst zum Quell von Heil und Ganzheit. In seiner Nähe, seinem Feld und seinem Magnetismus finden viele die lange gesuchte Ruhe und Regeneration. Jesus selbst ist eines der strahlendsten Beispiele eines Menschen, dessen ganzer Leib derart an Heil und Leben überquoll, daß allein die Berührung des Saumes seines Gewandes genügte, um einen Menschen zu heilen.

Neben der nötigen Ausrichtung in unserem Leben gibt es natürlich auch eine Fülle von Möglichkeiten und Übungen, die diese innere Verwandlung und Läuterung in Nezach unterstützen. Hierher gehören die verschiedenen Atemübungen der Yogis, verschiedene Formen der Bewegung und des Tanzes, wie etwa Tai Chi, aber im Grunde auch jede Form künstlerischer und bildnerischer Gestaltung. Und auch die Natur tut das ihre durch all ihre Elemente und Kräfte.

Einen besonderen Weg der Erweckung, Verwandlung und Verfeinerung bilden die als Wirbel- oder Derwisch-Tänze bekannten Übungen der Sufis wie auch der Woodoo der eingeborenen Afrikaner. Hierbei wird die in Leib und Seele eingeschlossene Vitalität und Lebenskraft so stark mobilisiert, daß sie sich durch diesen Tanz bis zur Ekstase steigert. Sodann wird sie ins Herz geleitet und von da aus höhergeführt, bis sie sich mehr und mehr verfeinert. Es ist auch interessant zu beobachten, daß viele afrikanische Heilrituale auf ähnlichen Formen meist kollektiven Tanzes beruhen. Viele afrikanische Stämme, deren Medizinmänner oder -frauen ihre Heilkräfte auf solche Art aktivieren, wenden sich während des gesamten Tanzes und Rituals an eine bestimmte Gottheit, der sie diesen Tanz weihen und die sie als den Quell und Ursprung des gespendeten Heils und der bewirkten Heilung ansehen. Es sind jedoch ihre eigenen Kräfte, die sie durch den Tanz aktivieren, verfeinern und sublimieren und sodann mit der Gottheit vereinen.

Unsere Aufgabe in Nezach besteht in der Veredelung und Verfeinerung unserer Lebenskräfte bis zu dem Punkt, indem sie sich als *reine Heilkräfte*, als reine *Fluida göttlichen Lebens* und als *Magnetismus* in uns offenbaren, in dem sich unser eigenes Wesen wie auch andere, die wir mit unserem Sein berühren, erneuern und regenerieren. Schließlich erwächst ja bereits aus dem Bewußtwerden unserer Mängel und Bedürfnisse unsere eigene Regeneration.

Jesod

»Kann in Ihm Böses sein?«
»Es gibt nichts Schlechtes,
nur ungewandelte Kraft.«
Das Geheimnis des Lebens:
»Wandlung. Der Mensch ist berufen – zu wandeln.«
»Das kleine Ich ist euer größter Schatz:
nicht verlassen – erheben sollt ihr es.«
»Was unten schlecht ist,
ist oben ... gut.«
»Feuer und Gift sind die Wiege der Freude,
Kräfte sind zerstörerisch,
wenn nicht auf angemessenem Platz.
Wenn du sie hebst,
gibt es keine Zerstörung.«
»Aus Gift wird Heilung,
aus Feuer Licht ...
und aus dem Bösen
entsteht das Neue Jerusalem.«

Der zentralste, wichtigste und innerste Aspekt unserer Wandlung ist Jesod. Als Sitz unseres Egos oder Pseudo-Ichs sowie unserer gesamten inneren Vorstellungs- und Bildwelt ist Jesod die Wurzel unserer Illusionen sowie Träger und Inbegriff jener Barriere, die uns den Zugang und das Licht von Tiferet verstellt. Verkörpert Tiferet unseren reinen kristallinen Kern, so bildet Jesod die sich um ihn lagernde Hülle unserer Persönlichkeit. Die Bildwelt versperrt den freien Fluß des geistigen Lebens entlang des mittleren Kanals und ist damit Wurzel und Ursache all der inneren Schatten, unserer gesamten Selbstentfremdung und damit auch all unseren Leides.

Unter diesem Gesichtspunkt erscheint uns Jesod ausschließlich als negativer Aspekt, den wir wohl am liebsten ganz überwinden und ausmerzen möchten. Dies ist jedoch nicht die ganze Wahrheit. Jesod ist – wie wir in obiger Betrachtung gesehen haben – ursprünglich, das heißt, noch bevor sich diese ganze Bildwelt in ihrer konkreten Form herausgebildet hat, nichts anderes als ein Reservoir schöpferischer Kräfte, die sich, wie alle Kräfte, in verschiedenste Richtungen entfalten können. Jesod ist wie ein Bildschirm, auf den die ganze Reihe dieser Kräfte die Welt der Bilder projiziert. Wir haben oben nicht erwähnt, daß Jesod auch der Sitz der sexuellen Energie ist. Wenn ich von sexueller Energie spreche, meine ich nicht nur die reproduktive Kraft der Zeugung biologischen Lebens, sondern jene eine, höchst heilige, schöpferisch-geistige Urkraft, deren ursprüngliche Bestimmung die geistige Selbstzeugung des Menschen, das heißt die geistige Zeugung beziehungsweise Erweckung des inneren ewigen Menschen ist, wie es in der Legende von der unbefleckten (jungfräulichen) Empfängnis Mariens durch den Heiligen Geist, die Einzeugung Christi als des göttlichen Kindes in der Seele durch den Heiligen Geist, symbolisch erzählt wird (Abbildung 81).

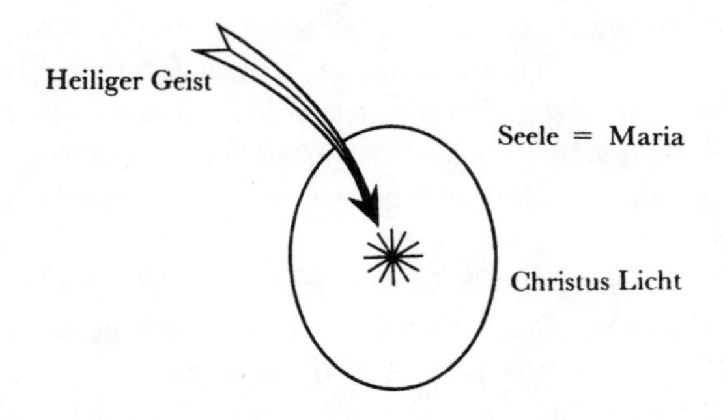

Abb. 81: Die Empfängnis des Heiligen Geistes

Das macht deutlich, daß die sexuelle Kraft des Menschen ein Aspekt des Wirksamwerdens des Heiligen Geistes in unserer Seele ist. Dies zu verstehen ist äußerst wichtig. Die »sexuelle« Kraft ist uns ursprünglich gegeben als Triebkraft der inneren seelisch-geistigen Entwicklung, der Zeugung und Entfaltung des himmlischen Menschen. Sie ist im Grunde die Keim- oder Triebkraft, die unserem Wesenskern innewohnt, um die keim- oder samenhaft in ihm angelegten Fähigkeiten, Gaben und Möglichkeiten, mit einem Wort den ganzen inbildlich in unserem Kern angelegten Baum unseres Menschsein zur Entfaltung zu bringen.

So war und blieb es, solange der Mensch noch ausschließlich in rein geistigen und feinstofflichen Welten lebte, wirkte und war, bis er – wieder sinnbildlich gesprochen – mit dem sogenannten Sündenfall begann, die ihm innewohnenden schöpferisch-geistigen Kräfte (von Jesod) nicht mehr in der ursprünglich gottgewollten Weise zu seiner eigenen Entfaltung und inneren Vollendung zu gebrauchen, sondern eigene, unvollkommene (jeder göttlichen Weisheit und jedes göttlichen Planes entbehrenden) Schöpfungen zu *bilden* und hervorzubringen. Durch diese begann er vor allem auch seine eigene bis dahin unbefleckte Seele zu trüben und ihre bis dahin makellose, jedoch noch unentfaltete Gestalt durch allerlei selbstgeschaffene Bilder und selbstgefertigte Verkleidungen (vorgestellte Korsetts und Fassaden) zu verbilden und mißzugestalten. Dies ist die Wurzel unseres Egos, unseres Pseudo-Ichs und unserer Persönlichkeit (von *persona* = die Maske).

Wir sehen, unser ganzes Ego, unsere ganze Persönlichkeit ist in der Form eigener Imagination, sprich schöpferischer Einbildung in die Seele, hervorgegangen aus dieser urzeugenden schöpferischen (sexuellen) Kraft. Tatsächlich sind *Ego, Pseudo-Ich* und selbstgeschaffene Welt nichts anderes als einem planlos waltenden Eigenwillen entsprungene *Fehlbildungen unseres unentfalteten, unverwirklichten Potentials, der verschiedensten Formen keimhaft angelegter Impulse und Kräfte unseres Menschseins.*

Ausgesät in das Lichtreich Gottes lebte der Mensch vom Anbeginn seiner Schaffung darin als rein-geistiges, engelsgleiches Wesen, und war wie alle himmlischen Wesen androgyn. Das ist auch der Sinn der Worte der Genesis: »Und Gott schuf den Menschen nach seinem Bilde, ... männlich und weiblich schuf er ihn.« (Genesis 1.27), daß der Mensch, geschaffen nach den Bilde Adam Kadmons, wie dieser eine vollständige mann-weibliche Ganzheit bildete. Als ein solches Wesen wirkte er für Äonen in den Sphären reinen Geistes, um die in ihm angelegten geistigen Keime und Kräfte gemäß des ersten Göttlichen Planes zur Entfaltung zu bringen, bevor er begann, neue, selbsterdachte Formen und Schöpfungen hervorzubringen.

Dadurch, daß der Mensch zunehmend Lust und Gefallen an seinen eigenen planlosen Schöpfungen fand, verlor er sich mehr und mehr in der Welt seiner eigenen Imagination, jener Einbildung und Illusion, die die Inder Maya oder die Große Täuschung nennen. Die

Wurzel all unserer Selbstentfremdung und unseres Leides liegt darin, daß wir uns mehr und mehr identifizierten mit diesen imaginären Welten und Bildern.

Die Abkehr von der anfänglichen Bestimmung unseres Seins ist der Ursprung für die Entwicklung des Ego und der Persönlichkeit, des Intellektes sowie der Trennung der Geschlechter, der Sexualität als Akt leiblicher (zuerst feinstofflicher) Reproduktion und des Abstieges der Seelen in die Materie (das ist ihre Inkarnation). Dieser Abstieg der Seelen aus den Sphären reinen göttlichen Lebens in die dichtere Materie, der in der Parabel des Sündenfalles seinen symbolischen Ausdruck findet, wird von den Theosophen mit den kosmischen Ereignissen des Austritts der Sonne und des Mondes aus der Erde verknüpft. (Beachte die Entsprechungen zwischen Mond und Jesod, Sonne und Tiferet sowie Erde und Malkhut).

Wir sehen in diesem Zusammenhang, daß sich in der Herausbildung von Persönlichkeit (Intellekt, Wunschwelt, Weltbild und Pseudo-Ich) und Sexualität (Trennung der Geschlechter, Inkarnation der Seelen) aus der ursprünglich rein-geistigen, schöpferischen Urkraft von Jesod eines der tiefsten Mysterien der Schöpfung und des Menschseins verbirgt. Wir können und dürfen diese Zusammenhänge hier nicht bis in ihre Wurzel verfolgen, wollen sie jedoch im folgenden soweit berühren, als es für unser Verständnis nötig ist.

Seiner Natur nach verkörpert Jesod eine Kraft, die leicht angezogen ist von äußerer Form, sich leicht an äußere Erscheinung heftet, vor allem, wenn sie eine Entsprechung hat zu der Gestalt unseres innewohnenden unverwirklichten Wesens. Stets hängen und haften wir am stärksten an jenen Formen und Erscheinungen, die Ausdruck unseres eigenen Empfindens sind, an denjenigen Menschen, Erlebnissen und Situationen, die uns entgegentreten als Ebenbild eines Aspektes unseres eigenen (noch unbewußten) Seins. Dies ist im tiefsten Sinne auch der Inhalt der Begegnung zwischen Mann und Frau, daß sich Geliebter und Geliebte erkennen ineinander. In diesem Erkennen erbebt und singt unser ganzes Wesen.

Bleiben wir aber an der äußeren Erscheinung hängen, so bleibt das eigene Leben unerkannt und unbewußt in unserer Seele liegen. Anstelle einer inneren Erweckung kommt es zu einer Verhaftung an die äußere Form.

Wird die Begegnung jedoch zu einem Erkennen unseres eigenen Selbstes, zu einer Erweckung eines bislang unerkannt und unbewußt in uns schlummernden Potentials oder Aspektes unseres wahren Ichs, in der wir das vorbeiziehende Bild, das äußere Ereignis oder die Person lediglich als Erwecker jenes Aspektes unseres wahren Selbstes unverhaftet sich selbst überlassen, so werden beide, das vorbeiziehende Bild und die äußere Person, wahrlich zu einem Boten des Himmels, der uns aus dem Dornröschenschlaf unseres geträumten Ichs und Lebens weckt und zum Gewahrwerden und Aufsteigen unseres wahren Seins hinführt.

Diese innere schöpferische Kraft, unser Eros, unsere Phantasie, unsere gesamte Imagination, unser Ich und unsere Persönlichkeit sind eng verknüpft. Eros und Vorstellungskraft haben eine zweiseitige oder *ambivalente* Tendenz: Sie neigen entweder zur Verstrickung in Phantasie, Traumwelt und Illusion oder zur vollkommenen Selbstaufgabe und ekstatischen Aufopferung ihrer selbst in reiner Selbsterkenntnis sowie reinem, selbstlosem Dienst am Wahren, Schönen und Guten, zur Selbstaufhebung der Person in göttlicher Minne inmitten der Welt. Diesen Zusammenhang haben wir in Abbildung 82 versucht grafisch sichtbar zu machen. Deutlich erkennen wir wieder die beiden Seiten der Signatur des Mondes: Hekate und Diana, diabolische Verklärung und Trunkenheit im trügerischen Zwie- und Irrlicht der Maya oder klare Transparenz des Seins im ungetrübten Spiegel eines reinen Geistes und eines geläuterten Selbstgewahrseins.

Selbstverwirklichung
Opferung
Selbstaufgabe
geistiges Erwachen
Ichgewahrsam

↑

Eros
geistig schöpferische Triebkraft

↓

Illusion
Traum
Phantasie
Imagination
Schlaf

Abb. 82

Die Auflösung des Ich-Bildes, des Egos und der Persönlichkeit ist aufs Engste verbunden mit der Sublimierung und Verwandlung unserer sexuellen Kraft, des Eros und der schöpferischen Entfaltung unserer geistigen Kräfte und Fähigkeiten. Die Keimkraft von Jesod führt geradlinig durch das Herz hinauf zu Kether. Sie wird zu dem, was sie von Ursprung an war und ist: zu einer inneren Triebkraft unserer geistigen Entwicklung und Selbstverwirklichung. Der Eros verwandelt sich in die reine Kraft des Heiligen Geistes, dessen Schwingen in das Haus des Vaters emportragen, heim in das Gemach unseres göttlichen Geliebten.

Wenn wir beginnen, all unsere schöpferischen Kräfte auf die Verwirklichung, Ausbildung und Entfaltung unseres in unserem Keim angelegten Potentials auszurichten, wird Jesod zu jener reinen Kraft, die zur Entfaltung des himmlischen Menschen und unseres Verklärungs- und Auferstehungsleibes führt, der in der christlichen Mythologie seiner absoluten Reinheit und Transparenz wegen im Sinnbild des Himmlischen Jerusalem verherrlicht wird und der auch dem Himmlischen oder Diamantenleib des Buddha entspricht.

Jesod und die dieser Sefira entsprechende schöpferische Kraft unserer Seele kann somit, je nachdem, in welche Richtung wir sie entfalten, zum tragenden Fundament sowohl

- unserer eingebildeten Welt, unserer Träume, Phantasien und des Scheingebäudes unseres Egos und unserer äußeren Persönlichkeit (des elfenbeinernen Turmes) als auch
- der Entfaltung und Verwirklichung des geistigen Menschen, seiner wahren Individualität und seines Himmlischen Leibes werden.

Auf der physischen Ebene bewirkt die gleiche Kraft, wenn in Anbetung Gottes nach oben geführt, eine stärkere Vergeistigung oder Magnetisierung unseres Gehirns. In diesem Zusammenhang werden auch Hypophyse und Epiphyse stärker aktiviert, wodurch sich verschiedene Formen subtiler Wahrnehmung, der Hellsicht und des Hellhörens einstellen können. Immer gründet der Auferstehungsleib auf der Sublimierung unserer sexuellen Energie und des Eros. Ohne ihre Verwandlung kann er nicht entwickelt werden. All dies geschieht jedoch nicht durch Gewalt oder Kasteiung, sondern im Rhythmus einer bewußten und organischen Verwandlung.

Indem unsere Seele im Liebesdienst am Leben Schritt um Schritt aus den Liebeswerken ihres Herzens ihr Brautkleid webt, um sich mit ihrem göttlichen Geliebten zu vereinen, steigt auch Er herab, um sie in himmlischer Minne und göttlichem Entzücken auf ewig zu umfassen.

Um zu unserer ursprünglichen Bestimmung als Mensch zurückzukehren, ist es zuerst nötig, das ganze aus Stolz, Eigensinn, Illusion, Traumbildern und jeder Menge von Vorstellungen und Wünschen aufgebaute Gebäude unseres Pseudo-Ichs und unserer Persönlichkeit wieder abzutragen, all die Materialien und Baustoffe zu verwandeln, sie ihrer ursprünglichen, unserem Wesen eingeborenen, gottgewollten, Bestimmung zuzuführen und daraus den Himmlischen Menschen wachsen und sich herausbilden zu lassen.

Hier in Jesod liegen die Wurzeln und der Schlüssel zum Verständnis des »löse und binde«, des »solve et coagula« unserer Evangelien und der Heiligen Alchimie.

Durch die Aufopferung, Rückverwandlung und Auflösung

- unserer Bildwelt in Licht;
- unserer Vorstellungen, Wertungen, Wunschträume und unserer selbstgezimmerten Person, in der wir gefangen sind wie ein Insekt im Netz der Spinne, in reine schöpferische Kraft und reine Widerspiegelung unverstellter Wirklichkeit und Individualität;
- des irdischen Eros in die Ekstase reiner Gottesliebe, göttlicher Minne und selbstlosen Dienstes in der Welt sowie
- unseres Pseudo-Ichs in den Verklärungsleib

werden wir frei aus der Gefangenschaft und Illusion eines falschen Ich, auf daß unser inneres Wesen das innewohnende Licht Gottes unverzerrt in die Welt widerspiegeln kann.

Hier in Jesod finden wir auch das Bindeglied zum Verständnis der rituellen »Wandlung« im katholischen Gottesdienst. Hier ist der hochgehobene Kelch Symbol und Sammelbecher der Fülle und Gesamtheit all der ungewandelten und unverwirklichten Kräfte unserer »niederen« Natur. Sein Emporheben im Ritual der Heiligen Wandlung ist Ausdruck des Emporhebens unserer Seele und all ihrer unverwirklichten Impulse, Kräfte und Neigungen zu Gott, denn alle Kräfte sind heilig und finden ihre Vollendung, wenn wir sie emporheben in ihren Ursprung (Abbildung 83).

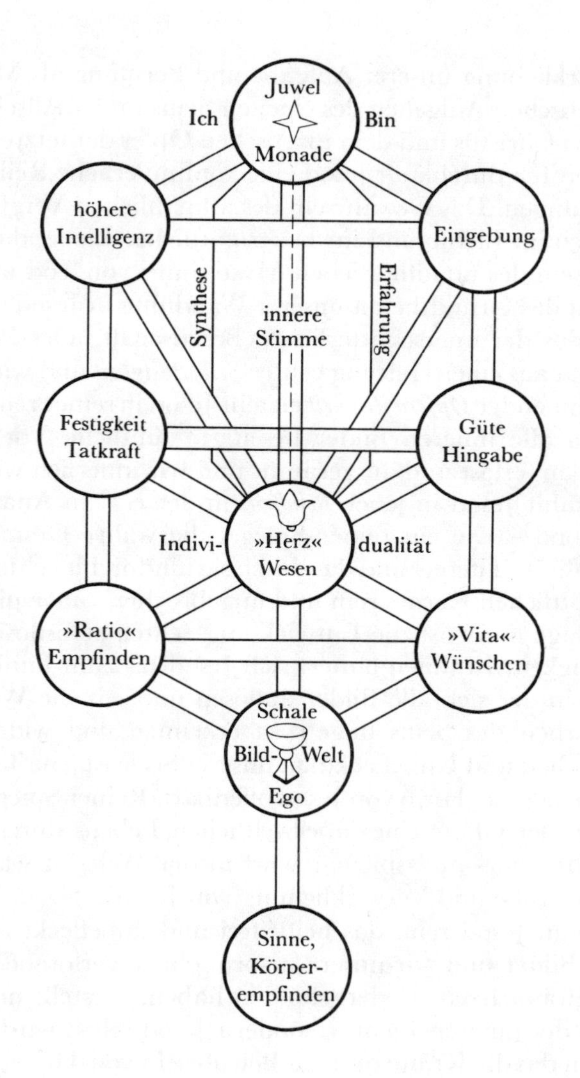

Abb. 83

Damit wird auch verständlich, warum Jesod die Farbe Violett zugeordnet ist. Alle Verwirklichung des Selbst beruht auf der Heiligung unserer schöpferischen Kräfte, der Aufopferung all unserer persönlichen Vorstellungen, Bindungen und Bilder sowie der Ausmerzung aller Neigungen des Ego. Von der Aufopferung all dessen, woran unser Herz hängt und was die Verwirklichung unserer wahren Natur behindert, über das völlige Untergehen unserer Person in der Verwirklichung unserer Aufgabe und Berufung als Mensch bis zum ekstatischen Aufgehen des eigenen Seins in der Allseligkeit des kosmischen Christus und dem mystischen Opfer der letzten Regung des eigenen Ich durchläuft Jesod eine kontinuierliche Reihe innerer Verwandlungen. Das Gewahrsein des allmählichen Verglühens des eigenen Ich im Lichte und im Feuer göttlicher Liebe, das Erleben und Innesein des unaufhörlichen Mysteriums von Tod und Auferstehung ist das Grundthema unserer Wandlung in Jesod.

Allein aus der unerschütterlichen Bereitschaft, alles Persönliche hinzugeben aus einer Haltung echter *Selbstlosigkeit* und wirklich von innen kommender *Opferwilligkeit* ersteht Jesod in seiner reinen From. Erst wenn alle inneren Bilder beseitigt, sämtliche Vorstellungen überwunden, erlöst und ausgeräumt und wir innerlich wirklich *leer* sind, erstrahlt Jesod in jener *Reinheit*, in der es – in Analogie zum vollen Mond – wie ein reiner Spiegel die wahre Gestalt unserer Individualität (Tiferet) und das durch sie hindurchleuchtende Licht unseres göttlichen Kernes rein und ungebrochen widerspiegelt.

Grundlage dafür ist die Entwicklung echter Selbstlosigkeit und Opferwilligkeit. In ihnen läutert sich Jesod bis zum Punkt völliger Reinheit, in der sich alle Bilder auflösen und wir die Wirklichkeit und Wahrheit des Seins ungetrübt erkennen und widerspiegeln. Diese Reinheit und Unbeflecktheit unserer Seele ist jene Tugend, die sich als die höchste Form von Jesod offenbart. Reiner Spiegel zu sein, durch den der Glanz eines überweltlichen Lebens durch uns hindurch sicht-, hör- und spürbar wird in der Welt, ist wahrlich die höchste Aufgabe und Verwirklichung von Jesod.

Erst wenn Jesod rein, das heißt frei und unbefleckt ist von der Welt der Bilder und wir unsere ursprüngliche verlorene Unschuld und Jungfräulichkeit wiedergefunden haben, verstellt nichts mehr den Fluß des inneren Lichtes, sondern Jesod selbst wird zu einem Tor, durch das die Kräfte und das Bewußtsein von Tiferet frei durch Seele und Leib in die Welt hinausfließen können.

Daß auch ferner alle Kräfte der Seele rückverwandelt sind in jene reine geistig-schöpferische Urkraft, die sich als das Wirksamsein des Feuers des Heiligen Geistes in unserem Leibe offenbart, ist die andere Seite dieser Läuterung in Jesod, die in der Bildung unseres Auferstehungsleibes mündet. Dieser entspricht der reinen, von Gott glorifizierten Person. Sie bildet jenen Lichtleib, jene ichfreie Gestalt oder »leibliche« Erscheinung, in der Jesus nach seiner Auferstehung einmal Maria Magdalena, das andere Mal Thomas, wieder ein anderes Mal seinen Jüngern erscheint und in dem er heute noch wandelt und wirkt in der geistigen Welt.

Diese glorifizierte Person und ihr verklärter Leib ist das Himmlische Jerusalem, in dem weder das Licht der Sonne noch des Mondes leuchtet, sondern allein das Licht Gottes und seines Lammes, des ewig aus sich strahlenden *Ich Bin.*

Das bewußte Wahrnehmen als Schlüssel zum Leben und zur Erlösung

In Jesod liegt der Schlüssel zum ewigen Leben, denn so wie Leid und Illusion in Jesod begründet sind, finden wir dort auch den Ansatz zu ihrer Lösung. Fassen wir unsere Erkenntnisse über Jesod in wenigen Sätzen zusammen, so erkennen wir, daß alles Leiden ein Leiden an unserem Bild von der Welt ist, am ungelösten Widerspruch zwischen Weltbild und Wirklichkeit. Wir erkennen auch, daß jedes Weltbild eine extreme Beschneidung der Wirklichkeit des Seins und unseres Lebens bedeutet. Betrachten wir die Welt nur nach dem einen, in uns festgehaltenen Bilde, so sind wir auch genötigt, alle anderen, abweichenden Erfahrungen so umzudeuten, daß sie ebenfalls in unser Bild passen. Dadurch sind wir auch selbst gezwungen, uns diesem einen »gültigen« Bild zu unterwerfen; damit verlieren wir Schritt für Schritt die unmittelbare Berührung mit dem Kern und Sein der Dinge und mit uns selbst. Diese selbstgeschaffene Kluft zwischen dem inneren Wesen und dem äußeren Ich (Rolle, Schein), die wir in unserer Tiefe – wenn auch nicht bewußt – stets empfinden, ist Ursprung aller Ängste, aller Not und aller Verzweiflung. Sie ist die Wurzel allen Leides.

Der Weg der Erlösung besteht somit in der Bewußtmachung und Ablösung der inneren Bilder. Da diese Ich-Bilder so tief eingefleischt sind, liegen auf dem Weg des Zurückfindens in unseren Ursprung nicht nur Freude und Befreiung, sondern auch Schmerz und Mühsal. Ihn zu gehen, erfordert bewußte Wahrnehmung, Hingabe und Disziplin. Der Lohn dafür ist unsere Erlösung und das wachsende Gefühl, in uns zuhause zu sein.

Der einzige Ausweg aus der Gefangenschaft der Bilder, des eigenen Ich- und Welt-Bildes, ist ihre schrittweise Korrektur, Ablösung und Auflösung durch bewußte Wahrnehmung, durch Wahrnehmung dessen, *was ist.* Gemeint ist nicht nur ein oberflächliches Hinschauen, sondern ein wirkliches Sehen, Hören und Spüren, ein In-Kontakt-treten und *Innewerden* des einen Seins hinter all den Erscheinungen. Dies setzt unsere Offenheit und Bereitschaft voraus, uns auf das, was wir sehen, einzulassen und auch Unbekanntes anzunehmen und zuzulassen.

Nur durch solche innerlich beteiligte Wahrnehmung ist es uns möglich, uns mehr und mehr von alten Bildern abzulösen und uns davon zu trennen. Dieser Prozeß der Ablösung, der immer wieder auch das Zulassen von Enttäuschungen und Schmerz verlangt, ist der notwendige Durchgang zu unserem eigenen Kern. In dem Maße, in dem wir alte Bilder entlassen, stellen sich auch neue Antworten ein. Umgekehrt verstärkt die Erfahrung der eigenen Kraft und Fähigkeit das Vertrauen, das nötig ist, um noch mehr von dem zu lassen, was zwar alt und vertraut ist, was aber letztlich unser Leben und unsere Spontaneität behindert.

So führt uns die bewußtere Wahrnehmung zu einem Innewerden unseres Wesens und der Welt, wie sie wirklich ist. Diese Erfahrung enthält schließlich immer weniger Bilder, sondern wird mehr und mehr zu einem »Wahrnehmungskontinuum«, in dem wir uns und die Welt in ihrer immanenten Wirklichkeit durch das erkennen, was wir gerade tun oder lassen, wahrnehmen oder verdrängen, mitteilen oder nicht mitteilen, denn durch alles hindurch leuchtet das Licht des Selbst.

Die Arbeit in Jesod ist die Katharsis, in der wir durch das Ablösen festgehaltener Bilder und das Zulassen und Auflösen unerlöster Erlebnisinhalte unsere eigene Geschichte erlösen, alte karmische Bindungen überwinden und so jene Transparenz gewinnen, durch die der Glanz des inneren Seins unverstellt zum Ausdruck kommt. Indem all die in den Bildern und Eindrücken unserer Geschichte festgehaltene schöpferische Kraft und Energie befreit wird, steht sie zur Entfaltung unseres inneren Wesens und unseres Himmlischen Leibes zur Verfügung, in denen sie sich glorifiziert.

Tiferet

> »Gott verbirgt sich dem Verstand der Menschen,
> aber er offenbart sich ihren Herzen.« Sohar

Wie wir gesehen haben, ist Tiferet kein Aspekt der Wandlung, sondern als Sitz unserer Individualität Gegenstand innerer Entfaltung und Verwirklichung unserer Bestimmung als Mensch. Die Individualität offenbart sich in unserer Berufung, das ist die Art und Weise, wie Gott uns als Mensch gedacht hat. Sie ist verborgen in unserem ewigen Namen, jenem Wort, durch das Gott uns schuf, indem Er es ausrief. In jedem von uns, in jedem Universum und jedem Geschöpf hat Gott sich selbst ausgerufen, und so verkörpert jeder von uns eine Facette Seiner Unendlichkeit. Jede ist gleich schön und Ihm gleich lieb.

Indem wir diesem Ruf Gottes folgen, das heißt unserem in jenem Namen keimhaft als Inbild innewohnenden Wesen den ihm entsprechenden Ausdruck verleihen, unser Leben aus ihm heraus gestalten, offenbaren wir schrittweise die von Gott in uns gelegte Intention. Jeder von uns gleicht einem Diamanten oder Edelstein, unterschiedlich an Gestalt, Farbe und Schliff, durch den das eine Licht Gottes leuchtet, das sich aber in jedem in einer anderen, ihm eigenen Weise bricht.

In Namen und Berufung verborgen liegen auch die in höheren Graden unserer geistigen Entwicklung (= Einweihung) an die Oberfläche kommenden göttlichen Aufgaben, in denen wir unser kleines Ich ganz ablegen (aufgeben), worin die innerste Bestimmung unseres individuellen Menschseins aufleuchtet und wir mehr und mehr die in uns gelegte Intention Gottes in ihrer ganzen Fülle und Herrlichkeit offenbaren, indem wir sie mit unserem ganzen Wesen erfüllen. Wir brauchen nur an die Leben großer Heiliger oder Weiser, an Krishna, Buddha oder Jesus zu denken, deren ganzes Sein und Wesen jene Herrlichkeit Gottes durch die in ihrem ewigen Namen eingeborene Bestimmung völlig ungetrübt hinausstrahlen ließen in die Welt. Jeder ein Juwel, das Gottes Licht gemäß seinem individuellen Schliff bricht und offenbart. Dieses Juwel ist das Kleinod in der Lotosblüte, dem geistigen Zentrum unseres Herzens.

Bevor sich in unserem Leben jedoch Aufgaben im Sinne einer

göttlichen Berufung einstellen, ist es nötig, daß wir – mit den Worten Jesu – zuerst »in den kleinen Dingen treu sind, die uns (im täglichen Leben) anvertraut sind.« Das bedeutet, daß wir zuerst unser Leben so annehmen, wie es uns in den vielen kleinen Dingen und Pflichten begegnet. Wer einer größeren Aufgabe würdig werden will, muß bereit sein, alles, selbst das Geringste zu tun. Ihm ist nichts zu niedrig, um nicht darin Gott zu dienen und Ihn zu verherrlichen. Gott ist keine Tat, keine Bewegung, keine Geste und kein Blick zu gering, als daß Er eines über das andere stellte. »Er will, daß wir Ihm auf alle Weisen dienen« (Martin Buber), Ihn durch unser ganzes Leben verherrlichen. Auch ist jedes Wort, jede Geste und jede Tat eine Form und ein Mittel, darin wir unser Wesen und unsere individuelle Eigenart herausschälen, entfalten und konturieren können, in dem wir uns geben können, wie wir fühlen und sind und uns bekennen zu unserem eigenen Ich-Sein.

Immer ist es die erste Aufgabe herauszufinden, wer und wie wir wirklich sind, sichtbar zu werden in unserem eigenen individuellen Glanz. Es ist wichtig, daß jeder die *in ihm* angelegten Blüten und Früchte zum Tragen bringt und sich nicht fremde Zweige oder Scheinblüten aufpfropft, die als Fremdkörper früher oder später ohnedies verdorren und abgestoßen werden. Derjenige zu werden und zu sein, der ich von Natur aus, das heißt seit meiner göttlichen Schaffung wirklich bin, das ist wahrlich der Inbegriff von Freiheit und Seligkeit. Nichts ist erfüllender als seine eigene Natur, sein eigenes Wesen so schlicht, unmittelbar und unverstellt zum Ausdruck zu bringen wie dies etwa Sonne, Wind und Blumen tun. Nichts ist deshalb auch schöner als sie. Und wer so einfach ist wie sie oder »wird wie die Kinder«, in dem wird die gleiche zeitlose Schönheit (sprich: Tiferet) offenbar. »Betrachtet die Lilien des Feldes, wie sie wachsen; sie weben nicht, sie spinnen nicht, und ich sage euch: selbst Salomo in all seiner Pracht war nicht gekleidet wie eine von diesen.« (Matt. 6.28-29). Nur wer so lebt, lebt wahrlich auch unbeschwert und frei; denn er braucht sich weder darum zu kümmern, was andere von ihm denken, noch was irgend jemand oder die Welt von ihm erwartet, denn all dies ändert nichts an seinem gottgegebenen Wesen. »Der Wind weht, wo er will, und du hörst sein Sausen, aber du weißt nicht, woher er kommt, noch wohin er geht. So verhält es sich mit jedem, der aus dem Geist geboren ist.« (Joh. 3.8)

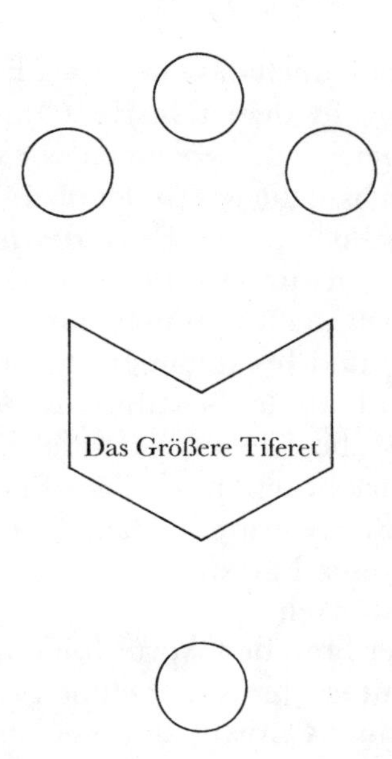

Abb. 84

»Sei der du bist« und du erfüllst wahrlich den ersten Auftrag Gottes, der sein eigenes ewiges Wesen offenbart in dem heiligen Namen des *Ich Bin, der Ich Bin.*

Die oberste Aufgabe in Tiferet und damit überhaupt in unserem Leben ist die Treue zu unserem wahren Wesen und die Entfaltung des ihm innewohnenden Potentials, die Treue zu unserer Eigenart, unserem Ich-Sein, unserer Aufgabe, Berufung und Bestimmung als Individuum und Mensch. Daß wir das innewohnende Licht und Leben ausgießen und strahlend werden mögen wie die Sonne.

Wichtig ist es hierbei zu erkennen, daß die Offenbarung der Individualität, also die Weise, wie wir sie nach außen hin bekunden und zum Ausdruck bringen, immer Ergebnis des Zusammenspiels der mit Tiferet unmittelbar verbundenen Sefirot ist. Da sie von Tiferet, ihrer zentralen Schaltstelle, gesteuert werden, wird jede von ihnen in jedem von uns in anderer Weise tätig und wirksam. Diese jeweils spezifische Weise des Zusammenwirkens der Sefirot ist es auch, die das charakteristische Profil unserer Individualität konstelliert. In diesem Sinne sind all die *Sefirot wie verschiedene Facetten des einen Kristalls unserer Individualität*, die in Tiferet ihren Sitz hat. Die hebräische Kabbala, die diese Betrachtung auf die unteren Sefirot beschränkt, nennt die Gesamtheit dieser sechs – Tiferet einschließenden – Kreise deshalb auch das Größere Tiferet (Abbildung 84). Es bildet den Rumpf, in dem das Herz und seine Organe zusammenwirken. Immer wieder erkennen wir den besonderen Zusammenhang der »Sechs«, die wir weiter oben in ihrer Einheit auch als den »Sohn« bezeichnet haben. Er ist der rechtmäßige Erbe des Vaters, das heißt der gesamten oberen und unteren Welt. Von besonderer Art ist auch der Zusammenhang und die Wechselwirkung zwischen Tiferet und Jesod, die, beide auf der mittleren Säule liegend, den innersten Fluß des Bewußtseins und Lebens wesentlich bestimmen. In dem Maße, wie unser innerer Kern wächst und sein Potential zum Ausdruck bringt, muß unser Ego schrumpfen, und in dem Maß, wie das Ego schrumpft, kann das Wesen strahlen. Je mehr sich dagegen unser Ego aufbläht, um so mehr wird es die Sonne des Selbsts verdunkeln.

Darin liegt auch der Sinn der Worte Johannes des Täufers: »Ich muß abnehmen, damit er (Jesus) zunehmen kann.« Unser falsches Ich muß erlöschen, damit Christus als unser wahres Ich aufleuchten kann. Wir erkennen Johannes den Täufer, dessen Taufakt mit dem Wasser des Jordan Sinnbild der Reinigung der Seelen und ihrer Hinwendung zu Gott ist, als Repräsentanten von Jesod und Jesus, als den makellosen Träger des Christusgeistes, unseres Lichtes der Welt, als Repräsentanten Tiferets. Tauft Johannes mit Wasser, so tauft Jesus mit dem Feuer des Heiligen Geistes (Abbildung 85).

Erweckung Licht Feuertaufe	Jesus	=	Sonne	=	Individualität	=	Strahlen Wachsen
Reinigung Wasser Wassertaufe	Johannes	=	Mond	=	Ego Schein-Ich	=	Opfern Schrumpfen
		=	Erde				

Abb. 85: »Ich muß abnehmen, damit er zunehmen kann.«

Fassen wir das Gesagte zusammen, so erkennen wir die zu übende Grundhaltung in Jesod als zunehmende Bereitschaft zu Selbstaufgabe und Opferung, unsere Berufung in Tiferet dagegen als das Geben, Ausgießen, Schöpfen und Strahlen aus dem eigenen Kern.

Geburah und Hesed

»Sei stark und fürchte dich nicht und zage nicht,
denn mit dir ist der Ewige, dein Gott,
bei allem, was du tust.« *Joshua 1.9*

»Gott lasse Sein Antlitz leuchten über dir
und ausströmen Seine Gnade,
Gott wende dir Sein Antlitz zu
und schenke dir Frieden.« *Numeri 6.25-26*

Geburah und Hesed wirken zusammen wie die zwei Schalen einer Waage. Um sie in ihrer reinen Form zu entfalten, ist es nötig, ihr Wirken von jeder Vermischung mit dem Ego zu befreien.

So ist es in Geburah nötig, jeden Eigensinn aus unserem Wollen abzuziehen und jede Kontrolle aufzugeben. Das bedeutet aber nicht, in das andere Extrem zu verfallen und völlig willenlos zu werden. Aufgabe ist es hier, jene bedingungslose Bereitschaft zu entfalten, allein den Willen Gottes zu tun, das heißt, willig zu sein, dem inneren Geist und Leben mit aller Kraft und Möglichkeit in Gedanken, Wort und Tat Ausdruck zu verleihen, ihm zu dienen, dafür einzutreten und uns dazu zu bekennen.

Die Haltung, die hierfür erforderlich ist, ist die einer inneren, selbstauferlegten *Disziplin*, eine Art bedingungslosen *Gehorsams* gegenüber den Impulsen des inneren Lebens. Wir müssen unseren Geist und unseren Gewahrsam im Hier und Jetzt anschirren und dürfen nicht zulassen, daß er sich von allen möglichen Impulsen unserer niederen Natur, von Lust, Laune und Bequemlichkeit, aber auch Ansprüchen, Eitelkeiten und sonstigen Schwächen verführen läßt.

Selbstdisziplin und *Selbstüberwindung* im Sinne einer Festigkeit in und gegenüber uns selbst sind grundlegende Voraussetzungen auf dem geistigen Weg. Wer dies nicht beizeiten lernt, wird später nur schwer in der Lage sein, die größeren Prüfungen, die uns das geistige Leben auferlegt, zu bestehen. Nicht Härte gegenüber uns selbst, sondern *Verbindlichkeit* ist hier gefragt.

Wer diese Verbindlichkeit übt, gewinnt Kraft, Sicherheit, Mut und Unabhängigkeit in sich selbst. Gleichsam zu einem Ritter Christi geworden, wird er zur Vollzugsperson und zum Instrument des göttlichen Planes. Er verrichtet göttliches Werk und offenbart Geburah in seinem Leben als das *Wirksamsein des einen göttlichen Willens*.

Hesed als Gegenpol zu Geburah offenbart sich, wenn frei von Bequemlichkeit, als bedingungslose *Hingabe*, bedingungsloses Hingegebensein an das Eine Leben. Diese Hingabe mündet in eine absolute *Demut* vor Gott, die letztlich auf der Erfahrung und dem Gewahrsein unserer Nichtigkeit als Mensch und Person gründet. Der so dem Leben Hingegebene wird wahrhaft zum lebendigen Gefäß göttlicher *Liebe, Güte* und *Barmherzigkeit*. Sein ganzes Sein und Leben offenbart sich als Kommunion und Liebesmahl des Lebens mit dem Leben, der eigenen Geschöpflichkeit mit allen Geschöpfen. In allem, Freud und Leid, Glück und Schmerz, fühlt er sich gleichermaßen allen lebenden Wesen verbunden.

Hesed wird so zum Instrument und Ausdruck der allumfassenden göttlichen Liebe. Und wo Hesed und Geburah ausgewogen miteinander verbunden sind, da offenbart sich ihr Zusammenklang als *werktätige Liebe*.

Fassen wir das bisher Gesagte zusammen, so sehen wir, daß es im mittleren Dreieck um die Festigung einer inneren Haltung geht, durch die sich erst unsere Verwirklichung vollzieht (Abbildung 86).

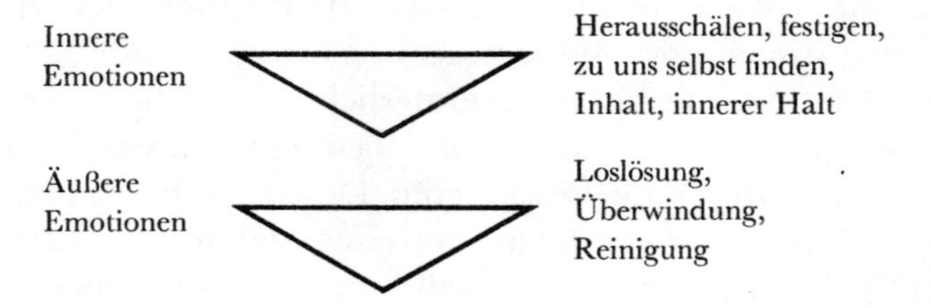

Abb. 86

Die Aufgabe im »unteren Dreieck« besteht vorwiegend in der Auflösung unserer Bindungen an die Welt und in uns selbst (im Denken, Wünschen und Anschauen), im mittleren dagegen in der Entwicklung einer Haltung der Selbstlosigkeit, in der wir unser

Herz, in einer ausgewogenen Form zwischen Disziplin und Hingabe, an seine Wurzel binden. Erst dadurch finden wir jene innere Wahrnehmung, Balance und Kraft, darin sich die uns innewohnende Bestimmung als Individuum und Mensch in ihrer göttlichen Inbildlichkeit offenbart und die Lösung und Überwindung unserer niederen Natur gleichsam von selbst vollzieht.

Binah, Chokhmah und Kether

Steigen wir schließlich wieder auf zu unserer höchsten Triade, so müssen wir uns in Erinnerung rufen, daß diese Sefirot selbst keine Wandlungsaspekte darstellen. Sie sind daher die Grundpfeiler unserer seelischen und geistigen Welt, auf denen das ganze Gebäude unseres seelischen Lebens ruht. Wir müßten das Bild eigentlich umdrehen, denn die oberste Triade bildet die Wurzel, durch die der Baum der Seele aus dem Acker der mentalen und kausal-göttlichen Welt herauswächst. Er entfaltet sich aus dem göttlichen Funken und gründet ganz in Gott. Unser ganzes Leben gründet in Gott. So ist es wichtig, daß wir unser ganzes Leben bewußt auf diesem göttlichen Fundament errichten und nicht auf dem Flugsand kurzweiliger Illusionen. Ist es nicht gut in Gott be- und gegründet, so wird es auch wenig Früchte tragen, weder hier noch in der geistigen Welt. Wir werden in der Seele nicht erfüllt sein, und all die äußeren Dinge werden nur leere Fassaden bleiben, die keinerlei geistiges Leben bergen. Die Frage ist immer die gleiche: Lebe ich für die Fassade und die äußere Form oder suche ich den Inhalt, das Leben und das Licht, das mich innerlich erfüllt?

Binah, Chokhmah und Kether sind nicht Aspekte der Wandlung, sondern der Aktualisierung, des Anrufens und der Erschließung. Indem wir uns von Tiferet nach oben hin öffnen, finden wir einen tieferen Zugang zur Ordnung des Lebens und werden empfindsam für seine Notwendigkeiten und sein inneres Gesetz. Wenn unser Herz in Berührung ist mit seiner oberen Wurzel, spüren wir genau, was recht und stimmig ist und was nicht. Gleichermaßen entwickelt sich unsere Empfänglichkeit für die Gnadenfülle des göttlichen Lebens, die uns inspiriert, lenkt, leitet und belehrt, uns Weisheit und höhere Erkenntnisse spendet bis hin zu mystischer Verklärung, kosmischer Schau und göttlicher Offenbarung.

Sind es bedingungslose Treue und Gewissenhaftigkeit des Herzens, die uns einen festen Stand in der göttlichen Ordnung verschaffen, der seinerseits über ein grenzenloses Staunen über die unaussprechliche Erhabenheit der göttlichen Gerechtigkeit in einen Zustand reiner Anbetung des Logos mündet, so sind es die beständige Meditation, die innere Erhebung über Raum und Zeit sowie unser bedingungsloser Dienst am Leben, durch die sich uns die Tore höherer Schau und Offenbarung allmählich öffnen.

Suchen wir darüber hinaus, all die Gaben des Geistes hinter uns lassend, allein die Geborgenheit der Seele im Herzen Gottes, so mag es uns – über die Übung des vollkommenen inneren Schweigens – gewährt sein, bis nach Kether aufzusteigen, wo uns die Erfahrung des kosmischen Bewußtseins und der Einheit allen Seins zuteil wird. Es ist jener Zustand, in dem uns, im Geiste aller Welt entrückt, jene unaussprechliche Fülle des Seins offenbar wird, die wir in Ermangelung der Möglichkeit der wortlosen Vermittlung als Gnade, grenzenloses Glück oder Erleuchtung benennen. Es ist jener Zustand seligen All-Eins-Seins, worin alle inneren Impulse schweigen, wo allein das lautlose Lied der Ewigkeit anhebt und wir untergehen im grund- und grenzenlosen Meer der Seligkeit und seiner lautlosen Anbetung, die die gesamte Weite des Raumes durchdringt.

Ich denke, ein Vorgeschmack dessen, den sicher viele von uns erlebt haben, ist der einer sehr tiefen Entspannung, worin all unsere Gedanken nahezu völlig verschwinden und wir, der Tiefe des Daseins innewerdend, ergriffen und dankbar uns bewußt werden, was es bedeutet zu »sein«.

Die Mystiker bezeichnen diesen Zustand der Entrückung auch als mystisches Mahl oder mystische Einung der Seele mit dem Lamm und meinen damit das wortlose Inne- und Gewahrsein des *Ich Bin, der Ich Bin.*

Wir sehen: Binah, Chokhmah, Kether und auch Tiferet, jener ganze Teil des Seelenbaumes, der verwoben ist mit den höheren Instanzen unseres Wesens, die wir als Ruach, den Mentalleib, und Neschamah, unsere göttliche Seele, nannten, ist sowohl Gegenstand des Zugangs zu unserem Wesensgrund als auch unserer inneren Erschließung, jedoch nicht der Wandlung, da in ihm Unreinheiten gar nicht erst Fuß fassen können. Binah und Chokhmah sind jedoch jene Orte, worin all die Verdienste unserer vielen Leben, all die Schulden und Guthaben, die manchmal als positives und negatives

Karma bezeichnet werden, aufgezeichnet und gespeichert sind. Als Ausdruck des Verstoßes oder der Erfüllung des göttlichen Planes und seiner Gesetzmäßigkeit schlagen sie sich in Binah (als Gericht) und in Chokhmah (als Gnade) nieder. Es wird uns hierdurch auch der Sinn der Worte Jesu besser verständlich, die da lauten: »Und herauskommen (aus ihren Gräbern) werden, die Gutes getan, zur Auferstehung des Lebens, die aber Böses getrieben, zur Auferstehung des Gerichtes.«

Das Gericht, die Schulden und Vergehen und die Sühne (das negative Karma) finden wir in Binah, die Auferstehung, unsere Verdienste und Guthaben sowie die Fülle der Gnade in Chokhmah. In ihnen finden wir die Aufzeichnung all unserer schlechten und guten Werke, all unserer negativen und positiven Gedanken, Intentionen und Entscheidungen. Von hier oben aus lenken sie unser inneres Schicksal und Geschick. Das Alte Testament spricht von dem Gesetz des Karma in erstaunlich verwandten Worten:

»Siehe, ich lege euch heute Segen und Fluch vor: den Segen, so ihr den Geboten JHWHs, eures Gottes ... gehorcht, den Fluch aber, so ihr den Geboten JHWHs, eures Gottes, nicht gehorcht ... Und wenn dich JHWH, dein Gott, in das Land bringt, in das du ziehst, um es in Besitz zu nehmen (Kanaan, das verheißene Land oder Himmelreich = das jenseitige [jenseits des Jordan = Schwelle zwischen den Welten, die die Seele auf der Todesbarke überquert] Astralreich mit seinen verschiedenen Sphären), so sollst du den Segen auf den Berg Gerisim und den Fluch auf den Berg Ebal legen.« (5. Mose 26-29).

Hier ist der Berg Ebal Symbol von Binah, der Berg Gerisim dagegen das von Chokhmah. Wenn wir bei Mose bleiben, sehen wir den Sinai schließlich als Sinnbild Kethers, wo sich Gott in seinem höchsten Sein offenbart. Segen und Fluch, Gnade und Gericht sind die Ernten unseres Karmas. Das Erbe anzunehmen und im Leben auszugleichen ist einer der Aspekte unseres inneren Weges, dem wir nicht entkommen können. All die scheinbaren Ungerechtigkeiten und Schicksalsschläge haben hierin ihren Ursprung, und wir tun gut daran, unser Kreuz in Liebe an uns zu drücken, denn in ihm, in jeder Gabe des Schicksals – ob angenehm oder unangenehm, beglückend oder schmerzlich – liegt ein Keim unserer eigenen Verwirklichung. Damit haben wir auch unsere Aufgaben in den oberen drei Sefirot hinreichend beschrieben.

Sowohl die Fehlhaltungen als auch die reinen Haltungen der Seele sowie deren Früchte sind in den Abbildungen 87 und 88 (a und b) in Entsprechung zu den Sefirot wiedergegeben.

5.3 Die Durchlässigkeit der Pfade

Ein ebenfalls wesentlicher Aspekt für die Entwicklung unserer Seele über die Läuterung der Sefirot hinaus ist die Durchlässigkeit der Pfade. Als Verkörperung der »Adern« unserer Seele veranschaulichen sie den Energiefluß in ihr und zwischen den Sefirot. Das gesamte Leben der Seele ist von ihrer Durchlässigkeit abhängig und nur dann ist auch ein organisches Zusammenspiel der Sefirot gewährleistet. Dieses Zusammenspiel ist die Voraussetzung für das Erleben, Leben und Empfinden der Seele als Ganzheit.

5.4 Die Zentrierung und rechte Ausrichtung

Für diese Durchlässigkeit und organische Einheit im Baum spielt die Zentrierung in Tiferet als der zentralen Instanz unserer inneren Steuerung sowie die Ausrichtung entlang der mittleren Säule eine wesentliche Rolle. In der aufrechten Ausrichtung an der mittleren Achse mit ihrer Sammlung und Zentrierung im Herzen sowie der Rückbindung unseres gesamten Wesens an die obere Wurzel, den göttlichen Urgrund all unseres Lebens in Kether erst findet die Ganzheit unserer Seele ihren Inhalt und Sinn; denn von Kether aus ergießt sich durch die Verteilerfunktion von Tiferet all das von ihr ausgehende Licht und geistige Leben über alle Organe und Kanäle der Seele. Dieses die Seele durchflutende Licht und Leben ist Träger und Mittler unserer Fähigkeit des Wahrnehmens und unseres Bewußtseins.

Die Frage nach der Zentrierung und Ausrichtung entlang unserer mittleren Achse ist immer zugleich ein Aufruf an unsere Wachheit und unser Bewußtsein, daß wir, was immer wir erleben, bewirken

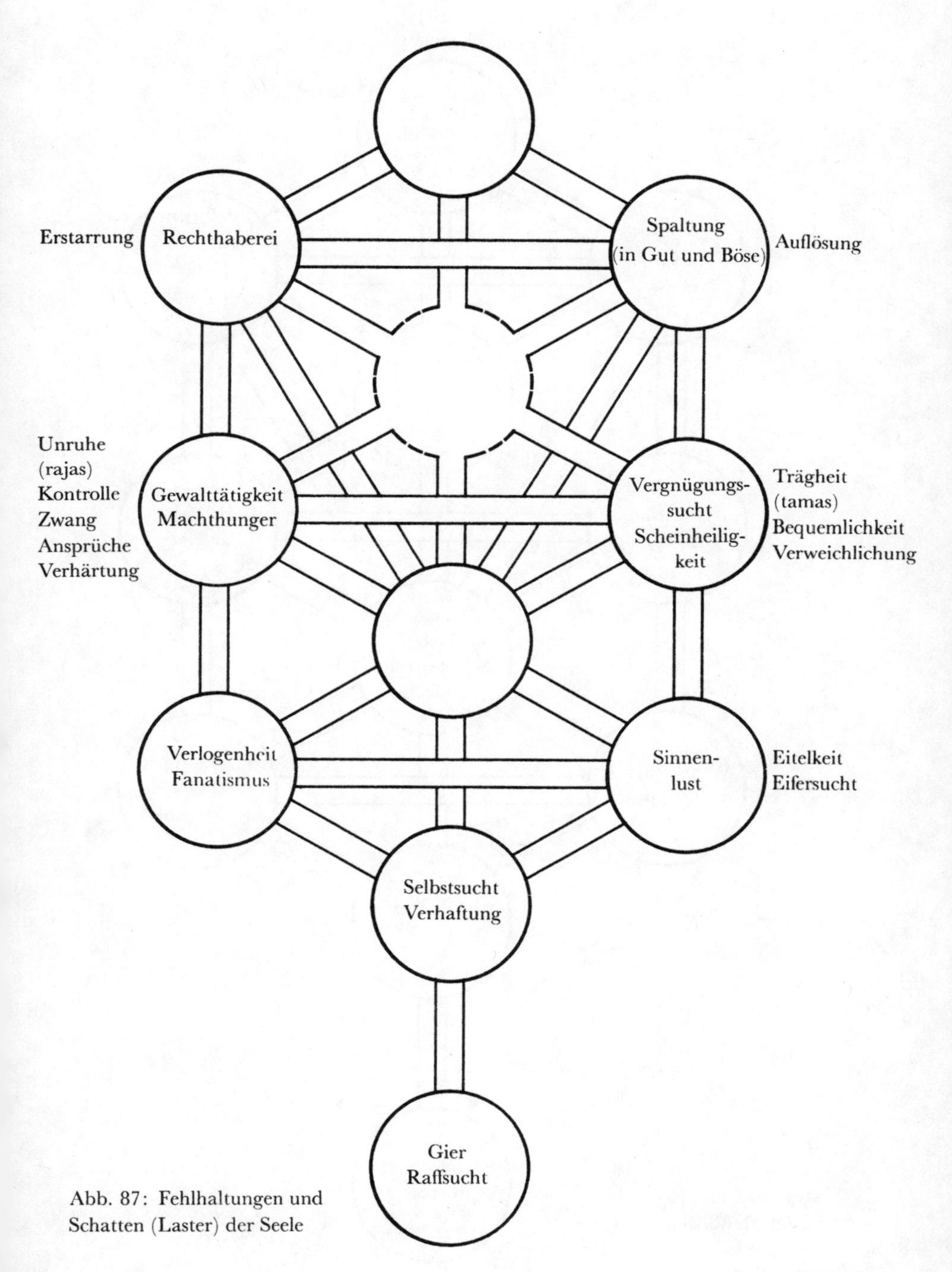

Abb. 87: Fehlhaltungen und Schatten (Laster) der Seele

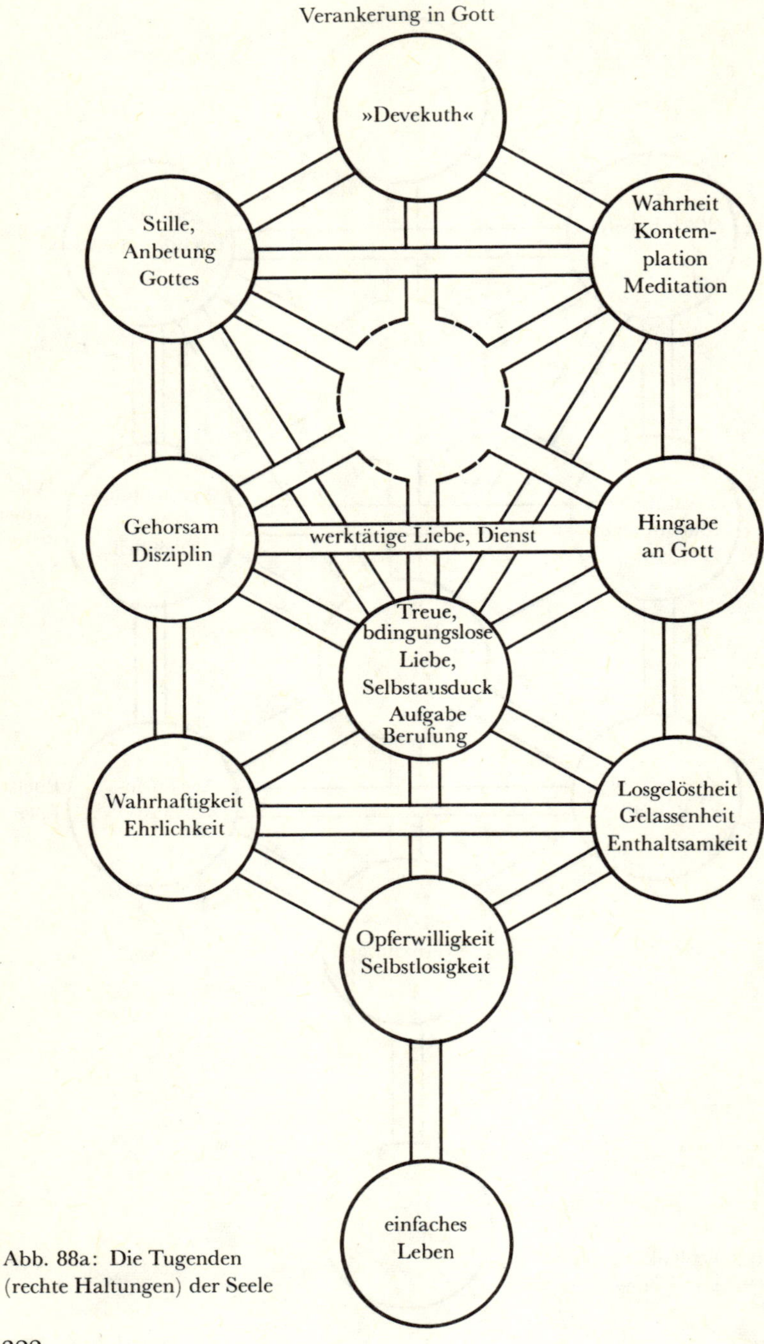

Abb. 88a: Die Tugenden
(rechte Haltungen) der Seele

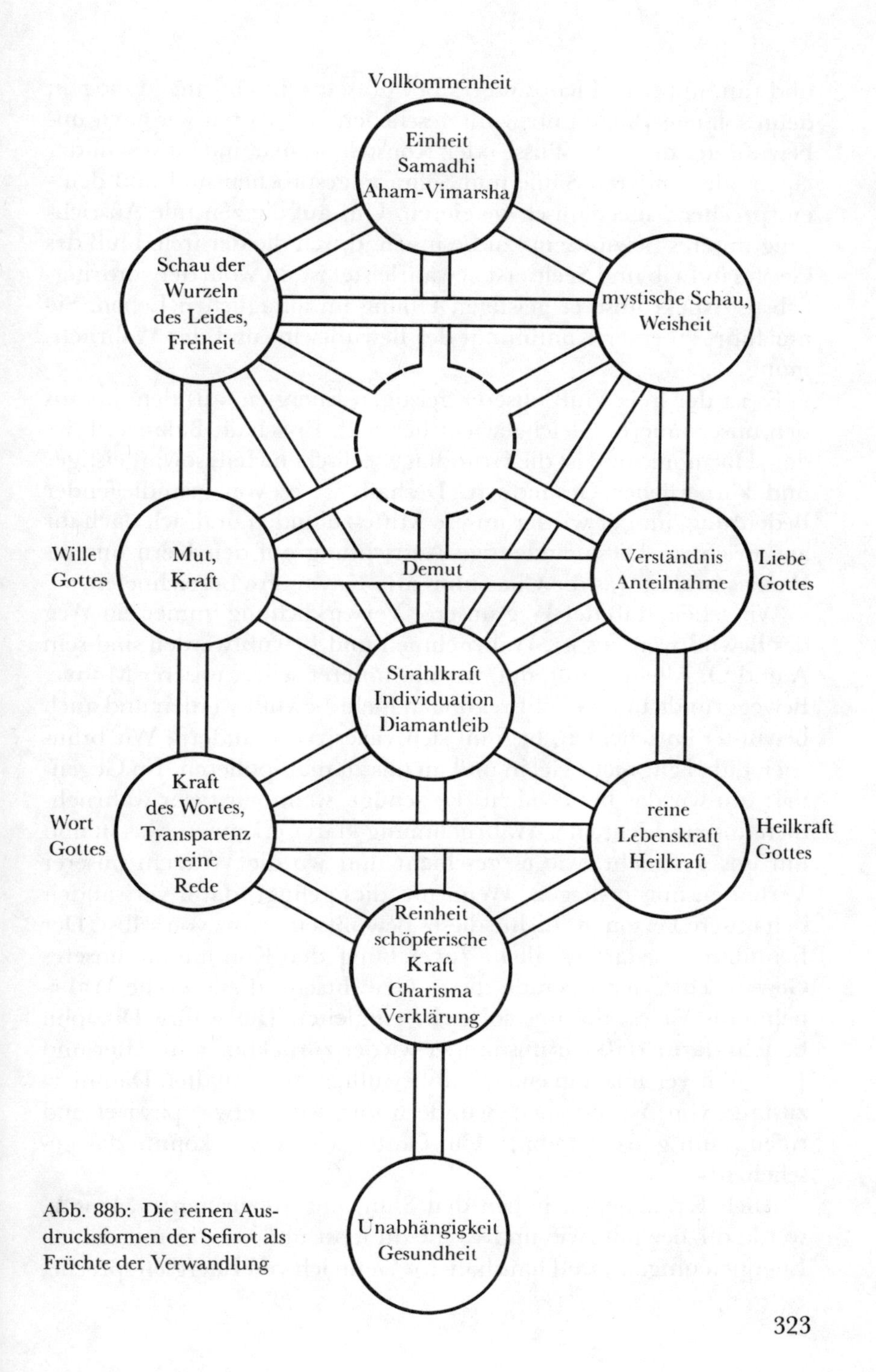

Abb. 88b: Die reinen Ausdrucksformen der Sefirot als Früchte der Verwandlung

und tun, mit dem Licht unseres Bewußtseins durchdringen mögen; denn solange Dinge unbewußt geschehen, antworten wir auch unbewußt auf deren Einflüsse oder Konstellationen, indem wir in der einen oder anderen Säule und Sefira angesprochen sind und dementsprechend mechanisch reagieren. Uns auf die zentrale Ausrichtung unseres Bewußtseins zu besinnen, durch die der freie Fluß des Geistes in Leib und Seele erst gewährleistet ist, ist wohl der vordringlichste Aspekt unserer geistigen Übung im alltäglichen Leben. Sie nur führt zu einer Kontinuität des Bewußtseins und der Wahrnehmung.

Es ist der freie Fluß unserer geistigen Energien, aus dem heraus sich unser inneres Gleichgewicht herstellt. Er schafft Balance, Frieden, Harmonie und ist die Grundlage seelischen Heils sowie geistiger und körperlicher Gesundheit. Deshalb ist es von grundlegender Bedeutung, immer wieder unsere Mitte zu finden und sich nach ihr auszurichten. Diese eindeutige Ausrichtung auf den Kern unseres Wesens ist das, was die Chassidim als »Kavanah« bezeichneten.

Wir sehen, daß der Weg unserer Verwirklichung immer ein Weg des Bewußtwerdens ist; Wahrnehmen und Bewußtwerden sind sein A und O. Allein damit, daß wir uns unserer selbst, unserer Motive, Beweggründe und Gefühlsregungen mehr bewußt werden und auch bewußter entscheiden, beginnt sich vieles zu verändern. Wir brauchen dabei gar nicht viel in und an uns zu manipulieren. Im Gegenteil: tun wir das besser nicht! Es genügt, wenn wir tiefer wahrnehmen und im Lichte der Wahrnehmung klarer erkennen, was in und um uns geschieht, wie es geschieht und wo die Wurzeln unserer Verhaltensmuster liegen. Wenn uns dies gelingt, dann verwandelt sich unsere Person im Lichte dieses Bewußtseins ganz von selbst. Der Bemühung bedarf es allein zur Übung der Kontinuität unseres Gewahrseins, denn gerade dieses Gewahrsein, diese wache Wahrnehmung ist es, die uns so leicht entgleitet. Die wahre Disziplin besteht darin, daß wir uns immer wieder zurückholen ins Hier und Jetzt. Wir versinken in einen halbbewußten, traumhaften Dämmerzustand von Abwesenheit, wundern uns, wenn etwas passiert und rufen dann ganz entsetzt: »Um Gottes willen, wie konnte das geschehen!«

Auch Krankheiten haben den Sinn, uns aufzurufen: »Mensch, werde dir bewußt, wie und wofür du lebst und wie du mit deinen Energien umgehst und haushältst.« Wenn ich von Energien spreche, so meine ich die verschiedenen Aspekte, die wir hier als die Sefirot der beiden äußeren Säulen kennengelernt haben.

Das Zentrum der Wahrnehmung ist immer das Hier und Jetzt. Alles wahrhaft Wirkliche finden wir in der Gegenwart. Alles Vergangene, alles Zukünftige ist irreal. Das Vergangene liegt als unsere eigene Geschichte lebendig in uns, in unserem eigenen Leib und unserer eigenen Seele. Die Vergangenheit ist in die Gegenwart eingebettet, so daß es gar nicht nötig ist, über sie nachzugrübeln oder ihr hinterherzuhängen, statt jeden Moment neu und frei das Leben in seiner ganzen Fülle, wie es aus dem Augenblick geboren ist, aufzunehmen und damit auch die eigene Vergangenheit, die ganze alte Geschichte, die uns immer noch beeinflussen möchte, hier und jetzt zu wandeln!

Genauso ist die Zukunft. Auch sie ist in uns schon angelegt. Sie will jedoch im Gegenwärtigen verwirklicht sein. Unter Zukunft verstehe ich die uns innewohnende Bestimmung als Mensch, die Jesus das Himmelreich in uns nennt. Je bewußter, je gegenwärtiger wir leben, je wahrnehmender wir uns selbst erleben, um so erfüllter und vollkommener können wir das Leben ausschöpfen. Deshalb ist es so wichtig, diese zentrale Ausrichtung jeden Moment zu wahren. Das ist die Grundlage der Kabbala, verstanden als ein Weg geistiger Empfängnis. Darin enthüllt sich wahre Ethik, daß wir innerlich aufgerichtet sind, daß wir aufrecht leben. Jede wahre Ethik gründet in einem von innen her kommenden verantwortlichen Empfinden gegenüber der Notwendigkeit des Augenblicks.

Wir sehen, daß in dieser Mitte wahrhaftig alle Sefirot als untrennbare Einheit umfaßt sind. Die Sefirot sind die Lichter und Kräfte der Seele. Sie alle leuchten aus dem einen Licht, das in ihnen in Form von mehreren Lichtern tätig wird. Haben wir die Sefirot auf dem Weg der inneren Wandlung und Vervollkommnung mit dem Licht reiner Gottesliebe entzündet und zu einem reinen Leuchten geführt, so erstrahlt der Christbaum unserer Seele dadurch in seinem vollen Glanz, hoch aufgerichtet und geschmückt mit den reifen Früchten unseres Menschseins. Entlang seines Stammes strömt das eine Leben aus Kether in unser Herz (Tiferet) und ergießt sich durch unseren Leib in die Welt. Das Wort Jesu »*Ich Bin* das Licht der Welt« ist Ausdruck der vollkommenen Durchlässigkeit des Menschen, in der sich seine Christusnatur offenbart (Abbildung 89).

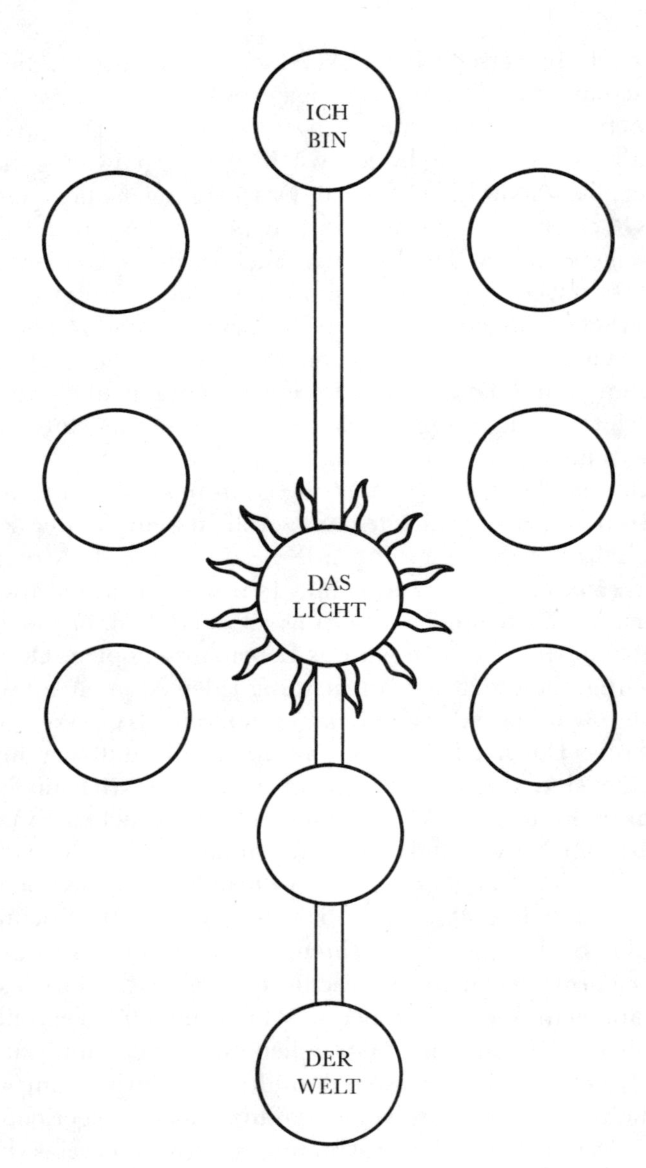

Abb. 89

6. Chakras und Sefirot, Kundalini und Schekhinah

Sowohl die Kabbala als auch die östliche Tradition erkannte die Seele des Menschen als einen »Garten, der von einem Netzwerk feiner Kanäle bewässert wird«. Darin entspricht der Garten dem feinstofflichen Leib, das Kanalsystem dem Netzwerk subtiler Adern und das Wasser der Lebenskraft und dem Geiste, die durch jene Adern fließen und das Leben der Seele sind. Wir alle empfinden – wenn wir bewußter darauf achten – in uns dieses Strömen von Energie, das sich in einem differenzierten, feinstofflichen Gewebe ausbreitet. Dieses innere Leben der Seele sowie ihr feinstofflicher Organismus, das Netzwerk oder Gewebe ihres subtilen Geäders, ist den verschiedensten Traditionen bekannt. In der Kabbala findet es wiederum im Symbol des Lebensbaumes seinen Niederschlag, dessen Pfade den Fluß des Lebens und seiner Energien zwischen den einzelnen Kräften oder »Organen« (Sefirot) der Seele darstellen. Dieses innere Leben hat seinen Ursprung in Gott (Kether).

Jakob Böhme brachte dies in folgenden Worten zum Ausdruck: »Die Seele hat ihre Quelle außerhalb (ihrer selbst), denn der Heilige Geist regiert in ihr, in der Weise, daß er alle Dinge erneuert, bewirkt und erfüllt.« Analog spricht die indische Tradition von dem feinstofflichen Leib des Menschen als einem Organismus mit einem hochdifferenzierten Netzwerk subtiler Adern oder Nervenbahnen, durch die die vitalen Energien strömen.

Der Chandogya Upanischad drückt dies in folgendem Bilde sehr treffend aus: »Wie eine lange Straße zwei Dörfer verbindet, eines an jedem Ende, so verbinden die Strahlen der (geistigen) Sonne diese und die andere (jenseitige) Welt. Sie fließen von der ewigen Sonne (Kether) in die Arterien und von ihnen zurück zur Sonne.« Diese feinstofflichen Arterien oder Energiekanäle, die im Sanskrit als »Nadis« bezeichnet werden, wurden von vielen Yogis und Mystikern studiert, indem sie die feinen Bewegungen und das Strömen der Lebensenergien in ihrer Seele genauer beobachteten. Nach der indischen Tradition besteht dieses feinstoffliche Netzwerk oder Gewebe aus drei Hauptbahnen und 72000 Nebenbahnen, durch die die Lebenskraft die Seele »bewässert« (Abbildung 90).

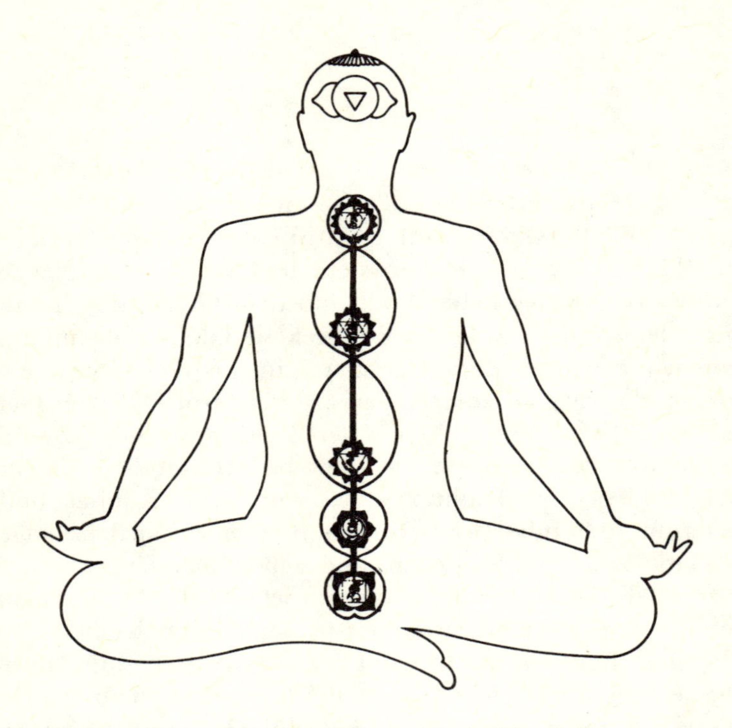

Abb. 90: Die sieben Chakras und die drei Hauptnadis des Menschen.

Die drei Hauptbahnen gliedern sich in einen Zentralnerv, »Shushumna-Nadi« entlang des Rückenmarkskanales, und zwei symmetrische Bahnen, die sich schlangenförmig rechts und links um den mittleren Kanal winden. Letztere verkörpern die Flüsse der positiven und negativen Energien der Seele (Anziehung und Abstoßung, Wärme und Kälte) und werden als Pingala (Sonnenbahn) und Ida (Mondbahn) bezeichnet. Sie haben eine Affinität zu Sympathikus und Parasympathikus unseres autonomen Nervensystems.

Shushumna, Ida und Pingala entsprechen den drei Säulen in unserem Lebensbaum und finden sich auch in dem ägyptischen Symbol des Caducäus (oder Merkurstab) zusammengefaßt (Abbildung 91). Damit haben wir drei entsprechende Bilder verschiedener

Traditionen für die eine Wirklichkeit der Seele. Inmitten dieses Netzwerkes feinstofflicher Arterien oder Nervenbahnen, aufgereiht entlang des mittleren Hauptkanales, finden wir sieben Energiezentren, die gleichsam als Schaltstellen der Seele den Fluß der geistig-vitalen Energien in ihr lenken und leiten. Sie sind gleichsam die Organe der Seele, die im Sanskrit als Chakras und in unserer biblischen Tradition als Räder oder Gemeinden bekannt sind. Sie sind die organischen Wirkstätten Gottes, in denen Sein Geist waltet. Dem empfänglichen geistigen Auge erscheinen sie – wenn im Menschen zu größerer Aktivität erweckt – als rasch rechtsdrehende Wirbel von Energien, die in verschiedenen Farben ausstrahlen. Sie differenzieren oder transponieren das eine Licht an der Wurzel in sieben Schwingungsbereiche oder Oktaven unseres Bewußtseins.

Jakob Böhme beschreibt sie als »Sieben Räder, ineinandergefelget in ein einziges Rad, wie eine runde Kugel.« »Die sieben Räder sind die sieben Geister Gottes«, sieben Offenbarungen des einen Logos. »Die sieben Räder gebären immer die Naben, und die Nabe gebäre immer die Speichen.« Es sind die sieben Quellgeister Gottes. Sie »gebären in den sieben Rädern in jedem Rad eine Nabe und sind doch nicht sieben Naben, sondern nur eine, die sich in alle sieben Räder schicket. Und das ist das Herz oder der innerste Corpus der Räder, darinnen sie umlaufen. Und das bedeutet den Sohn Gottes, den alle sieben Geister Gottes des Vaters in ihrem Zirkel immer gebären.« »So ist das Herz Gottes immer inmitten und schicket sich immer zu jedem Quellgeist. Also ist's ein Herz Gottes... und ist aller sieben Geister Herz und Leben.«

»Nun hat das Rad sieben Räder ineinander und eine Nabe, die sich in alle sieben Räder schicket, und alle sieben Räder an der einen Nabe. Also ist Gott ein einiger Gott mit sieben Quellgeistern ineinander, da immer einer den anderen gebäret, und ist doch nur ein Gott, gleichwie alle sieben Räder ein Rad.« (Aurora 13. Kap., 73–78).

Diese sieben Räder oder Chakras stehen in einer engen Beziehung zu den Sefirot unseres Lebensbaumes, die – wie wir bereits wissen – ihrerseits sieben entelechiale Ebenen oder Bewußtseinsstufen konstituieren. Diese wesensmäßige Beziehung zwischen den Chakras und den Sefirot – die einen mehr als Organe, die anderen eher als Kräfte – ist in Abbildung 92 dargestellt. Wir sehen den vierblättrigen Wurzellotus (Muladhara-Chakra) mit seinem Sitz im Steißbein in

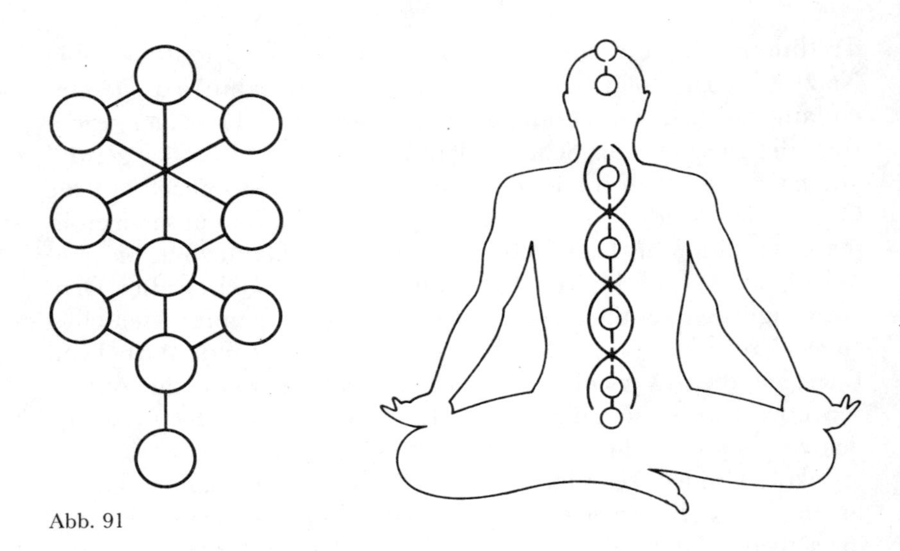

Abb. 91

Entsprechung zu Malkhut, dem »Königreich«, das ebenfalls vier Unteraspekte aufweist, die durch die vier Elemente oder Aggregatzustände der Materie verkörpert sind.

Als zweites finden wir das Sakral- oder Sexualzentrum (Svadhisthana-Chakra) als sechsblättrigen Lotus in Entsprechung zu Jesod.

Manipura-Chakra mit seinem Sitz im Solarplexus entspricht dem Sefirot-Paar Hod und Nezach. Manipura ist das Zentrum unserer vegetativen Steuerung, unserer Vitalkraft und unserer Empfindsamkeit. Wir alle wissen, wie wir hier – im Bauch – auf äußere Reize reagieren. Der eine Reiz verleiht uns Kraft, der andere schlägt uns auf den Magen, der dritte geht uns auf die Nieren. Alles findet seine Entsprechung in Hod und Nezach.

Anahata-Chakra, der zwölfblättrige Lotus des Herzens entspricht der Sefira Tiferet. Beide verkörpern die Wesensmitte des Menschen und sind als solche Sitz unserer Individualität. Die zwölf Blätter des Herzzentrums entsprechen den zwölf Aspekten des kosmischen Menschen sowie den zwölf Feldern des Zodiaks. Das Herzzentrum ist der Ort der Kommunion des Individuums mit dem Universum und dem Einen Leben, das Letzte Abendmahl ist sein Symbol. Geburah und Hesed korrespondieren mit dem Hals- oder Vishuddha-Chakra. Letzteres ist als Sitz unseres Willens sowie unseres schöpferischen Selbstausdruckes bekannt.

Das sechste Zentrum ist das Ajna-Chakra oder Dritte Auge. Die-

ses verfügt über zwei Gruppen von je 48 Blättern oder Speichen, die ihrerseits in Beziehung zu den beiden Hemisphären unseres Gehirns stehen. Dieses Zentrum korrespondiert mit dem Sefirot-Paar Binah und Chokhmah. Als Repräsentanten unseres logisch-analytischen Verstandes und unserer Intuition verdeutlicht es wieder die Beziehung zu den beiden Hemisphären. Ajna-Chakra ist das Tor zum kosmischen Bewußtsein.

Zuletzt finden wir die Entsprechung zwischen Kether und dem 1000blättrigen Scheitellotus (Sahasrara-Chakra). Beide sind Sitz des Höchsten Bewußtseins des *Ich Bin*, unserer Monade, und Ursprung jenes Lichtes, das das Haupt der Erwachten in einen hellen Lichtschein hüllt. Betrachten wir den Menschen im Bild des Lebens-Baumes, so sehen wir, daß drei der »sieben Tore unseres Bewußtseins« durch jeweils ein Paar von einander in der Horizontalen gegenüberliegenden Sefirot konstituiert werden. Sie liegen in der Höhe des Zwerchfelles (Taille), des Nackens beziehungsweise der Schultern und der Stirn. Das sind jene drei Stellen, an denen die meisten von uns ihre Verspannungen haben. Bauch, Nacken und Kopf sind unsere allergischen Punkte, worin sich die meisten seelischen Störungen niederschlagen. Tatsächlich wirken die drei horizontalen Sefirot-Paare wie drei Schleusen, die den Energiefluß zwischen den Ebenen, zwischen Persönlichkeit, Individualität und Höherem Selbst zensieren (Abbildung 93).

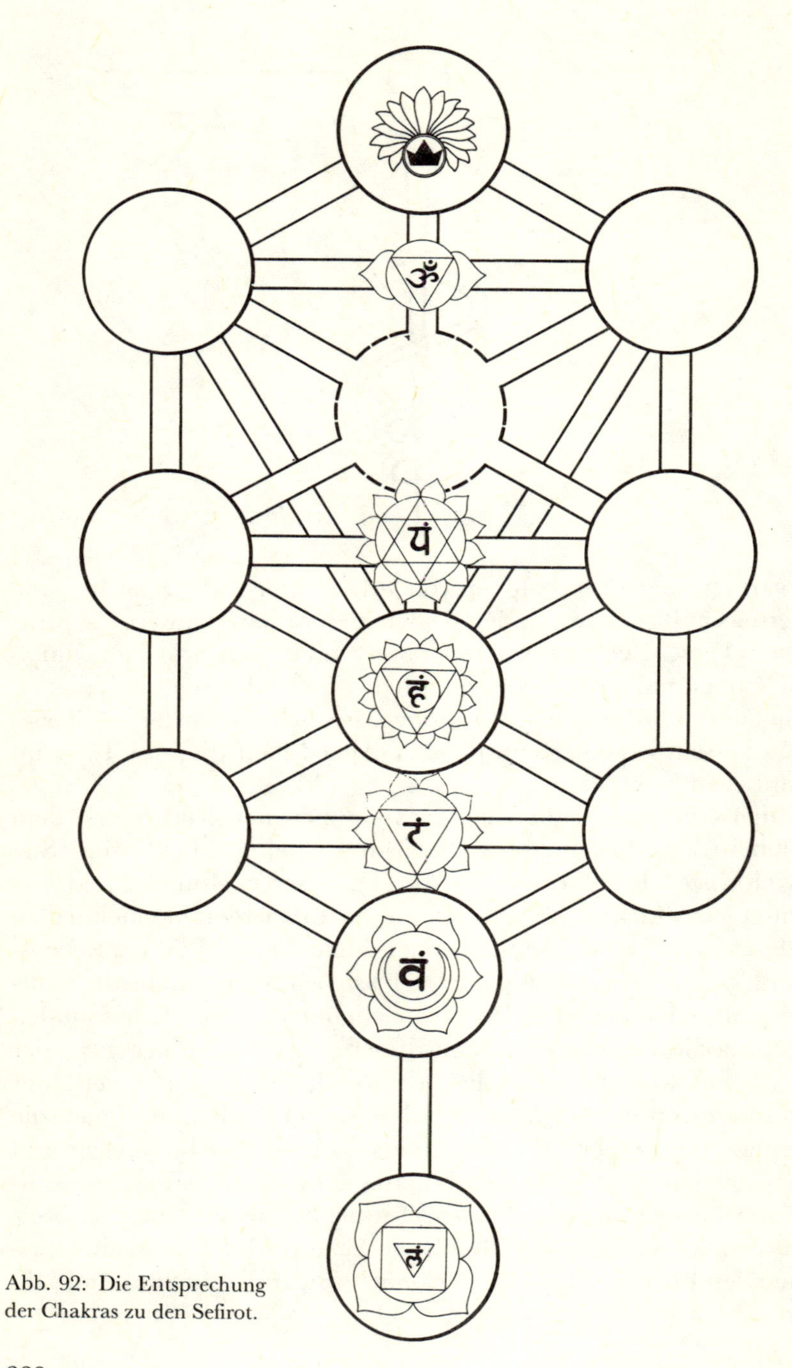

Abb. 92: Die Entsprechung der Chakras zu den Sefirot.

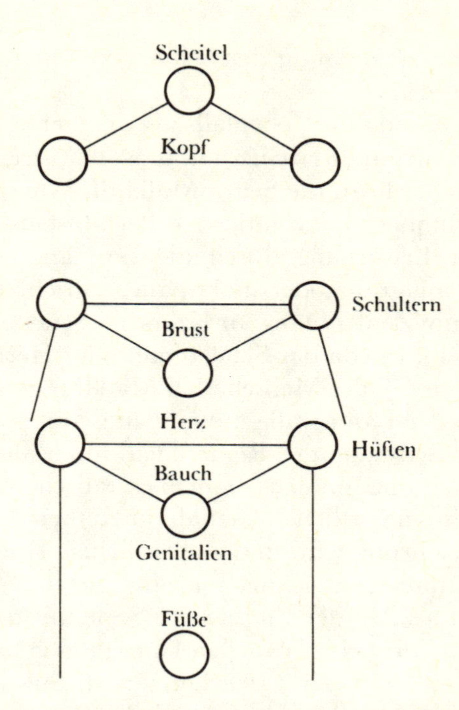

Abb. 93: Die Dreigliederung des Menschen: Bauch, Brust und Kopf als Sitz des Lebens (und des *Wollens*), der *Liebe* und des *Geistes*.

In der hinduistischen Einweihungs-Tradition wird die im Menschen bis zu seiner geistigen Erweckung schlummernde göttliche Energie als Kundalini-Shakti bezeichnet und als im untersten Zentrum (Muladhara-Chakra) verborgene, dreieinhalbmal zusammengerollte Schlange dargestellt. Sie ist Trägerin des göttlichen Lebens und möchte erweckt und zur Entfaltung gebracht werden. Diese Schau entspricht völlig der der Kabbala. Sie sieht jedes Geschöpf, insbesondere den Menschen, als Gefäß der welteinwohnenden Herrlichkeit Gottes, Seiner ewigen Gemahlin oder Schekhinah, die in der Dumpfheit unseres erdverhafteten, leiblichen Bewußtseins »in der Verbannung« ist. Ihr Exil, darin sie gebunden liegt, ist unser Leib.

Es ist wichtig zu verstehen, daß die Kundalini auch identisch ist mit der Kraft und dem Feuer des Heiligen Geistes in uns. Er ist die Offenbarungsform der Kundalini in ihrer erweckten Form. Schlange und Taube sind demgemäß Symbole des gleichen Prinzips. Die Taube, die über dem Haupt des Adepten schwebt, ist das

Symbol der Vereinigung der Schlangenkraft mit ihrem göttlichen Gemahl in Kether.

Wie die Kundalini – ebenfalls als weiblicher Aspekt Gottes – im Steißbeinzentrum ihren Sitz hat, so ist der Ort, in dem die Shekhinah verborgen liegt, die Sefira Malkhut. Wie sich die im Basiszentrum schlummernde evolutionäre Bewußtseinskraft der Kundalini nach ihrer Erweckung durch die Empfängnis göttlicher Gnade (Sanskrit: anugraha oder shaktipata) aufrichtet und sich Zentrum (Chakra) um Zentrum bis zur Krone im Scheitel des Kopfes emporhebt, so heißt es von der Schekhinah oder Herrlichkeit Gottes, die seit dem Geistfall des Menschen in Malkhut gebunden liegt und da im »Staub der Landstraße mit Füßen getreten« wird, daß sie sich nach ihrer Befreiung der Reihe nach durch alle Sefirot von unten nach oben erhebt, um sich in einem ekstatischen Akt innerer Verklärung mit ihrem göttlichen Gemahl in Kether (Cranum) zu einen.

Diese Erfahrung wird in der christlichen Tradition als die Hochzeit des Lammes bezeichnet und im Sakrament der Kommunion, verstanden als Akt der Einung der Seele mit dem innewohnenden Christus, in Form einer rituellen Handlung vollzogen.

Somit erweisen sich Erweckung und Aufstieg der Kundalini-Shakti entlang des Rückenmarkkanales (Shushumna) und der beiden polaren Kanäle Ida und Pingala – von Jesus als »die Erhöhung der Schlange in der Wüste« bezeichnet – als dem Akt der Einung der Schekhinah mit ihrem göttlichen Gemahl im Bild des Sefirot-Baumes völlig gleichwertige Geschehnisse, deren Erfahrung auch im ägyptischen Symbol des Hermesstabes (Caducäus), als durch zwei sich entlang des mittleren Kanals des Rückenmarkes hochwindender Uräusschlangen dargestellt ist (Abbildung 91).

Durch diesen Aufstieg der göttlichen Glorie werden die einzelnen Zentren in der Seele aktiviert und zum vollen Aufblühen gebracht, was im Bild des Sefirot-Baumes dem Entzünden und Entfalten der zehn heiligen Lichter entspricht. Sefirot, Chakras und Aura entwikkeln sich gemeinsam und in innerem Einklang. Es ist also die in uns wohnende, erweckte göttliche Kraft, die uns selbst, unsere Seele und all ihre Aspekte zu ihrer vollen Verwirklichung und Einung mit Gott führt. Mit Recht nennen die Weisen die Chakras deshalb die sieben Stadien der Kundalini und die Sefirot die zehn Manifestationen der Schekhinah, mit denen sie sich schmückt, um den göttlichen Gemahl zu empfangen.

Sefirot und Chakras sind unterschiedliche Manifestationen der Einen Kraft, die im Logos ihren Ursprung hat. Und wie den Sefirot als Attributen Gottes Heilige Namen gehören und sie darüber hinaus auf der obersten Ebene (Azilut) unmittelbar Träger göttlicher Aspekte und Heiliger Gottesnamen sind, so entsprechen auch den durch die Chakras repräsentierten Energien oder Schwingungsbereichen bestimmte Keimsilben oder Bija-Mantras, die die Herkunft dieser Kräfte aus dem Logos bezeichnen und die mit jenen durch sie verkörperten Kräften identisch sind. Wie jedes Chakra von einer Gottheit regiert wird, so sind auch die Sefirot als Kräfte Gottes Wohnstätten heiliger Wesen, der Erzengel, Cherubim, Seraphim, Throne und Mächte, die gleichsam als Verwalter jener Sphären und Kräfte im Universum tätig und wirksam sind.

So wie die Sefirot die Wurzel- oder Keimkräfte der Schöpfung und des Menschen sind, aus denen sich der Baum des Lebens entfaltet, so sind die Namen der Sefirot ähnlich den indischen Bijas (vergleiche Band 1, Seite 368) Keimsilben, deren Invokation sämtliche schöpferischen Kräfte und damit die eine, sie verbindende Urkraft der Evolution, die in Malkhut oder der Wurzel des Baumes ruhende Schekhinah oder die im Wurzelchakra zusammengerollte Kundalini-Shakti erweckt, damit sie sich mit ihrem göttlichen Gemahl in der Krone des Baumes, sprich Cranum des Schädels, einen mögen. Ziel der kabbalistischen Meditation, wie auch des Singens von Mantras ist es, die in unserer niederen Natur gebundene Schekhinah zu befreien und durch die ganze Reihe der Sefirot hindurch zu ihrem Ursprung zurückzuführen, wo sie all ihre Formen und Bewegungen im höchsten Zustand eines gedankenfreien, seligen Bewußtseins auflöst.

Diese Zusammenhänge zwischen Klängen, Kräften und Schwingungsebenen des Bewußtseins sowie die Anwendung der Kraft des Wortes im Gebet und auf dem Weg unserer Verwirklichung sind das Thema, das uns im Kapital über die göttliche Seele des Menschen und den Weg der Einung der Seele mit Gott näher beschäftigen wird (siehe Seite 421).

7. Der innere Mensch als Tempel des Herrn

Der Lebensbaum ist ein umfassendes kosmologisches Diagramm, und so nimmt es auch nicht wunder, daß uns seine Struktur trotz ihrer abstrakten Gestalt an verschiedenste Gegenstände und Erscheinungen der Natur erinnert. Wie oft wird er als Modell von Genstrukturen oder Kristallgittern, von atomaren oder molekularen Gefügen angesehen. Manche erinnert er an einen Plan eines Bootes, vielleicht den der Arche Noahs, manche an das ägyptische Henkelkreuz (Abbildung 94). Gleichwohl mag er uns auch an den Grundriß einer gotischen Kathedrale erinnern, in dem die drei Kirchenschiffe durch die drei Säulen des Sefirot-Baumes dargestellt werden.

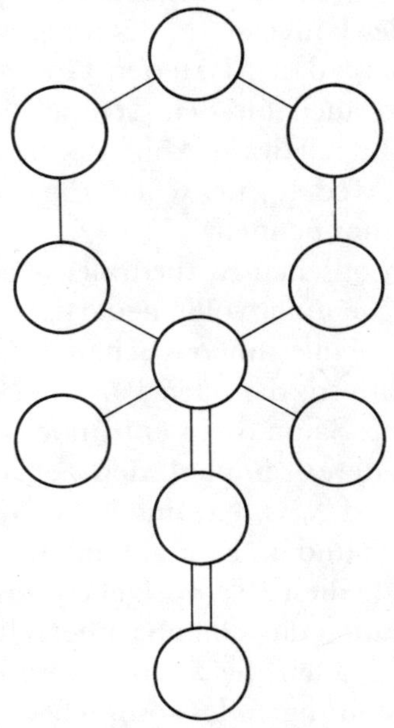

Abb. 94: Der Sefirot-Baum als Henkelkreuz. (Ägyptisch: Ankh = Symbol des göttlichen Lebens).

Tatsächlich ist der Lebensbaum das geistige Urbild sowohl der altägyptischen Tempel als auch des großen Tempels Salomos in Jerusalem. Der Tempel war und ist von jeher Sinnbild des Universums als Leib oder Haus Gottes wie auch des Menschen, dessen Seele ebenfalls Tempel des Herrn ist, in dem Er wohnt, in dem wir Ihn anbeten und in dem wir Ihm einen Altar errichten.

Das Stiftszelt des Moses, der Tempel Salomos, die großen gotischen Kathedralen Frankreichs und Englands gründen alle (!) auf einer inneren Schau des Kosmos. Die Bundeslade mit ihren vier ringförmigen Griffen, worüber sich nach der Weihe die zwei Cherubim niederließen, deren vier Flügel den heiligen Raum bilden, in den die Schekhinah oder Vorsehung Gottes einzieht, um darin zu wohnen und ihr Licht über das gesamte Stiftszelt sowie die Kinder Israels auszugießen, ist eine symbolische Darstellung, die uns im Himmlischen Thronwagen aus den Visionen des Ezechiel, Jesajah und Johannes wiederbegegnet. Damit wird uns auch bewußt, daß die ganze langatmig und weitschweifig angelegte Beschreibung des Planes des Stiftszeltes sowie seiner Kultgegenstände nichts anderes ist als eine in weiser Symbolschrift niedergelegte minutiöse Darlegung des Aufbaues des Universums, des inneren Menschen und der sich in ihnen offenbarenden Mysterien Gottes. Selbstverständlich gilt das insbesondere auch für den Tempel Salomos, dessen Bau durch den Eingeweihten Hiram Abiff aus dem Sabenerland vielleicht das herrlichste Modell jenes wunderbaren Tempels Gottes ist, den wir unseren Kosmos nennen.

Aber auch unsere gotischen Kathedralen – obwohl in ihrer Bauweise den Tempeln gegenüber völlig neuartig – haben ihre Wurzeln und ihren Ursprung in einer inneren Schau des Kosmos. Es war eine Gruppe von neun Rittern, die nach Palästina auszog, um die Geheimnisse des Tempels Salomos zu ergründen. Diese Tempelritter, auf die auch der spätere Templerorden zurückgeht, lebten neun Jahre in Jerusalem (und Ägypten) und haben dort – in Verbindung mit geistigen Übungen und im Kontakt mit alten Überlieferungen – die alten Hintergründe dieser Tempelgeheimnisse studiert und kennengelernt. Sie erkannten das Offenbarungszelt des Moses und den Tempel Salomos (wie auch die älteren Tempel der Ägypter) als symbolische Nachgestaltungen des kosmischen Aufbaus des Universums, seiner geistigen, seelischen und physischen Räume sowie das Allerheiligste als Nachgestaltung des Thronwagens, auf dem die feurige Gestalt des »Menschensohnes« ruht, die das Geschick des Wagens, sprich des Universums, lenkt.

Aus dem Bewußtsein, daß das Universum auf Klang und Licht und einer Reihe universeller Prinzipien aufgebaut ist, entwickelten diese Tempelritter im Inbild jener »Architektura Celestis« das Modell der gotischen Kathedralen. Sie wählten eine Reihe von »Orten der Kraft«, die zusammen gleichsam einen magischen Kreis bildeten und errichteten in jahrhundertelanger Arbeit jene Reihe großartiger Kathedralen, die heute noch Bewunderung finden. Sie sind in ihrer gesamten Architektur wahrlich Bilder des Kosmos, die in der aufstrebenden Bewegung ihrer Fenster, Säulen und Formen die aufrichtenden und tragenden Kräfte des Geistes sichtbar und in ihrer Akustik geradezu die Harmonie der Sphären hörbar machen. Die Kenntnis um den inneren Aufbau des Universums, gesehen als Haus oder Leib Gottes, wird in die architektonische Form des Gotteshauses, als Tempel, Zelt oder Kathedrale, umgesetzt. Dieser Tempel ist nicht nur Sinnbild des großen Hauses Gottes, des Universums, sondern – wie unser Lebensbaum – auch des inneren Menschen. Auch die Tradition des Grals gründet in dem Verständnis des Gralstempels als der Festung Gottes im Menschen, darin Er wohnt und Sein Leben ausgießt. Als Ort der Feier des Heiligen Abendmahles im Sinn der untrennbaren Einheit der Schöpfung mit dem Schöpfer oder des Kosmos mit dem Lichte wird er zum Symbol der ewigen Kommunion allen Lebens mit der Zentralsonne (oder dem Lamm) des *Ich Bin*.

Wenn wir uns den Tempel Salomos in Entsprechung zum Sefirot-Baum genauer ansehen, so erkennen wir in seiner Gliederung genau die Gliederung des Sefirot-Baumes in seine vier Sphären oder Welten wieder (Abbildungen 95 und 96). Malkhut entspricht darin dem Tor zur äußeren Welt. Durch dieses Tor schreiten wir aus dem Vorhof in den Innenhof des Tempels. In Malkhut sind wir in Berührung mit unserer physisch-körperlichen Welt und unserem Leib. Der Vorhof repräsentiert die äußere Sinnenwelt und Malkhut das Tor, durch das wir eintreten in den *Innenraum der Seele*. Er entspricht dem Innenhof des Tempels und dem Vorraum unserer Kathedrale.

Das erste, was wir hier im Innenhof des Tempels finden, ist das »eherne Becken«. Dieses entspricht der Sefira Jesod und versinnbildlicht den Akt der inneren Reinigung. Völlig analog zum Weihwasserbecken in den christlichen Gotteshäusern enthält es geweihtes

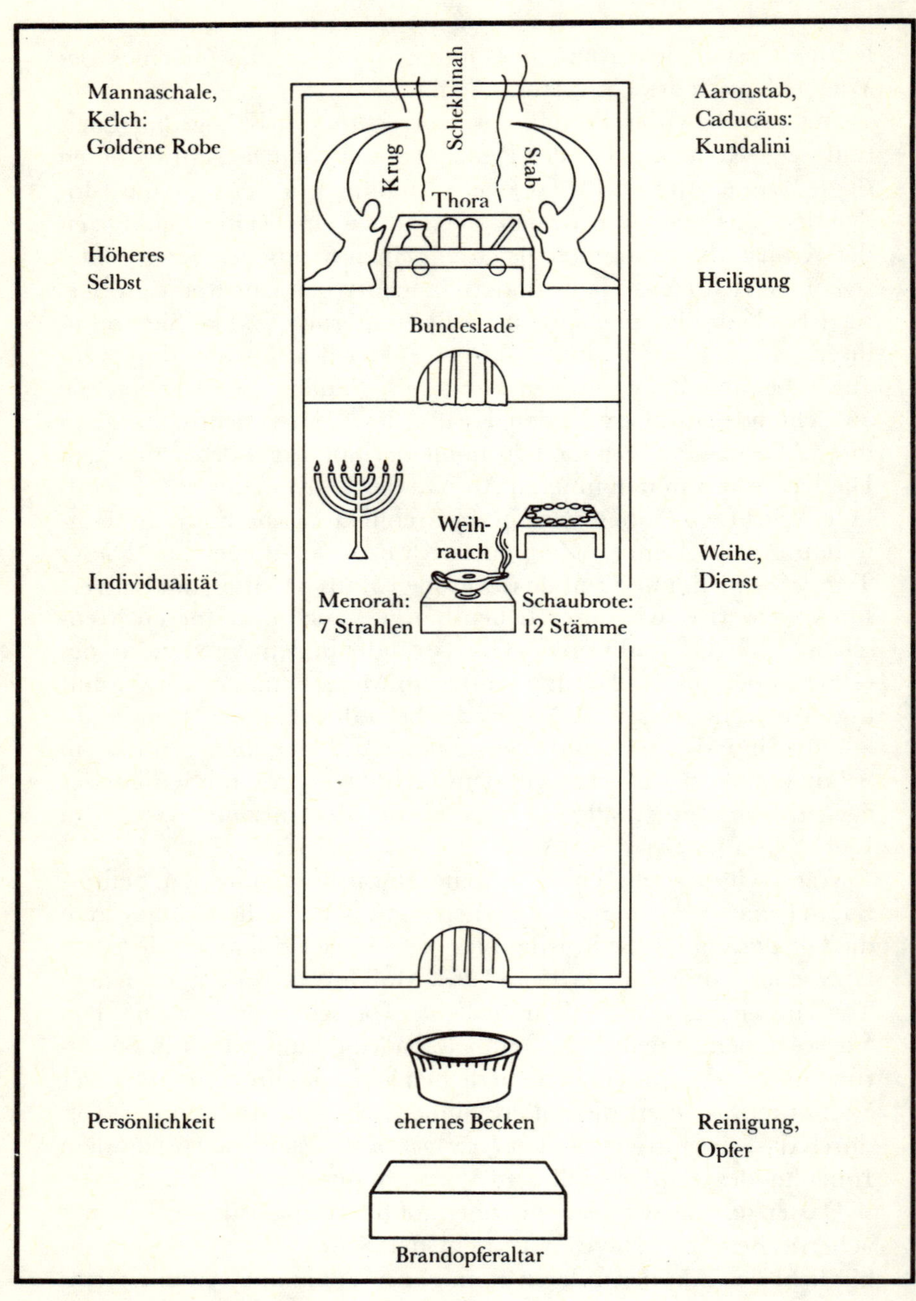

Abb. 95: Der Tempel Salomos

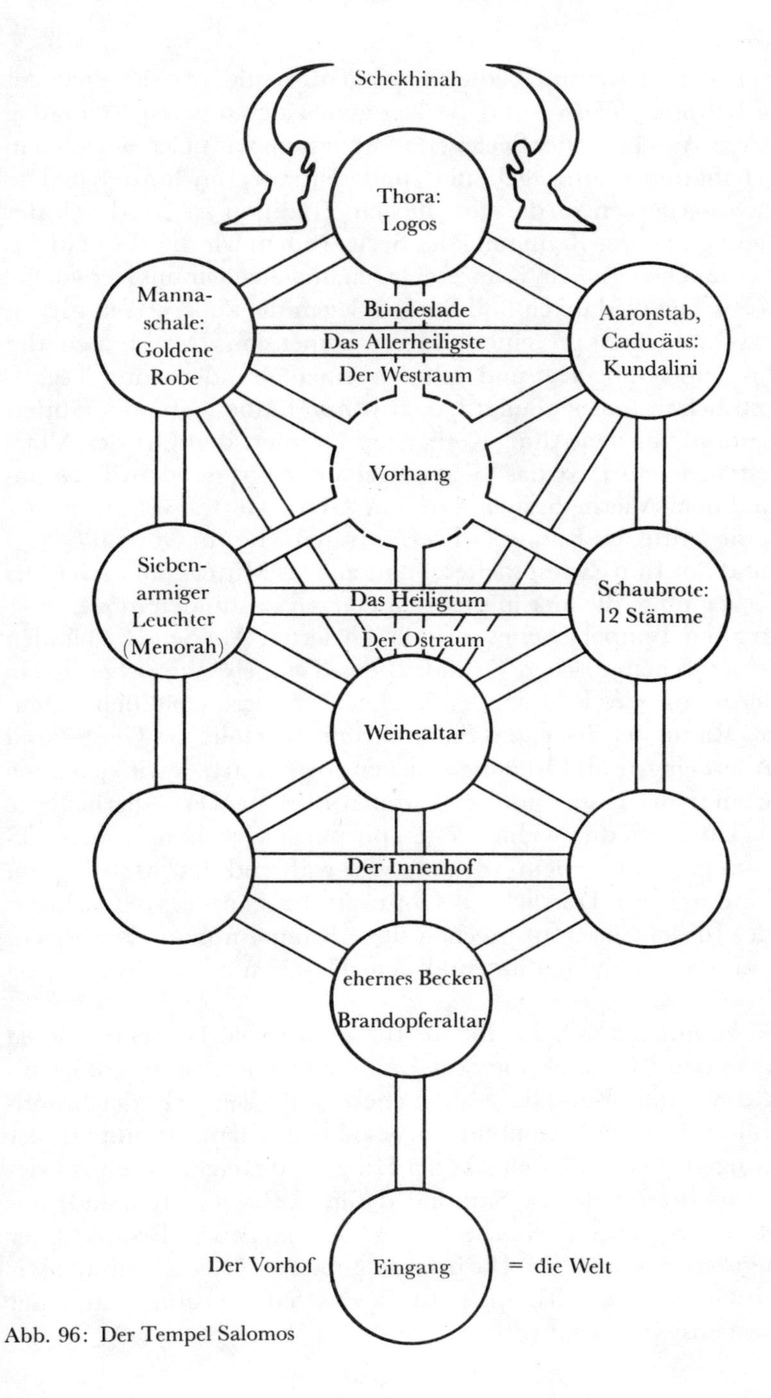

Abb. 96: Der Tempel Salomos

Wasser, dessen wir uns bedienen mögen, sobald wir die Welt der Seele betreten. Wasser und Becken gelten der inneren Reinigung und der »Waschung der Seele«, daß wir, wenn wir tiefer eintreten in das Heiligtum Gottes, geläutert und rein vor Ihn hintreten. Das Weihwasserbecken in der christlichen Tradition ist Ausdruck der Heiligung und der Reinigung der Seele. Indem wir die Hand in das Wasser tauchen und ein Kreuz schlagen, machen wir uns leer von all den irdischen Gedanken und Sorgen, legen die äußere Welt gleichsam ab und öffnen uns einer anderen Dimension. Der Mensch, der all das Äußere abgelegt und sich von seinen »Sünden« und Negativitäten befreit und gereinigt hat, tritt nun in die Mitte des Gotteshauses und vor den Altar. Kether repräsentiert den Ort des Altars im Osten, den Ort, wo das Licht aufgeht, den Ort mit dem Tabernakel und dem Allerheiligsten, darin die Glorie Gottes wohnt.

In die Mitte des Raumes (Tiferet) treten wir, um Gott zu begegnen und mit Ihm Zwiesprache zu halten. Das Mittelschiff ist der Ort der Begegnung, die hier in unserem Herzen stattfinden möge.

Im alten Tempel ist es etwas differenzierter. Auf Seite 340 finden wir einen schematischen Grundriß des Tempels. Wir sehen darin wiederum die vier Räume: den Vorhof als äußere Welt, den Innenhof als Raum der Seele, das Sanktuarium als Halle des Geistes und das Allerheiligste als Ort der göttlichen Gegenwart, den in den alten Zeiten nur die Hohenpriester betreten durften. Das Allerheiligste war bekanntlich durch einen festen purpurnen Vorhang vom Sanktuarium getrennt, jenem Vorhang, der während des Sterbens Jesu zerriß, damit die Herrlichkeit Gottes in der ganzen Welt sichtbar würde. In der Seele entsprechen diese Räume unserer Persönlichkeit, unserer Individualität und dem Höheren Selbst (Abbildung 97).

Wir kommen durch das äußere Tor aus dem Vorhof (der äußeren Welt) in den Innenhof (die Seele), um dort zunächst unsere Reinigung durchzuführen. Hinter dem ehernen Becken steht der Brandopferaltar – ebenfalls Sinnbild von Jesod –, auf dem wir unser Opfer darbringen, das heißt, den Akt der Hingabe des eigenen Ich vollziehen. Das Brandopfer ist Sinnbild dafür, daß wir bereit sind, uns selbst, unsere ganze sterbliche Person, Gott zu geben. Erst nach der Reinigung und nach der Darbringung unseres Opfers betreten wir den Innenraum des Tempels. Er ist das Sanktuarium, darin der Gottesdienst vollzogen wird.

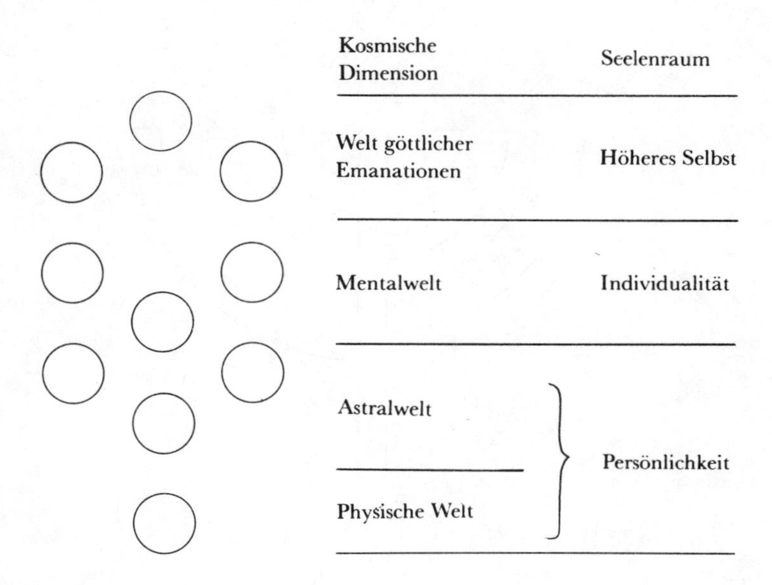

Abb. 97: Kosmos und Seele als Tempel Gottes

Hier im Heiligtum finden wir drei Kultgegenstände: den Räucher- und Weihealtar in der Mitte, den siebenarmigen Leuchter links und den Tisch mit den zwölf Schaubroten rechts. Diese drei Gegenstände entsprechen den drei Sefirot der mittleren Triade; der ganze Raum ist Sinnbild unserer Individualität beziehungsweise der geistigen Welt.

Der siebenarmige Leuchter ist aus reinem Gold und besteht aus einem Hauptstamm und jeweils drei rechts und links entspringenden Seitenarmen, die miteinander drei Halbkreise bilden (Abbildung 98). Die drei Halbkreise bilden vier Räume, die ihrerseits den vier Welten entsprechen, und die sieben Lichter versinnbildlichen die sieben Strahlen, die sieben Entwicklungsstufen des Bewußtseins und die sieben Geister Gottes vor dem Thron. Sie entsprechen auch den sieben Kräften des Lichtes, den sieben Sphären der Schöpfung sowie den sieben Rischis (Weltweisen) oder Sternenengeln, die in beständiger Anbetung Gottes den Fortgang der Evolution sowie das Geschick der Menschheit leiten.

Der Tisch mit den zwölf Schaubroten, die wöchentlich neu ausgelegt werden, ist Sinnbild des Universums und seines Tierkreises

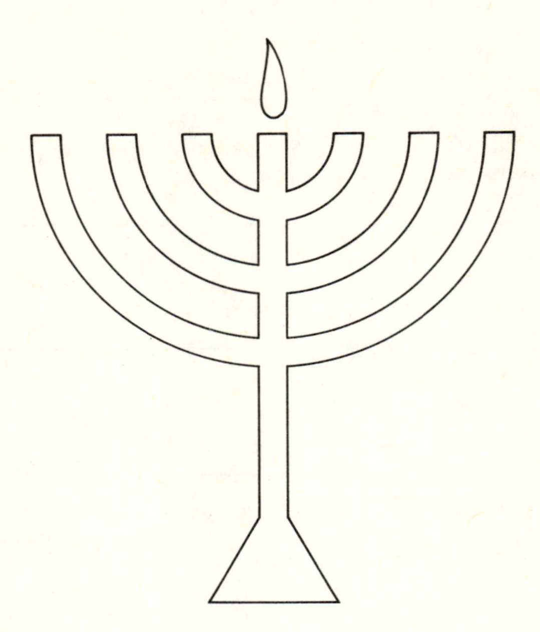

Abb. 98: Die Menorah

beziehungsweise des sich in ihm spiegelnden kosmischen Leibes der Menschheit, symbolisch verkörpert in den zwölf Stämmen Israels. Die zwölf Stämme Israels, an die die zwölf Schaubrote erinnern, sind somit ihrerseits Repräsentanten der zwölf Felder des Tierkreises, die sich in den kosmischen Aspekten sowohl des Himmlischen Menschen als auch der Menschheit als Ganzes widerspiegeln (siehe Band 1: Die Zahl Zwölf).

Diese zwölf Laibe ungesäuerten Brotes lagen beständig auf dem Tisch und wurden Schaubrote oder Brote des Heiligen Angesichts genannt, weil sie in die Gegenwart Gottes gestellt waren, die sich in der Schekhinah hinter dem zweiten Vorhang offenbarte. Sie wurden jeweils am Tage des Sabbat in einem Weiheakt von den Priestern gegessen und durch neue ersetzt.

Das Brot selbst ist ja immer Sinnbild des aus dem Saatkorn göttlicher Gaben und Kräfte geformten Leibes. Er ist uns gegeben, daß wir ihn im Dienste am Leben heiligen. Unser eigener Leib ist das Brot, das wir im Liebesdienst am Nächsten hingeben mögen, um den Hunger der nach Gott und Erlösung rufenden Kreatur zu stillen. Dies ist der Sinn der Worte Jesu zum letzten Abendmahl, da er das Brot bricht und den Wein ausgießt: »Sehet, dies ist mein Leib. Nehmet hin und esset davon. Und dies ist mein Blut. Nehmet hin und trinket«, daß unser eigener Leib zur Hostie werde und unser Leben zum Blute und zur Liebe Christi, die wir ausgießen sollen in die Welt zum Heile und zur Erlösung aller, denn »nicht ein Mensch ist der Erlöser, sondern der *MENSCH*« (Engelbuch).

Die zwölf Laibe stellen darüber hinaus auch die zwölf geistigen Kraftfelder des Menschen dar, wie sie im Zodiak zum Ausdruck kommen. Symbolisiert durch die zwölf Zeichen des Tierkreises stehen sie auch für die zwölf Bereiche des Lebens, die die Aufgaben und Gelegenheiten unseres inneren Weges darstellen. Sie werden in der Astrologie durch die Häuser des Horoskopes dargestellt. Wir erinnern uns wieder an die zwölf Arbeiten des Herkules und die zwölf Taten Samsons. Diese zwölf Bereiche sind jene Bereiche, in denen sich die Weihe unseres Lebens im heiligen Dienst als einer Hypostase der Liebe vollzieht. Sie entsprechen auch den zwölf siebenjährigen Abschnitten unseres Lebens.

Das Leben des Einzelnen hat jedoch stets seinen Schwerpunkt in einem, zwei oder drei Feldern, die seiner Geburt und der Berufung seines Daseins entsprechen. Erst in der höchsten Verwirklichung umfassen wir alle Aspekte des Lebens und werden ihm in der Gesamtheit seiner Ausdrucksformen gerecht, weil wir dann jenseits der einzelnen Bereiche in dem Ursprung und der Mitte des Seins und Lebens selbst, in der alleserleuchtenden Sonne des ewigen Selbstes verankert sind. Dies vollzieht sich jedoch erst durch den Eintritt in das innerste Mysterium, verkörpert im Heiligsten des Heiligen (sanctum sanctorum), dem innersten Raume unseres Tempels.

Zuvor ist es wichtig, die zwölf Aufgabenbereiche der Menschwerdung (Individualität, geistiges Erbe, Zugehörigkeit, Herkunft, Eros, Berufung, Partnerschaft, innerer Weg und Wandlung, Geistigkeit, Selbstwert, Freundschaften, Bestimmung und Prüfungen) zu meistern. Dies entspricht dem Errichten der zwölf Mauern und Tore des inneren Tempels oder Himmlischen Jerusalem, dem das ganze Wirken der alten »mystischen Maurer« (Lehrlinge der ägyptischen Mysterien, Freimaurer...) geweiht und gewidmet war, denn im Dienste erst heiligen wir unser Wesen. Und darin entfaltet sich unser goldener Seelenkörper, ohne den wir niemals die Hochzeit mit dem Lamm vollziehen können.

Der Weihealtar stand in der Mitte des Heiligtums. Auf ihm wurde beständig Weihrauch verbrannt, dessen Duft den gesamten Raum erfüllte. Er stieg beständig auf vor dem Angesicht des Herrn und wurde deshalb auch der »immerwährende Weihrauch« vor dem Herrn genannt. Ihm entspricht das ewige Licht in der christlichen Kirche.

Dieser Weihealtar in der Mitte symbolisiert, daß wir hier im Sanktuarium unserer Seele das Feuer göttlicher Liebe entzündet haben, das niemals mehr verlöschen wird. Es ist jenes Feuer, das unser Herz und Leben heiligt, indem wir uns ganz dem Dienste am Leben und der Liebe weihen.

Der Duft des Weihrauchs symbolisiert den Extrakt unseres geläuterten Lebens, unserer im Dienste geheiligten Intentionen, Gedanken, Gefühle, Worte und Taten, der aus dem Ergreifen und Erfüllen unserer zwölf Aufgaben und Gelegenheiten hervorgeht und dessen duftendes Aroma beständig aufsteigt vor die Füße des Herrn und Ihm ein süßer Wohlgeruch ist. Immer entspringt er dem Feuer unseres Herzens, das in allem Tun in göttlicher Liebe entbrannt ist.

So erkennen wir in den drei Ritualgegenständen wiederum die Symbole für die Aufgaben und Arbeiten in den drei mittleren Sefirot, die unsere Individualität konstituieren. So versinnbildlicht das Sanktuarium den Weg der Verwirklichung unserer Berufung als Individuum und Mensch im geheiligten Dienst unseres Lebens, den wir finden, sobald wir uns »am ehernen Becken in der Vorhalle des Tempels gereinigt haben.«

Hinter dem Weihealtar lag das durch einen schweren Vorhang verdeckte Tor zum Heiligsten des Heiligen. Dieser Vorhang, der das Allerheiligste vom Sanktuarium trennte, sollte den Uneingeweihten den Zutritt verwehren, um so einen Mißbrauch der dort weilenden göttlichen Kräfte und die damit verbundene Gefahr für den Betreffenden sowie die Entweihung des geheiligten Ortes zu verhindern.

Dieses Allerheiligste war der Ort, wo die Schekhinah oder Glorie Gottes wohnte. Diese Glorie Gottes war es, die als Feuer- oder Rauchsäule vor dem Volke Israel herzog und sich stets über dem Allerheiligsten niederließ, nachdem im Stiftszelt der Altar nach der Anweisung, die Moses am Berge Sinai empfangen hatte, errichtet worden war. Nachdem sich das Volk niedergelassen, das Stiftszelt aufgebaut und den Altar gefertigt hatte, nahm in dem Moment, in dem das erste Weihegebet von den Leviten gesprochen wurde, die

Glorie Gottes im Allerheiligsten Wohnung und wurde von den beiden Seraphim da gehütet. Genauso wohnte sie später im Tempel Salomos, bis das Volk Israel von JHWH, seinem Gott, abfiel und Ihn verriet. Da zog sie aus Jerusalem aus und »irrt seither wehklagend umher in der Welt«; so heißt es in der Legende.

Es ist ja oft so, daß in Räumen, die wir durch das Gebet, die Meditation oder göttliches Tun heiligen, sich göttliche Kraft – die Inder nennen sie *Shakti* – niederläßt. Diese Kraft läutert und inspiriert denn auch unser Leben und Tun. Es ist auch interessant zu erkennen, daß alle heiligen, von Eingeweihten eingesetzten Rituale, wie insbesondere auch die Eucharistie, magische Handlungen sind, durch die sich, wenn wir sie im rechten Geiste vollziehen, göttliche Kraft offenbart. So erzählte mir ein sensitiver Yogi, der bei einem Besuch in Europa einem Gottesdienst beiwohnte, daß er zu seinem höchsten Erstaunen sah, wie in dem Moment, als der Priester den Kelch mit den Hostien zur Wandlung hochhob, ein Lichtstrahl von oben durch den Raum in den Kelch hineinsank und sich um das ganze Ritual als einziger Lichtschein ausbreitete. Das war und ist den meisten gar nicht sichtbar, und er war ganz erstaunt, da er mit der christlichen Tradition kaum vertraut war.

Hinter allen magischen Ritualen steht das Versprechen Gottes an den Menschen. Wenn der Mensch des Geistes oder Blutes Christi und der Kraft des Sanctus Spiritus in diesen Handlungen eingedenkt, wird auch Er unser gedenken und sich uns darin nähern. Die Voraussetzung jedoch ist die rechte innere Haltung. Und dazu brauchen wir im Grunde weder Tempel, Kirchen noch Rituale, sondern vor allem ein reines, geweihtes Herz. Das ist der Sinn der Worte Jesu zu der Samariterin »...es kommt die Stunde, da ihr weder auf diesem Berge noch in Jerusalem den Vater anbeten werdet... Es kommt die Stunde, und sie ist schon da, wo die wahren Anbeter den Vater im Geist und in der Wahrheit anbeten werden. Denn solche sucht Er.« (Johannes 4.21-23)

Wesentlich ist es zu erkennen, daß die Glorie Gottes an jedem Ort ist und jeder Handlung beiwohnt, die vom Geist der Reinheit und der Wahrheit erfüllt ist. Und so hat insbesondere jenes Gebet die meiste Kraft, das von vielen in einem Geiste für viele gesprochen wird. Denn: »Wo zwei oder drei in meinem Geiste zusammen sind, da bin ich mitten unter ihnen.«

Doch zurück zum Allerheiligsten unseres Tempels. Wie wir bereits gesehen haben, symbolisiert der Vorhang den Schleier der äußerlichen Unnahbarkeit, den Gott um sein Wesen gelegt hat, um sein Geheimnis vor der Ignoranz der Sterblichen zu verbergen; denn, so heißt es: »Niemand (kein Sterblicher) sieht Gott und lebt.« Dies war auch der Warnspruch der Isis, den die Priester jedem übermittelten, der im Alten Ägypten an die Pforten der Mysterienstätten klopfte, um Einlaß zu erbitten: »Kein Sterblicher hat je mein Geheimnis gelüftet, keiner mein Mysterium je geschaut.« Das Licht Gottes ist zu stark für den, der an Welt und Leben hängt und dem es an der Fähigkeit, Wirklichkeit und Illusion, Ewiges und Vergängliches zu scheiden mangelt. Unmöglich ist es uns, Gott zu schauen, solange wir uns mit unserer sterblichen, irdischen Hülle identifizieren. Erst wenn wir *bereit* sind, unser Pseudo-Ich und unseren Traum von einem persönlichen Leben abzulegen, ihn auf dem Altar des Liebesdienstes zu opfern, können wir die Herrlichkeit und das Mysterium Gottes schauen. »Selig«, sagte Jesus, »die reinen Herzens sind, denn sie werden Gott schauen.« Diese Reinigung bedarf der Vorbereitung der Seele, die in den alten Mysterienschulen im Vorhof des Tempels stattfand. Und so wie nur derjenige, der durch wahrhaftige Läuterung (Jesod) und Hingabe (Tiferet) in seiner Person erstorben ist und das Feuer des Heiligen Geistes in seinem Herzen empfangen hat, hier im Allerheiligsten seines Herzens Gott begegnen kann, so wurden in den alten Mysterienschulen nur jene zum Allerheiligsten der großen Einweihungsstätten und Tempel vorgelassen, die aufgrund gewissenhafter Vorbereitung zur Einweihung zugelassen waren und durch die Übertragung göttlicher Kraft durch die berufenen Adepten und Hierophanten ihre geistige Erweckung (das ist die Empfängnis des Heiligen Geistes) erfahren hatten. Ihnen nur war es gestattet, den Dienst im Allerheiligsten zu versehen.

Das Allerheiligste war vom Glanz einer anderen Welt erfüllt und voll überirdischer Herrlichkeit. Der gesamte Tempel ist Gottes Stätte, doch im innersten Gemach war der Ort des ehrfurchtgebietenden Aufenthaltes Seiner Gegenwart. In dieses Allerinnerste wurden nur qualifizierte Adepten eingelassen, und in Jerusalem betrat es der Hohepriester nur einmal im Jahr (am Tage des Jom Kippur, des Versöhnungsfestes). Dann durfte er dort – in höchster Anbetung versunken – gar den unaussprechlichen heiligsten Namen Gottes auf seine Lippen nehmen.

Das Allerheiligste ist Sinnbild des höheren oder göttlichen Selbstes des Menschen. In ihm stand die Bundeslade als der heiligste Besitz Israels, auf der sich die Seraphim und die Schekhinah niederließen. Sie ist das Symbol des göttlichen Thronwagens, Sinnbild des Bundes, den Gott mit Israel schloß, und enthält drei Kultgegenstände.

Diese sind ihrerseits Repräsentanten der obersten drei Sefirot des Lebensbaumes und als solche Sinnbilder des inneren Lebens Gottes und Seiner Heiligen Dreifaltigkeit, das heißt, Seiner drei Quellgeister, aus denen alle Geschöpfe Licht und Leben empfangen. Es sind dies: die *Tafeln des Moses* und die Thorarolle in der Mitte als Ausdruck und Niederschlag des Wortes Gottes und Seines Willens (in Kether), der *Aaronstab* als Sinnbild des ewigen Lebens rechts davon (in Chokhmah) und die goldene *Mannaschale* als Trägerin des Elixiers heiligen Blutes auf der linken Seite (in Binah).

Als Aufzeichnung der Weisung, die Gott Moses gab, verkörpern Gesetzestafeln und Thorarolle Sein Wort und Seinen Logos, aus dem alles hervorgegangen ist, was geschaffen wurde. Aufgestiegen auf den Sinai (den Gipfel des Bewußtseins und Seins) empfing Moses im Angesicht JHWHs Seine heilige Weisung für die Kinder Israels. *Ich Bin, der Ich Bin* spricht zu ihm und gibt ihm Seine Verheißung und Seinen Auftrag für »Sein Volk«.

Zu »Seinem Volk« zählt jeder, der wie Jakob mit sich und Gott rang und durch und mit Ihm siegt über sich selbst. Jakob war es, dem der Engel des Herrn den Namen Israel (= »er hat mit Gott gerungen«) gab, und jeder von uns, der mit sich um Gott ringt, wird zu einem Teil und Glied des geistigen Israel, zu einem Glied der kosmischen weißen Bruderschaft der Menschheit. Er gliedert sich ein in die große Hierarchie des göttlichen Lebens, und Gott schließt mit ihm Seinen unauflöslichen Bund. Wir werden Sein und Gott wird unser eigen.

Allen jenen, die sich zu Gott bekennen, in Ihm wandeln, leben und sind, gibt Er Seine Verheißung: sie zu befreien aus dem Exil und der Gefangenschaft des Leibes und der Welt und sie hineinzuführen in das verheißene Land, wo »Milch und Honig fließen«, in das Himmelreich. »Siehe, das Himmelreich ist nahe«, hatte später Jesus verdeutlicht; und »Wer dem Lichte folgt, wird auch im Lichte wandeln«. Derjenige geht ein in den Bund Gottes, der Seinen Ruf hört und ihm folgt und sein Leben heiligt. Er empfängt den Sinn der

Worte: »Ich habe dich bei deinem Namen genannt, nun bist du mein eigen.«

Jesus selbst hat diesen ewigen Bund Gottes mit all den wahrhaft Strebenden durch sein ganzes Leben und mit seinem Sterben und seinem Blute bezeugt. Sinnbild und Zeichen dieser »Erneuerung« des Bundes ist die Eucharistie. So wird das letzte Abendmahl Jesu mit seinen Jüngern zum leibhaftigen Ausdruck des Liebesmahles Gottes mit all Seinen Geschöpfen und der ganzen Schöpfung. Indem Jesus spricht: »Tut dies zu meinem Andenken«, bekundet er das unauflösliche Erlösungs- und Erfüllungsversprechen des kosmischen Allgeistes Christi an all jene, die hungern und dürsten nach dem Brot der Wahrheit und dem Quell des ewigen Lebens. »Wer sich zu mir bekennt, den will auch ich vor meinem Vater bekennen.«

Und: »Jeder, der den Willen meines Vaters tut, der ist mir Mutter, Schwester und Bruder.« Es ist die Liebe zu Gott, auf der die wahrhafte Bruderschaft der Menschheit gründet.

Das »geistige Israel« bezeichnet somit weder einen Staat noch ein Land, noch eine Nation, noch ein Volk, noch beschränkt es sich auf eine Hautfarbe, einen Glauben oder eine Religion, sondern allein auf den im Innersten, in der Stille unseres Herzens geschlossenen Bund mit dem Allheiligen, der hervorgeht aus dem einen unstillbaren Verlangen, nur und ganz Ihm zu gehören, Ihm angetraut, verlobt und versprochen zu sein und außer Ihm selbst nichts zu verlangen. »Oh, dürstende Seele, erkenne: Er allein ist der Trost deines Herzens, Tilgung deiner Last, Stillung all deiner Begehren, Verheißung deines Glückes. Drum laß dich schmücken, meine Seele, mit Seinem Lichte, Seinem Glanze, Seiner Kraft, Liebe und Barmherzigkeit, daß du reich geschmückt wie eine Braut dich Ihm vermählest. Ist Er dein All und Leben, so schmückt Er dich und nennt dich Seine Zierde.« Allein in solch inniger Vermählung der Seele mit Ihm, ihrem einzigen Herrn und Gebieter, bezeugen sich das wahre Israel und die Verheißung Gottes aus ihrem gegenseitigen besiegelten Liebesbund.

Zeichen dieses Bundes im Stiftszelt Moses und im Tempel Salomos sind die Bundeslade (als Sinnbild der geistigen Welt, als Thron Gottes) und die beiden Tafeln der Weisung Gottes (an sein Volk).

Allein schon an ihrer Gestalt, die an die erhabene Federkrone Amun-Res, des höchsten Schöpfergottes erinnert, erkennen wir sie als die Verkörperung des einen Willens Gottes und Seines Gesetzes.

Sie ist Symbol der Fundierung des Universums und Seines Planes sowie Seiner Verheißung für Seine Geschöpfe und die Welt. Die beiden Tafeln sind – ähnlich wie in unserer christlichen Tradition die Evangelien – die Verkörperung Seines Wortes und Seines ewigen Willens. So sind sie schließlich heiliges Sinnbild des Logos, der höchsten schöpferischen Kraft des Vaters, daraus das ganze Universum geschaffen ist. Er ist die lenkende und leitende Kraft des Kosmos und der Welt, Er erschafft, Er erhält und Er löst auf, Er zeugt, gebiert und richtet. Er ist Manifestation und Spiegel der Wahrheit, des Willens, der Gerechtigkeit und des Gerichtes. In Ihm hat alles seinen Anfang und seinen Ausklang. Er ist »Alpha und Omega«, aller Existenzen Anfang, ihre Mitte und auch ihr Ende.

Der Aaronstab ist, wie auch der Pfeiler des Osiris, Sinnbild der Auferstehung des Menschen zum ewigen Leben. In einer tiefsymbolischen alten Legende wird uns berichtet, daß dieser Stab »vom Holze des Lebensbaumes« aus dem Paradies gefertigt sei.

Als Adam sein Lager zum Sterben bereitete, sandte er seinen *dritten* Sohn Set aus, um aus den himmlischen Auen des Paradieses einen Zweig vom Baume des Lebens zu holen. Als Set an den östlichen Eingang Edens kam, wo die Cheruben mit dem zuckenden Flammenschwert den Weg zum Baume des Lebens bewachten, trug er ihnen den letzten Willen des Urvaters vor und bat sie um Zutritt. Sie jedoch verwehrten ihm den Weg zum Baume, brachten aber – aus Barmherzigkeit, die in ihrem Herzen waltete – anstelle eines Zweiges drei kostbare Früchte, die sie selbst vom Baume des ewigen Lebens pflückten. Diese Früchte brachte Set seinem sterbenden Vater Adam. Dieser segnete Set und aß die Früchte samt ihren drei Kernen. Sodann atmete er seine Seele aus und verschied.

Drei Jahre nachdem Set den Leib Adams begraben hatte, wuchsen aus dessen Grab drei Bäume: eine Zeder, eine Zypresse und eine Akazie. Diese Bäume säten aus, und von ihrer Aussaat stammen Generationen von Bäumen, die sich fortpflanzten bis zur Zeit Noahs, und durch ihn – denn er nahm drei Samen von ihnen auf seine Arche – kamen sie bis ins Land der Ägypter und Chaldäer. Aus dem Samen einer Zypresse wuchs auch ein Bäumchen im Garten Jethros, des chaldäischen Hohepriesters, großen Meisters und Schwiegervaters Moses'. Aus dem Stamme dieses Bäumchens fertigte Jethro den Stab für den jungen Moses, der später dessen großes magisches Werkzeug wurde.

Derselben Legende nach sind es die gleichen drei Bäume, aus deren Holz später das Kreuz Jesu gezimmert wurde, auf dem der »Menschensohn erhöht« werden sollte.

Welch wunderbare Verbindung wird hier angedeutet: Aaronstab und Kreuz, beide stammen vom Baume des Lebens aus dem heiligen Hain Gottes! Beide tragen in sich die Urkraft ewigen Lebens, die uns, wenn wir sie uns erschließen, vergöttlicht und zum ewigen Leben führt.

Für Moses wird dieser Aaronstab gleichzeitig magischer Stab, Hirtenstab und Heilswerkzeug. Dieser Stab ist es, der sich, von Moses vor dem Pharao auf den Boden geworfen, in eine Schlange verwandelt und Moses Macht verleiht über die selbsternannten Magier des damaligen gefallenen Ägypten (denn: »der Stab Aarons verschlang ihre Stäbe« [Exodus 7.12]).

Mit diesem Stab klopfte Mose später an eine Felswand in der Wüste, so daß ihr ein sprudelnder Quell entsprang. Es ist die »in dem Stabe verborgene« Schlange, die Mose in der Wüste aufrichtet, um das Volk von Krankheit und Epidemien zu heilen. Mit einem Worte: Dieser Aaronstab ist nichts anderes als die als Schlangenkraft oder Kundalini bekannte Kraft der Auferstehung im Menschen. Wer sie erweckt und aufrichtet, der allein hat ewiges Leben. Er hat Macht über die niederen Impulse der Welt sowie die Kraft zu heilen und sonstige große Werke zu tun, die Gott ihm aufträgt. Der Äskulapstab der Griechen, der später zum Symbol der Heilkunst wurde, und die Uräusschlange der Ägypter sind Sinnbilder der gleichen Kraft. Sie ist es, die uns von innen her aufrichtet und zum Wirken in Gott befähigt, denn sie selbst ist göttlich-geistige Kraft in uns.

Die goldene Mannaschale schließlich ist Sinnbild des unser Lebenselixier enthaltenden Gefäßes, das seinerseits Symbol der goldenen Robe (Hochzeitskleid) oder der goldenen Aura unseres Seelenkörpers ist, die sich entfaltet, sobald unsere innere Geistkraft erweckt und das Elixier des geistigen, verklärten Lebens in der Seele ausgegossen ist. Wie der Gral verleiht die Mannaschale Jugendkraft, Heil, Erneuerung und ewige Seligkeit. Beide sind Sinnbild des völlig verwandelten Eros.

Diese drei Gegenstände haben ihre Entsprechung in den Evangelien, im Kreuz und dem mit Wein oder Hostien gefüllten Kelch im Tabernakel christlicher Kirchen. Wie die Thora so sind auch die Evangelien Ausschüttungen des Wortes und des Willens Gottes; wie Mannaschale, so sind Kelch und Gral Träger des wahren, unsere Seele labenden Elixiers des Lebens; und wie der Stab Aarons ist das Kreuz das Symbol der Auferstehung des Phönix oder des inneren Menschen aus der Asche der sterbenden, sterblichen Person. Sagt doch Jesus selbst: »So wie Moses die Schlange in der Wüste erhöht hat, so muß auch der Menschensohn erhöht werden.« (Johannes 3.14) Osirispfeiler, Aaronstab und Kreuz sind die Symbole dieser Auferstehung.

Die Lade selbst als Symbol des Bundes Gottes mit den Menschen entspricht dem Tabernakel. Sie besteht aus einem Schrein und hat rechts zwei Ringe und links zwei Ringe und zwei Stangen, die so durch die Ringe gelegt werden, daß sie an diesen Stangen gehalten und getragen werden kann. Sie ist nichts anderes als Sinnbild des Heiligen Wagens, den uns Ezechiel beschreibt. Die vier Ringe entsprechen den vier feurigen Rädern und oben drauf ruht der Gnadenstuhl des Herrn. Auf ihm thronend erscheinen der Menschensohn und die vier Heiligen Tiere um Ihn herum. Wenn wir diese Symbolik verstehen, so erkennen wir darin eine Widerspiegelung der Schau des kosmischen Menschen (Adam Kadmon) und seiner Kräfte, die das Universum regieren.

So sind die drei Symbolgegenstände im Tempel nicht nur Sinnbilder der drei Quellgeister und Kräfte Gottes, sondern auch der Geheimnisse des geistigen Lebens und der Einweihung. Daß wir sie hier im Allerheiligsten finden, bringt zum Ausdruck, daß dies nicht nur die Stätte der göttlichen Gegenwart, sondern auch der heilige Ort der Einweihung der Aspiranten war, und daß die Hohepriester als Eingeweihte und Erwählte Gottes die Hüter der großen Mysterien waren, die die Schlüssel zur Einweihung besaßen. Sowohl im alten Ägypten als auch in den Mysterienstätten und Tempeln Griechenlands und Israels waren es die großen Eingeweihten und Hierophanten, die über Leben und Tod herrschten und die als Statthalter Gottes und Seines Heiligen Geistes – ähnlich den Jüngern Jesu – göttliche Vollmacht hatten, die Kraft des Heiligen Geistes oder der Kundalini im bereiten Aspiranten zu erwecken.

Mit einem Wort: Sie waren die Hüter der Mysterien des Todes

und des Heiligen Geistes (das heißt der Einweihung und der geistigen Wiedergeburt des Menschen).

Insbesondere wissen wir von den Alten Ägyptern, daß das Allerheiligste ähnliche, unterirdisch verborgene Räume (wie auch die Königskammer der Großen Pyramide von Gize) anstelle eines Tabernakels oder Heiligen Schreines einen Steinsarkophag barg, der dem Großen Ritual der Einweihung diente. Der Aspirant wurde nach langer, sorgfältiger Vorbereitung, wenn seine Zeit gekommen war, in diesen Sarkophag gelegt und durch eine Berührung des Hierophanten in einen mehrstündigen bis dreitägigen Todesschlaf versetzt. In dieser Zeit erfuhr der Aspirant in völligem Übereinstimmen mit dem realen Sterbeerleben den Rückzug der Lebenskraft aus dem Leib in das Herz- oder Stirnzentrum und den anschließenden Austritt der Seele aus dem Körper. Damit verbunden sind alle Empfindungen und Gefühle, die die betreffende Seele »noch« mit dem Sterben verbindet. Nachdem sie schließlich durch ein dünnes, feinstoffliches Band den Körper verlassen hat, findet sie sich in den feinstofflichen Regionen der astralen und geistigen Welt. In einem weiten Fluge, den der Hierophant in seinem Bewußtsein als Seelenführer begleitet, durcheilt die Seele die verschiedensten Regionen von Raum und Zeit. In einer inneren Schau gewinnt sie eine Vision und Erfahrung von der Wirklichkeit der geistigen Welt, ihren verschiedenen Sphären, Erkenntnis um ihre göttliche Bestimmung sowie eine Vision ihrer Zukunft und ihres Schicksals, wonach sie wieder in ihren Leib zurückkehrt.

Es ist durch diese *Erfahrung* der Wirklichkeit der Seele und der beglückenden Schau des göttlichen Lichtes, daß die Kraft des Heiligen Geistes, wenn nicht bereits weit vorher erweckt, im Menschen tätig wurde. Der Sinn aller Einweihung liegt darin, daß die göttliche Kraft im Menschen erweckt, eine Schau der geistigen Welt vermittelt und die Bewußtwerdung der eigenen Bestimmung eingeleitet wird.

Todesschlaf und Astralreisen sind Erfahrungen, die in der Antike häufig bezeugt und beschrieben wurden. Die Zeugnisse reichen von Pythagoras, Herodot, Plato, Plotin, Jamblichus, Plutarch und Proklus bis zu Apuleus und Cicero.

Auch die *Divina Comedia* Dantes ist ein Dokument ähnlicher Erfahrung. Diejenigen, die durch die Pforten der Einweihung gingen, sagen zu Recht: »Wo wir sind, ist kein Tod. Wo der Tod ist, sind wir nicht; der Tod ist die letzte und beste Gabe der Natur, denn er befreit den Menschen aus dem Gefängnis seines Leibes. Er ist schlimmstenfalls das Ende eines Festmahles, das wir genossen haben.« Wer durch sein Tor ging, ist wahrlich im Geiste (in Osiris oder Christus!) auferstanden.

Immer ist es der Tod, das Heraussterben aus dem falschen Ich und der Begrenztheit des Leibes, wodurch wir hineinschreiten zur Wiedergeburt des Geistes und zur Auferstehung in unserer göttlichen Natur. Dies ist die eine Wahrheit und gültig durch alle Zeit.

Im Altertum war es der »Todesschlaf«, in späteren Zeiten der Tod der Persona am Kreuz der Welt. Auch in der Lehre Jesu bildet der mystische Tod die Pforte zum ewigen Leben und das Kreuz der Welt das Nadelöhr, durch das wir hindurchgehen in ein anderes Sein. Immer wieder kreiste seine Rede um diese Wahrheit: »Wahrlich, wahrlich, ich sage dir: wer nicht von oben geboren wird, kann das Reich Gottes nicht schauen... Wer nicht aus Wasser und Geist geboren wird, kann nicht in das Reich Gottes eingehen! Was aus dem Fleische geboren ist, ist Fleisch; was aus dem Geiste geboren ist, ist Geist.« (Johannes 3.3.-6). »Wer an seinem Leben hängt, der wird es verlieren, wer aber sein Leben verliert um meinetwillen (um des göttlichen Selbstes, des *Ich Bin* willen), der wird es wiederfinden.« »So das Weizenkorn nicht in die Erde fällt und stirbt, bleibt es allein, so es aber stirbt, bringt es viel Frucht.« (Johannes 12.24). »Wer sein Leben liebt, verliert es, und wer sein Leben in dieser Welt haßt, der wird es zu ewigem Leben bewahren.« (Johannes 12.25).

Tod und Auferstehung als fortwährendes »Stirb und Werde«, das andauernde Verglühen der eigenen Person im Feuer des ewigen Jetzt, der Gegenwart Gottes und unseres wahren *Ich Bin*, das ist das Eine wahre Mysterium von Wandlung und Leben, darin sich Sein Wille erfüllt und Seine Glorie sichtbar wird. Kreuz und Aaronstab sind sein äußeres Symbol.

Der Vorhang vor dem Allerheiligsten ist verschlossen, das Mysterium im Verborgenen, solange der Schleier von Ignoranz, Unbewußtheit und geistiger Blindheit unseren Blick verhüllt. Und so wurden auch die Mysterien der Einweihung hinter den Tempeltoren vor dem Zugriff weltlich gesinnter Menschen in Verschwiegenheit gehütet.

Im Mysterium von Golgatha erleben wir nun durch den Opfertod Jesu die Enthüllung der Geheimnisse um Tod und Auferstehung, die die Grundlage der gehüteten Einweihungsmysterien der Tempel der Antike bildeten. Im Moment, da Jesus am Kreuze starb, bebte die Erde, die Gräber taten sich auf und der Vorhang des Tempels zerriß in zwei Stücke. Denn inmitten des Sterbens Jesu sollte die ganze Glorie Gottes weithin sichtbar werden in der Welt, und es bedurfte keines Vorhanges mehr, sie zu verbergen. Die Zeit war gekommen, daß jene, die sehen konnten und wollten, in das Licht geführt würden, die aber nicht sehen wollten, ins Gericht (siehe Kapitel »Binah, Chokhmah und Kether« auf Seite 317).

Das Leben Jesu machte in seinen Stationen von der Taufe bis zur Himmelfahrt all die Durchgänge der Seele auf ihrem inneren Weg sowie sämtliche Tore der Einweihung, die wir beim Erklimmen der Jakobsleiter passieren, nach außen hin an seinem Leib, in seiner Haltung, seiner Passion und seiner Liebe in der Welt sichtbar. Im Mysterium von Golgatha wird die Geburt des kosmischen Christus im Menschen offenbar.

Durch sein Leben, seinen Tod und seine Auferstehung enthüllte Jesus die in den Symbolen der Thora-Rolle, des Aaronstabes und der Mannaschale (beziehungsweise ihren Entsprechungen von Evangelien, Kreuz und Kelch) verborgenen Geheimnisse um Logos, Kundalini (Heiliger Geist) und chymische Hochzeit der Seele, die nun in der Nachfolge des von ihm gegangenen Weges der bedingungslosen Liebe und Hingabe grundsätzlich von jedem erlangt werden kann. Denn durch die Bereitschaft zur Aufopferung des eigenen Lebens in der Welt öffnet sich das Tor der Einweihung und des Heiligen Geistes jedem, der weder Tod noch Schmach noch Prüfungen noch Pein in seinem Leben scheut. Durch sein Beispiel erschließt sich uns der innere Weg und die Mysterien der Einweihung als ein Weg, der sich inmitten des täglichen Lebens und der Welt vollzieht. Das Leben selbst bereitet uns vor und schickt uns die Prüfungen, die wir brauchen. Und wenn wir uns seinen Sinn in der Nachfolge Christi erschließen, führt es uns selbst ein in das höchste Mysterium Gottes.

Selbstverständlich erfahren wir auch unsere innere Führung und begegnen jenen Menschen, die uns als Wegweiser, berufene Lehrer oder Meister von Gott gesandt werden. Wir sehen: im Durchschreiten der verschiedenen Hallen des Tempels spiegeln sich unser ganzes geistiges Leben und unser innerer Weg, bis er uns hinführt vor die Tore des Allerheiligsten.

Dieser Weg führt uns aus dem *Vorhof der äußeren Welt* irgendwann durch die Tore der inneren Sinne, des Erwachens zu einer inneren Wahrnehmung in den *Innenhof unserer Seele*. Über den Weg der Selbstwahrnehmung und der Läuterung unseres seelischen Lebens gelangen wir allmählich zu einer Erkenntnis des tieferen Sinnes unseres Daseins, zu einem Weg des Dienstes, in dem wir unser Herz weihen und sich uns allmählich unsere Berufung offenbart.

Wir treten in die Kammer unseres Herzens. Sie entspricht dem *Sanktuarium* des Tempels.

Durch die Weihe unseres Wesens im selbstlosen Dienste und Wirken in der Welt, durch Erfüllung dessen, wozu wir von Gott und Leben berufen sind und durch inniges Gebet oder vertiefte Meditation gelangen wir allmählich in Berührung und Verbindung mit unserem göttlichen Kern, *dem Allerheiligsten im Tempel* unseres Menschseins. Der Weg führt uns aus der Welt der Verblendung und Verkennung unserer Selbst über die Halle der Reinigung in die Welt des Dienstes und der Hingabe und durch sie zum Mysterium der Einung mit Gott in dessen innerstem Gemach.

Diese vier Räume des Tempels und die ihnen entsprechenden Etappen des inneren Weges werden in der esoterischen Tradition oft als Halle des Nichtwissens, Halle des Lernens oder der Läuterung, als Halle der Weisheit und des Dienstes und als Halle der Hochheiligen Einheit bezeichnet. Wenn ich hier wiederholt vom Dienen oder vom Gottesdienst spreche, meine ich nicht Träumerei oder schönes Gerede, sondern das Bekenntnis unserer Liebe und unseres inneren Seins in unserem täglichen Sein und Tun. Daß wir erkennen, daß wir, wo immer wir sind, die Möglichkeit haben, dem Willen und der Liebe Gottes in unseren Herzen im Leben Ausdruck zu verleihen. Auch das braucht seine Vorbereitung. Zuerst müssen wir herauswachsen aus Verstrickung und Sklaverei und frei werden von der Fessel des eigenen Ich.

Dienst ist nicht zerknirschte Aufopferung in selbstauferlegten Anforderungen, die nur einer »spirituellen« oder religiösen Eitelkeit dienen und in der die Seele allmählich vertrocknet, sondern die Verherrlichung Gottes durch unser Leben. Das ist die tiefste Erfüllung, die wir in unserem Leben finden können. Das läßt sich aber nicht machen, sondern kann nur aus dem Inneren herausreifen, wenn wir unsere Seele dazu bereiten.

Dienst im tiefsten Sinne ist nichts anderes als Sein und Handeln im Einklang mit Gott, daß wir von »einer überzeitlichen Gegenwart durchdrungen sind, die als Harmonie einer überweltlichen Ordnung des Seins« (F. Lionel) in Erscheinung tritt. Dafür gibt es keine Rezepte, sondern jeder kann nur in sich finden, was und in welcher Weise es ihm gegeben ist. Dienst heißt nicht, daß wir unbedingt als Pfleger am Krankenlager stehen, Therapeuten oder Priester werden oder daß wir uns alle wie Mutter Teresa um obdachlose Kinder kümmern, sondern daß wir das, was an göttlichen Gaben in uns hineingelegt ist, aus einem Geist von Menschlichkeit und Liebe zur Vollendung bringen. Das kann gleichermaßen in jedem Bereich des Lebens sein. Wir können uns berufen finden zur Poesie, zu Musik oder Kunst. Wie sehr fehlt doch gerade das Empfinden und die Vermittlung des wahrhaft Schönen heute. Alle Welt hungert nach großer Kunst, nach Musik oder Poesie, die uns wirklich erhebt. Wie unmittelbar ist doch die Sprache der Musik und wie unmittelbar kann ein Musiker durch die aus seiner eigenen Tiefe geschöpften Musik uns erheben, beglücken und hinführen zu Gott. Und das ist gewißlich genauso wertvoll wie das Werk eines Menschen, der sein Leben in den Dienst der Armen stellt. Es muß doch nicht jeder ein Albert Schweitzer oder eine Mutter Teresa sein. Dienst ist Einklang des Menschen mit der Ewigkeit, die in der Zeit zum Ausdruck kommt. Denn so im Einklang mit dem Schönen, Wahren und Guten wird jede Handlung zu einem Akt, der die »untere« Welt an die »obere« bindet.

Dienen heißt unserem inneren Ruf Folge zu leisten, unserer Befähigung Ausdruck zu verleihen, die als Berufung in unserem ewigen Namen verborgen liegt. Das ist nicht der Name, den uns unsere Eltern gegeben haben, sondern unser Wesen, das sich in einem inneren Namen ausdrückt, der die allerinnersten Qualitäten, Geistesgaben und Eigenschaften unserer Individualität zum Ausdruck bringt. Durch ihn hat Gott uns zum Sein gerufen, und in ihm schwingt unsere ganze Wesensart, unser Auftrag, unsere Bestimmung.

Den Ruf zu hören, heißt, unsere Bestimmung zu erkennen oder zu erahnen. Sie zu verwirklichen ist unsere Aufgabe und die Erfüllung unserer Aufgabe die Erfüllung unseres Lebens. Die Verfolgung dieses Gedankens wird das zentrale Thema des nächsten Kapitels sein.

Wir sehen, daß wir so Halle um Halle, Raum um Raum unserer inneren Burg erschließen. Gerade Theresa von Avila enthüllt das

Geheimnis des Menschseins im Gleichnis einer Burg. Sie sieht den Menschen als Burg (oder Festung) des Herrn, und diese habe sieben Gemächer.

Sieben Gemächer oder Räume bestehen in uns, und die meisten Menschen haben nicht einmal den ersten völlig erschlossen. Verstehen wir den inneren Weg als einen Weg der Selbsterkenntnis, so geht es gerade darum, all unsere inneren Räume zu erschließen, um schließlich in das innerste Heiligtum vorzudringen, wo unser göttlicher Bräutigam uns seit unserer Schaffung erwartet. Er ist es, von dem alles Suchen, Sehnen und Streben seinen Ausgang nimmt, und Er ist es, in dem es sich erfüllt.

Das ist die Einung der Seele mit Gott, und ihr Weg ist der Weg der Wandlung, des Dienstes und der Verwirklichung.

Wir sehen, der Weg des Menschen durch den Tempel spiegelt unseren Weg von der Geburt (in Malkhut) bis zur Einung in Gott (Kether)!

So beginnen wir damit, unsere Seele als geheiligten Tempel Ihm zu bereiten und auf dem Altar unseres Herzens unser Leben Gott zu weihen, daß Er darin einziehen und unser Leben von innen regieren und mit Licht und Kraft und Seligkeit erfüllen möge.

VIII. Beriah: Die Welt des Geistes (Ruach) und der Weg der Vollendung

»Er breitet die Himmel aus wie ein Flortuch und entfaltet sie gleich einem Zelt, um darin zu wohnen.« Jesajah 40.22

»Den Himmel hast du ausgespannt wie ein Zelt (Vorhang)
deine Wohnung errichtet über den Wassern (Meeren).
Die Wolken machst du zu Wogen
und auf Sturmesfittichen fährst du dahin.
Zu deinen Engeln machst du die Winde
und zu deinen Dienern flammendes Feuer.« Psalm 104

1. Die geistige Welt und ihr Element

Der Ort des geistigen Lebens ist die geistige Welt. Das ist jenes feinststoffliche Universum, das in der Kabbala als *Olam Ha Beriah*, die geistige Schöpfung Gottes bezeichnet wird.

Beriah gebiert sich aus dem Herzen (Tiferet) von Azilut, dem reinen Lichtkreis Gottes, seines mystischen Leibes. (Abbildung 99.) Sie ist ein Ausfluß der zehn reinen Emanationen oder Attribute Gottes, wie sie sich in seinem Lichtreich offenbaren. Aus ihnen heraus entfaltet sich die geistige Substanz, der geistige Raum und die ganze Oktave der geistigen Welt von Kether bis Malkhut. Beriah entspricht dem »Himmlischen Thron« der Vision Ezechiels, auf dem der Menschensohn (Adam Kadmon) in Seiner göttlichen Erhabenheit ruht und residiert. Jezirah dagegen verkörpert sich in dem Wagen, auf dem der Thron errichtet ist. Er ist das Gefährt des Geisteslebens.

Die Substanz der geistigen Welt ist das geistige Element »Luft«. Die Luft ist sowohl das Sinnbild des mentalen oder geistigen Lebens, der Bewegungen, Regungen, Schwingungen und Stürme unserer Gedanken als auch das Medium, in dem sich die Wellen des gesprochenen Wortes, der Töne und Klänge ausbreiten. Beriah ist die mentale-geistige Welt, in der die verschiedensten Kräfte und Bewegungen als Harmonien der Sphären in Erscheinung treten.

Beriah ist das Reich der Ideen, darin die göttlichen Gedanken ihre erste substantielle Gestalt annehmen. Beriah ist das Reich der Gedanken- und Klangschwingungen, worin sich all die Formen, Namen und Ideen manifestieren, auf denen sich das geistige Leben gründet. Sie sind ihrerseits Abglanz der reinen und vollendeten Ideen (von Azilut). Als reine Ideen verstehen wir jene geistigen Urformen, aus denen sich die gesamte Schöpfung aufbaut und die sich in den verschiedensten Erscheinungen der Natur, des Lebens und der Evolution manifestieren. Im platonischen Sinne bilden die reinen Ideen das Wesen der Dinge. Sie entstammen der Welt der Emanationen (Olam Azilut). In den Erscheinungen der physischen Welt nehmen sie ihre konkreten Formen an.

Plato erkannte, daß im großen Archiv des Weltengeistes all jene Formen und Ideen bestehen, die sich über die Myriaden von Jahren über den Weg der Evolution im Universum manifestieren. Dementsprechend sieht Plato alle Formen und Erscheinungen der Welt als bloßen Abglanz jener höchsten reinen Idee des Geistes, so daß alles Streben des Menschen und der Kunst darauf gerichtet seien, jenen vollendeten Ideen hier im Leben den höchstmöglichen Ausdruck zu verleihen. Damit werden die reinen gottgeschaffenen *Ideen* nicht nur zu Prinzipien des Geistes, sondern auch zu Leitbildern und *Idealen* der Seele.

Wichtig ist es zu erkennen, daß das Reich der Ideen durch eine unverrückbare Hierarchie gekennzeichnet ist. Diese Hierarchie ist Ursprung und Wurzel der Gesetzmäßigkeit, der Ordnung des Universums und des Aufbaues der Welt. Die materielle Welt ist der Spiegel der geistigen Ordnung. In ihr offenbart sich das ewige Gesetz. Dieser Hierarchie entsprechend besteht auch innerhalb der reinen Urideen eine bestimmte Ordnung, und der Logos ist deren höchste Wurzel. Aus ihm heraus strömen alle Formen, Kräfte und Bedingungen des Lebens.

Nach unserem ursprünglichen Verständnis des Wortes als Klangschwingung bedeutet dies, daß alle Ideen ihrem Wesen nach Schwingungen des Bewußtseins sind. Und tatsächlich müssen wir soweit gehen zu erkennen, daß selbst die höchsten Urideen wie Licht und Substanz Schwingungen des Bewußtseins sind, die sich auf den verschiedenen Ebenen der Schöpfung manifestieren.

Beriah ist die Welt und das Universum des reinen geistigen Lebens und der Lebensraum all der vielfältigen, rein-geistigen Wesen.

Wie die Vögel des Himmels fliegen sie auf den Schwingen des Geistes durch den Äther, jene gedanklich-klangliche Welt. Sie sind es, die die Sphären der Himmel bevölkern, und die Flügel der Engel sind Ausdruck ihrer Bewegung durch das Medium geistiger Luft. Ist es doch die Kraft der Gedanken, Laute und Töne, auf deren Schwingen sie mühelos die Sphären des geistigen Reiches durchqueren. So ist es auch bei uns Menschen, die wir uns durch hohes

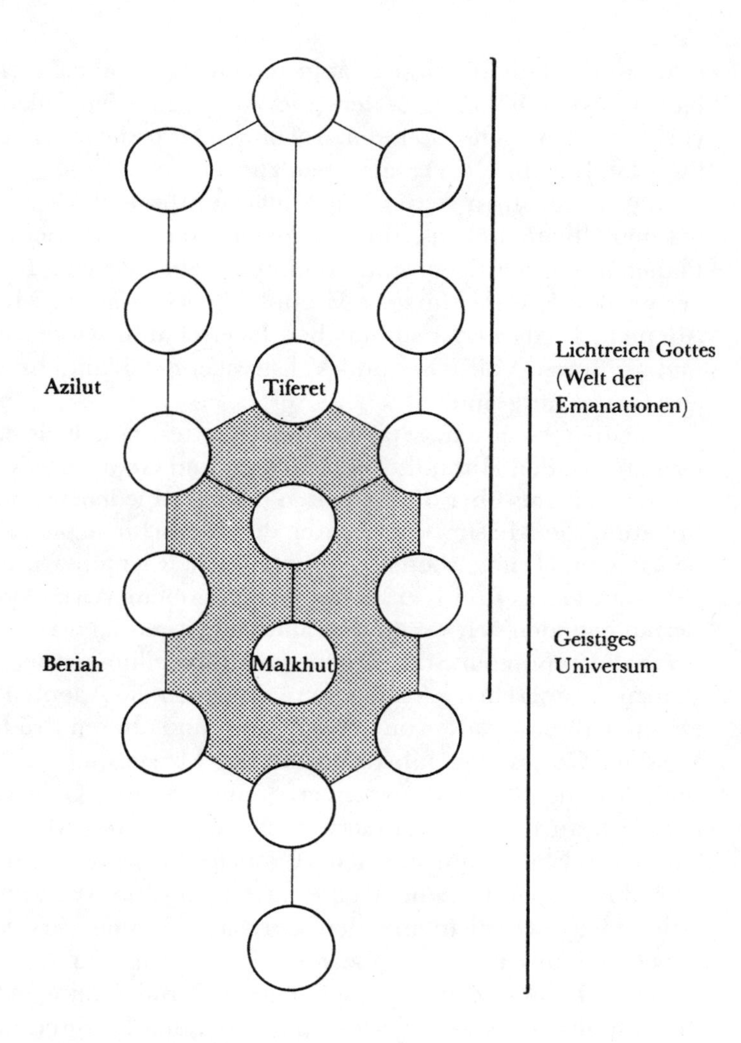

Abb. 99: Der Ursprung der geistigen Welt

Denken (und Fühlen) erheben können bis in die höchsten Regionen geistigen Lebens und Seins.

Beriah ist ein Kosmos unermeßlicher Weite und Schönheit, ein Raum herrlichster Gedankenformen, Klänge und Gestalten, und die Wohnstätte einer Vielfalt geistiger Wesen – inklusive all der *Ischim* oder Vollendeten. Es ist der Aufenthaltsort all jener großen Geister, die den Auftrag des irdischen Planes erfüllt und die Vollendung ihrer Individualität erlangt haben. Es ist aber auch Aufenthaltsort jener höheren Seelen, die zwischen ihren Inkarnationen vorübergehend jene Sphären bewohnen, um da in die Aufgaben ihrer künftigen Leben eingewiesen zu werden.

Alles in allem ist Beriah ein Universum unendlich reichen und mannigfaltigen Lebens, durchdrungen von einer Hierarchie von Planeten und geistigen Stätten, in denen die geistigen Hierarchien der großen Himmelsfürsten, Himmlischen Gewalten, Meister und Adepten, Engel und Himmlischen Heerscharen wirken und leben und als Boten, Vollzieher und Vollstrecker des Planes und des Willens Gottes tätig sind.

Von den höchsten »Statthaltern« Gottes, den Geistern Seiner Gegenwart, den Himmlischen Mächten und Gewalten, den Sonnen des Universums über die Regenten der verschiedenen himmlischen Sphären, die Meister und Lehrer der Menschheit bis zu den verschiedenen Himmelsboten, Naturgeistern, Elementarkräften, Engeln und Devas sind hier alle in gemeinsamem Wirken vereint. In Beriah befinden sich die großen Stätten der geistigen Weltregierung sowie die gehüteten Stätten geheimer Einweihungen wie auch die großen himmlischen »Akademien«, in denen die Adepten und Jünger niedereren Grades von den Meistern und älteren Brüdern in die Weisheit Gottes eingeführt und auf die Meisterung der Aufgaben und Prüfungen ihres Lebens vorbereitet werden. Gelegentlich erhebt sich auch unser Geistkern nachts oder in der Meditation auf jene hohe Ebene, um mit den »Großen« zu kommunizieren oder eine Botschaft oder eine Weihe zu empfangen. Wir dürfen diese Sphären jedoch nicht mit den astralen Räumen verwechseln, in denen wir uns üblicherweise nachts bewegen und wovon unsere üblichen Träume Zeugnis geben. Hier in Beriah erklingen beständig die himmlischen Chöre der niemals endenden Lobpreisung Gottes, hier ist alles Tun Anbetung des Herrn, und von hier aus kommen alle geistigen und gedanklichen Impulse, die unser Leben am physischen Plan inspirieren und auf dem Weg zur Vollendung und Verwirklichung unserer gottgegebenen Individualität und Natur behüten, lenken und leiten. Die geistigen Lehrer, Führer und Meister sowie die Himmlischen Heerscharen sind es, die unser Leben mit Weisheit, Kraft und Licht segnen und uns helfen, unser eigenes inneres Licht und geistiges Potential zu entfalten. Die Welt der Engel, geistigen Boten und Wesenheiten ist genauso real wie unsere physische Welt, und es gibt gerade in unserer Zeit eine wachsende Zahl von Menschen und geistigen Stätten, die Zeugnis geben von der inneren Begegnung mit Engeln, Himmelsboten, geistigen Meistern verschiedener Provenienz, mit Naturgeistern und Devas, die uns jene alte biblische Wahrheit in Erinnerung rufen, daß kein Geschöpf hier auf Erden alleine steht, sondern jeder und jedes einen Gesandten des Himmels bei sich hat, der ihn oder es beschützt und begleitet. In der Schrift heißt es: »Bei jedem Grashalm steht ein Engel, der beständig flüstert: wachse, wachse.«

Und jeder, der sich auf Gott hin ausrichtet und reinen Herzens danach strebt, Seinen Willen zu tun, wird jenen inneren Schutz und jene wunderbare innere Führung im eigenen Leben erfahren, die von allen Menschen auf dem inneren Weg erlebt und bezeugt ist. Sei es in der Form einer inneren Stimme oder Vision oder daß jene Geistwesen uns hineinsprechen in unser Gemüt, immer gibt es jene Führung von »oben«.

Wer sein ganzes Leben im Liebesdienst verschwendet, mit seiner ganzen Seele im Herzen Gottes weilt und dennoch seine ganze Aufmerksamkeit den Sorgen und Nöten dieser Welt, ihrem Hunger und Durst nach Wahrheit, Schönheit, Licht und Liebe weiht, den tragen, segnen und begleiten nicht nur einzelne Wesen, sondern ganze Kompanien des Himmels. Bedingung jedoch ist das reine Herz, die selbstlose Absicht, denn sonst können auch die Feinde des Lichtes und Kräfte der Finsternis unsere Schritte irreleiten. Allein die reine Absicht und die innere Festigkeit in Gott sind vollkommener Schutz gegen den Einfluß dunkler Macht, und niemand, der reiner Absicht ist, braucht ihren Angriff zu fürchten. Jesus selbst bezeugt den Schutz und die Macht der Himmlischen Heerscharen in seinem eigenen Leben: »Meinst du, ich könnte nicht meinen Vater bitten und er würde mir nicht sogleich zwölf Legionen Engel zur Seite stellen?« (Matthäus 26.53) »Wäre mein Reich von dieser Welt, glaube mir, Legionen (von Engeln) würden darum kämpfen.«

Und so wird jeder Beistand finden in seinem Wirken mit dem Willen Gottes in der geistigen Welt, nicht jedoch in der Befreiung von Recht und Karma. Denn »Die Schrift« muß erfüllt und jede Schuld bis auf den »letzten Heller« bezahlt werden.

2. Die sieben himmlischen Hallen

»So spricht JHWH:
Der Himmel ist mein Thron
und die Erde meine Fußbank.«
Jesajah 66.1

Beriah bildet das Himmelreich Gottes und gliedert sich in sieben Sphären. Sie sind die sieben Himmel unserer hebräischen, christlichen und islamischen Tradition und entsprechen den sieben Lokas (oder Swargas) der Hindus. Die Kabbala nennt sie auch die sieben himmlischen Hallen und benennt sie mit den Namen des Alten Testamentes (Abbildung 100). Sie sind erleuchtet durch allerlei Leuchten, geistige Lichter und Wesen, die allesamt in Roben geistigen Lichtes gekleidet sind.

In der Offenbarung des Johannes heißt es: »Ich sah sieben goldene Leuchter, und in der Mitte der Leuchter sah ich einen, der aussah wie der Menschensohn...«. »Und in seiner rechten Hand trägt er sieben Sterne.« »Die sieben Sterne sind die Engel und Geister der sieben Hallen oder Gemeinden, und die sieben Leuchter sind die sieben Gemeinden.« Offenbarung 1.12-20)

Wir wollen diese sieben Himmel im folgenden kurz betrachten.

Der erste Himmel heißt *Vilon* und hat seinen Sitz in Malkhut von Beriah, wo er auch zusammenfällt mit Tiferet von Jezirah. Vilon hat gleichermaßen seinen Sitz im Herzen, und tatsächlich ist das Herz das Tor zur geistigen Welt und ihren Gnaden. Vilon verkörpert den Raum von innerer Freude, von Frieden und Kraft. Mit dem Eintritt in Vilon betreten wir den Raum des inneren geistigen Lebens. Damit beginnt sich uns der Schleier der Täuschung allmählich zu lüften, und wir gewinnen Einblick in den Sinn und die Bestimmung des inneren Lebens. Der Hinduismus nennt diesen Raum *Bhurloka*, den Raum des positiv strebenden Menschen.

Die zweite Sphäre heißt *Rakiyah*. Sie ist gekennzeichnet durch ein starkes Streben nach innerer Reinheit und Verwirklichung. Sie ist auch der Ort der Meisterung des Schicksals und der höheren geistigen Aktivitäten. Der Mensch findet bereits den Schlüssel zum Selbst und ist in der Lage, höhere Erkenntnisse zu schöpfen. Auch gewinnt er allmählich Oberhand über seine Wünsche und Begierden. Ra-

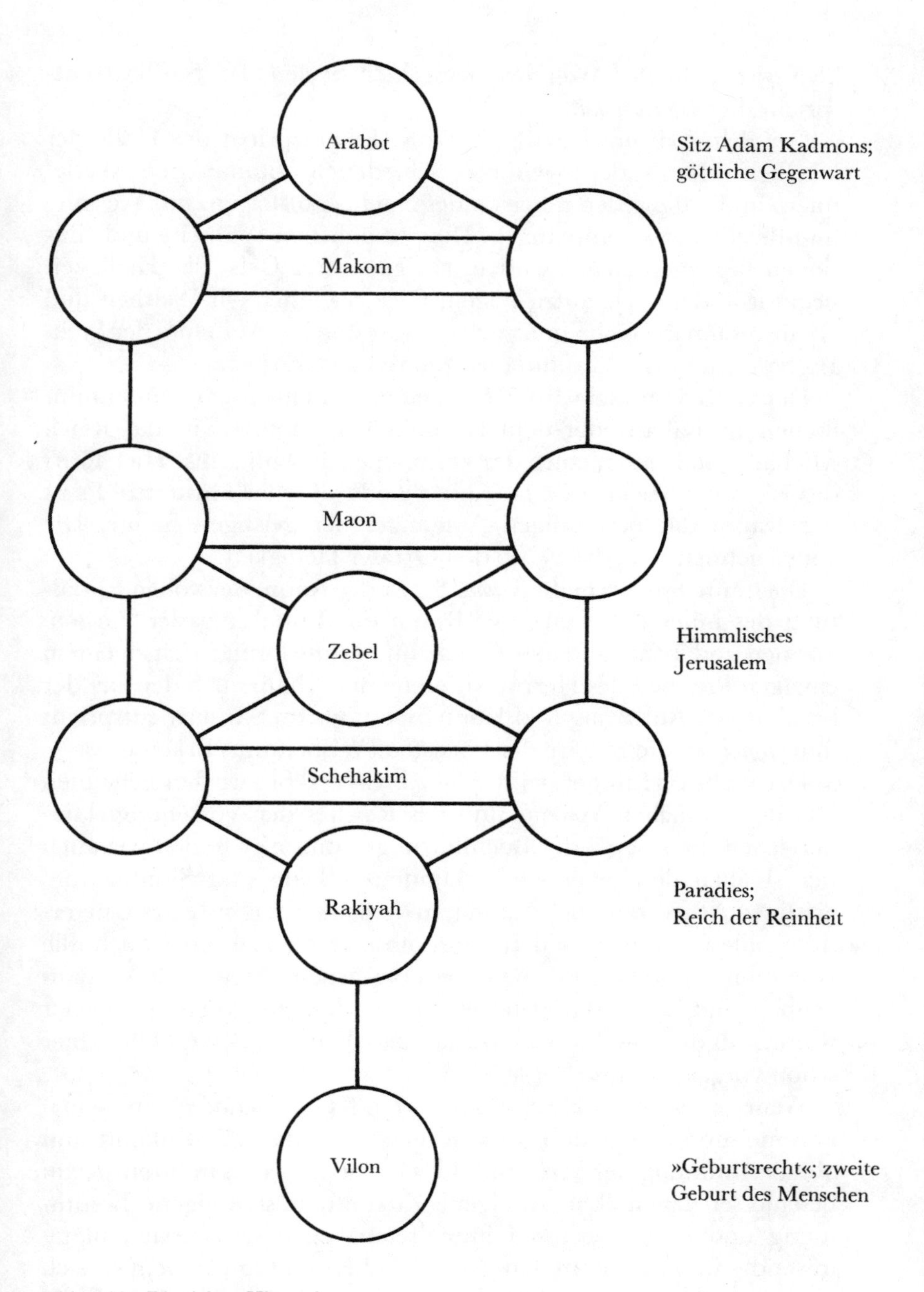

Abb. 100: Die sieben Himmel

kiyah ist auch der Wohnort der reinen Seelen. Im Sanskrit entspricht ihm *Bhuvarloka*.

Der dritte Himmel heißt *Shehakim*. Er entspricht der Halle der Weisheit. Hier finden wir die verschiedenen Himmlischen Akademien, in die die reiferen Seelen des Nachts aufsteigen, um Weisung und Belehrung zu empfangen. Die persönlichen Wünsche und Illusionen beginnen zu schwinden, ein geweihter Geist der Heiligkeit beginnt in der Seele aufzusteigen. Hier gewinnen wir Weisheit und Kenntnis um die Geheimnisse der Natur und des Aufbaues der Welt. Im Sanskrit entspricht ihm die Sphäre von *Swarloka*.

Der vierte Himmel wird *Zebel* genannt. Er entspricht dem Himmlischen Jerusalem oder dem Himmlischen Zion. Er ist das Reich Michaels und des Lichtes des kosmischen Bewußtseins. Hier führt das Licht die Seelen zum Sieg über die Kräfte der Finsternis. Es ist der Raum des beständigen Aufganges der geistigen Sonne. Die Inder nennen ihn *Maharloka*, den Ort der Heiligkeit.

Die fünfte Sphäre heißt *Maon*. Sie ist der Raum der vollen Entfaltung des inneren Lebens, der Raum der Entfaltung der Farben, Formen und Töne, und alle Klänge und Laute formen sich zu einem einzigen Preislied des Herrn. Maon heißt deshalb auch der Ort der beständigen Anbetung und Kontemplation. Im Sanskrit entspricht ihm *Janaloka*, die Sphäre der höchsten Weisheit und Erkenntnis.

Der sechste Himmel heißt *Makom*. Er verkörpert den geheimen Ort des göttlichen Willens und des Reiches der Vorsehung. Hier herrschen die »Engel der Buchführung«, und hier finden wir auch die »Hallen der geheimen Urkunden«. Beide sind Sinnbild des geistigen Äthers oder des Akasha, in dem alle Ereignisse des Universums, alle Gedanken und Impulse unserer Herzen, aber auch alle Intentionen und Gedanken Gottes aufgezeichnet sind. Alle Vergangenheit und alle Zukunft liegen hier verborgen. Makom ist jener Raum, aus dem die Propheten schöpfen; denn alle Zukunft liegt hier schon vorgeformt und bereit.

Wenn es in der Schrift heißt: »Und Gott schuf einen neuen Himmel und eine neue Erde«, so heißt das, daß alle Zukunft und alle Bestimmung der Welt und der Geschöpfe schon in ihrem Keim beschlossen lagen. Unsere eigene Zukunft, unsere eigene Bestimmung und unser eigenes Himmelreich liegen schon seit Anfang inwendig in uns, und in dem Maße und Rhythmus, in dem sie sich unserem Bewußtsein enthüllen, sind wir auch gerufen, sie in unserem Leibe, in unserem irdischen Leben und in der Welt zu verwirklichen. Die ganze Welt der vollkommenen Ideen möchte durch unser Leben in der Welt sichtbar werden. Mit einem Wort: Alle Ereignisse und das Geschick der Welt werden von hier aus gelenkt.

Wenn es von einem Heiligen oder Weisen, wie etwa dem Baal Shem Tow, heißt: »Er öffnete das Buch und sah die Welt von einem Ende zum anderen. Die ganze Schöpfung lag offen vor ihm«, so bedeutet das, daß er sich im Geiste auf jene Ebene erhob und ihm – während er in der (Akasha-)Chronik des Universums las – der Plan der Welt durch den Willen Gottes geoffenbart wurde. Hier ist natürlich auch der Sitz der 24 »Herren des Karma«, die die »Buchführung« über die Taten und das Schicksal der Welt in ihren Händen halten. »Lohn« und »Strafe«, alle Aufgaben, Geschenke und Gnaden des Himmels, Weisheit, Heilkraft, Charismen und Gaben werden von den Himmlischen Heerscharen von hier aus verteilt. Im Sanskrit wird dieser Raum *Taparloka* genannt.

Der siebente und höchste Himmel schließlich heißt *Arabot.* Er ist der Ort Seiner Gegenwart. Arabot wird auch die gläserne See genannt. Er ist der heiligste Ort der Schöpfung. Die kabbalistische Legende erzählt uns, daß jedes Geschöpf, das ausgeht aus des Schöpfers Herzen (Tiferet von Azilut), in dem Moment, da es sich von Ihm löst, um ins kosmische Meer der Schöpfung einzutauchen, in ekstatischem Gewahrsein seiner Existenz den ewigen Namen Gottes ausruft: Ehjeh, *Ich Bin*! Dieses *Ich Bin* ist in gleicher Weise der letzte Gedanke, der letzte Ruf eines jeden Geschöpfes, da es sich aus dem Ozean der Schöpfung loslöst und erhebt, um in das Allbewußtsein Gottes einzugehen, das heißt, in seinen höchsten Zustand oder Ursprung zurückzukehren.

Arabot ist der Ort, von dem Generationen von Geschöpfen ihren Ausgang und Anfang nehmen und in den sie in ihrem Zustand der Vollendung zurückkehren, nachdem sie allen unteren Sphären entwachsen sind. Arabot ist der ursprüngliche paradiesische Zustand in der Lichtaura Gottes, des Ortes des göttlichen Taues, der die »Toten erweckt am Jüngsten Tag«. Die Inder nennen ihn *Satya- oder Siddhaloka*, den Ort der einen Wahrheit und der Vollendeten. Er entspricht dem Zustande reinen Ich-Gewahrseins (Aham-Vimarsha), höchster unterschiedsloser Erleuchtung (Nirvikalpa Samadhi). Jede Bewegung des Lebens mündet in die ewige Stille Seines Seins, jeder Strahl des Bewußtseins steigt wie Tau auf zu Ihm.

3. Ruach – das Geistesleben des Menschen

»Werdet vollkommen
wie der Vater im Himmel vollkommen ist.«
Johannes

Wie wir sehen ist Beriah der Raum vollkommenen Wirkens im göttlichen Willen und im Sinne der Verwirklichung und Erfüllung des göttlichen Planes. Alles Schaffen und Tun dient der Errichtung des Himmelreiches Gottes in unserer Seele und auf Erden.

Für uns Menschen bedeutet dies das Wirken durch unseren Mental- und Kausalleib und beinhaltet den Einsatz und die Entfaltung all unserer Qualitäten, Kräfte und Fähigkeiten, die hier in uns eingeboren und angelegt sind. Dies setzt voraus, daß wir die Kräfte der niederen Seele (Nefesch) gezähmt, einen Zugang zu unserer höheren Natur gefunden und die Zentrierung unseres Lebens im Herzen (Tiferet von Nefesch) erlangt haben. Tiferet in Nefesch ist als Sitz unserer Individualität auch jener Ort, durch den sich alle Qualitäten unserer Mental- und Kausalleibes ausdrücken. Mental- und Kausalleib sind gleichsam die feinstofflichen, leiblichen Entfaltungen unserer Individualität (Abbildung 101). Ihr Profil findet in der Ausbildung unseres mentalen und kausalen Leibes seine Widerspiegelung.

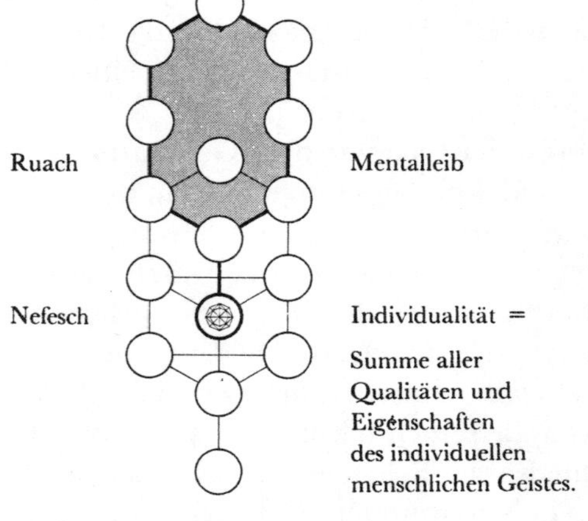

Abb. 101: Die Individualität als Kristallisation des menschlichen Geistes

So sehen wir, daß der Mentalleib der Sitz unserer höheren Fähigkeiten und »Talente« ist. Selbst aus Gedanken und Gedankenformen aufgebaut, liegen in ihm die Keime all unserer schöpferischen, mentalen, künstlerischen, musischen und sonstigen geistigen Anlagen, unserer ethischen Qualitäten als Mensch sowie der unterschiedlichen »Intelligenzen«. Ruach ist der Sitz des menschlichen Genius.

Diesen uns eingeborenen Genius sowie all seine verschiedenen Aspekte und Kräfte zu befruchten und zu entfalten, ist der Weg der Selbstverwirklichung. Indem wir mehr und mehr unsere »wahre Gestalt«, unsere individuelle Weise zu sein, unsere Berufung erahnen und unsere Aufgaben durch den Einsatz all unserer Fähigkeiten und Kräfte erfüllen, kommen auch alle eingeborenen Talente und Geisteskeime ans Licht, zur Entfaltung und zur Blüte.

Der Mentalraum beherbergt das Reich der Ideen und der reinen Gedankenformen, wie sie von den reinen göttlichen Attributen und der höheren Ebene von Azilut nun in unserem Geiste und unserer geistigen Welt ihre ideelle und gedankliche Gestalt annehmen. Innerhalb dieses Reiches der Ideen, das seine Wurzel in der Vollkommenheit des Lebens und des Urbildes Gottes hat, finden wir gleichermaßen als Abbilder und Widerspiegelung der reinen göttlichen Ideen und Prinzipien von Azilut all jene Formen, Leitbilder und Leitimpulse, nach denen sich unser Sein und Leben durch alle Schichten unseres Wesens hindurch bis hinunter in den physischen Leib entfalten und vervollkommnen möchte. Es ist durch unsere Intuition und Empfänglichkeit des Herzens, daß wir mit jener Inbildlichkeit des vollkommenen göttlichen Selbstes in Berührung sind und sie nun in unserem Denken (Mentalleib), Fühlen (Astralleib) und Tun (physischer Leib) zum Ausdruck bringen.

All die Fähigkeiten und Anlagen unseres Mentalleibes sind selbst nichts anderes als – in der Vielzahl unserer Vorleben – zu einem bestimmten Grad aus göttlichen Lebenskeimen zur Entfaltung gebrachte Gedankenkräfte oder -bündel, durch die sich unser inneres Leben gestaltet und ausdrückt. In dem Maße, wie sie in unserer inneren Entwicklung an die Oberfläche kommen, sprechen wir von angeborenen Talenten und Anlagen oder »ererbten« Fähigkeiten, die sich aber allesamt allein durch unsere eigenen Bemühungen in unseren Vorleben herausgebildet haben. Nun haben wir als Mensch die Möglichkeit, diese Anlagen und Fähigkeiten entweder zum Zwecke weltlichen Ruhmes, gesellschaftlicher Anerkennung, eigensüchtiger Karriere, des Erwerbes von Reichtum und Macht und um eines Lebens in Luxus, Vergnügen und Bequemlichkeit willen auszubeuten oder sie im Dienste an und zum Wohle der Menschheit einzusetzen. Nur wer seine gottgegebenen Kräfte und Talente im selbstlosen Wirken und zur Verwirklichung höherer Ideale einsetzt, nützt sie in gottgewolltem Sinne und vervollkommnet und glorifiziert darin sein eigenes Wesen. Sind uns doch all die Talente gegeben, um durch sie Gott zu dienen und Ihn in allen Bereichen menschlichen Ausdruckes zu verherrlichen, sei es in Wissenschaft, Kunst, Recht, Musik, Handwerk sowie in all den anderen Abteilungen des geistigen, kulturellen und täglichen Lebens. Tatsache ist es, daß viele Menschen ihre Fähigkeiten eher nutzen, um sich selbst, ihr sterbliches Ich, zu verherrlichen, als den vollendeten Formen und lebendigen Ideen des Geistes, dem ewig Wahren, Schönen und Guten zu dienen und darin jenen Einen zu glorifizieren, von dem alle Vollendung, Wahrheit, Schönheit und Güte letztlich ausgeht.

Darin liegt auch der Sinn des Gleichnisses Jesu von den Talenten (Matthäus 25.14-28) und seines Nachsatzes: »Denn jedem, der hat, wird gegeben werden, und er wird Überfluß haben. Wer aber nicht hat, dem wird genommen werden, was er hat.« Dem, der seine Fähigkeiten dienstbar macht, wird Größeres anvertraut, dem aber, der das Seine ungenutzt und brach liegen läßt, wird auch das, womit er geboren wurde, noch genommen werden. Denn: »Wem viel anvertraut wurde, von dem wird auch viel gefordert werden.« So sei es, daß wir unsere Talente und unser göttliches Pfand auch nutzen und Ihn damit verherrlichen, der sie uns anvertraut hat.

Nun hat jeder Mensch gemäß seiner unterschiedlichen Individualität in unterschiedlichem Maße Anteil an den verschiedenen Seiten und Ausdrucksformen des göttlichen Lebens. Denn jeder Mensch, jede Individualität ist ein ganzer Kosmos, der in unterschiedlichen Proportionen die verschiedenen Attribute Gottes verkörpert und in unterschiedlichen Proportionen an der Vielfalt der vollkommenen Ideen Gottes teilhat. So ist einer Verkörperung Seines Lichtes, der andere Seiner Wahrheit, der dritte Seiner Seligkeit, der vierte Seiner Liebe, der fünfte Seiner Weisheit, der sechste Seiner Gerechtigkeit und vieles mehr. Es ist auch auf der mentalen Ebene so, daß der Genius jedes Menschen einen anderen Akzent und Schwerpunkt hat und daß die verschiedenen Genii Gottes in unterschiedlichem Maße an seinem individuellen Kern und Leben Anteil haben.

So offenbart sich der Genius des einen Menschen im Tanze und in der Schönheit, der eines anderen in der Musik, der des dritten im Recht, der des vierten im Handwerk, der eines fünften im Landbau, der des sechsten im Umgang mit Kindern, der des siebten in der Poesie, und so hat jeder Mensch unterschiedlichen Anteil an den verschiedenen Aspekten und Bereichen des inneren geistigen Lebens.

Was immer unser Schwerpunkt sei, es ist stets von Wichtigkeit, daraus nicht einen äußeren Anspruch, Zwang oder Kult zu machen, sondern einfach nachzuforschen, welcher Aspekt am tiefsten im Inneren unserer Seele schwingt: Sei es Schönheit, dann soll sie unser inneres und äußeres Leben regieren; nicht in Pomp und Prunk, sondern in Schlichtheit und Transparenz, durch Innerlichkeit und Freude. Nicht, daß wir Ruhm und Anerkennung ernten in der Welt oder unbedingt bekannte Künstler werden, sondern daß wir durch unseren Sinn für Schönheit das Leben verherrlichen und unsere Mitmenschen darin emporheben zu Gott.

Wichtig ist es, den Genius in uns nicht in einem weltlichen Licht zu verklären oder ihn durch falsche Ansprüche zu überfordern, sondern ihn in der Weise leuchten und sich entfalten zu lassen, wie er von sich aus leuchten und sich entfalten möchte. Läge unser Genius im Recht, dann möchten wir ein Empfinden für die Motive und Beweggründe menschlichen Handelns entwickeln, daß uns nichts verborgen bliebe und wir Verständnis finden mögen für jeden, aber auch Einsicht gewinnen in die Gesetze und das Wirken göttlicher Gerechtigkeit, die auch ihr Lehrgeld fordert. Nicht, daß wir uns aufspielen sollen zu Richtern oder Verteidigern, sondern ein Empfinden formen für die Stimmigkeit und Ausgewogenheit der Kräfte des Karma und des Alls, wie sie sich in jeder Situation – oftmals auch im Verborgenen – kundtun. So ist es mit jedem von uns, daß unser Genius sich nicht notwendig in einem weltlichen Berufe als vielmehr in einer menschlichen Berufung ausdrücken möchte. Er soll Akzent sein in unserem Menschsein, Leitimpuls in unserem menschlichen und mitmenschlichen Empfinden.

Bei einem ist es ein untrügbares Empfinden für Gerechtigkeit, beim anderen für Schönheit, beim dritten für die Poesie des Lebens und beim vierten ein durchdringender Blick für die Gesetzmäßigkeit und Ordnung in der Natur, der den zentralen Antrieb seines Lebens bildet. Und gar mancher »Laie« hat mehr Einfühlungsvermögen in die Dynamik der Seele als viele Psychologen oder mehr Empfinden und Verständnis für Heilung, Heil und die Grundlagen innerer Genesung und eines gesunden Lebens als so mancher Arzt.

Wie wir erkennen, hat jeder Mensch durch seinen eingeborenen, individuellen Genius Anteil an den verschiedenen »Fakultäten« des Geisteslebens. Und jede dieser Fakultäten hat einen Repräsentanten oder Regenten in der geistigen Welt, der – gleich einer Gottheit – jenen Bereich verkörpert und beherrscht.

4. Die Fakultäten des Geisteslebens und die himmlischen Musen

In Ägypten, Griechenland und Rom waren diese Fakultäten nach den verschiedenen, ihnen innewohnenden ideellen Kategorien in Disziplinen aufgeteilt, die in Tempeln, Mysterienstätten und »Universitäten« gelehrt wurden. All diese Fakultäten oder Disziplinen entsprechen verschiedenen, sich um reine göttliche Urideen ausweitenden Gedankenkreisen, *Rädern* oder *Chakras*, die von den zugehörigen Gottheiten regiert werden. Sie sind nichts anderes als gedankliche oder ideelle Ausdehnungen der zehn sefirotischen Ausstrahlungen und Kräfte, und die regierenden Genii und Götter sind die Verkörperungen ihrer lebenden Prinzipien. In Abbildung 102 ist die Großzahl der Fakultäten unseres Geisteslebens in Entsprechung zu den Sefirot im Baumsymbol dargestellt.

Die in den himmlischen Sphären über jene Disziplinen herrschenden geistigen Mächte, Regenten oder Genii waren Gegenstand geistiger Versenkung und Anrufung, denn von ihnen als lebendige Verkörperungen dieser Fakultäten, Prinzipien, Ideen und Gedankenformen empfing man Inspiration und geistige Belehrung. Der kosmische Genius wurde angerufen, um den innewohnenden Genius zu erwecken. Justitia wurde angerufen als Verkörperung göttlicher Ordnung, Wahrheit und Gerechtigkeit; Urania als Vermittlerin himmlischer Weisheit, Scientia als Patin der »experimentellen« und »messenden« Wissenschaften. Darüber hinaus finden wir insbesondere in den griechischen Einweihungsstätten Hestia und ihre neun vestalischen Jungfrauen oder himmlischen (beziehungsweise esoterischen) Musen als Verkörperungen der Mysterien Gottes und der neun »okkulten« Wissenschaften und heiligen Künste der Tempel, die den Geist der suchenden Tempelschüler und Adepten beflügelten. Gleichzeitig Hüterin der höchsten Mysterien Gottes und Verkörperung Seiner welteinwohnenden Glorie, vereint sie in ihrem Wesen gleichermaßen die verschleierte Himmelsgöttin, Herrin der Mysterien und Ur-Mutter des Alls Isis mit der gestaltlosen Schekhinah oder Allgegenwart Gottes.

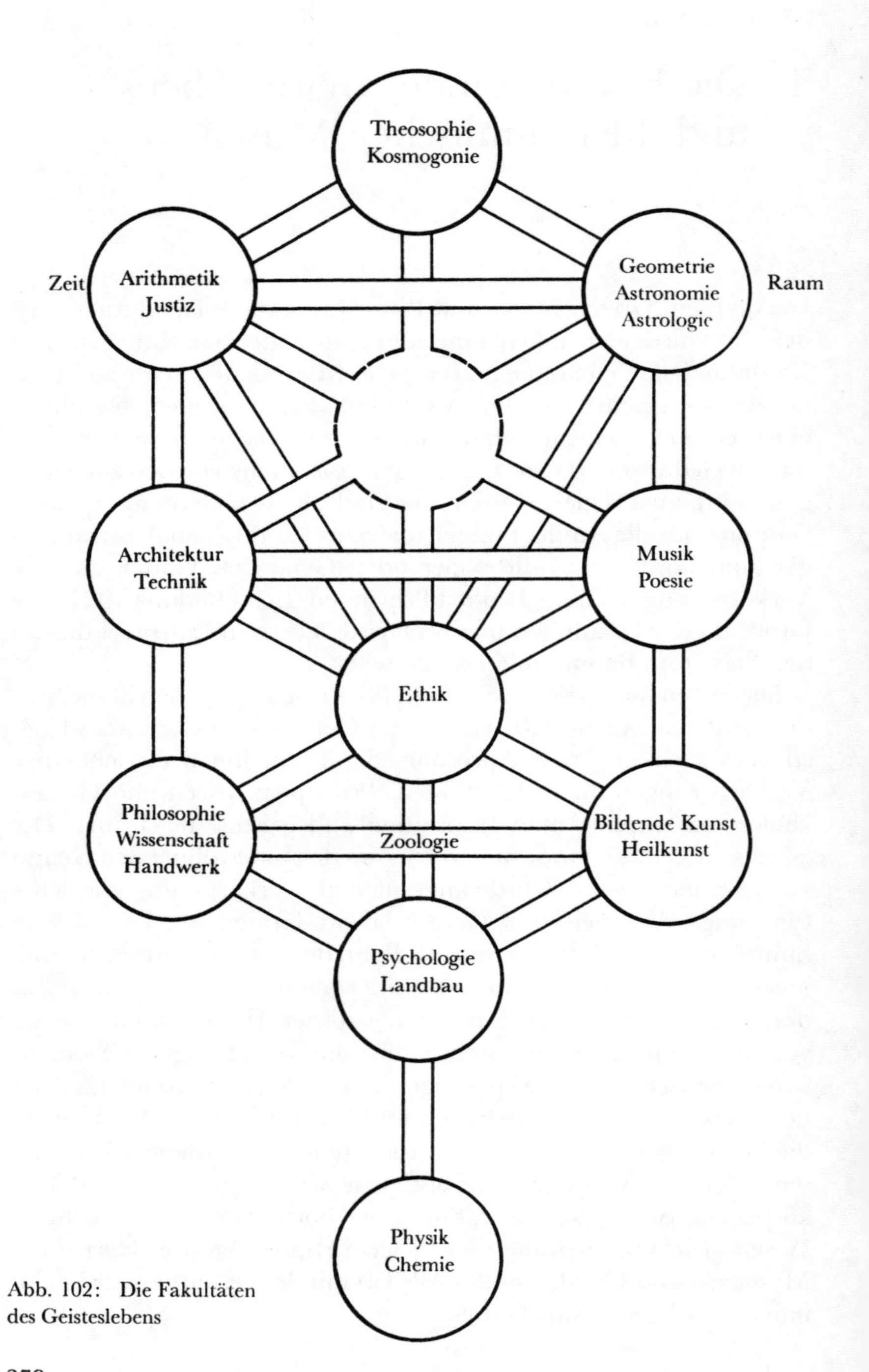

Abb. 102: Die Fakultäten des Geisteslebens

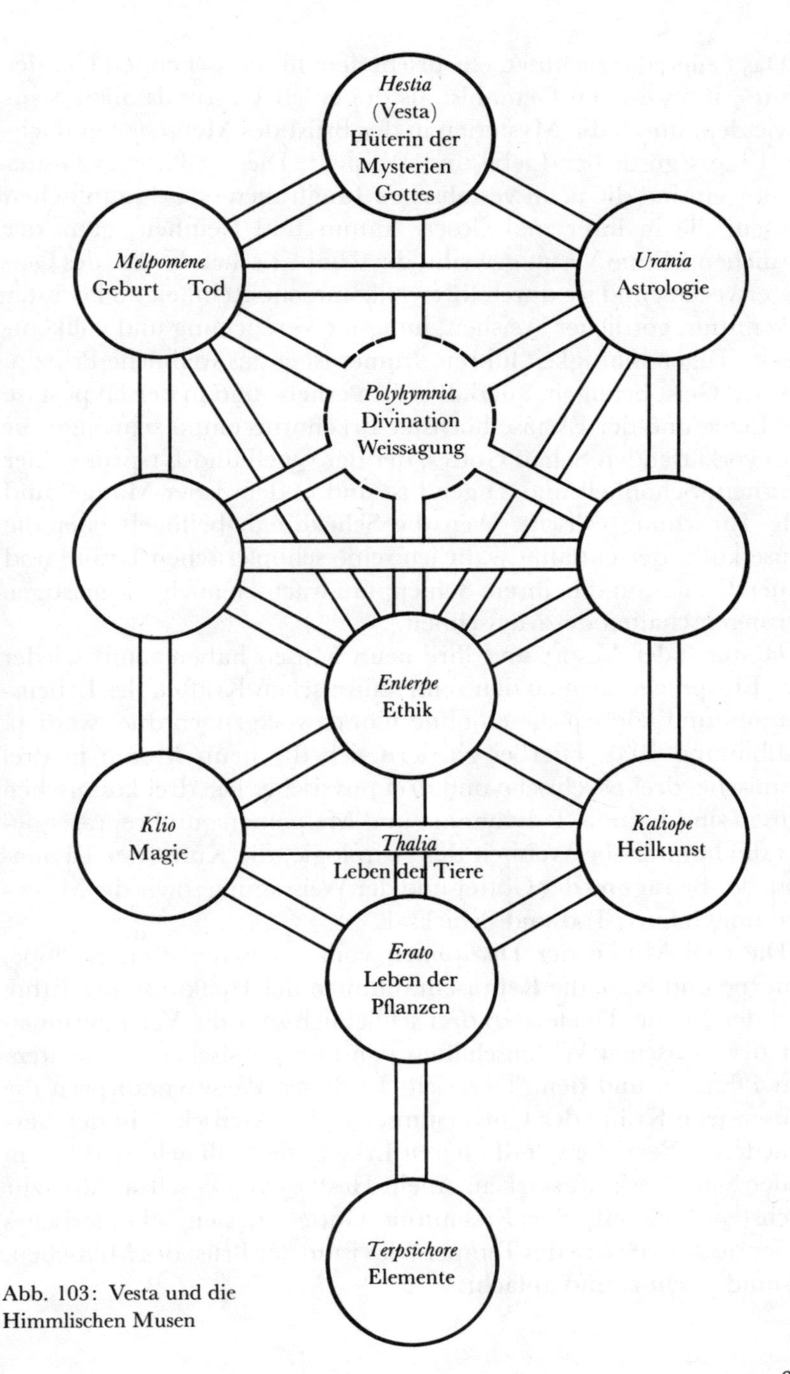

Abb. 103: Vesta und die Himmlischen Musen

Das Feuer, das sie hütet, entspricht dem nie erlöschenden Urfeuer Gottes, ihres ewigen Gemahls, als des einen Urgrunds allen Seins sowie dem durch die Mysterien in der Brust des Menschen entfachten Feuers göttlicher Liebe und Weisheit. Diesem Urfeuer Gottes entstiegen sind die neun vestalischen Jungfrauen oder himmlischen Musen, die in ihrer makellosen Anmut und Reinheit, ganz der göttlichen Minne Vestas geweiht, die schöpferischen Kräfte des Geistes erwecken und sie durch ihre vollkommene Reinheit zu höchster Erkenntnis, göttlicher Weisheit, innigster Verzückung und vollkommener Tugendhaftigkeit führen. Immer ist es das weibliche Prinzip, das den Geist beflügelt, auf daß er sich erhebe und in der Hypostase der Liebe und der Ekstase höchster Erkenntnis emporschwinge zur alles verklärenden Schau Gottes, der der Quell und Ursprung aller Weisheit, Schönheit und Tugend ist und in dem jeder Mangel und jede Täuschung erlischt. Wen die Schekhinah beflügelt oder die Muse küßt, der entfaltet wahrlich seine schöpferischen Kräfte und seinen Genius, und in ihrem Schlepptau wachsen auch alle geistigen Errungenschaften der Menschheit.

Hestia (oder Vesta) und ihre neun Musen haben somit wieder ihre Entsprechungen zu den zehn sefirotischen Kräften des Lebensbaumes und können diesen ohne Umschweife zugeordnet werden. (Abbildung 103). Hierbei gliedern sich die neun Musen in drei kosmische, drei psychische und drei physische. Die drei kosmischen Musen sind Urania, Polyhymnia und Melpomene und repräsentieren die himmlische Weisheit der Astrologie, die Kunst der Divination, der Befragung der Götter und der Weissagung sowie die Mysterien um Geburt, Tod und Schicksal.

Die drei Musen der Disziplinen vom Menschen sind Kaliope, Euterpe und Klio, die Repräsentantinnen der Heilkunst, der Ethik und der Magie. Die letzten drei schließlich sind die Vertreterinnen der drei irdischen Wissenschaften von den physischen Elementen, den Pflanzen und dem Tierreich. In dieser Weise verkörpern die Musen jene Kräfte des Universums, die den Menschen in den verschiedenen Bereichen der höheren Erkenntnis beflügeln und ihn in seiner Schaffenskraft stärken. Allein Hestia (Vesta) selbst führt zur höchsten Weisheit, der Erkenntnis Gottes, dessen schöpferisches Feuer sie am »Herd« des Tempels, das ist in der Brust des Menschen, beständig schürt und anfacht.

5. Das Wesen und das Leben der Engel und die Himmlischen Chöre

»Durch uns erschafft der Schöpfer
ewig Seinen Plan.
Doch ohne euch wird nichts.«
Antwort der Engel

Auf der höchsten Ebene des Geistes sind es schließlich die himmlischen Heerscharen, die Engelchöre und ihre Fürsten, die Erzengel, die das Geschick der Völker leiten und als Statthalter Gottes in der geistigen Welt ihre Dienste verrichten. Um das Wesen der Engel besser zu verstehen, ist es erhellend, einiges über deren Herkunft zu wissen. Dadurch erfahren wir auch mehr über unser eigenes Wesen, da wir doch der Engel Brüder sind. Denn »der Unterschied zwischen Engel und Mensch besteht«, um die kleine Anna aus dem ergreifenden Büchlein von Fynn *(Hallo Mr. Gott, hier spricht Anna)* zu zitieren, »darin, daß das meiste der Engel innen, das meiste der Menschen jedoch außen ist.« Dies gilt zumindest solange, als wir an der äußeren Welt hangen und den Reichtum im Inneren, das Himmelreich Gottes in uns, nicht zur Entfaltung bringen.

Da es wohl kaum möglich ist, das Wesen und den Ursprung der Engel trefflicher und schlichter auszudrücken, als dies Jakob Böhme in seiner *Aurora* tat, möchte ich ihn hier zu Wort kommen lassen. Danach hat Gott »in seinem Wallen die heiligen Engel alle auf einmal erschaffen, nicht aus fremder Materie, sondern aus sich selbst, aus seiner Kraft und ewigen Weisheit.« »Die ganze Heilige Dreifaltigkeit hat (in ihrem Wallen) ein Corpus oder Bild aus sich zusammenfiguriert gleich einem kleinen Gotte, aber nicht so hart, ausgehend als die ganze Trinität, doch etlichermaßen nach der Kreaturen Größe.« Er bringt damit zum Ausdruck, daß, wie jedes Geschöpf, so auch jeder Engel nach dem vollkommenen Urbilde Adam Kadmons erschaffen ist. Darüber hinaus kann ein Engel gleichermaßen »groß sein und auch klein; und ihre geschwinde Veränderung ist also geschwinde wie der Menschen Gedanken.« Das heißt, daß sie, so wie sie sich aus der Kraft der Gedanken fortbewegen, auch aus ihr ihre Größe und Erscheinung verändern.

Weiter sind in einem Engel – wie natürlich auch in der Seele des Menschen – »alle Qualitäten und Kräfte (sprich Sefirot) wie in der ganzen Gottheit.«

> Die Engel gehen aus Gott wie ein Kind aus der Mutter Schoß. »Gleich als wenn die Mutter den Samen (die Frucht) in sich hat; weil sie den hat und daß es ein Same ist, so ist er der Mutter. Wenn aber ein Kind draus wird, so ist er nicht mehr der Mutter, sondern des Kindes Eigentum. Und obgleich das Kind in der Mutter Hause ist und die Mutter ernähret es von ihrer Speise und das Kind könnte ohne die Mutter nicht leben, noch ist der Leib und der Geist, der aus der Mutter Samen gezeugt ist, sein Eigentum und behält sein körperlich Recht für sich.
> Also hat's auch eine Gestalt mit den Engeln. Sie sind auch alle aus dem göttlichen Samen zusammenfiguriert worden, aber sie haben jeder den Corpus nun für sich. Und ob sie gleich in Gottes Hause sind und essen die Frucht ihrer Mutter, daraus sie worden sind, so ist doch ihr Corpus nun ihr Eigentum.« (Aurora 4.34-35)

Bedeutend ist es zu erkennen, daß die Engel und die Seele (Neschamah) des Menschen gleichen Ursprung haben und in gleicher Weise aus dem Urgrund Gottes hervorgegangen sind. Beide tragen alle Kräfte und Qualitäten Gottes in sich. Darüber hinaus bringt Böhme in seinem Gleichnis zum Ausdruck, daß all die Engel – ebenfalls gleich den Menschen – obwohl aus Gott gezeugt, einen freien, unabhängigen Willen haben, durch den sie ihre schöpferisch-geistigen Kräfte in diese oder jene Richtung lenken können.

> »Aber die Qualität außer ihnen oder ihrem Corpus, als ihre Mutter, ist nicht ihr Eigentum. Gleichwie auch die Mutter nicht des Kindes Eigentum ist und auch der Mutter Speise ist nicht des Kindes Eigentum, sondern die Mutter gibt es ihm aus Liebe, dieweil sie das Kind geboren hat.
> Sie mag das Kind auch wohl aus ihrem Hause stoßen, wenn es ihr nicht folgen will, und mag ihm ihre Speise entziehen, welches dem Fürstentum Luzifers auch widerfahren ist.
> Also mag Gott seine göttliche Kraft, die außer den Engeln ist, wenn sie sich wider ihn erheben, entziehen. Wenn aber das geschieht, so muß ein Geist verschmachten und verderben, gleich als

wenn einem Menschen die Luft, die auch seine Mutter ist, entzogen wird, so muß er sterben; also auch die Engel können außer ihrer Mutter nicht leben.« (Aurora 4.36-38)

Hierin macht Böhme deutlich, daß jedes Geschöpf, solange es im Geiste Gottes lebt und die ihm innewohnende Intention des Lebens erfüllt, all des Segens, der Nahrung, all des quellenden Wassers des Lebens teilhaftig ist, die seine Seele erquicken und sein inneres Glück begründen, es jedoch, sobald es sich gegen die Ordnung des Einen Lebens, das heißt auch gegen seine eigene Natur, stellt, jener umfassenden Gnade, aus der es sich nährt, verlustig wird. (Niemand verneint Gott und verneint damit nicht auch sich selbst!). Wie die Seele des Menschen, so ist auch der »Corpus« (Lichtleib) der Engel

»unzertrennlich und auch unzerstörlich und des Menschen Händen unbegreiflich; denn er ist aus göttlicher Kraft zusammengetrieben und ist dieselbe Kraft also miteinander verbunden, daß sie ewig nicht kann zerstört werden. So wenig jemand oder etwas kann die ganze Gottheit zerstören, so wenig kann auch etwas einen Engel zerstören; denn ein jeder Engel ist aus allen Kräften Gottes zusammenfiguriert, nicht mit Fleisch und Blut, sondern aus göttlicher Kraft.« (Aurora 5.5)

In ihm quillt die Kraft Gottes wie ein Quellbrunnen ewigen Lebens:

»Erstlich ist der Corpus aus allen Kräften des Vaters, und in denselben Kräften ist das Licht Gottes, des Sohnes. Nun gebären die Kräfte des Vaters und des Sohnes, die in dem Engel kreatürlich sind, einen verständigen Geist, der in dem Engel aufsteiget.«
»Und dasselbe Licht ist anfänglich aus dem Sohn Gottes in den Kräften des Vaters in den englischen Leib kreatürlich kommen und ist des Leibes Eigentum, das ihm durch nichts kann entzogen werden, er verlösche es denn selber, wie Luzifer tat.
Nun alle Kraft, die in dem ganzen Engel ist, die gebäret dasselbe Licht. Gleichwie Gott der Vater seinen Sohn gebäret zu seinem Herzen, also gebäret des Engels Kraft auch seinen Sohn und Herze in sich, und das erleuchtet hinwiederum alle Kräfte in dem ganzen Engel.« (Aurora 5.6-9)

> Und wie »die Dreiheit Gottes gehet auf in den sieben Geistern Gottes«, so gehen »die sieben Quellgeister Gottes auf in dem Engel« gleich wie in des Menschen Seele. »Hernach gehet aus allen Kräften des Engels und auch aus dem Lichte des Engels ein Quellbrunn aus und quillet in dem ganzen Engel. Das ist sein Geist, der steiget auf in alle Ewigkeit, denn in demselben Geiste ist alle Erkenntnis und Wissenschaft aller Kraft und Art, die in dem ganzen Gott ist. Denn derselbe Geist quillet aus allen Kräften des Engels und steiget in das Gemüte.« (Aurora 5.9-10)

Wie der Mentalleib (Ruach) des Menschen, so ist auch der Leib der Engel aus Gedankenformen und ätherischer Substanz aufgebaut. Und darin wohnt der ewige göttliche Kern, der – wie die göttliche Seele (Neschamah) des Menschen – aus der unwandelbaren Bewußtseinssubstanz oder Kraft des Ewigen besteht, die beständig in der Form von Klang, Seligkeit und Leben im Inneren des Engels wie überall im Universum aus dem allgegenwärtigen Urgrund Gottes aufsteigt. Böhme faßt dies in folgende Worte:

> »Erstlich ist die Kraft, und in der Kraft ist der Ton, der steiget in dem Geiste auf in das Haupt, in das Gemüte, gleichwie im Menschen im Hirn, und in dem Gemüte hat er seine offene Pforten. Im Herzen hat er seinen Sessel und Ursprung, da er entspringet aus allen Kräften. Denn aller Kräfte Quellbrunn quillet zum Herzen, gleichwie auch im Menschen.
> Und wenn er nun siehet und höret den göttlichen Ton und Schall aufsteigen, der außer ihm ist, so wird sein Geist infizieret und mit Freuden angezündet, und erhebet sich in seinem fürstlichem Stuhl und singet und klinget gar freudenreiche Worte von Gottes Heiligkeit und von der Frucht und Gewächs des ewigen Lebens, von der Zierheit und Farben der ewigen Freuden und von dem holdseligen Anblicke Gottes des Vaters, des Sohnes und des Hl. Geistes, auch von der löblichen Bruderschaft und Gemeinschaft der Engel, von dem ewigwährenden Freudenreich, von der Heiligkeit Gottes, von ihrem fürstlichen Regiment, in Summa: von allen Kräften und aus allen seinen Kräften, das ich vor Unmut meiner Verderbung im Fleische nicht schreiben kann, und wäre viel lieber selber dabei.« (Aurora 5.12–13)

Wie des Engels Leib aufgebaut ist aus mentaler Substanz oder reinen Gedankenformen, so erhebt sich das Leben in ihm als Laut, Klang, Ton und Gesang. Der selige Quell des nie versiegenden göttlichen Lebens in ihm steigt auf als Lobpreisung Gottes. Wahrlich, alles göttliche Leben ist Jubel, und dies ist der wahre Kern der Legende des englischen Musizierens in den Himmeln und den englischen Chören der geistigen Welt.

> »In diesem Aufsteigen wird des ganzen Himmels Heer, alle Engel triumphierend und freudenreich, und gehet auf das schöne Te Deum Laudamus. In diesem Aufsteigen des Herzens wird der Mercurius im Herzen erwecket, sowohl in dem ganzen Saliter des Himmels. Da gehet in der Gottheit auf die wunderliche und schöne Bildung des Himmels in mancherlei Farben und Art, und erzeiget sich jeder Geist in seiner Gestalt sonderlich. Ich kann es mit nichts vergleichen als mit den alleredelsten Steinen: als Rubin, Smaragden, Delphin, Onyx, Saphir, Diamant, Jaspis, Hyazinth, Amethyst, Beryll, Sardis, Karfunkel und dergleichen. In solcher Farbe und Art erzeiget sich der Naturhimmel Gottes im Aufgehen der Geister Gottes; wenn denn nun das Licht des Sohnes Gottes darinnen scheinet, so ist es gleich einem hellen Meere von oben erzählter Steine Farben.« (Aurora 12.113-115)

Hierbei versteht Böhme unter dem Mercurius den subtilen – im Indischen als Nada oder Shabda benannten – geistigen Klang der Bewegungen und Schwingungen des Geistes und des geistigen Lebens. Er durchdringt den Saliter des Himmels, das ist der luftige Äther des mentalen Weltenraumes. Wichtig ist es zu wissen, daß auch all die Engel, obwohl sie sämtliche Kräfte Gottes in sich einen, dennoch unterschiedliche Wesenszüge tragen und unterschiedliche Aspekte des Lebens offenbaren, je nachdem, in welchem Maße sie an den einzelnen Kräften und Aspekten Gottes und Seiner sieben Geister teilhaben.

> »Allhie sollst du wissen, daß die Engel nicht alle einer Qualität sind, auch so sind sie in der Kraft und Mächtigkeit nicht alle einander gleich. Es hat wohl ein jeder Engel aller sieben Quellgeister Kraft in sich. Aber es ist in jedem etwan eine Qualität die stärkste. *Nach derselben Qualität ist er auch glorifizieret.*

Gleichwie die Wiesenblumen ein jedes seine Farbe von seiner Qualität empfähet und auch seinen Namen nach seiner Qualität hat, also auch die heiligen Engel.
Etliche sind des Wassers Qualität gleich dem heiligen Himmel. Und wenn das Licht an sie scheinet, so siehets gleichwie ein kristallen Meer.
Etliche sind der bittern Qualität am stärksten. Die sind gleich einem köstlichen grünen Steine, der da siehet wie ein Blitz, und wenn sie das Licht anscheinet, so scheinets gleichwie rotgrünlich, als ob ein Karfunkel daraus leuchtete oder als ob das Leben da Ursprung hätte.
Etliche sind der Hitze Qualität. Die sind die allerlichtesten, gelblich und rötlich, und wenn das Licht an sie leuchtet, so siehets gleich wie der Blitz des Sohnes Gottes. Etliche sind der Liebe Qualität am stärksten. Die sind ein Anblick der himmlischen Freudenreich, ganz lichte, wenn das Licht an sie scheinet, so siehets gleich wie lichtblau, ein lieblicher Anblick.
Etliche sind des Tons Qualität am stärksten. Die sind auch licht, und wenn das Licht an sie scheinet, so siehets gleich wie ein Aufsteigen des Blitzes, als wollte sich allda etwas erheben.
Etliche sind der ganzen Natur als wie eine gemeine Vermischung. Wenn das Licht an sie scheinet, so siehets gleich wie der heilige Himmel, der aus allen Geistern Gottes formiert ist.
Der König aber ist das Herze der Qualitäten und hat sein Revier inmitten als ein Quellbrunn, gleichwie die Sonne mitten unter den Planeten stehet und ist ein König der Sternen und ein Herze der Natur in dieser Welt. Also groß ist auch ein Cherub oder Engelskönig.
Und gleichwie die andern sechs Planeten neben der Sonnen Heerführer sind und der Sonnen ihren Willen geben, daß sie mag in ihnen regieren und wirken, also geben alle Engel ihren Willen dem Könige, und die Fürstenengel sind im Rate mit dem Könige.« (Aurora 12.8-16)

Über diese unterschiedliche Qualifikation der englischen Geister hinaus unterscheiden sie sich auch hinsichtlich ihres Ranges, ihrer Macht und ihrer Ordnung.

»Inmitten jedes Heeres ward das Herze jedes Heeres zusammenkorporieret, daraus ward ein englischer König oder Großfürst.
Gleichwie der Sohn Gottes mitten in den sieben Geistern Gottes geboren wird und ist der sieben Geister Gottes Leben und Herze, also ward auch ein englischer König mitten in seinem Revier aus der Natur oder aus der Natur Himmel geschaffen, aus aller sieben Quellgeister Kraft. Und der war nun das Herze in einem Heere und hatte seines ganzen Heeres Qualität, Mächtigkeit oder Stärke in sich, und war der allerschönste unter ihnen.
Gleichwie der Sohn Gottes ist das Herze und das Leben und die Stärke aller sieben Geister Gottes, also auch ein König der Engel in seinem Heere.
Nun, gleichwie in der göttlichen Kraft sind *sieben* vornehme Qualitäten, daraus das Herze Gottes geboren wird, also sind auch etliche mächtige Fürstenengel nach jeder Hauptqualität in jedem Heere geschaffen worden. Und die sind neben dem Könige Heerführer der andern Engel.«

Wie überall im Universum eine wunderbare Ordnung geschaffen ist, in der jede Kraft und jedes Wesen seinen Platz und seine Stellung im Ganzen hat, besteht auch in der Körperschaft der englischen Heerscharen eine transparente Hierarchie, die von den Himmlischen Großfürsten geleitet wird. Diese Großfürsten selbst sind die Statthalter Gottes und dienen mit all ihren Kräften und Mächten dem Alleinen, der ihr einziger Herr und Herrscher ist. Dies ist im Lebensbaum insofern sichtbar, als die beiden herrschenden Kräfte Gottes, JHWH Zebaot und Elohim Zebaot mit ihren Sitzen in Hod und Nezach von Azilut die Regentschaft in Beriah haben, indem sie dort den Kern und die Macht und die Wurzel von Binah und Chokhmah bilden (Abbildung 104 auf Seite 387).

»Siehe, Gott ist ein Gott der Ordnung. Wie es nun in seinem Regiment in ihm selber, das ist in seiner Geburt und in seinem Aufsteigen gehet, wallet und ist, also ist auch der Engel Orden.
Gleichwie inmitten der sieben Geister Gottes das Herze des Lebens geboren wird, davon die göttliche Freude aufgehet, also ist auch der Engel Orden.«

Obwohl sich die Engel hinsichtlich ihrer Macht, ihrer »Qualifikation«, ihres Ranges und ihrer Ordnung so grundlegend unterscheiden, wirken und leben sie in vollkommener Eintracht, denn allein Gott, der Herr, ist ihr König.

»Du sollst aber allhie wissen, daß sie alle einen Liebe-Willen untereinander haben. Keiner mißgönnet dem andern seine Gestalt und Schönheit. Denn wie es in den Geistern Gottes zugehet, also auch unter ihnen. Auch so haben sie alle zugleich die göttlichen Freuden und genießen alle zugleich der himmlischen Speisen, in dem ist kein Unterschied. Nur in den Farben und Stärke der Kraft ist ein Unterschied, aber in der Vollkommenheit gar nichts, denn ein jeder hat die Kraft aller Geister Gottes in sich. Darum wenn das Licht des Sohnes Gottes an sie scheinet, so erzeiget sich jedes Engels Qualität mit der Farben.
Ich habe der Gestalt und Farben nur etliche erzählet, aber ihr(er) sind viel mehr, die ich um der Kürze willen nicht schreiben will. Denn gleichwie sich die Gottheit in unendlich erzeiget mit ihrem Aufsteigen, also hats auch unerforschlicher vielerlei Farben und Gestalten unter den Engeln. Ich kann dir in dieser Welt kein recht Gleichnis zeigen als den blühenden Erdboden im Maien, der ist ein tot und irdisch Vorbild.« (Aurora 12.17-18)

Ich möchte im folgenden kommentarlos die Beschreibung des Lebens der Engel in den Gefilden des Himmels so wiedergeben, wie sie in so inniger und reiner Sprache von Böhme niedergeschrieben wurde.

»Siehe, was die Gottheit tut, das tun sie auch: Wenn die Geister Gottes in sich fein lieblich einander gebären und ineinander aufsteigen als ein liebliches Halsen, Küssen und voneinander Essen, in welchem Geschmack und Geruch das Leben aufgehet und die ewige Erquickung, so gehen auch die Engel fein freundlich, holdselig und lieblich in dem himmlischen Revier miteinander spazieren und schauen die wunderbarliche und liebliche Gestalt des Himmels und essen von den holdseligen Früchten des Lebens.
Wem soll ich nun die Engel vergleichen? Den kleinen Kindern will ich sie recht vergleichen, die im Maien, wenn die schönen Röselein blühen, miteinander in die schönen Blümlein gehen und

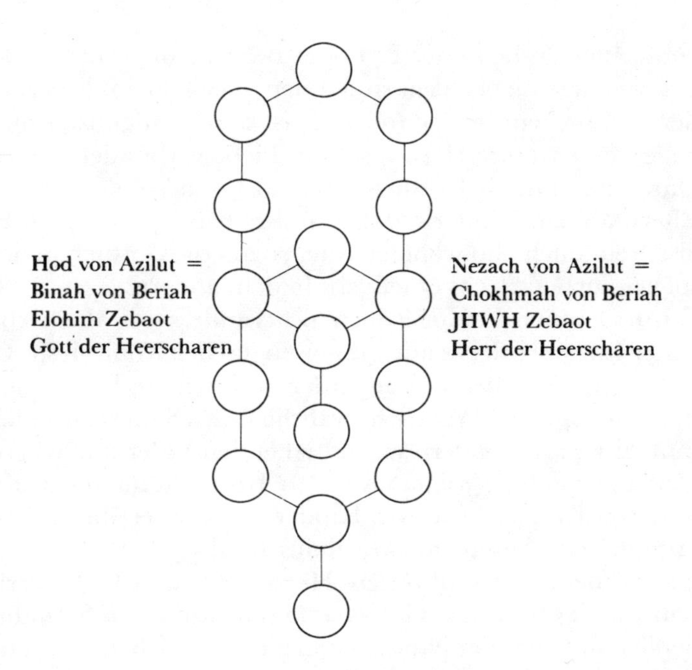

Abb. 104: Gott als der Höchste Herrscher der Himmlischen Scharen: Sein rechter und sein linker Arm.

pflücken derselben ab, und machen feine Kränzlein daraus, und tragen in ihren Händen und freuen sich und reden immerdar von der mancherlei Gestalt der schönen Blumen, und nehmen einander bei den Händen, wenn sie in die schönen Blümlein gehen, und wenn sie heimkommen, so zeigen sie dieselben den Eltern und freuen sich, darob dann die Eltern gleich eine Freude an den Kindern haben und sich mit ihnen freuen.

Also tun auch die hl. Engel im Himmel. Die nehmen einander bei den Händen und spazieren in den schönen Himmelsmaien und reden von den lieblichen und schönen Gewächsen in der himmlischen Pomp, und essen der holdseligen Früchte Gottes, und brauchen der schönen Himmelsblümlein zu ihrem Spiel, und machen ihnen schöne Kränzlein, und freuen ich in dem schönen Maien Gottes.

Da ist nichts denn ein herzliches Lieben, eine sanfte Liebe, ein freundlich Gespräch, ein holdselig Beiwohnen, da einer immer seine Lust an dem andern siehet und den andern ehret. Sie wissen

von keiner Bosheit oder List oder Betrug, sondern die göttlichen Früchte und Lieblichkeit sind ihnen alles gemein. Einer mag sich der gebrauchen wie der ander, da ist keine Mißgunst, kein Widerwille, sondern ihre Herzen sind in Liebe verbunden.
Daran hat nun die Gottheit ihren höchsten Wohlgefallen, wie die Eltern an den Kindern, daß sich ihre lieben Kinder im Himmel also freundlich und wohlgebärden, denn die Gottheit in sich selbst spielet auch also, ein Quellgeist in dem andern.
Darum können die Engel auch nichts anders tun, als gleichwie der Vater tut, wie solches auch unser englischer König Jesus Christus bezeuget, als er bei uns auf Erden war, wie im Evangelio stehet, indem er sprach: Wahrlich, wahrlich, der Sohn kann nichts von ihm selber tun, sondern was er siehet den Vater tun, das tut auch gleich der Sohn. (Johannes 5, 19) Item: So ihr nicht umkehret und werdet gleichwie die Kinder, so könnet ihr nicht in das Himmelreich kommen. (Matthäus 18,3)
Damit meinet er, daß unsere Herzen sollen in Liebe verbunden sein wie der hl. Engel Gottes, und daß wir sollen freundlich und lieblich miteinander handeln und einander lieben und mit Ehrerbietung zuvorkommen wie die Engel Gottes.
Nicht daß wir sollen einander betrügen, belügen, den Bissen aus dem Munde reißen vor großem Geize, auch nicht, daß einer soll über den andern stolzieren, prangen und verachten, der nicht seine schlimme Teufelslist brauchen kann.
O nein, so tun die Engel im Himmel nicht, sondern sie lieben einander. Keiner dünket sich schöner sein als der ander, sondern ein jeder hat seine Freude an dem andern und freuet sich des andern schöner Gestalt und Lieblichkeit, davon denn ihre Liebe gegeneinander aufsteiget, daß sie einander bei ihren Händen führen und freundlich küssen.
Merke die Tiefe: Gleichwie als wenn der Blitz des Lebens inmitten der göttlichen Kraft aufgehet, da alle Geister Gottes ihr Leben bekommen und sich hoch freuen, da ist ein lieblichs und heiliges Halsen, Küssen, Schmecken, Fühlen, Hören, Sehen und Riechen, also auch bei den Engeln. Wenn einer den andern siehet, höret und fühlet, so gehet in seinem Herzen auf der Blitz des Lebens und umfänget ein Geist den andern wie in der Gottheit.
Nun gleichwie die Qualitäten in Gott eine die andere immer gebäret, aufsteiget und herzlich liebet, und eine von der andern

immer ihr Leben bekommt, und wie der Blitz im süßen Wasser in der Hitze aufgehet, davon das Leben und die Freude Ursprung hat, also ists auch in einem Engel. Seine innerliche Geburt ist nicht anders als die äußerliche außer ihm in Gott.
Gleichwie der Sohn Gottes außer den Engeln im mittlern Quellbrunne in der Hitze im süßen Wasser geboren wird aus allen sieben Geistern Gottes und erleuchtet hinwiederum alle sieben Geister Gottes, davon sie ihr Leben und Freude haben, also auch in gleicher Gestalt wird der Sohn Gottes in einem Engel in seinem mittlern Quellbrunne des Herzens in der Hitze im süßen Wasser geboren und erleuchtet hinwiederum alle sieben Quellgeister des Engels. Und gleichwie der Heilige Geist vom Vater und Sohne ausgehet und formet und bildet und liebet alles, also auch gehet der Heilige Geist im Engel aus in seine Mitbrüder und liebet dieselben und freuet sich mit denselben.
Denn es ist kein Unterschied zwischen den Geistern Gottes und den Engeln als nur dieser, daß die Engel Kreaturen sind und ihr körperlich Wesen einen Anfang hat, ihre Kraft aber, daraus sie geschaffen sind, die ist Gott selber und ist von Ewigkeit und bleibet in Ewigkeit. Darum ist ihre Behendigkeit also geschwinde wie der Menschen Gedanken. Wo sie hin wollen, da sind sie auch alsbald; dazu so können sie groß und klein sein, wie sie wollen.
Und das ist das wahrhaftige Wesen Gottes im Himmel, ja der Himmel selber. So dir deine Augen geöffnet wären, so solltest du es allhie auf Erden an der Stelle, da du bist, klärlich sehen. Denn kann das Gott einen Geist des Menschen sehen lassen, der doch im Leibe steckt und kann sich ihm im Fleische offenbaren, so kann er das auch wohl außer dem Fleische tun, so er will.
Und ist in diesem kein Unterschied. Die Engel sind einer geschaffen wie der ander, alle aus dem göttlichen Salitter der himmlischen Natur. Allein das ist der Unterschied zwischen ihnen, daß, da sie Gott beschuf, eine jede Qualität in der großen Bewegung in höchster Geburt oder Aufsteigen stund. Dannenher ist kommen, daß die Engel vielerlei Qualitäten sind und mancherlei Farben und Schönheit haben, und doch alles aus Gott.
Nun hat aber ein jeder Engel alle Qualitäten Gottes in sich. Aber eine ist die stärkeste in ihm. Nach derselben ist er genannt und in derselben glorifizieret.« (Aurora 12.29-49)

Ich habe all dies hier wiedergegeben, weil es ein schöner Ausdruck ist des Einklanges und des Lebens in den himmlischen Reichen des Geistes. Darin klingt und erscheint des Lebens Vorbild, nach dem wir hier auf Erden aufgerufen sind, unser eigenes Dasein einzurichten. »Wie im Himmel, so auf Erden« heißt es im Gebet Jesu; »wie oben, so unten« belehrte uns Henoch-Thot-Hermes. Daß wir im Schauen nach oben in das Reich Gottes und der reinen Ideen ein beständiges Vor- und Leitbild finden mögen für unser eigenes Leben; denn darin, daß wir uns selbst vervollkommnen in unserem Wesen und eins werden mit unserem ewigen Kern, werden wir selbst gleich den Göttern und Engeln und walten selbst in göttlicher Macht und Herrlichkeit, die unser natürliches Erbe sind.

> »Es wird am Tage der Auferstehung der Toten zwischen den Engeln und Menschen kein Unterschied sein, sie werden eine Formam haben. Welchs ich denn an seinem Orte klar beweisen will, und auch solches unser König Jesus Christus selber klar bezeuget, da er spricht: In der Auferstehung sind sie gleich den Engeln Gottes.« (Matthäus 22.30)

Darüber hinaus verdeutlicht sich in jenem Bilde aber auch die Ordnung, das Zusammenwirken und die individuelle oder spezielle Qualifizierung der Engel. Wir wollen erkennen, daß jeder Engel sein eigenes Wirkfeld und seine eigene Aufgabe hat.

Insbesondere ist jeder der großen Fürsten des Himmels, jeder der zehn Erzengel, obwohl aller Kräfte Gottes teilhaftig, stets Repräsentant gerade einer der zehn sefirotischen Kräfte, und jeder hat in dem durch die ihm entsprechende Kraft umgrenzten Bereich sein Wirkungsfeld. Das heißt, daß jeder der großen himmlischen Fürsten einen klar umschriebenen Funktions- und Aufgabenbereich im Universum wahrnimmt, sie alle jedoch aus ihrer Gemeinschaft im Geiste als Statthalter Gottes gemeinsam die Geschicke und den Lauf der Welt regieren.

Obwohl die Engel beständig in der unsichtbaren Welt unerkannt ihr Werk verrichten (und nicht nur »liebe-spazieren« – wie Böhme sagt), geschieht es zuzeiten, daß sie sich auch dem Menschen zu erkennen geben und uns sichtbar werden. Außer, daß sie das Werk großer Menschen inspirieren oder Diener Christi in ihrem Liebesdienst geleiten, haben wir Zeugnisse aus älterer und jüngerer Zeit, daß Engel beziehungsweise ganze Engelslegionen sogar in ihrem Eingreifen in das Geschick der Menschheit an entscheidenden Wendepunkten unserer Weltgeschichte sichtbar in Erscheinung treten.

Derartige Ereignisse werden uns nicht nur im Alten Testament berichtet, sondern wir finden sie auch in unserer jüngsten Zeit, insbesondere in den beiden Weltkriegen, dokumentiert. Die bekannteste und wohl ehrfurchterregendste Geschichte ereignete sich während des Ersten Weltkrieges. H. C. Moolenburgh erzählt sie in seinem Buch *Engel als Beschützer und Helfer des Menschen* mit folgenden Worten:

> »Damals geschah es, daß das deutsche Heer nach einem gewaltigen Bombenangriff gegen die englischen Stellungen im Südosten von Lille anrückte. Da erlebten die englischen Soldaten etwas Seltsames. Gerade war noch der Lärm des Artilleriefeuers zu hören gewesen, man sah den Feind näherrücken, aber gleich darauf hörte die Beschießung auf, und die Deutschen flüchteten in totaler Verwirrung. Sofort schickten die Engländer Patrouillen aus und nahmen einige deutsche Offiziere gefangen. Diese waren fassungslos, wie vor den Kopf geschlagen und erzählten eine unglaublich anmutende Geschichte: Gerade, als sie unter Deckung ihrer Artillerie anrückten, sahen sie plötzlich auf der englischen Seite ein Heer auftauchen: weißgekleidete Reiter auf weißen Pferden. Ihr erster Gedanke war, daß die Engländer neue marokkanische Truppen einsetzten, und ihre Artillerie und ihre Maschinengewehre überschütteten das anrückende Heer mit Granaten und Kugeln. Aber kein Reiter fiel vom Pferd, und nun sahen sie deutlich, daß eine große Gestalt mit goldblondem Haar und einem Heiligenschein vor dem Heer einherritt. Sie saß auf einem großen weißen Pferd.
> Die Deutschen wurden von panischer Angst ergriffen und brachen ihre äußerst gefährliche Offensive wieder ab. Die Engländer hatten nichts gesehen, aber in den darauffolgenden Tagen wurde das Ereignis durch zehntausende neuer Gefangener bestätigt. Es ist dann sowohl in die englischen als auch in die deutschen Annalen aufgenommen worden und ist noch immer als ›das Wunder der weißen Kavallerie von Ypern‹ bekannt.«

Aber auch im Zweiten Weltkrieg wurden mehrfach Engelsheere geschaut. Ich erinnere nur an jene Rettung einer englischen Kundschaftstruppe durch eine Engelskohorte, die als das »Wunder von Dünkirchen« überliefert ist, und die »Schlacht um Britannien«, von der Kampfflieger später erzählten, daß »Tote« und Engel mit ihnen kämpften. Dies war wohl jene Schlacht, die die entscheidende Wende brachte, durch die Hitler den Krieg verlor.

Sogar in Vietnam berichtete ein gefangener Vietkong vom Eingriff himmlischer Scharen. Danach hätte ein Trupp von Vietkong ein christliches Dorf angegriffen, wobei die dort lebenden Christen in eine Kirche flüchteten und dort beteten. Darauf bildete ein Heer von weißgekleideten Soldaten einen Ring um das Dorf. Der Trupp wagte nicht anzugreifen und zog nach zwei Tagen ab.

Daß derartige Geschehnisse nicht neu sind, erkennen wir an folgender Geschichte, die in 2. Könige 6.8-17 berichtet wird. Da lesen wir:

> »Als der König von Asam gegen Israel Krieg führte, verordnete er folgendes: ›Rücket gegen jenen Ort vor.‹... Er sandte Rosse und Wagen und eine starke Truppenschar; als sie bei Nacht ankamen, umzingelten sie die Stadt.«
> »Als nun Elischa am folgenden Tag frühmorgens aufstand und herausging, da umlagerte eine Heeresmacht mit Rossen und Wagen die Stadt. Da sagte sein Diener zu ihm: ›O weh, mein Herr, was machen wir nun?‹ Er aber erwiderte: ›Fürchte dich nicht, denn die mit uns sind, sind zahlreicher als jene, die mit ihnen sind.‹
> Dann betete Elischa: ›JHWH, öffne ihm doch die Augen, damit er sieht!‹ und JHWH öffnete dem Diener die Augen und er sah, wie der Berg rings um Elischa voll von feurigen Rossen und Streitwagen war.«

Wie wir sehen, finden wir die Himmlischen Heerscharen als jene Agenten Gottes, die immer wieder in die Kämpfe zwischen Licht und Finsternis entscheidend eingreifen, um den Streitern Gottes den Weg zu ebnen. Denn: es genügen »zehn Gerechte« und Gott wird unsere Stadt erretten! (Genesis 18.32).

So sei es auch heute, daß wir uns mit den Fürsten des Himmels verbünden, damit sie uns und unserer Erde im Ringen zwischen

Macht und Erkenntnis, Ichsucht und Einsicht zum Durchbruch des Lichtes verhelfen mögen, auf daß endlich ein Zeitalter des Friedens aufgehe, in welchem allein Gott angebetet werde, »Er und Sein Name.«

6. Die Erzengel oder Himmlischen Fürsten

»Reich mir die Hand!
Wir sind das Band,
die Brücke, der Bogen
zwischen unten und oben.«
Antwort der Engel

Wenn wir uns nun den Erzengeln zuwenden, so müssen wir wissen, daß wir es hier mit Wesen wahrhaft gewaltiger Dimension zu tun haben, deren jedes – gemäß seiner »Qualifizierung« – einen ganz bestimmten Aufgaben- und Wirkungsbereich im Universum innehat. Jeder dieser Fürsten ist Träger einer kosmischen Bewußtseinsdimension, die aus überzeitlicher Schau nach dem Willen Gottes ihr Werk vollbringt. Sie überschauen den gesamten Horizont der Welt und sind – als Seine Boten – oftmals die »Mittelsmänner« der Propheten. Selbst Johannes empfing seine Offenbarung durch einen Engel.

Von allen »englischen« Fürstenwesen sind die Erzengel diejenigen, die mit dem Leben der Menschen am engsten verbunden sind. Sie sind die Genii großer Menschen und Bewegungen, die Initiatoren oder Schutzherren ganzer Nationen, sowie die Träger und Vermittler von Leitimpulsen ganzer Zeitepochen unserer Erde. Sie sind in ihrem ganzen Sein mit dem Schicksal und der Entwicklung der Menschheit verwoben. Ihr Aussehen ist erhaben, denn die Glorie Gottes wohnt in ihnen. Jedoch besitzt jeder Engelsfürst eine unverkennbare Individualität, die in seiner Gestalt, seinen Gesichtszügen, seiner »Kleidung« und insbesondere den jeweils nur ihm zukommenden »Insignien«, die sein himmlisches Amt kennzeichnen, erkennbar ist.

So verkörpern die zehn Erzengel wiederum die zehn sefirotischen Kräfte im geistigen Universum. Sie sind sowohl deren lebende Repräsentanten als auch deren Regenten innerhalb unseres Sternenkreises. In Abbildung 105 finden wir ihre Zuordnung im Lebensbaum. Im folgenden möchte ich ihre Wesenszüge und Ämter kurz umreißen.

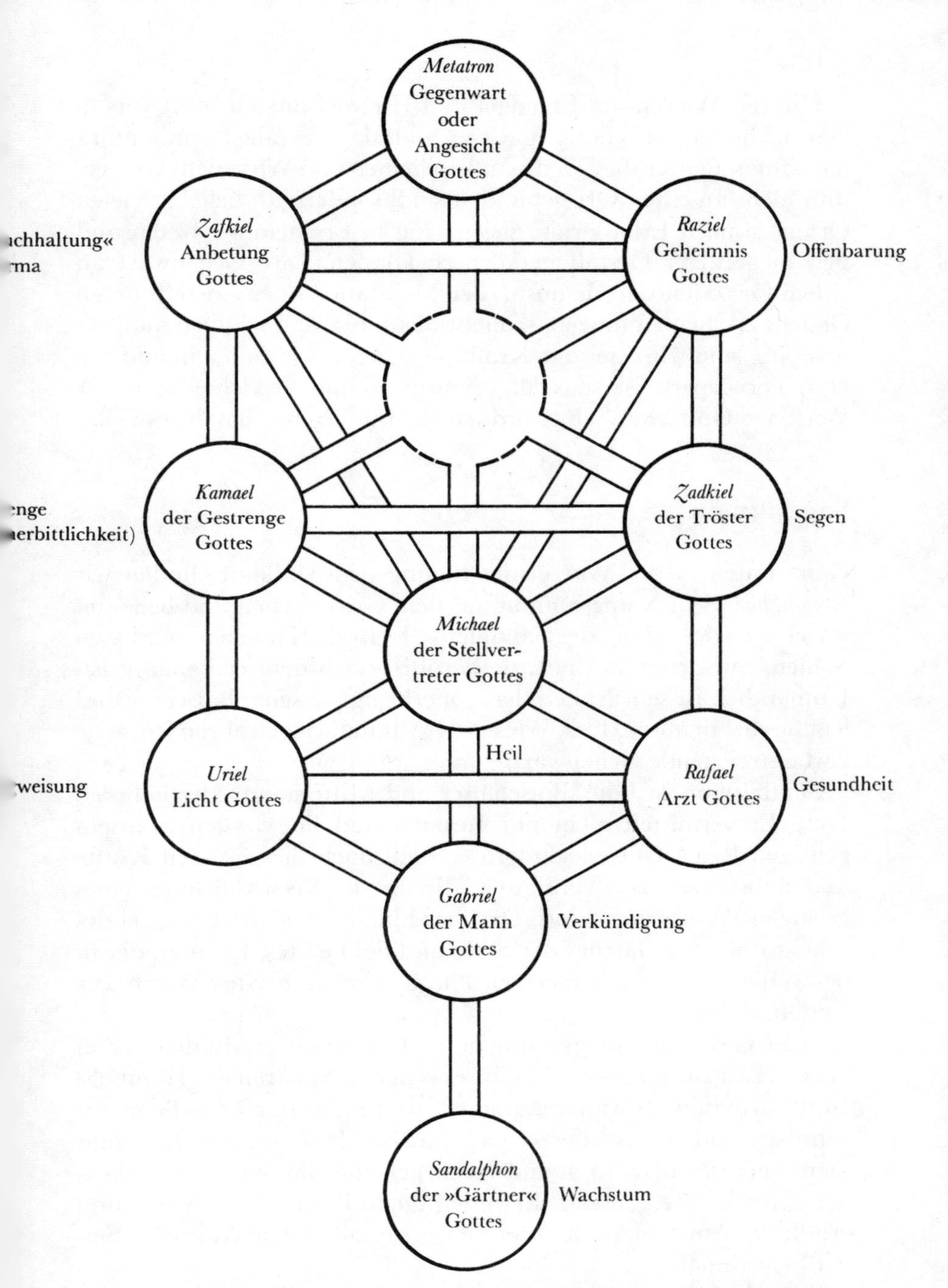

Abb. 105: Die Regenten (Erzengel) der zehn sefirotischen Kräfte in der geistigen Welt

Um das Wirken der Erzengel und Himmelsfürsten recht verstehen zu können, ist es nötig zu wissen, daß sie – wie alle Repräsentanten kosmischer Kräfte – in ihrem Erscheinen und Wirken im Universum nicht an einen Ort gebunden sind, sondern an beliebig vielen Orten, je nach Erfordernis, gleichzeitig in Erscheinung treten und sich in geistiger Gestalt verkörpern können. Ihre Gegenwart an einem Ort oder, daß sie uns in der Meditation oder einem inneren Gesicht erscheinen mögen, schließt nicht aus, daß sie auch andernorts tätig sind. Ihre geistige Kraft, die einen Lebensquell in und aus Gott verkörpert, ist stets allgegenwärtig und verrichtet dort ihr Werk, wo Gott kraft Seiner ordnenden Intelligenz (Binah) es will.

Sandalphon

Ganz unten in der Wurzel des Baumes (in Malkhut) finden wir *Sandalphon*. Sein Name stammt aus dem Griechischen und bedeutet soviel wie »der Klang der Sandalen«. Es ist der Hauch seiner leisen Sohlen, mit denen er die Erde berührt, nach dem er benannt ist. Unmerklich ist sein Nahen, leise überbringt er seine Botschaft und legt sie zart in unser Herz. Wie einen Windhauch gewahren wir seine vorbeistreichende Gegenwart.

Sandalphon ist Bote, Botschafter und Mittelsmann der höheren Welt. Er vermittelt nicht nur Impulse und Botschaften aus dem geistigen Reich Gottes, sondern er stellt auch die geistigen Kräfte und Substanzen zur Verfügung, die für die Verwirklichung eines geistigen Werkes nötig sind. Darüber hinaus ist er der Erzengel des Wachstums, der Gärtner der Seele und des Geistes. Er ist es, der in beständiger aber unbemerkter Pflege unser innerstes Wesen zur Entfaltung anregt.

Seine Gestalt ist von gewaltig hoher Erscheinung: Mit den Füßen auf der Erde, trägt er sein Haupt stets in den Sphären des Himmels. In der Meditation wahrgenommen, sind meist nur seine Beine erkennbar, und er »assistiert« bei kultischen Handlungen. Er erfüllt sie mit geistigen Essenzen und verkörpert die Glorie und den Glanz der göttlichen Gegenwart. Er verleiht dem Dienst seine Würde und erfüllt die Atmosphäre mit der Glorie der göttlichen Matrona, Seiner Schekhinah.

Sein Wirken steht in enger Verbindung mit den Cheruben und

dem schöpferischen Wirken der Diener Gottes. Er verkörpert die formgebende Kraft Gottes, die die Substanzen der Welt zu Körpern formt. Als sein Vertreter in der geistigen Welt (Beriah) ist Sandalphon gleichsam jener Mittelsmann, der mit und durch seine ihm unterstellten Heerscharen die feinstoffliche Bedingung für die Verwirklichung himmlischer »Projekte« auf Erden schafft.

Auf der tieferen Ebene von Jezirah finden wir die Elementargeister als die Repräsentanten der vier Elemente. Gnome, Undinen, Sylphen und Salamander entsprechen Erde, Wasser, Luft und Feuer. Sie sind gleichsam die Verkörperungen der feinstofflichen Wirkkräfte (Agenzien) der Elemente. Sie sind auch die elementarischen Faktoren seelischer Katharsis in unserem Wollen, Denken, Fühlen und Tun. Es waren gerade die Essener, die sich in ihren kultischen Reinigungshandlungen mit den Elementargeistern verbanden.

Gabriel

Repräsentant der Sefira Jesod in Beriah ist der Erzengel *Gabriel*. Sein Name leitet sich von den hebräischen Wurzeln *El* für Gott und *Gibor* für die Kraft ab. Er ist der »Mann« oder der »Starke Gottes«.

Er verkörpert die Gewalt der Verkündigung des Wortes Gottes, des göttlichen Planes und der Geburt neuen geheiligten Lebens. Er deutet dem Propheten Daniel dessen prophetische Schau, den Niedergang Jerusalems und Persiens, und verkündet ihm bereits Geburt, Kommen und Tod des Gesalbten (Daniel 9.25). Später verkündigt er Zacharias, dem Manne Elisabeths, und Maria die Geburt derer Söhne Johannes und Jesu (Lukas 1.11 und 1.26). Er ist es, der in Ephrata den Hirten die Geburt des Kindes im Stall zu Bethlehem bekanntgibt. Gabriel ist es auch, der zusammen mit Raphael und Michael dem Abraham im Hain von Mamre erscheint. Abraham bewirtet die drei Männer, und sie nehmen von seinem Brot und essen davon. Dies ist Ausdruck der leibhaften Gegenwart dieser drei hohen Himmelsfürsten. Später fragt einer von ihnen, das ist Gabriel, nach Abrahams Frau Sarai und verkündigt ihnen, den Hochbetagten, die Geburt eines Sohnes (Genesis 18.1-15).

Den Kabbalisten ist Gabriel sowohl Quell geistiger Erkenntnis als auch Verkünder Seines Planes und der Geburt großer Seelen. Er führt die Seelen in den Erdkreis und inspiriert zu Entdeckungsfahrten und Erfindungen in Naturwissenschaft und Technik. Gerade die Inspiration zu Erfindungen und zu höherer Erkenntnis ist eine seiner vorwiegenden Funktionen. Er ist es, der uns Symbole und Zeichen deutet, und vielen Kabbalisten war und ist er der bedeutendste inspirierende Genius. Darüber hinaus ist er auch der Schutzherr der Familien.

Es ist seine Kraft, die die Seele hineinführt in das leibliche Leben, in die irdische Geburt. Unter seiner Aufsicht und Provenienz findet die Seele in die ihr zugedachte Familie; seine Kraft und seine Heerscharen sind es, die die Empfängnis, das heißt das Zueinanderfinden jenes Samens mit jenem Ei lenken, welche genau das Erb- und Leibesmaterial zur Verfügung stellen, das nun den Körper aufbaut, in dem die Seele das ihr entsprechende Instrument und Gehäuse findet. Wir dürfen nicht denken, daß so wichtige Ereignisse wie die Empfängnis ohne das Wirken Gottes geschähe. »Kein Sperling fällt vom Dach, ohne daß der Vater es wüßte«, hatte Jesus einst gesagt, und um so weniger geschehen Zeugung und Empfängnis außerhalb Seines Willens und Planes. Wahrlich, ein heiliger Akt liegt in der Empfängnis und nicht nur die Freude eines Kindes ist ihr verheißen, sondern die weise verwobene Verschränkung von Lebensschicksal, -möglichkeit und -bestimmung. Deshalb ist sie auch durch die Gegenwart Gottes gesegnet. Und ihr geistiger Repräsentant ist Gabriel.

All diese Lenkung der Seelen und der Empfängnis geschieht jedoch in einem großen Zusammenwirken kosmischer Kräfte, das durch die sogenannten 24 »Herren des Karma« und »oberster Instanz« beaufsichtigt und durch die planetarischen Fürsten unter Begleitung Gabriels vermittelt wird. So wird jede Seele mit bestimmten Kräften ausgestattet und dem »Buche des Lebens« entsprechend in ihr »Haus« geführt.

Uriel

Repräsentant von Hod ist *Uriel*. Sein Name bedeutet soviel wie das Licht (hebräisch: *Or*) oder Feuer (hebräisch: *Nour*) Gottes. Er ist gleichsam die Leuchte des Herrn, die uns in Zeiten des Zweifels und der Krise, an den Wendepunkten unseres Lebens zuflüstert und Licht bringt, uns inspiriert und uns zur Umkehr ruft. »Lasse von deinem gottlosen Weg... und bekehre dich zu JHWH« (Jesajah 55.7) könnten Worte seines Mundes sein. Nach der Legende war er es, der mit Jakob rang. Er ist es auch, der in uns das Feuer des Enthusiasmus und der Gottesfurcht entfacht. Seines Amtes als Gewissensimpuls und Rufer zur Umkehr wegen wird er auch Phanuel, »Umkehr Gottes«, genannt. Er erleuchtet dem Suchenden seinen Weg in der Finsternis und erhellt sein Gemüt im Dunkel des Zweifels.

Raphael

Raphael ist der »Arzt Gottes«. Von der Wurzel *refa* (= heilen oder Heilkraft) abgeleitet, bedeutet sein Name »die Heilkraft Gottes«. (So rief Moses zur Heilung Mirjams zu Ihm: »Ana El na, refa na la«: »Ich bitte Dich, Herr, heile sie«.)

Raphael ist Repräsentant von Nezach. Er ist Schirmherr und Vermittler der Heiler, der Heilung, des Genesens und der Regeneration. Er ist es, der uns Heilkraft durch die Kraft und Allmacht des göttlichen Namens JHWH vermittelt und auch die Tätigkeit des Heilens aufträgt. Er ist es, der mit seinen Engeln des Heils die Heilkräfte des Heilers über Distanzen an den kranken Adressaten vermittelt. Er und seine Heerscharen sind gleichermaßen die Telefonzentrale der geistigen Fernheilverbindung. Aber sie lenken nicht nur die in der Heilung beteiligten Strahlen, sondern übertragen auch die in der Seele des Heilers erzeugten Heilsubstanzen. Sie vermitteln seine Gedanken- und Seelenkräfte. Sich mit ihm in Gebet und Meditation zu verbinden, mag ich allen, die sich um die Gabe des geistigen Heilens bemühen, dringend ans Herz legen! Manche Heiler erkannten auch die Bedeutung des – ebenfalls mit Nezach verbundenen – Planeten Venus als Stätte hoher geistiger Heilkräfte, die ebenfalls aufrufbar sind. Wo immer wir wirken in der geistigen Welt und den Willen des Vaters tun, ist der Segen des Himmels mit uns.

Michael – Lichtfürst und Geist der Bruderschaft

Im Herzen von Beriah, das ist Tiferet der geistigen Welt und Malkhut von Azilut, der göttlichen Welt, finden wir *Michael.* Sein Name, *Mi-ka-El,* ebenfalls dem Hebräischen entstammend, bedeutet: »Wer (ist) wie Gott«. Er ist der Prinz des Lichtes, der »gottgleiche« Sonnenfürst.

Insbesondere erkennen wir in ihm den Repräsentanten und Stellvertreter des erhabenen göttlichen Horus, jener falkenköpfigen Gottheit, die die Verkörperung des kosmischen Christus ist. Wie Horus als erstgeborener Sohn des Osiris und Überwinder des Set und in christlicher Tradition Christus als das der Schöpfung und den Geschöpfen eingeborene Licht und Leben des Vaters, so ist auch Michael als deren Repräsentant der höchste Streiter des Lichtes in den Sphären der Schöpfung und der geistigen Welt. Er ist es, der vor, für, mit und in Ihm sein Lichtschwert führt gegen die Kräfte der Finsternis.

Michael hat zweierlei Formen geistiger Erscheinung: eine feurige und eine menschenähnliche. Offenbart er die in ihm wohnende göttliche Kraft, so erscheint er in feuriger Gestalt, »leuchtend wie Golderz«, mit Augen wie Feuerbälle. Seine Ausstrahlung ist voll der Liebe und Barmherzigkeit Gottes. Er erscheint im Glanz der Sonne und trägt eine Lanze oder ein Schwert aus Licht in seiner Hand. So steht der Sonnenfürst vor uns. Das »zweischneidige Schwert« ist das Wort, das Schwert geistiger Wahrheit, das Licht und Finsternis scheidet.

Trägt er die Lanze, so trägt er sie mit der Spitze nach unten – als Zeichen der Freundschaft und Brüderlichkeit mit allen Kindern des Lichtes, als Zeichen des Kampfes gegen alle Kräfte der Dunkelheit, die sich aus der Tiefe wider das Licht erheben möchten. In seiner menschengleichen Gestalt erscheint er, wenn er uns seine Brüderlichkeit und mitmenschliche Milde vermitteln möchte. Dann erscheint er als großer, aufrechter junger Mann mit blondem, gelocktem Haar und in weißem Gewand in der Art eines Ritters.

Die Lanze ist gleich dem Lichtkreuz Sinnbild der unantastbaren Kraft, Macht und Herrschaft Christi im Universum. Und die Legende übermittelt uns Michael als den Überwinder Luzifers, der ihm in seinem Aufstehen wider Gott und seinem großen Heilsplan zum Gerichte ward. So lesen wir in Ezechiel: »Du (Luzifer) warst ein Muster der Vollendung, voll der Weisheit und vollendet schön. In Eden, dem Gottesgarten, warst du; Edelsteine aller Art bedeckten dich.... Zu einem schirmenden Cherub stellte ich dich, auf dem heiligen Gottesberge warst du, inmitten feuriger Steine gingst du einher. Vollkommen warst du in deinem Wandel von dem Tage deiner Erschaffung bis daß das Unrecht in dir erfunden ward.... Du fülltest dein Inneres mit Bosheit und sondertest dich ab. Da vertrieb ich dich vom Gottesberg, und der schützende Cherub (= Michael) trieb dich aus der Mitte der feurigen Steine ins Verderben.... Um deiner Schuld willen warf ich dich auf die Erde... Durch die Unredlichkeit deines Tuns entweihtest du dein Heiligtum. Da ließ ich Feuer aus deiner Mitte hervorgehen, das verzehrte dich, und ich machte dich zu Asche auf Erden.... Alle, die dich kannten, sind entsetzt über dich, zum Schrecken bist du geworden.« (Ezechiel, 28.11-29).

Michael ist der Überwinder aller Kräfte der Finsternis, aller Niedertracht und allen Handelns wider das Licht. Er ist der Gewaltige der Offenbarung, der Satan und seine Trabanten mit seinem feurigen Schwert vom Himmel auf die Erde stürzt. (Offenbarung 12.7-9).

Michael ist der Drachentöter und der Führer der Heerscharen des Lichtes. Er ist der anerkannte Meister der Mysterien des Lichtes, der Stellvertreter des Sonnenlogos. Er obsiegt über alle Niedertracht und Lüge, überwindet das »Böse« und beschützt uns in all unseren Lebenskrisen. Er steht uns bei in unserem Ringen mit uns selbst und unserer niederen Natur, sprengt die Ketter unserer Ignoranz, wenn wir ihn darum bitten, führt uns zur Selbstbefreiung und ist Vollender des inneren Heils.

Nicht umsonst ist er der Fürst Israels, das heißt all derer, die sich als Söhne und Töchter des Lichtes und Ritter Christi bekennen. Zu allen Zeiten galt er als der Fürsprecher der Menschheit. Er spricht für uns, und in der Apokalypse des Paulus heißt es: »Ich bin es, der beständig in der Gegenwart Gottes steht. Wie der Herr lebt, vor dessen Angesicht ich stehe, versäume ich nicht einen Tag und keine Nacht, unablässig für die Menschheit zu beten, und ich bete für alle, die auf Erden leben. Ich sage, daß, wenn einer nur ein wenig Gutes sinnt und strebt, ich um ihn ringen und ihn beschützen will, bis er dem Gericht der Qualen entkommt.«

Wir kennen viele Geschichten von Engeln, die Dämonen fangen und fesseln, und sie sind Sinnbilder der Meisterung und Überwindung der verschiedensten Kräfte unserer niederen Natur und ihrer Verwandlung in reines, geheiligtes Leben. Michael ist der Meister all dieser Methoden und der feurigste Mitstreiter in unserem Ringen um uns selbst. Er ist in JHWH, und die Kraft JHWHs ist in ihm.

Im Tempel Salomos stand Michael an der Südseite des Brandopferaltars (Gabriel im Norden, Uriel im Osten und Raphael im Westen). Er ist es, der die Seele in das Lichtreich Christi einführt. Er steht immer da, wo das Vergängliche erlischt und das Licht des geistigen Lebens aufgeht. Seine Kraft läßt das Innere des Menschen hervortreten.

Michael ist es auch, der nach dem Tod Moses mit dem Satan um dessen Leib, das heißt Moses geistiges Erbe und Vermächtnis, seine Lehre, die Thora und das Gesetz, streitet. Dieser Streit ist Ausdruck der Vorausschau des kosmischen Geistes Michaels, daß, wie jedes Gesetz und jede irdische Organisation, auch das Gesetz und die Lehre Moses, obwohl Verheißung und Verkündung der Liebe, des Lichtes und des Reiches Gottes, in der Handhabung durch eigensüchtige und machtgierige Priester des göttlichen Geistes beraubt und zu einem Instrument des Teufels werden. So geschah es mit der Thora in den Händen der Pharisäer und des Sanhedrin in Jerusalem, der die Verurteilung Jesu forderte, und so verlief es auch mit der Kirche, die in Inquisitionen und Kreuzzügen tausenden Unschuldigen im Namen Jesu den Tod brachte. Dieser Kampf Michaels mit dem Satan ist die Vorwegnahme der Verkehrung und des Mißbrauches der Botschaft Moses, die letztlich in das Mysterium von Golgatha mündet.

Wahrlich, geheimnisvoll waltet der Plan Gottes in der Welt, verborgen webt er durch das Schicksal Israels und der gesamten Menschheit und verbindet so Ursache und Wirkung über Epochen nach den Gesetzen der Kausalität und Finalität Seines Willens. Die Geschichte möchte uns mahnen, jene alten Fehler nicht zu wiederholen. Wir erinnern uns an die Geschichte, wonach der Teufel seine Hände reibt, als er sieht, wie ein Suchender ein Stückchen Wahrheit findet. Von seinem Gesprächspartner befragt, der meint, daß das doch für ihn gar nicht so gut sei, wenn jemand die Wahrheit findet, antwortet ihm der Teufel lächelnd: »Oh, ich brauche nur zu warten, bis er sie organisiert!« Welch ein Wort für unsere Zeit, wo jeder, der ein wenig Licht gesehen und ein paar Bücher gelesen hat, gleich versucht, einen Verein, ein Institut oder ein institutionalisiertes Zentrum zu gründen!

Dennoch, Michael ist der Fürst des Lichtes und der Brüderlichkeit. In Daniel 12 ist die Rede von einer zukünftigen Zeit großer Bedrängnis unbeschreiblichen Ausmaßes. Es heißt, daß Michael gerade in dieser Zeit erneut zur Herrschaft kommen würde. Es ist gerade unsere Zeit, wo inmitten einer maßlosen Verstrickung der Welt ein neuer Geist zum Durchbruch drängt. Es ist jener Geist, darin das Zeitalter des Wassermanns und der Bruderschaft mit einem gewaltigen Potential sowohl zerstörerischer als auch erneuernder Kräfte heraufdämmert und das Nahen der Wiederkunft Christi verkündigt. Als Vorbote und Geburtshelfer dieses neuen Zeitalters ist uns insbesondere der Friedensfürst Michael mit seinen Heerscharen des Lichtes in besonders verstärktem Maße wirksam. Halten wir ihnen die Treue, führen sie uns zur Verwirklichung eines Zeitalters des Lichtes, in dem der Geist von Nächstenliebe und Brüderlichkeit unser Leben regiert.

Dies sei all unser Streben: »Daß wir einander lieben mögen, wie Er uns geliebt hat.« Denn: »Daran, daß wir einander lieben, wird die Welt erkennen, daß wir die Seinen sind.« (Johannes 13.34-35) Aus solcher Liebe allein wachsen jene Bande zwischen den Menschen, die die Grundlage echter Gemeinschaft bilden. Solche Liebe und Gemeinschaft kann nur organisch wachsen, nicht aber »organisiert« werden. Sie bedarf der Pflege und des Beispiels. Was aber gewachsen ist, trägt sich selbst und bedarf keiner Organisation. Was aber nicht gewachsen ist, kann auch nicht durch eine Organisation ersetzt oder zusammengehalten werden.

Dem Geiste Michaels und unserer Zeit entspricht nun gerade diese Pflege der Nächstenliebe und der Brüderlichkeit. Er aber gründet auf der Suche nach Gott und dem Streben nach Licht, und aus ihm erst wächst echte Gemeinschaft im Geiste. Die Verwirklichung des Liebesgebotes, das Jesus im letzten Abendmahl verkündet und dessen Tiefe in der symbolischen Handlung der Eucharistie offenbart wird, fußt in der Kommunion des einzelnen mit dem Lichte und der Herrlichkeit Gottes. Ohne Gott und außerhalb Gottes erstehen weder echte Brüderlichkeit und Liebe noch Gemeinschaft.

Es ist der gemeinsame Impuls Michaels und des Aquarius, der uns aufruft, Lichthorte oder Stätten des Lichtes und der Begegnung zu bilden, wo wir in gemeinsamer Übung und Meditation nicht nur uns selbst regenerieren, sondern auch ein Kraftfeld schaffen, das heilend ausstrahlt in die Welt. Die Zusammenarbeit mit der geistigen Welt und den Kräften des Lichtes ist das Gebot und die Chance unserer Zeit. Daß wir durch Gebet heilen, in der Gemeinschaft des Lichtes bestärkt und in der Begegnung miteinander uns selbst erkennen und dadurch Kraft finden mögen für unser Werk und Wirken in der Welt, das sind nur drei Aspekte geistiger Gemeinschaft. Der Lichthort ist ihr Heim und Michael ihr Schutzherr.

So lasset uns zum Aufbruch rüsten, das Reich des Lichtes aufzurichten.

Kamael

Kamael ist der »Gestrenge Gottes«. Sein Ort im Sefirot-Baum ist Geburah. Er ist Verkörperung Seiner Festigkeit und »Gerichtsbarkeit«. Er wird deshalb auch die »Rechte Hand Gottes« genannt. Er ist nicht, wie von vielen Kabbalisten behauptet, eine Verkörperung des Bösen! Er ist vielmehr der Hüter der Schwelle, der auftritt, wenn jemand an die äußerste Grenze des Gesetzes oder an eine verbotene Schwelle gerät, die er zu überschreiten droht. Sein Insignum ist das Schwert, und so jemand an seine Schwelle kommt, stellt er sich warnend mit erhobenem Schwert vor ihn, um ihm die Gefahr des Sturzes vor Augen zu halten.

Sein Aussehen ist erhaben und streng, manchmal unerbittlich. Er ist Vollstrecker des Gottesurteils und beschneidet jeden Wildwuchs mit seinem Schwert. Die seinen sind es, die im Buch *Antwort der Engel* so zu uns sprechen:

»Der Gärtner bittet:
›Rings um den Stamm will ich graben,
ich will ihn auch düngen –
vielleicht bringt der Baum doch noch Frucht!
Wenn nicht – so fälle ihn.
Erhöre mich!
Ich bin doch Gärtner, und der Baum ist mir lieb.‹

In meiner Hand das Feuerschwert,

und ich weiß, daß ich niederschlage,
so Er das Zeichen gibt, denn ich bin Sein Diener.
Auch des Engels Dienst ist schwer.
Dennoch ist er immer bereit...«

Zadkiel

Zadkiel ist der »Gerechte Gottes«. Er ist Repräsentant und Verkörperung der göttlichen Güte und Barmherzigkeit. Er verteilt den Segen und die Gaben des Himmels und vermittelt das Walten göttlicher Gnade. Über jeder reinen Absicht und jeder guten Tat ruht seine segnende Hand. Er prüft aber auch alles und jeden auf seine Tugendhaftigkeit. Falls jemand den Weg verfehlt und sucht, sich wieder aufzurichten, so steht da Zadhiel neben ihm, um ihn zu ermutigen. Er ist der Gegenpol Kamaels und der Schutzherr all derer, die verfolgt und verleumdet werden um Gottes willen. Sein Insignium ist der Schild. Er ist Sinnbild gerade jenes Sanftmutes und jener Barmherzigkeit, die durch Hesed verkörpert ist. Das dauernde Gebet Zadkiels ließe sich wiedergeben in den Worten:

»Herr, Deine Barmherzigkeit ist der Schild all derer, die verfolgt und geächtet werden um Deinetwillen. Du bist ihr Herr und Du wirst sie aufrichten in Deiner Gnade und ihnen Zuflucht sein. Und ich bin Dein Knecht.« Zadkiel ist Verkörperung jener Kraft, die trachtet, alles Übel in Gutes zu verwandeln. Er ist unser Tröster und steht uns bei in Zeiten der Bedrängnis.

Zafkiel

Zafkiel ist der Hüter des Nomos und der »Anbeter des Herrn«. Er ist in beständiger Beschauung Gottes und Seiner wunderbaren, ordnenden Intelligenz und Seines Gesetzes. Er ist der bezeugende Geist des Universums, das »Gewissen der Welt«, die Verkörperung Binahs. Nach dem, was er erschaut, handelt die »Exekutive«.

Binah ist aber auch der Sitz der »24 Herren des Karma«, der »24 Ältesten« der Offenbarung. Sie sind die Verwalter der göttlichen Ordnung und bilden gleichsam die Körperschaft der Himmlischen Gerichtsbarkeit. Sie besteht aus vier höchsten Fürsten und zwanzig

Mitregenten. Diese lenken nicht nur den Lauf der formenden Kräfte unseres Schicksals, den Weg der Seele in ihre Geburt, den Ablauf bestimmter Ereignisse in unserem Leben, ja gar den Gang ganzer Nationen, sondern auch den Kurs der Sterne und des Universums. Sie sind gleichsam die Verkörperungen der lenkenden Kräfte dieser Welt. Gar gewaltig ist die Macht Seiner Fürsten, und nichts geschieht im Universum, das nicht von ihnen überwacht würde. Und so ist auch der Lauf unseres Lebens – von der Geburt bis zum Tod – und darüber hinaus durch den liebevollen und manchmal auch gestrengen Dienst seiner Engel begleitet. Lasset uns deshalb sein wie die Kinder, daß sie unsere Hand erfassen und uns in unsere Heimat des Lichtes führen können.

Raziel

Raziel ist die Verkörperung der Weisheit Gottes. Er ist der Herold Gottes und der Vater der Offenbarung. Nach der Legende war er es, der den ersten Menschen, Adam, nachdem Gott ihn erschaffen hatte, in die Geheimnisse des Lebens und der Schöpfung einweihte. Er war es, der ihn belehrte und ihm den Willen Gottes offenbarte. Dann überließ er ihn sich selbst.

Adam herrschte von nun an in Weisheit im Garten des Herrn, bis er der Verführung der Schlange verfiel. Nach seinem Fall und seiner Vertreibung aus dem Paradies flehte nun Adam in seiner Betrübnis viele Tage zu Gott um Trost und Einblick in sein ferneres Schicksal. Da erschien der Engel Raziel, der »an dem Strom wohnt, welcher von Eden ausgeht«, abermals vor ihm und übergab ihm ein kostbares, in Saphir graviertes Buch. Dieses enthielt den neuen, von Gott nach Adams Flehen erlassenen Plan um sein und seiner Kinder und Erben Schicksal, bis an den Tag, da die Menschheit erneut ihr Heil in Gott finden würde. Es enthielt alle Weisheit der Sterne um ihren Gang und Lauf durch die Zeiten der Welt, so daß der Sinn aller Ereignisse des Lebens aus ihm erschaubar würde. Es enthielt alle Weisheit des Universums in einem einzigen Symbol!

Die Überlieferung erzählt nun: »Nachdem Raziel Adam das Buch übergeben hatte, öffnete er es und las vor Adams Ohren. Und es geschah, als Adam des heiligen Buches Worte aus dem Munde Raziels vernahm, fiel er erschütternd auf sein Angesicht ...« »Als nun Adam das Buch empfangen hatte, stieg ein Feuer auf, und der Engel fuhr in der Lohe zum Himmel empor. Da erkannte Adam in dem Boten den Engel des Herrn und daß das Buch ihm vom heiligen König selbst gesandt worden war. Und er bewahrte es voll heiliger Scheu.«

Später übergab er es seinem dritten Sohne Set. Von ihm aus kam es über Noah zu Abraham und von Abraham über Isaak und Jakob auf Salomo, den König der Weisheit. Soweit die Legende.

Das Buch Raziel ist somit Sinnbild der Weisheit der Sterne, des in ihnen verborgenen Schicksals und Laufes der Geschichte sowie des Erlösungsplanes Gottes für Menschheit und Welt. Die Kabbalisten sagen, es seien die Lehre der Kabbala, die Weisheit des Lebensbaumes und das Wissen um den Entwicklungsgang der Menschheit bis zum Kommen des Erlösers, die Adam von Raziel empfing. Im besonderen umfasse es den Erlösungsplan, den Er aus Seiner Barmherzigkeit gebar, um Seine verlorenen Söhne und Töchter zu sich zurückzuführen.

Seit Mose, so heißt es ferner, stünde Raziel jeden Sonnenaufgang am Gipfel des Berges Horeb und proklamiere die heiligen Verse der Thora und Seines Großen Planes, daß seine Impulse durch die Vibration seiner Stimme in alle Winde um den ganzen Erdball liefen. Welch schönes Bild des inspirierenden Geistes, der von ihm ausgeht! Mögen wir empfänglich sein für seine Impulse.

Und wahrlich, in den Winden singt, in den Wäldern raunt und in den Sphären tönt Seine Weisheit. Überall erklingt Sein erweckender Gesang und ruft uns zur Auferstehung.

Metatron und das Mysterium des Himmlischen Menschen

In der Krone des Baumes schließlich, in Kether, finden wir den großen Fürsten *Metatron*. Von dem Griechischen *Meta ton thronos* abgeleitet, bedeutet sein Name: »der hinter dem Thron Gottes steht«. Er ist Repräsentant des Himmlischen Menschen und der Hüter des Geheimnisses Seiner Heiligkeit. Er steht vor (oder hinter) dem Thron und hütet die göttliche Ebenbildlichkeit des Menschen.

Die Legende der Kabbala erzählt uns folgendes: »Im Anfang schuf Elohim den Metatron. Er war der Anfang, und er ging voran dem Himmel und seinem Heer... Seinen Leib verwandelte ich zu einer Feuerfackel und seines Leibes Glieder zu heller Glut. Wie einen Blitz machte ich seinen Anblick, und das Licht seiner Lider ließ ich strahlen immerdar; den Glanz seines Angesichtes machte ich wie den Schein der Sonne.

Ich erhob ihn zum Fürsten aller Fürsten und ernannte ihn zum Diener am Stuhl meiner Herrlichkeit (Schekhinah). Ich gab ihm die Schlüssel zum Gewölbe all meiner Schätze und Kostbarkeiten. Und noch war seines Amtes, die Hallen Arabots zu öffnen und zu schließen. Und jeglicher Engel, der ein Anliegen an mich hat, soll erst vor Metatron treten. Jedes Wort aber, das er zu euch spricht in meinem Namen, sollt ihr hüten und bewahren.«

Wie Michael, gehört auch Metatron bereits der höheren Seinsebene von Azilut an. Der Thron, hinter dem er steht, ist der der geheiligten Erscheinung Adam Kadmons, des Himmlischen Urmenschen. Um seine Bedeutung besser zu verstehen, müssen wir wissen, daß Adam Kadmon selbst nur ein Aspekt, nämlich die Erscheinungsform des geistigen Leibes des Osiris ist! Osiris, heiligster Kern der Schöpfung, ist die Verkörperung des Einen ewigen, göttlichen Lebens des gesamten Alls. In seiner innersten Seinsform wohnt Er hoch über Azilut verborgen im tiefsten Urgrund Gottes. Er ist die göttliche Manifestation des Einen höchsten Selbstes, das Leben allen Lebens und Wesen aller Geschöpfe. Er ist jenes kosmisch-göttliche Prinzip, das die Inder *Purushatma* nennen. Nach der Legende der Kabbala war der Leib Adam Kadmons so erfüllt vom Leben und vom Geiste Gottes, daß er in Myriaden von Funken zerbrach. Sie bildeten jene Aussaat heiliger Lebensfunken, aus denen die Heerscharen der Geschöpfe Gottes, Seiner Kinder, hervorgingen. Dem Mythos von Isis und Osiris nach war es deren gemeinsamer Bruder und Widersacher Seth, der Osiris ermordete, das heißt seines geistigen Leibes beraubt und in mehrere Teile zerstückelt hat, die er in alle Winde verstreute.

Osiris als der eine verborgene Kern des all den Geschöpfen innewohnenden Lebens ist es, der Isis, der Urmutter des Alls, sodann in unbefleckter (das heißt unleiblicher) Empfängnis deren göttlichen Sohn Horus (von *Her* = Licht), den kosmischen Christus als dem Licht der Welt einzeugt, der nun in ihrem Leib, der Natur, heranwächst. Die Kreisläufe von Geburt und Tod sind ihre Wehen, in denen sie ihn gebiert, und die Geschöpfe sind seine Wiege, in der er heranwächst. Isis hält ihn an ihre Brust, um ihn mit ihrer Liebe und Weisheit zu nähren.

Nach seiner Erstarkung ist Horus, der eingeborene Sohn Gottes, als kosmisches Lichtprinzip jene Kraft, die Seth, den Widersacher des Osiris überwindet und die zusammen mit der Liebe der Isis dessen zerstörten Leib wieder ganz und heil macht, wodurch es zur leiblichen Auferstehung des Osiris, das heißt der Wiederherstellung des Himmlischen Menschen und der Wiederherstellung des ewigen göttlichen Lebens in ihm kommt. Diese Geschichte ist die Geschichte der Wiederherstellung der zerbrochenen Einheit des Lebens und des Menschen, wie sie uns auch durch Jesus erneut geoffenbart und bezeugt wurde, auf daß jedes Geschöpf und die ganze Schöpfung auferstehen möge in Osiris, dem ewigen Leben, das den innersten Sinn und Inhalt des ganzen Schöpfungskreislaufes bildet!

Metatron, als Wächter vor oder hinter dem Thron, ist der Repräsentant Adam Kadmons und der Hüter des Mysteriums des Osiris. Er ist der Hüter des Heiligtums des göttlichen Lebens und des unantastbaren Geheimnisses des vollkommenen Menschen, seines Höheren Selbstes.

Die theosophische Literatur nennt ihn den *Sanat Kumara*, den Höchsten Herrn der Einweihung, der das erweckende Zepter des göttlichen Lichtes führt. Die Kabbala nennt ihn den »geringeren JHWH«, und er ist einer der sieben Elohim vor Seinem Thron.

Wo immer wir sind, welche Räume des geistigen Weges wir auch durchschreiten, immer sind wir von den Fürsten des Lichtes begleitet. Keinen Schritt tun wir ohne sie!

Und es sind die Engel des Himmels und die Meister und Adepten, die Heiligen und alle Großen der Menschheit, die gemeinsam im Willen Gottes wirken. Während die Engel und Engelshierarchien mehr mit den allgemeinen Bedingungen des Wachstums und des Lebens und der Harmonisierung der Kräfte des Alls betraut sind und auch bestimmte Funktionen verrichten, sind es die geistigen Vorfahren, älteren Brüder und Meister der Menschheit, die mit der Leitung der Suchenden auf ihrem inneren Weg sowie der Erwekkung und Entfaltung des Bewußtseins in uns betraut sind. Beide begleiten uns, beide sind Diener Gottes und stehen uns bei in unserer Liebe. Und wir dürfen uns gerne an sie wenden in Bedrängnis und

Not, in unserem Suchen, Wachsen und unserem Dienst, auf daß sie unser Leben und Wirken mit dem Segen des Himmels erfüllen mögen.

Durch Anrufung oder Invokation ihrer heiligen Namen ist es möglich, sich mit den Engeln und Erzengeln beziehungsweise ihren Kräften zu verbinden, um bestimmter Gnaden teilhaftig zu werden oder bestimmte heilige Werke vollbringen zu können. So wird Michael oft angerufen, um uns beizustehen in Zeiten innerer Anfechtung oder Versuchung, daß er uns helfen möge, die Einflüsse und Impulse der Kräfte der Finsternis und des Übels in und um uns zu überkommen. Als Hüter der »violetten Flamme« haben viele Menschen schon durch und mit ihm Heilungen vollzogen. Immer ist die violette Flamme jene Kraft, die Heil und Heilung in unserem Gemüte und unserer Seele bewirkt. Sie stillt den aufgewühlten Geist und labt ihn mit himmlischem Nektar.

Gabriel wiederum wird angerufen als Quellgeist geistiger Erkenntnis, daß er unser Denken mit der Weisheit himmlischer Dinge befruchte. Auch ist er Hüter und Bringer von Familienglück. Von manchen Esoterikern wurde Gabriel als die leitende Kraft des ausgehenden Fischezeitalters angesehen, indem er besonders das Gefüge und die Geborgenheit des familiären Zusammenlebens schützte sowie zu großen Reisen und Entdeckungen anregte (Kolumbus bis Raumfahrt), während das anbrechende Zeitalter des Wassermanns unter der Herrschaft des Sonnenfürsten Michaels steht, der wahrlich die Kräfte des Lichtes und des solaren Lebens über unserem Planeten ausgießt, um den Menschen aus dem Bann der Erde zu befreien. Er bewirkt Umbruch, Erschütterung, apokalyptische Einbrüche und eine neue Morgenröte geistigen Lebens. Und wer die Zeichen der Zeit gewahrt, der wird sich rüsten für den neuen Impuls, denn »niemand nimmt neuen Wein und gießt ihn in alte Schläuche.«

Über das Zusammenwirken mit den großen Fürsten des Himmels öffnet sich in unserer Zeit aber auch wieder ein Sinn für die Kooperation mit den Geistern der Natur, den Pflanzendevas, den Faunen und Feen, aber auch – wie es besonders in der Zeit der Essäer üblich war, mit den Engeln der vier Elemente. Die Verbindung mit ihnen hilft uns insbesondere in der Läuterung und Reinigung unserer Seele und unseres Leibes, unseres Wollens (Feuer), Denkens (Luft), Fühlens (Wasser) und Tuns. Denn: »die Luft, die Erde, das Meer – alles ist erfüllt von Engeln« (Ambrosius von Mailand) und die ganze

Schöpfung und alle Geschöpfe preisen mit jedem Hauch ihres Atems JHWH Gott, unseren Herrn. In den Himmeln ist es ein beständiges Jauchzen, und all die Himmlischen Hallen erklingen im Großen »Kadusch«: »Heilig, heilig, heilig ist der Herr der Heerscharen, Seine Herrlichkeit erfüllet alle Welt«: »Kadusch, Kadusch, Kadusch Eth Adonai Zebaot, Meloho Ha-Arez Kevodo«.

7. Die Notwendigkeit der Entfaltung unabhängigen Denkens und der Fähigkeit eigenständiger geistiger Erkenntnis

Alles in allem erkennen wir auf dem Weg der Selbstverwirklichung die Bedeutung der Entfaltung einer sensitiven Geisteskultur, in der wir beginnen, ein eigenständiges, unabhängiges schöpferisches Denken zu entwickeln. Unter Kultur verstehe ich hier nicht die Teilnahme an dem üblichen veräußerlichten Bildungswettbewerb oder dem äußeren kulturellen Leben unserer heutigen Zeit, sondern die Entfaltung eines eigenständigen Denkens, einer unabhängigen Schau der Dinge des Lebens, einer eigenen Verantwortlichkeit und Ethik, die auf der eigenen Erfahrung und Wahrnehmung des Herzens und einer höheren Einsicht oder Intuition gegründet sind. Dies setzt natürlich ein gefestigtes Vertrauen in die eigene Wahrnehmung voraus.

Erst die Entfachung des inneren Feuers göttlicher Liebe und des Dranges nach höherer Erkenntnis in einem einfachen Leben des Dienstes und der Ergebenheit führt zu jenem Streben, Bemühen und Tun, in dem wir die Ideale unseres Herzens wahrhaft pflegen. So verstehe ich unter Kultur schlichtweg die hingebungsvolle Pflege unseres inwendigen geistigen Lebens und der Verwirklichung seiner Impulse.

Diese Pflege führt uns ganz von selbst zu einem Streben und Suchen nach höherer Erkenntnis und der Entwicklung unserer eingeborenen Fähigkeiten, »Fakultäten« und Geistesgaben. Alles möchte fruchtbar werden in uns und erblühen. Das wichtigste hierbei ist die Entfaltung der Fähigkeit der Unterscheidung, der Introspektion und der Selbsterkenntnis. Wir sollen in die Lage kommen, *die Wurzeln des eigenen Wesens, des Lebens und des Universums im Lichte des reinen Bewußtseins durchleuchtend selbst klarer und klarer zu erkennen.* Indem wir hineinschauen in uns selbst bis auf den Grund, gewahren wir den Ursprung allen Seins. Es ist, als würden wir jede Wahrnehmung und jeden Impuls, der in unserer Seele aufsteigt, durch die Lupe eines gesammelten Bewußtseins auf dem Seziertisch eines stillen Herzens bereits in seinem Entstehen erkennen. Allein dadurch offenbaren sich nicht nur die Geheimnisse der Schöpfung und des Lebens, sondern vor allem unser eigenes Wesen. In der Suche nach unserem innersten Sein ergründen sich sämtliche Mysterien Gottes und der Welt. Deshalb hieß es in Delphi: »Erkenne dich selbst, und du wirst das Universum und die Götter schauen«, denn alles Sein liegt inwendig in dir, entsteigt deinem eigenen ewigen Urgrund.

Wahrlich, es bedürfte einer Schule des reinen Wahrnehmens und des klaren Denkens. Sie wäre die Vorschule der Schule des Heiligen Geistes, ohne die die Mysterien Gottes nicht geschaut werden können.

Erst da, wo wir in die Lage kommen, uns reiner Wahrnehmung und Unterscheidung zu befleißigen, kann auch die Fähigkeit erwachsen, *geistige Gesetze im eigenen Leben eigenständig zu erkennen.* Das gleiche gilt für unser wahrhaftiges ethisches Empfinden. Beide sind unabdingbare Voraussetzungen dafür, höhere Stufen unseres geistigen Weges zu beschreiten. Denn allein in Zeiten innerer Anfechtungen und Prüfungen sind wir ganz auf uns gestellt und tragen die ganze Last der Verantwortung. Da ist es gerade nötig, aus innerer Erkenntnis und verantwortlichem ethischen Empfinden entscheiden und handeln zu können.

Die Voraussetzungen solchen eigenständigen Denkens und Erkennens sind:

- die Fähigkeit einer scharfen und klaren Wahrnehmung und Unterscheidung, in der wir alles innere und äußere Geschehen mit dem Lichte unseres Bewußtseins durchleuchten;
- eine ganzheitliche Schau der Dinge des Lebens;
- ein gelöstes Denken, das nicht verkrampft, sondern so frei, klar und transparent ist, daß das Licht des Bewußtseins jeden Augenblick durch es hindurchleuchten kann. Nur dann ist es möglich, all die Details und Zusammenhänge unseres Lebens auch gedanklich zu erfassen und in unerem Denken widerzuspiegeln.

Jeder ist aufgerufen, die Wahrheit selbst zu erkennen und all die Worte, die gesprochen werden, all die geistigen Lehren, denen wir begegnen, selbst und eigenständig im Herzen zu prüfen, ob sie aus göttlicher oder selbsternannter Autorität herausfließen, ob sie

Wahrheit und Leben in sich tragen und inwieweit wir sie innerlich nachvollziehen können; denn was nützt die wunderbarste geistige Lehre oder Erkenntnis, wenn wir sie nicht im eigenen Leben nachvollziehen und verwirklichen können.

Unser Unterscheidungsvermögen möchte sich vor allem auf folgende Bereiche ausdehnen: Die Unterscheidung zwischen

- Wirklichkeit und Illusion
- Instinkt und Intuition
- höheren und niederen Gedanken
- Begehren und geistigem Impuls
- egoistischem und göttlichem Antrieb sowie
- den subtilen Impulsen dämonischer (dunkler) und englischer (lichter) Wesen und Kräfte.

Nur indem wir all unser Denken und Verlangen, all unser Streben und Begehren allein auf Gott hin ausrichten und in bewußter Berührung sind mit unserem Selbst, sind wir bewahrt und beschützt vor den trügerischen und verführerischen Impulsen seiner eigenen niederen Natur, insbesondere vor negativen Einflüssen der zwielichtigen Kräfte der astralen Welt. Niemand braucht einen Angriff oder Übergriff zu fürchten, der reinen Herzens sucht und strebt, denn er hat Gottes Schutz.

Stets ist es das Licht Christi, das die reinen und hohen Impulse und Gedanken von den unreinen scheidet und den reinen und hohen zu ihrem Durchbruch und ihrer Verwirklichung verhilft. Denn »das Wort Gottes ist voll Leben und Kraft und schärfer als ein zweischneidiges Schwert; es dringt durch bis zur Scheidung von Seele und Geist, von Knochen und Mark, und es ist ein Richter über die Gesinnungen und Gedanken des Herzens.« (Hebräer 4.12).

Eine große Hilfe für die Entwicklung eigenständigen Denkens sind neben der beständigen Selbst-gewahrung die Lektüre und das Studium der Heiligen Schriften der verschiedenen religiösen Traditionen sowie die Beschäftigung mit den Wurzeln und der Einheit der Religionen. Indem wir uns der einen Wahrheit von verschiedenen Seiten annähern, wird uns sowohl die eine Wahrheit leichter transparent als auch die Vielfalt der geistigen Wege und der Offenbarungen Gottes besser sichtbar. Auch bildet sich darin die Klarheit unseres eigenen Denkens und unserer eigenen Wahrnehmung.

Wie für die Entfaltung eines eigenständigen Erkenntnisvermögens und einer eigenverantwortlichen Ethik und Haltung im Leben sind persönliche Unabhängigkeit und Selbständigkeit geeint mit bedingungsloser Hingabe an Gott und Leben die notwendigen Voraussetzungen für die Entwicklung eines wahrhaft *schöpferischen und aufbauenden Denkens*. Daß wir uns innerlich soweit erheben, bis wir in Berührung mit dem Puls des göttlichen Lebens in und um uns beginnen, den göttlichen Plan mehr und mehr zu erkennen, die Perspektiven des Lebens innerlich zu erschauen und im Vermögen jene Ideen und Gedanken zu entwerfen, die den »neuen« Geist und das »neue« Leben begründen, die Grundlage und die Fähigkeit bilden, sowohl innerlich als auch äußerlich eine »neue« Welt zu erbauen, das Himmelreich Gottes auf Erden zu errichten. Indem wir aufschauen zu den Sternen und hineinschauen in die Himmel, wird uns in göttlicher Inspiration durch die großen Genii und Fürsten des Himmels jenes verheißene Land und Leben offenbar, nachdem wir (in zunehmender Erkenntnis der reinen Ideen, des Wahren, Schönen und Guten) ein himmlisches Leben auf Erden begründen. Gott schafft »einen neuen Himmel und eine neue Erde« heißt es in der Offenbarung, und in dem Maße und Rhythmus, in denen sich das göttliche Leben im Geiste beständig neu formt und gestaltet, in dem Maße und Rhythmus mögen wir es auch hier auf Erden in Wort, Leben und Tat erneuern und verwirklichen.

Wer seine Seele »an die obere Wurzel bindet« und die Wahrheit und das Wort Gottes in sich aufnimmt, dessen ganzes Sein und all seine Gedanken, Worte und Taten werden zu einem reinen Spiegel, in dem die Eine Wahrheit aufleuchtet und der Eine Plan sichtbar wird.

Auf dem Weg zur höchsten Verwirklichung wollen beide Formen des höheren Denkens entwickelt werden:

- das erkennende oder schauende und
- das schöpferische oder produktive Denken.

Hierbei gründet das erkennende Denken darin, daß wir jeden beliebigen Gegenstand unserer (inneren) Wahrnehmung mit dem Lichte des Bewußtseins durchleuchten und darin, sein Wesen schauend, seine Natur erkennen. Auf diese Weise ist es möglich, jeden Aspekt des Lebens, des Universums und des eigenen Wesens bis in seine Wurzel zu verfolgen und, sie bis an den ewigen Ursprung der Schöpfung verfolgend, die letzte Wirklichkeit allen Seins zu »erkennen«. Wer auf diese Weise zum Grund der Dinge vorstößt, wird schließlich selbst in ihm aufgehen. So kann uns jedes Ding innen wie außen von der geringsten Schwingung des Herzens über ein einfaches Gänseblümchen in unserem Garten bis hinauf zu den Sternen und dem All zu einem Tor zum Vater werden.

Vor allem der Blick nach innen ist es, der uns den Urgrund des Seins erschließt. »Erkenne dich selbst, und du wirst das Universum und die Götter schauen«, hieß es in Delphi. »Erkenne die Wahrheit, und sie wird dich frei machen«, hat später Jesus gesagt. Denn es ist die innere Schau jener einen Wahrheit und Wirklichkeit Gottes im Grunde unserer Seele, wodurch wir nicht nur unserer und der Schöpfung wahrer Natur gewahr werden, sondern damit gleichzeitig in ihr auf- beziehungsweise untergehen. Auf diese Weise mündet das schauende Denken direkt in den Weg der Gnosis und des Jnana-Yoga, des Weges der Selbsterkenntnis der östlichen Tradition.

Das schöpferische Denken entfaltet sich völlig analog, indem wir unsere Wahrnehmung an den Puls des Lebens legen und in beständigem Wachsein gewahren, wie sich das Leben unaufhörlich aus seinem eigenen Grund gebiert, wie es sich verwandelt und erfüllt. Direkt aus dem Quell schöpfend enthüllen sich Plan und Wille des Schöpfers und all unser Denken wird zu einem schöpferischen Entwurf immer neuer Perspektiven und Formen des Lebens. Wir benötigen all unsere Kraft, um die erschaute Perspektive unseres Lebens, unserer Aufgabe und unseres Wirkens zu erfüllen. Ist der Quell erst eröffnet, so strömt auch beständig neues Leben aus ihm hervor.

Wer nicht träge wartend in einer passiven Lebensform verharrt, sondern aktiv schöpfend über sein Leben und die Lösung der ewigen Themen des Lebens meditiert, setzt einen Fluß von Gedanken in Gang, der sowohl unser inneres Leben als auch unser äußeres Tun beständig befruchtet und mit neuem, lebendem Geist bewässert. Wer erstmal beginnt, aus der Tiefe seines Wesens wie aus einem Quell zu schöpfen, der entdeckt in seinem Seelengrunde einen arthesischen Brunnen, dessen Wasser, wenn einmal in Fluß gekommen, von sich aus nicht mehr versiegt.

So wird der schöpferische Gedanke zu einem Baustein eines »neuen« Tempels, in dem das göttliche Leben seine Wohnung und seine Entfaltung nimmt. Immer ist der Gedanke jedoch nur ein

Spiegel der Wirklichkeit, und die Erkenntnis der Höchsten Wahrheit und Wirklichkeit Gottes oder des Selbstes liegt stets jenseits des Denkens. Wir müssen selbst mit unserem ganzen Sein in ihr aufgehen, sie in unserem Wesen gewahren und verwirklichen, um schließlich zu erkennen, daß sie durch keinen Gedanken faßbar und durch kein Wort mitteilbar ist, sondern alle Fähigkeiten des Geistes sowie all die Gedanken und Worte nichts als Vehikel sind, um unseren Geist und unsere Seele ihr zuzuführen. Gehen wir in der Wahrheit auf, so gehen damit Geist und Seele in ihr unter. Meister Eckhart kleidete jene Erfahrung in die folgenden wunderbaren Worte: »Ich habe überstiegen alle Berge und all meine Vermögen, bis an die dunkle Kraft des Vaters. Da hörte ich ohne Laut, da sah ich ohne Licht, da roch ich ohne Bewegen, da schmeckte ich das, was nicht war, da spürte ich das, was nicht bestand. Dann wurde mein Herz grundlos, meine Seele lieblos (Anmerkung: frei von jeder Vorliebe und jeder Abneigung, von jeder Sympathie und Antipathie), mein Geist formlos und meine Natur wesenlos.« Daß die Seele dieses spricht, »sie habe überstiegen alle Berge, damit meint sie ein Überschreiten aller Rede, die sie irgend üben kann aus ihrem Vermögen, – bis an die dunkle Kraft des Vaters, wo alle Rede endet.«

Erst, wenn der Geist – nun geläutert und verwandelt – zurückkehrt in die sinnliche Welt, versucht er, seinen Weg und seine Erfahrung in Worte zu fassen. Das ist der Weg aller Einweihungswissenschaft, daß sie auf dem Wege und aus dem Schöpfen unmittelbarer leibhafter Erfahrung einen »empirisch«(!) gangbaren, nachvollziehbaren Weg weist, der denjenigen, der danach sucht, unfehlbar zur Erfahrung der höchsten Wahrheit und Wirklichkeit führt. Wie wir sehen, ist jede echte Einweihungswissenschaft eine absolut empirische und praktische Disziplin. Im Unterschied zu den Naturwissenschaften besteht ihre Empirie nicht auf äußerer Beobachtung, sondern auf innerer Erfahrung und Verwandlung in unserem ganzen Wesen und Sein.

IX. Azilut – Der Lebensbaum der Neschamah und der Weg der Einung

1. Azilut – das Lichtreich Gottes

»Alle Dinge haben *eine* Wurzel«
Sohar

Azilut ist die Welt der ursprünglichen Emanationen oder Ausstrahlungen Gottes. Sie besteht aus dem feinsten (ersten) der vier geistigen Elemente und ist lichtstrahlender Natur. Ihre Substanz ist der feurige Urstoff, den der Allheilige als leuchtende Aura um Sein verborgenes Antlitz legt, darin Sein Wille und Sein Wort walten und sich die Qualitäten Seiner verborgenen Heiligkeit offenbaren. Azilut bildet das reine Lichtreich Gottes, jenen Lichtkreis (um den ewig Verborgenen), in dem der Logos Seine höchsten schöpferischen Aspekte und Kräfte in ihrer vollkommensten und ursprünglichen Form manifestiert. Es ist das Reich, darin Gott die ursprüngliche Lichtsaat geschöpflichen Lebens aussät und beginnt, Sein eigenes, ungeteiltes Wesen in Gestalt von Myriaden von individuellen Lichtfunken zu manifestieren. Es ist das Reich der ungeteilten Herrschaft Seines Willens. Hier ist alles Leben Ausdruck göttlichen Seins, unmittelbarer Ausdruck des Wirkens des Logos (und alles Leben folgt Seinem Gesetz).

Azilut ist der Aufenthaltsort oder Manifestationsraum der Götter, Buddhas und Bodhisattwas. Es ist aber auch der Ort der Neschamah oder göttlichen Seele, die niemals Seinen Lichtkreis verläßt, niemals ihren Blick von Seinem Antlitz wendet und in beständiger Einheit lebt mit Ihm. Sie ist der Träger des Christuslichtes, das sich in der Monade (Jechidah) als deren göttlicher Lebenskeim individualisiert. Derjenige, der im Bewußtsein der Neschamah und ihres göttlichen Lebens (Chaijah) erwacht ist, der kann wahrlich sagen: »Ich aus mir bin nichts, hätte ich nicht Teil am Leben des Vaters. Ich bin nichts, der Vater in mir aber ist alles. Ich bin in Ihm und er ist in mir, und indem ich in Ihm bin, habe ich das ewige Leben.«

Die Neschamah ist jener Teil (Kern) des Menschen, von dem Jesus sagt: Nur, wer vom Himmel herabgestiegen ist, wird auch in den Himmel auffahren.« Deshalb geht es darum, uns in unserem ganzen Sein mit ihr (Neschamah) zu einen, sie durch Heiligung unseres Leibes und unseres Lebens herabzuholen in unsere vergängliche Hülle, daß wir in ihr und sie in uns wohnen möge und wir mit ihr auffahren in ihre ewige Heimstatt im Hause des Vaters. Sie ist Licht von JHWH und bildet damit den Lichtleib des Himmlischen Menschen. Damit ist sie Teil des kosmischen Christus, und durch sie haben wir Teil an Seiner Sohnschaft!

Das eine göttliche Leben in alle Kreatur ist das Licht des *Ich Bin*. Es ist der Geist und das Licht Gottes im Menschen (und in den Engeln).

Dieses geistige Licht ist der Sohn (Christus), und wer das Licht hat, hat das Leben; wer den Sohn hat, hat auch den Vater. Es ist das Licht Christi, das die gefallene Kreatur in ihres Vaters Haus zurückführt. Es ist der von seinem göttlichen Wesen getrennte Mensch, der sich seiner Neschamah erinnert und damit zu der stets ihr innewohnenden Einheit und Seligkeit Gottes zurückfindet.

Azilut ist somit die aus dem Herzen Gottes geborene Lichtwelt. Als Urgedanke Seinem Herzen entsprungen, entfaltet sie sich aus jenen Kräften und Prinzipien, die sich aus Ihm differenzieren, so daß Seine Herrlichkeit sie erfüllt. Azilut ist der unmittelbare Wirkkreis des Logos, der Raum der ursprünglichen Aufrollung und Entfaltung Seines Wortes, Seiner Schöpfungskraft in die zehn schöpferischen Urkräfte, Schöpfungsworte oder Emanationen, in denen sich die zehn sefirotischen Attribute Gottes offenbaren und aus deren Kräften sich das gesamte göttliche Lichtreich aufbaut. Die Sefirot sind gleichsam die im Kosmos als universelles Leben offenbarten Qualitäten und Kräfte der unoffenbarten Fülle Gottes. Sie sind die Aspekte der Entfaltung Seines absoluten Seins und Bewußtseins in Gestalt eines begrenzten relativen Universums.

Wenn wir in der kabbalistischen Legende hören: »Und er sah auf zu Gott und sah 22 flammende Feuerwesen versammelt um Sein Antlitz«, so meinen diese Feuerwesen die 22 hebräischen Buchstaben oder Prinzipien, die dem Lichtkosmos seine Gestalt verleihen und die verbindenden Beziehungen zwischen den Sefirot verkörpern.

Azilut ist aber auch identisch mit der Kausalwelt, die die feinstofflichste aller Schaffungen Gottes ist. Sie ist die Welt der ursprünglichen Ausstrahlungen sowie der »ersten Ursachen«. Hier hat alles Geschaffene seinen Anfang, von hier nimmt jedes Geschöpf seinen Ausgang. Ausgehend von Ajin Sof offenbart sich sein Wille in Azilut als vollkommenes Leben und sichtbare Welt. Die Inder würden sagen, daß das, was hier oben in Ajin Sof liegt, Ausdruck des Göttlichen ist, als die Schöpfung noch nicht war, als Gott noch in sich versunken war in Meditation. Formlos, gestaltlos, selig. Dann kam Ihm der Gedanke: »diese Seligkeit soll vielen sein.« Mit diesem Gedanken war die Schöpfung begonnen. Myriaden von Lichtfunken entsprangen Seinem verborgenen Herzen, und eine strahlende Aura begann sie einzuhüllen. Damit begann das Universum, sich in seinen verschiedenen Sphären aufzubauen.

Als Sphäre des Logos ist Azilut der Raum der höchsten Schwingungen des Bewußtseins. Sie sind die Urworte, Buchstaben und Prinzipien, aus denen sich das Universum aufbaut, verkörpert in den 22 Hebräischen beziehungsweise 50 Sanskrit-Buchstaben. Im Logos selbst, im höchsten Urpunkt, liegt der Same aller kommenden Geschöpfe, Schöpfungen, Seinsformen und Welten.

Jedes Urwort, das hervorgeht aus Gottes Mund, bildet einen Lebens- und Bewußtseinskeim, der sich zu einem ganzen (Makro- oder Mikro-)Kosmos entfaltet. Diese Kraftkeime sind es, die in ihrer klanglichen Form im Sanskrit als Bija-Mantras (= Keimsilben-Mantras) bezeichnet werden. (Siehe Band 1, Kapitel VI.10: Bija-Mantras).

Azilut ist der Ursprung des »ich«-Gedankens (in Gott) und die Stätte der Geburt der Individualität, die in der Monade ihre höchste Ausdrucksform hat. In Azilut sind alle Geschöpfe und Formen in der Ebenbildlichkeit Gottes geschaffen; hier leben sie in Seiner Gnade und nach Seinem Gesetz.

Azilut ist das Reich der reinen Ideen und des vollkommenen Lebens. Hier lebt, west und ist alles in Einheit mit Ihm. Ursprünglich – vor dem Fall des Bewußtseins – war jedes Geschöpf und jeder Lebenskeim berufen, in der Erfüllung und Verwirklichung des ihm innewohnenden Willens des Vaters durch die Erschaffung vollkommener Formen und Gestalten sein gottgegebenes Potential zu entfalten und darin die ganze Herrlichkeit Gottes zu offenbaren. Sodann sollte jedes Wesen, jede Schaffung wieder in den zeitlosen Urgrund des Vaters eingehen, so, wie auch ein vollendeter Klang, ein ausklingendes Lied in unserer Seele verklingt und dort in der unbegrenzten Empfindung reiner Freude seinen Nachklang findet.

Alles Geschaffene ist von Anfang an vollkommen makellos und rein. Jedes Geschöpf ist rein, keines aber vollendet. Alles Geschaffene ist Same, begrenzt in Raum und Zeit, berufen, zu wachsen und sein göttliches Potential zu seiner höchsten Entfaltung zu bringen. Gott sät vollkommene Keime des Lebens, begabt mit Individualität und freiem Willen, hüllt sie in Licht, pflanzt sie in eine vollkommene Schöpfung, bewässert sie mit den Wassern des ewigen Lebens und der Liebe und überläßt sie sich selbst, daß sie sich zu vollkommenen Bäumen, Sonnen, ja Göttern entfalten mögen. Dies ist die Botschaft des ersten Schöpfungsberichtes: In sechs Tagen setzte Gott Sein Werk in Bewegung, am siebten Tage aber ruhte Er: Er hat Seinen Geschöpfen Seinen Willen eingegeben (sich selbst in ihnen versteckt). Dann überließ Er ihnen die Schöpfung, auf daß sie sie vollendeten.

Jedes Geschöpf ist ein Saatkorn, das den Keim der Vollkommenheit, und des ewigen Lebens in sich tägt. Trotz der einwohnenden göttlichen Vollkommenheit ist jedes Geschöpf in seiner äußeren Geschaffenheit in sich endlich und begrenzt. Solange es seine innewohnende Makellosigkeit in seinem Bewußtsein nicht bis zur Vollendung verwirklicht hat, liegt in ihm die Möglichkeit der Täuschung, der Illusion und der Verfehlung.

Der subjektiv empfundene Mangel der eigenene Vollkommenheit birgt in sich den Keim zu falschen Wünschen, die Möglichkeit des Abfalles vom vollkommenen Leben und Weg und damit der Entfaltung eines falschen Ich und einer falschen Persönlichkeit. Daß wir diesen reinen Weg auch tatsächlich verließen, erzählt uns der zweite Schöpfungsbericht im Gleichnis von Sündenfall, Einkleidung der Menschen in Felle (Maske = persona = falsches Ich) und der Vertreibung aus dem Paradies (Azilut). Von nun an gebiert (sich) der Mensch in Schmerzen und erhält sein Leben im Schweiße seines Angesichts.

Durch den beginnenden Mißbrauch unserer schöpferischen Kräfte, das daraus entstehende *Begehren* und die Identifikation mit den äußeren Erscheinungen, insbesondere mit den nun außerhalb des Willens Gottes geschaffenen Formen, fielen wir aus der Einheit des Bewußtseins in ein Bewußtsein der Trennung und des Getrenntseins. Dieses ist die Wurzel des Ego oder des falschen Ich! Indem das Geschöpf beginnt, *aus sich heraus* zu schaffen und zu tun, *aus sich heraus* und gegen den göttlichen Plan, gegen die sich offenbarende Einheit des Seins zu handeln, bewirkt es die illusorische Loslösung und Sonderung eines selbstgeschaffenen Ich aus der Einheit mit Ihm.

Durch das ichbezogene Handeln schafft es seine eigene Welt. Indem das geistige Wesen beginnt, sich darüber hinaus mit den von ihm geschaffenen Formen (das sind ursprünglich Gedanken und Energieformen feinstofflicher Art) zu identifizieren (»Das habe *ich* geschaffen!«, »Das ist *mein* Werk!«), beginnt der Geist sich selbst zu binden und zu verunstalten. Die Identifikation mit dem Ich und dem Seinen ist die Wurzel von Eitelkeit, Stolz, falschen Wünschen und bildet den Grundstock jener Formungen, Bilder und Eindrücke, die schließlich unser Scheinich und unsere Persönlichkeit aufbauen. Das Sanskritwort »Ahamkara«, das für das Scheinich oder Ego steht, bedeutet wörtlich übersetzt »Ich tue«. In dem Empfinden, daß »ich« es als begrenztes Individuum bin, der tut, hat das Ego seinen Aufstieg. Dieses ichbezogene Schaffen sowie unsere Identifikation mit den selbstgeschaffenen, vergänglichen Formen der äußeren Welt bilden den Inhalt des zweiten Schöpfungsberichts. Das Greifen nach den Früchten am Baum der Erkenntnis von Gut und Böse versinnbildlicht diese Identifikation mit der Vergänglichkeit der gegensätzlichen Welt, der Trennung von Ich und Du, Mein und Dein. Diese falsche Identifikation ist die Wurzel (unserer Illusion) von Tod, Geburt, Trennung und Leid. Erst in der Rückbindung an das eine alldurchdringende Sein, erst, indem wir hinfinden zu dem »Dein Wille geschehe«, überwinden wir das falsche Ich und löschen die falsche Vorstellung von »Ich«, »Mein«, Trennung und Vielfalt. Indem wir erkennen, daß Er allein es ist, der wirkt, handelt und tut in uns, finden wir Erlösung vom falschen Ich und Eingang in Ihn.

Indem wir zum reinen Instrument Seines Willens werden, der als Keimkraft des Logos die Wurzel der Seele und der Individualität bildet, kommt das Pseudo-Ich zu Fall und die gottgegebene Individualität zur Entfaltung. Indem wir erkennen, welche Intention Gott in uns legte und wozu er uns berufen hat, verwirklichen wir unsere wahre Natur und offenbaren das in unserer Seele liegende vollkommene Leben und die eingezeugte Inbildlichkeit Gottes.

In der Überwindung des falschen Ich entwachsen wir Schritt für Schritt jenen Sphären des Gebundenseins, in die wir durch die Illusion unserer Eigenmacht gefallen sind. So kehren wir in der zunehmenden Verwirklichung unseres Wesens allmählich zurück in Azilut, das Reich der göttlichen Emanationen und Ausblicke, in dem wir als kleine Samenkörner unseren Ausgang nahmen.

Rückkehrend in Azilut beginnt unsere bewußte Verschmelzung mit den Energien, unsere Vereinigung mit Gott als dem einen universellen Selbst. Dieser schrittweisen Einung der Seele mit den verschiedenen Aspekten Gottes wegen wird Azilut auch »Olam Ha Jichudim«, die Welt der Einung, genannt.

Diese Einung sowie die daraus fließende Seligkeit, Weisheit, Hingabe und Demut sind das einzige Verlangen aller Mystiker und ihr letztes Ziel. Eins mit Ihm haben wir teil am großen Baum des Lebens, der im Paradiese Gottes steht.

Betrachten wir die vier Welten in ihrem Zusammenhang, wie sie uns in der Jakobsleiter und im ägyptischen Djed-Pfeiler symbolisch vor Augen treten, erkennen wir Azilut als die Wurzel und den Ausgang aller Schöpfung und allen Lebens. In der mentalen Welt von Beriah bilden sie ihre strukturelle Gestalt; hier differenzieren sie sich in ein feines Netzwerk von Gedanken. In Jezirah formen sie ihren seelischen Ausdruck, der sich sodann über unseren Körper in Assia, der äußeren physischen Welt, kundtut.

2. Die göttlichen Personen und das Mysterium der Menschwerdung Christi

»Der Vater liebt den Sohn
und hat alles in seine Hand gegeben.
Wer an den Sohn glaubt, hat ewiges Leben.«
Johannes 3.35–36

Es gibt ein Gesetz, nach dem jede Bewußtsein tragende Ausstrahlung oder Emanation Gottes in personifizierter Gestalt in Erscheinung treten und sich verkörpern kann. Das gilt für sämtliche offenbarten Aspekte Gottes sowie jegliche von ihnen ausgehenden Kräfte des Universums, denen Er durch Seinen Willen Selbständigkeit verliehen hat. Nachdem jede Kraft und Emanation im göttlichen Logos ihren Ausgang und Ursprung hat, erkennen wir, daß jede Gestalt und jedes Wesen, das den (geistigen) Kosmos bevölkert, nichts als eine Gestaltwerdung, Personifizierung oder Verkörperung Seiner Selbst beziehungsweise eines Seiner Aspekte ist.

Derartige Gestaltwerdungen oder Personifizierungen Gottes sind durch Mystiker, Propheten und Eingeweihte aller Traditionen bezeugt worden. Ich erinnere nur an die Gottheiten und Götter der Ägypter, der Inder und Tibeter, an die feurigen Wesen und Gestalten in den Visionen der Propheten sowie an die Personifizierung Gottes in der Dreifaltigkeit, Seiner Sophia (= Weisheit) in der Himmelsjungfrau, des Logos im Menschensohn und der sieben Strahlen in den sieben Elohim. So wird jede Kraft, jedes Element im Kosmos durch eine Gottheit regiert.

Dem Gesetz der Manifestation des Logos zufolge kann sich jeder offenbar werdende Aspekt Seines Seins und Bewußtseins grundsätzlich in drei Seinsstufen manifestieren:

- Die erste Stufe ist die Manifestation als *Wort.* In ihm ruft sich der betreffende Aspekt selbst zur Seinsform aus.

  Das Wort oder der Name ist die Urbewegung, in der und durch die ungeoffenbartes Sein in Erscheinung tritt. Gleichzeitig ist der

Name Repräsentant und Verkörperung der individuellen Wesensart des in Erscheinung tretenden Bewußtseinsaspektes Gottes. Er ist Ausdruck des offenbarten Kraftaspektes. Seine Erscheinungsform ist zugleich klanglicher und lichthafter Natur.

- Die zweite Stufe, in der sich ein offenbarter Bewußtseins- oder Kraftaspekt manifestiert, ist die einer *Schwingungsform*. Diese wird im östlichen Raum als Yantra, Chakra (Rad) oder Mandala bezeichnet und als symmetrische geometrische Figur dargestellt. Oftmals können wir auch Symbole als deren Sinnbilder oder Insignien erkennen.
- Die dritte Stufe der Manifestation göttlichen Seins und Bewußtseins, das heißt göttlicher Kräfte und Seinsaspekte bilden die *personifizierten Erscheinungen:* Gottheiten und Götter.

So wie die Bewußtseinsformen (Yantras etc.) gleich Ringen auf der Oberfläche eines Sees, in den ein Stein geworfen wurde, aus der Kraft des Wortes erstehen, so gebären sich die Gottheiten und Götter ihrerseits aus dem Herzen jener Figuren. Deshalb haben die Ägypter die Geburt der Götter in und aus der Blüte eines Lotos (= Yantra) dargestellt, der aus den Urwässern des Einen ungeoffenbarten höchsten Bewußtseins herauswächst.

In gleicher Weise finden wir in Indien und Tibet viele Bilder, die die verschiedensten Götter in Lotosblüten, Mandalas oder Chakren sitzend darstellen. Ich erinnere nur an die tibetischen Thangkas, die heute mehr und mehr auch bei uns bekannt werden.

Wort beziehungsweise Heiliger Name, Mandala und Gottheit bilden jeweils eine Einheit, die eine bestimmte Kraft oder einen bestimmten Bewußtseinsaspekt des geistigen Universums darstellt. So können wir auch die Gotteserscheinung des Moses im brennenden Dornbusch als Sinnbild der Zusammengehörigkeit dieser drei Erscheinungsformen sehen: Nachdem Moses den Sinai bestiegen hatte, das heißt sich die sieben Stufen seines Bewußtseins auf die höchste Ebene des Seins emporgeschwungen hatte, erschien ihm Gott und sprach zu ihm durch einen Dornbusch! Die Stimme, die zu ihm aus dem Busche sprach, entspricht der klanglichen Manifestation des Gotteswortes in seinem Bewußtsein, das Feuer dem Lichtaspekt, der dem Worte innewohnenden Geisteskraft und der Dornbusch, der nicht verbrennt, obwohl er in Flammen steht, dem Mandala, also der Schwingungsform der an ihn ergehenden Botschaft.

Inmitten des Busches aber erschien ihm der Engel des Herrn, das ist die personifizierte Erscheinung des sich offenbarenden Gottesaspektes in der Gestalt Metatrons. Die Stimme sprach: *Ich Bin, der Ich Bin.* Gehe zu deinem Volk und sprich: *Ich Bin* hat mich gesandt.

Bezogen auf unseren Sefirot-Baum bedeutet das, daß jeder seiner Aspekte, das heißt jede Sefira – gesehen als reine Emanation Gottes – ihrerseits einen (klanglichen) Schwingungsaspekt, einen Formaspekt sowie eine personifizierte Erscheinungsform besitzt. Finden wir den *Schwingungsaspekt* in der Kabbala in den verschiedenen *Heiligen Namen* und den *Formaspekt* in verschiedenen Mandalas und *Symbolen* wiedergegeben, so werden ihre Personifikationen als »Parezufim« oder göttliche Personen bezeichnet. So, wie die christliche Gottesschau davon spricht, daß in dem einen Gott drei Personen seien, finden wir in der Kabbala und vor allem in der ägyptischen Theogonie eine weit differenziertere Schau der Erscheinungsformen Gottes. Wo immer wir von Gott als von einer Dreiheit oder sonst differenzierten Vielfalt sprechen, ist stets nur von der differenzierten Offenbarung Gottes in seiner Immanenz beziehungsweise welteinwohnenden Manifestation die Rede, davon, wie Er sich, indem Er in der Schöpfung Gestalt annimmt, in verschiedene Aspekte differenziert. Vor und jenseits der Schöpfung sowie als deren einziger Ursprung und deren innerstes und umfassendstes Sein ist Er stets einer, einzig und allein (Echad, Jachid, Nejuchad). Die Dreiheit oder Vielheit erscheint erst da, wo die Einheit Gottes sich offenbart. Er ist Drei in Einem und Einer in Dreien.

Wie wir bereits in Kapitel VII.3. »Sefirot und Archetypen« gesehen haben, ist in jedem Aspekt einer Ganzheit stets das Ganze selbst enthalten. Demgemäß ist, so wie das gesamte Potential Gottes an jedem Ort des Universums in jedem seiner Atome gegenwärtig ist, auch der ganze Sefirot-Baum mitsamt seiner Struktur in jeder Sefira angelegt und fähig, sich dort als ganzer Baum zu entfalten. Hierauf beruht die Erkenntnis der Parezufim oder göttlichen Personen, wie sie im Aufbau des Lebensbaumes verankert liegen. Dabei bilden nur die obersten drei Sefirot und Malkhut eine *vollkommene* göttliche Person. Die restlichen sechs Sefirot konstituieren nur in ihrer Gesamtheit einen vollkommenen Parezuf, so daß im Sefirot-Baum nun fünf vollkommene göttliche Personen oder Parezufim enthalten sind, die sich ihrerseits in vielfältigen Erscheinungsformen manifestieren können. Sie bilden gleichsam die fünf urbildlichen Erscheinungsformen des Himmlischen Menschen (Adam Kadmon) beziehungsweise des einen göttlichen Lichtes und Lebens unseres Universums. Sie heißen Arik Anpin (der Alte der Tage), Abba (Urvater), Imma (Urmutter), Zeir Anpin (Sohn) und Nukba (Tochter) und sind in Abbildung 106 dargestellt.

Diese fünf urbildlichen Erscheinungsformen des Himmlischen Menschen sind die offenbarten Ausdrucksformen jener höchsten Prinzipien des Geistes und des Lebens in Gott, die die Grundkräfte oder Grundaspekte des einen höchsten Bewußtseins und Lebens des Kosmos bilden. Obwohl das überzeitliche innere Wesen all dieser göttlichen Personen weit jenseits von Azilut, tief im verborgenen Schoße des unmanifestierten Seinsurgrundes beheimatet liegt, treten all ihre personifizierten Formen erst in Azilut in Erscheinung. Aus diesem Grund erläutern wir sie an dieser Stelle.

Die erste göttliche Person ist Arik Anpin. Sein Name bedeutet der Langgesichtige und meint den mit dem unendlichen Langmut. Er wird deshalb auch Attika Kadischa oder der Alte der Tage genannt. Er ist die Personifikation dessen, der immer war, stets und überall ist und immer sein wird. Er ist die Personifikation Gottes, des Schöpfers, die Gestaltwerdung dessen, der aus Seinem verborgenen Sein hervortritt, um Gott und Mensch zu werden. Arik Anpin ist gleichermaßen die Personifikation des kosmischen All-Geistes, Amun-Res und Osiris' als Androgyn und seine Gestaltwerdung ist das Urbild aller Urbilder Adam Kadmons, des Himmlischen Menschen. Dieses höchst erhabene göttliche Urbild allen Lichtes und Lebens nennt die kabbalistische Tradition die erste göttliche Person, Attika Kadischa oder den Alten der Tage.

Steht Amun-Re für jenen Aspekt Gottes, der als erster Logos oder Schöpfer hervortritt und von dem alles ausgeht, was geschaffen ist, so bildet Osiris-Androgyn jenen Aspekt, der als Inbegriff ewigen Lebens selbst Geschöpf und Mensch wird. Im innersten Wesen stets eins, spiegeln Osiris und Ra nur jene zwei Seiten des *einen* Bewußtseins, das einmal als das eine unwandelbare, ewige Selbst (indisch: Purushatma) allen Lebens unter Myriaden von Namen und in Myriaden von Metamorphosen, Formen und Gestalten einsam und unerkannt durch Tag und Nacht, Schlaf, Traum und Wachen, Freud und Leid, Tod und Illusion schreitet und auf der Bühne der vier Welten das umfassende Drama dieses Lebens spielt (Osiris als Purusha), ein anderes Mal als ewig jenseits der Bühne stehender

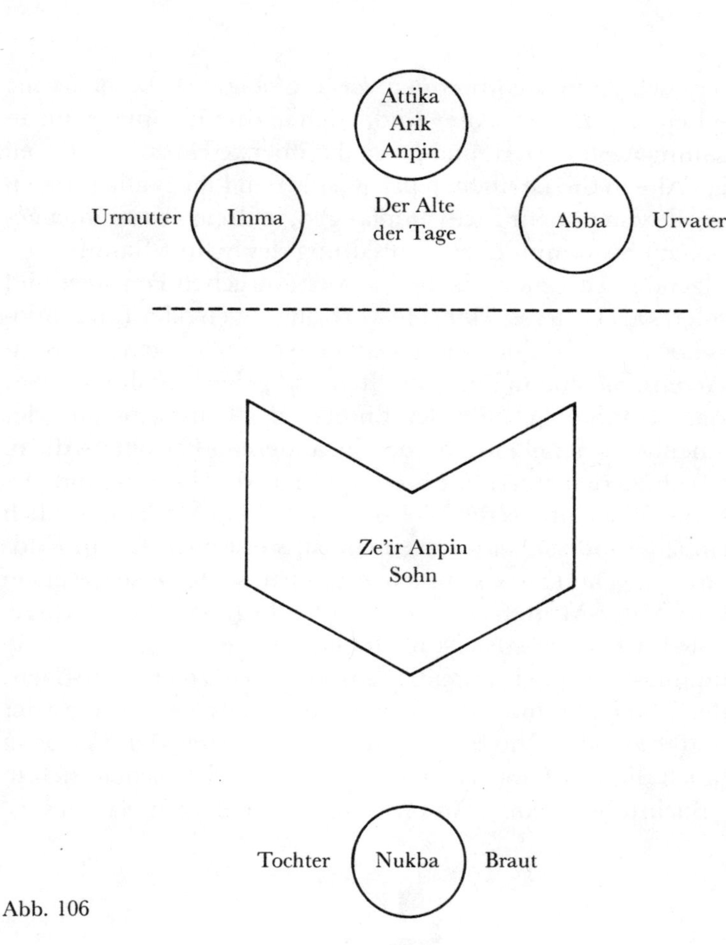

Abb. 106

Regisseur, unberührt von allem Wandel, diesen hervorruft, lenkt und leitet. Tatsächlich sind beide ein untrennbares Sein.

Wesentlich für uns ist Osiris als Inbegriff des allen Geschöpfen innewohnenden Lebens und Bewußtseins. In seiner Personifikation als Adam Kadmon ist er das In- und Urbild des vollkommenen Menschen (jener höchsten Entfaltung unseres Wesens, die im Osten als Buddha-Natur bezeichnet wird). Er ist eins mit dem Schöpfer und Vater allen Lebens. Diese Entfaltung Gottes in personifizierter Gestalt hat in Azilut ihre Entsprechung. Im Sohar heißt es dazu: »Es ist der »Alte der Alten«, der Uralte, die obere Krone (Kether), mit der alle Diademe und Kronen sich krönen, von dem alle Leuchten sich erleuchten und entbrennen. Er, die obere, verborgene, nie erkannte Leuchte. Dieser »Alte« findet sich in drei Häuptern, die in eines zusammengefaßt sind, und Er ist das oberste Haupt. Und weil der heilige Alte in die Dreiheit geprägt ist, so sind auch alle übrigen Leuchten, die von ihm ihr Licht empfangen, in dreien zusammengefaßt.« (Sohar) So kommt es zur Entfaltung des Sefirot-Baumes.

Alle folgenden Parezufim, Urbilder oder göttlichen Personen sind nichts anderes als Unteraspekte, Hervorbringungen oder Emanationen jenes höchsten Urbildes, verschiedene Angesichte seines Himmlischen Wesens. Sie sind in ihm enthalten und gehen aus ihm hervor.

Ist Adam Kadmon Urbild der Einheit, des Ganzseins und der Vollkommenheit des Lebens, so sind alle anderen »Personen« die in ihm innewohnenden inhärenten Urgestalten des Lebens und des Menschseins. Wie Gott als die höchste Wirklichkeit weder männlich noch weiblich, sondern beides in einem ist, so ist auch Adam Kadmon androgyn. Die Essener sprachen Gott in seiner ersten Person deshalb als Vater-Mutter-Gott an. Hierin liegt auch die Wurzel Israels (Isis-Ra-El): »Isis-Ra ist mein Gott (El).«

In Ihm, dessen Einheit unteilbar ist, sind weitere vier Personen: Abba (der Vater), Imma (die Mutter), Ben oder Zeir Anpin (der Sohn) und Bat oder Nukba (die Tochter). Diese vier Personen werden auch die vier Gesichter Gottes genannt; sie spiegeln sich in den vier Buchstaben Seines, Adam Kadmons, Heiligen Namens:

Abb. 107

Die ersten beiden Personen, Abba und Imma, gehen als Polarisierung des Androgyn in Ur-Vater und Ur-Mutter direkt aus dem Einen hervor. Abba und Imma sind die Personifizierungen der beiden Pole des einen Bewußtseins in seiner offenbarten Form: des positiv-schöpferischen und des negativ-empfänglichen Prinzips. Sie

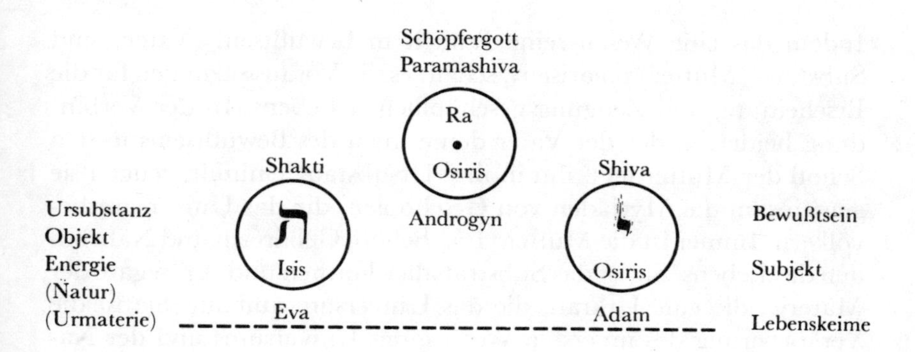

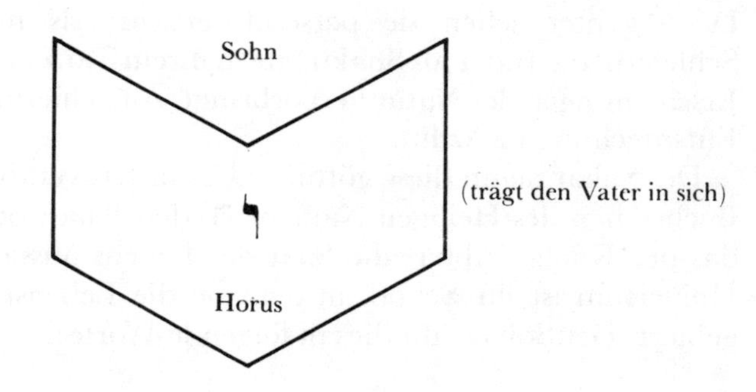

Abb. 108

verkörpern gleichermaßen Shiva und Shakti (Bewußtsein und Energie) als Urprinzipien der Schöpfung wie auch Adam und Eva als Ureltern der Menschheit. Im Alten Ägypten sind es Isis und deren Bruder und Gemahl Osiris, die die Ureltern der Schöpfung verkörpern (Abbildung 108).

Immer ist der Vater der einzeugende Bewußtseinsaspekt (Shiva, Osiris) und die Mutter der aufnehmende, substantielle oder Kraftaspekt (Shakti, Isis). Die Substanz, die Materie (Urstoff) ist immer die Mutter und der Schoß, die Mater und Matrix des Lebens.

Indem das eine Wesen seine Einheit in Bewußtsein (Vater) und Substanz (Mutter) polarisiert, schafft es die Voraussetzungen für die Erscheinung und Zeugung geschöpflichen Lebens. In der Verbindung beider, in der der Vater den Samen des Bewußtseins in den Schoß der Mutter legt, ihn in ihre Ursubstanz einhüllt, zeugen sie gemeinsam die Myriaden von Geschöpfen, die das Universum bevölkern. Immer ist die Mutter (Isis) Schoß, Gebärerin und Nährboden des Lebens. Sie ist das Substrat aller Formen und Aggregate der Materie, die eine Urkraft, die das Universum aufbaut. Sie ist die Verkörperung des innersten Wesens, des Universums und der Natura, der Gebärerin des Lebens sowie all ihre Kräfte und Elemente. Die Ägypter sehen sie personifiziert in Isis mit ihren sieben Schleiern, die Inder als Shakti, die in ihrem Tanz all die Formen und Erscheinungen der Natur hervorbringt. Auch hierfür finden wir eine Entsprechung in Azilut.

Der Sohar nennt diese göttliche Urmutter, verkörpert im zweiten Buchstaben des Heiligen Namens ה, den Palast oder das Haus, in das der König (Abba) die Saat des Lebens aussät. Wahrlich, das Universum ist ihr Schoß, in dem sie die Lebenskeime des Vaters gebiert. Der Sohar faßt dies in folgende Worte:

»Im Anfang – als der Wille des Königs zu wirken begann, grub Er Zeichen in Seine himmlische Aura...
Ein Quell hob an... und durchbrach und durchbrach doch nicht die ihn einhüllende Aura... bis, infolge der Wucht seines Durchbruches ein Punkt aufblitzte, ein verborgen himmlischer. *Über diesen Punkt hinaus ist nichts erkennbar* und darum ist er »Reschit«, Anfang (= Kether) genannt. Als der »Verborgene der Verborgenen« ihn durch seine Aura hindurch ausstieß, dehnte sich jener »Anfang« genannte Urpunkt aus (Chokhmah) und baute einen Palast (Binah), sich zum Preis und Ruhme. Darein säte Er den heiligen Weltensamen aus zum Segen (das heißt zur Grundlegung) der Welt. Und das ist das Geheimnis des Verses: »Heiliger Same ist ihre Wurzel« (Jesajah 6.13).
Es ist dies vergleichbar dem Samen der Seidenraupe, die einen Palast um sich spinnt, sich zur Verherrlichung und der Welt als Wurzel.
...

Als sodann der »Lichtpunkt« und der geheime, entrückte »Palast« sich zu einer Gestalt zusammenschlossen,... da änderte die Palasteshülle ihre Art und wurde nun »Beit«, das Haus, genannt, der obere Punkt aber »Rosch«, das »Haupt«. Gefaßt noch eines im andern hieß es »Bereschit«, noch ehe es einen Wohnsitz in einem Hause gab. Als aber Same darin ausgesät wurde, in ihm zu wohnen, da nahm jenes verborgene Haus im Namen »Elohim« Gestalt an.

...

ein Bauen und Zeugen begann, um Neues hervorzubringen, und Gestalten gingen aus jenem heiligen Samen hervor, sich in ihm auszubreiten und es zu durchdringen.

...

Aus dem Samen, den es empfangen hatte, brachte es die Folgen der Geschlechter hervor.« Sohar

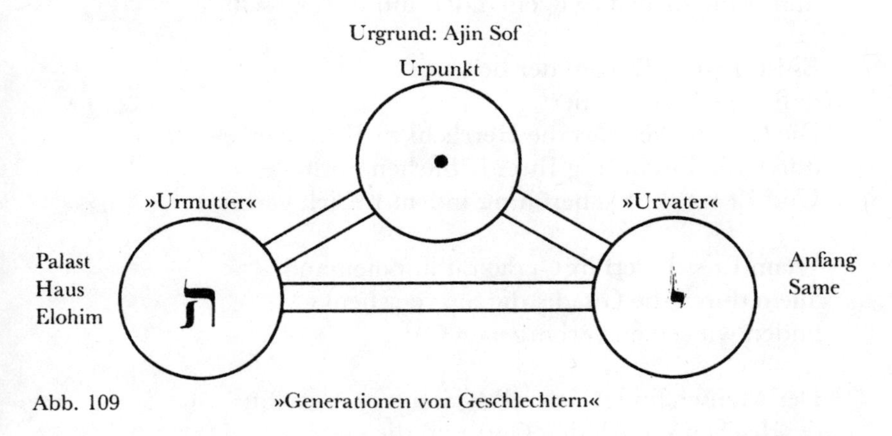

Abb. 109

Der indische Dichter-Heilige Jnaneshwar Maharaj schmiedete seine innere Schau in folgende Verse:

»Der Liebende, aus seiner grenzenlosen Liebe
wurde selbst zur Geliebten
beide bestehen aus gleichem Sein.
Aus Liebe zueinander verschmelzen sie,
und wieder trennen sie sich aus dem Glücke zwei zu sein.
...

Ihr einziger Seinsgrund ist das Ergötzen ihrer Seligkeit
und niemals gestatten sie ihre ewige Einheit zu trennen.
…
Sie sind so bar jeder Trennung,
daß selbst ihr Kind, die Welt, ihre Einheit nicht stört.
…
Zu selig ist ihre Einheit für das Universum, sie zu umfassen,
dennoch sind sie beide im kleinsten Atom.
…
Sie allein sind es, die das Haus des Universums bewohnen.
Und wenn der Herr des Hauses schläft,
ist die Herrin hellwach und erfüllt die Aufgabe beider.
Wenn Er jedoch erwacht, so verschwindet das Haus
und nichts Geschaffenes bleibt über.
Sie wurden zwei um Vielheit zu schaffen,
und beide suchen ewig einander, um Eins zu sein.
…
Es ist um der Einheit der beiden,
daß diese Welt existiert.
Die Göttin offenbart die Herrlichkeit Ihres Herren,
durch die Entfaltung Ihrer leiblichen Form.
Und Er macht Sie berühmt, indem Er sich verbirgt.
…
Wenn Er sich verbirgt, erkennt ihn niemand
allein durch die Gnade, die Sie verschenkt,
finden wir seinen verborgenen Ort.
…
Der Mensch findet sich selbst, wenn er erwacht,
desgleichen sah ich den Gott und die Göttin
durch Befreiung vom Ich.«

(übersetzt aus: Jnaneshwar Maharaj: *The Union of Shiva and Shakti.*)

Wie wir sehen, enthüllen beide Autoren trotz der Unterschiedlichkeit ihrer Kulturen die Wurzel der Schöpfung übereinstimmend in der Polarisierung der Einheit des verborgenen Gottes in das Schöpferpaar eines Himmlischen Vaters und einer Himmlischen Mutter. Die seelige Freude der Ureltern aneinander ist der Quell

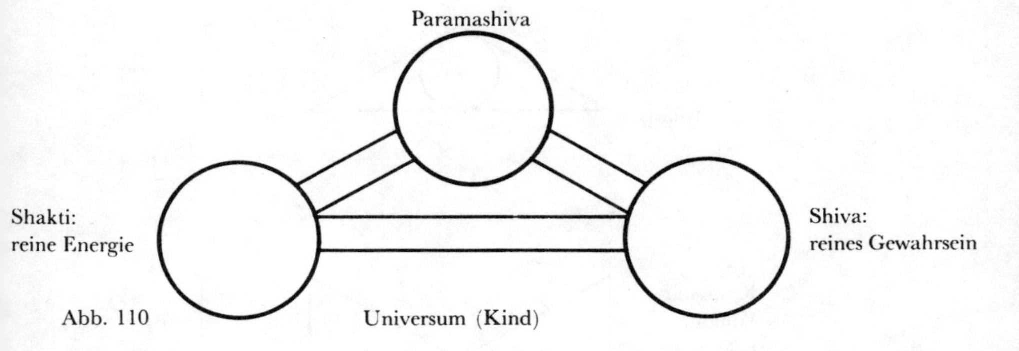

Abb. 110

und Ursprung der Schöpfung. Sie selbst ist die ekstatische Entfaltung des Tanzes unserer Urmutter Kräfte im Gewahrsein urväterlicher Bewußtseins-Gegenwart. Was Vater und Mutter in ihrer Vereinigung hervorbringen, das sind die Söhne und Töchter des Lebens.

Die vierte göttliche Person im Baum des Lebens ist demgemäß der Sohn. Die Kabbala nennt ihn Zeir Anpin, den Kurzgesichtigen. Hervorgegangen aus dem Samen des Vaters, wächst sein Keim im Schoß der Mutter. Als Keim des Vaters ist er die Verkörperung Seines Wesens. Die Mutter Natur, die ihn nährt, verleiht ihm ihre Kraft und ihr Leben. In ihrem Bauche wächst er heran. Er ist ihr Sohn und der Erbe des Vaters.

Zeir Anpin ist somit das Urbild des eingeborenen Sohnes, den der Vater aus Seiner Substanz dem Schoße der Natur, der Materie und des Universums, eingezeugt hat. Er ist das Inbild der Geschöpfe, die im Schoße der Natur geboren werden und an ihrem Busen heranwachsen. Zeir Anpin verkörpert somit die Individualität und das individuelle Bewußtsein. Er umfaßt insbesondere das individuelle Wesen des Menschen, seinen individuellen Geist, seine Seele, sein persönliches Ich.

In der Lehre Jesu und in den Evangelien spielt das Urbild des Sohnes eine ganz besondere Rolle. Es ist Mitte, Seele und Herz der Schöpfung, und seiner Erhöhung gilt die gesamte christliche Botschaft. Um die Errettung des gefallenen Sohnes kreist der gesamte Heils- und Erlösungsplan Gottes. So finden wir in der Schrift den erstgeborenen Sohn, den ältesten Sohn, den verlorenen Sohn, den heimkehrenden Sohn, den geliebten Sohn und viele andere, die alle eine bestimmte Beziehung der Geschöpfe und ihres inneren Wesens zu ihrem Vater darstellen (Abbildung 111).

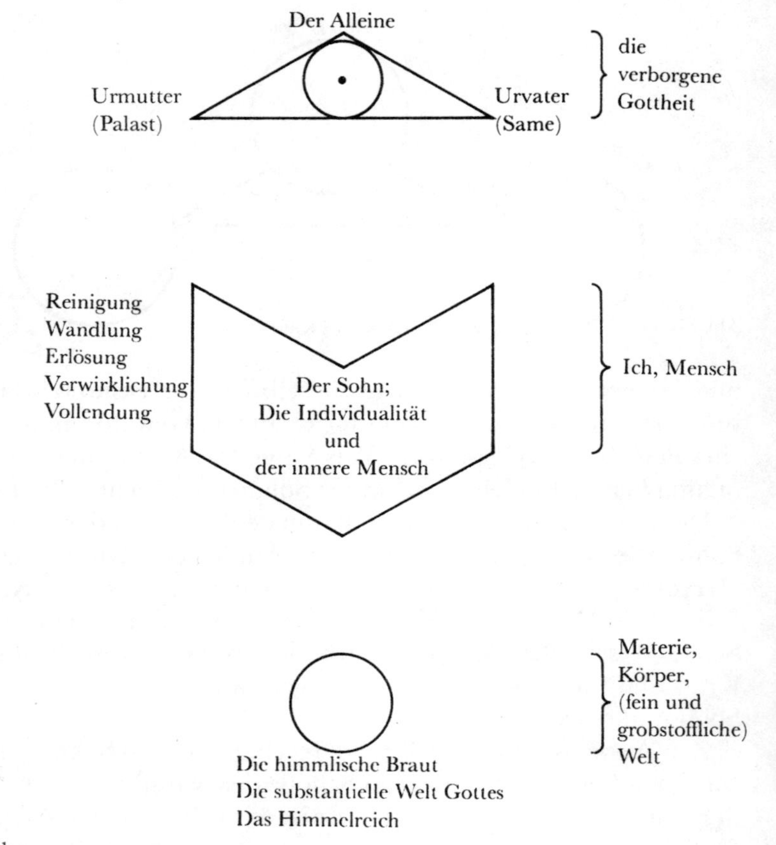

Abb. 111

Wesentlich ist es, die verschiedenen Erscheinungsformen des Sohnbildes, die wir in der Lehre Jesu finden, nicht zu verwirren. So sind insbesondere der »Menschensohn«, der »Gottessohn« und »Gott, der Sohn« auseinanderzuhalten. Obwohl Jesus mit dem Menschensohn in der Regel sich selbst bezeichnet, umfaßt er in diesem Begriff die Gesamtheit unserer niederen, sterblichen Natur, den vergänglichen Menschen in seinen irdischen und ichbezogenen Gefühlen, Strebungen, Regungen und Motiven. Es ist der aus dem »Fleische« geborene Mensch, dessen Wesen verwandelt und veredelt werden möchte, bis alles Vergängliche abgestorben, alles Unvollkommene ausgemerzt und alle persönlichen Neigungen getilgt

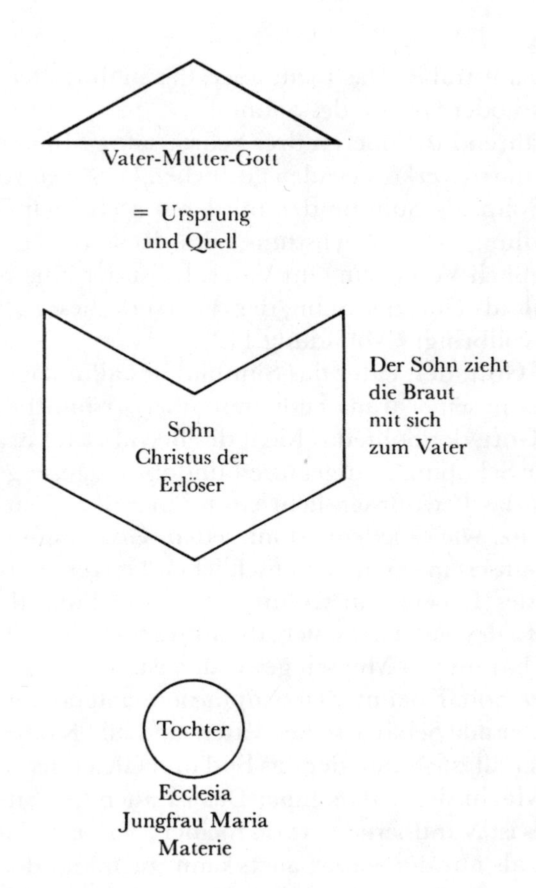

Abb. 112

und ausgerottet sind. In diesem Prozeß innerer Verwandlung wird der Menschensohn, wie wir am Beispiel Jesu Christi oder Gautama Buddhas sehen, zu einem reinen und vollkommenen Gefäß des Geistes und des Lebens des Vaters, worin der Sohn im Vater und der Vater in dem Sohne verherrlicht ist. Alle sterblichen Anteile, alle ungewandelten Elemente sind dann zu einem Diamanten zusammengeschmolzen, in dem die gottgegebene Individualität in ihrer vollen Leuchtkraft transparent wird. Das Juwel der Individualität kann sodann ungetrübt und leuchtend in seiner ungebrochenen Form in Erscheinung treten. Jesus und Gautama sind wahrlich solche Juwelen, in denen die vollkommene innere Natur des Menschen aufstrahlt. Das Licht aber, das in ihnen leuchtet, ist das Licht Christi oder Gottes, des Sohnes!

Während die oberen drei Sefirot samt Malkhut und demgemäß auch die sie verkörpernden göttlichen Personen vollkommen sind, ist der Sohn als Summe der mittleren sechs Sefirot Gegenstand der Wandlung, des Wachstums, des Reifens, der Vollendung und schließlich Verklärung im Vater. Es ist der innewohnende Christusimpuls als Gott der Sohn, der das Werk dieser alchimischen Wandlung vollbringt (Abbildung 112).

Ist Gott, der Vater das Sinnbild des allumfassenden Bewußtseins Gottes in seiner transzendenten, überpersönlichen Form, so verkörpert Gott, der Sohn das Licht des Bewußtseins des Vaters, das dieser in der Schöpfung ausgegossen und ihr eingezeugt hat. Der Sohn ist somit das Bewußtseinslicht Gottes in seiner welteinwohnenden Immanenz, wie es jedem Atom, jedem Geschöpf und damit natürlich auch unserem eigenen menschlichen Herzen als das Licht der Liebe und des Lebens innewohnt. Es ist die Fülle der Kräfte und des Lebens des Vaters, die sich als Gottes Sohn im Menschensohn inkarniert hat und so Mensch geworden ist.

Der Sohar nennt Zeir Anpin den erstgeborenen Sohn, denjenigen, der alle Schätze seines Vaters und alle Kraft seiner Mutter erbt. Als der älteste Sohn, der das Bild und Gleichnis des Vaters ist, hält er alle Macht des Vaters inne. Das ist auch der Sinn der Worte Jesu: »Alles ist Mir übergeben von meinem Vater und niemand kennt den Sohn als nur der Vater; auch kennt niemand den Vater als nur der Sohn, und wem es der Sohn offenbaren will.« Matthäus 11.27.

Dieser Sohn, von dem Jesu in der Ich-Form spricht, ist nicht er als sterblicher Mensch, nicht der Menschensohn, sondern der sich in ihm manifestierte Christus. Indem er ganz im Christusbewußtsein aufgegangen ist, sind auch die Worte, die er spricht, nicht die seinen, sondern vielmehr die, die ihm der Vater eingibt: »Was der Vater tut, das tut auch gleichermaßen der Sohn«, denn: »Der Vater und der Sohn sind eins.«

Gleichermaßen heißt es bei Johannes: »Der Vater liebt den Sohn und hat alles in seine Hand gegeben. Wer an den Sohn glaubt, hat ewiges Leben.« (Johannes 3.35–36) Und:

»Wie der Vater die Toten erweckt und lebendig macht (durch seinen Heiligen Geist)

so macht auch der Sohn lebendig, wen Er will.
Auch richtet der Vater niemand, sondern hat Er alles Gericht dem Sohne übertragen,
...
Wahrlich, wahrlich, es kommt die Stunde..., da die Toten die Stimme ... des Sohnes Gottes vernehmen werden,
und die sie vernehmen, werden leben
Denn wie der Vater in sich Leben hat, so hat Er auch dem Sohne gegeben in sich Leben zu haben,
Und Vollmacht hat er ihm gegeben, Gericht zu halten.«

Johannes 5.21–28

Der Vater hat dem Sohne alle Macht übergeben zu richten und zu erwecken, wen er will.

Der Sohn ist das Licht der Welt, das Licht und Leben des Menschen. Christus ist die Fülle des Lebens des Vaters in der Schöpfung und in uns. Diese Bevollmächtigung des Sohnes durch den Vater finden wir auch in den Mysterien Ägyptens. Hier ist es Horus, der Sohn des Osiris und der Isis, der Seth, den Widersacher Osiris', in dessen Namen und Auftrag richtet und damit die Macht des Osiris in der Welt wieder aufrichtet, seinen Vater rechtfertigt.

Horus, der Sohn des Lichtes, ist die göttliche Personifikation des kosmischen Christus. Horus-Christus ist der eingeborene Lichtaspekt Gottes. Er ist der Vollzieher und Vollender des Werkes Seines Vaters.

Der Sohn ist das der Schöpfung (Materie = Mutter; Natura = die Gebärende) und ihren Kindern eingezeugte Licht. Die Urmutter Isis nimmt den Samen des Vaters in ihrem Leibe (dem Universum) auf und gebiert ihn in den unendlichen Kreisläufen der wechselnden Formen des Lebens, in dem Rad von Geburt, Tod und Metamorphose. (Dies ist auch die Bedeutung der apokalyptischen Vision der Himmelskönigin, jenes »sonnengebärenden Weibes«, das den Zodiak als Krone auf ihrem Haupte trägt). Sie nährt ihn mit ihrer Weisheit (Sophia) und mütterlichen Liebe, säugt seinen Keim am Busen ihres ewig wiederkehrenden Lebens, dessen substantielles Substrat sie ist. Sie selbst ist ja die Freude und das Leben des Herrn.

Sie ist es, die gleichermaßen die Freuden der Sinne wie die Befreiung des Wesens gewährt. In einer alten indischen Schrift heißt es: »Mit der linken Hand berauschst du mein Gemüt durch den Glanz

Abb. 113

deines Zaubers, mit der rechten aber enthüllst du dein wahres Wesen und verleihst mir durch deine Gnade ewiges Lebens.«

Diese ernährende Funktion der Natur für das Licht, den ihr vom Vater eingezeugten Sohn, ist in den verschiedensten Kulturen in dem Motiv der Gottesmutter mit dem himmlischen Kind wiedergegeben. War es in Ägypten Isis mit dem Horusknaben (Abbildung 113), in Indien Maya und ihr Sohn, so ist es im Christentum Maria als Verkörperung der göttlichen Mutter mit dem Jesusknaben an der Brust.

Wächst und greift dieses Licht in uns bis zur Sohnschaft, bis zur Mündigkeit heran, so übergibt ihm der Vater sein Erbe. Er verleiht ihm seine ihm innewohnende göttliche Vollmacht. Der in dieser Weise vom Kind Gottes zum Gottessohn herangereifte Mensch tritt nun ein in das Erbe und die Vollmacht des Vaters.

Christus, das innere Licht des *Ich Bin*, als der einzige eingeborene Sohn Gottes, des Vaters, ist der wahre Heiland und Erlöser, der den gefallenen Adam, den gefallenen Menschensohn wieder aufrichtet und den verlorenen Sohn heimführt in das Haus des Vaters. Die Worte Jesu: »Niemand kommt zum Vater, denn durch mich«, bedeuten, daß niemand in den ewigen Schoß der transzendenten Gottheit eingehen kann, es sei denn durch die Erkenntnis und Verwirklichung des *Ich Bin* (des Sohnes) in seinem eigenen Herzen. Derjenige, der den Menschensohn, das heißt alles Sterbliche durch den Christus als Gott, den Sohn in sich überwindet, der wird selbst zum Gottessohn. In Christus erlebt er die Einheit mit dem Vater und allem Geschaffenen. Er wird zum wahren Hirten, dem der Vater sein Erbe übergibt. Selbst zur Verkörperung göttlicher Liebe geworden, wird er zum echten Bodhisattwa, zu einem wahren Mittler Gottes. Das Christuslicht in uns ist das Lamm Gottes. Es allein trägt die Sünden und Leiden der Welt. Christus ist es in uns, der alle Werke des Lebens vollbringt und uns von innen her erlöst (Abbildungen 112 und 115).

Viele verwechseln den Erlöser mit dem historischen Jesus, jenem Gottessohn, der uns vor 2.000 Jahren das Wirken Christi in der Seele offenbarte. Aber nicht er hat uns erlöst, er hat uns vielmehr den Weg gewiesen und offenbart, daß und wie das Licht Gottes in uns das Erlösungswerk vollbringt. Viele von uns warten immer noch, daß der Erlöser, gleich einem Prinzen, von außen käme und uns aus dem Sumpfe und der Verstrickung unseres Lebens errette.

Angelius Silesius ruft deshalb:

»Wird Christus tausendmal zu Bethlehem geboren
Und nicht in dir, du bleibst ewiglich verloren.
Das Kreuz auf Golgatha kann dich nicht von dem Bösen,
Wo es nicht auch in dir wird aufgericht't, erlösen.«
(*Der cherubinische Wandersmann* 1.18–20)

Derjenige, dessen Seele vom Bewußtsein Christi und der Gegenwart des *Ich Bin* durchdrungen ist, eint selbst Himmel und Erde, *versöhnt* Gott mit der Welt. Er selbst wird zu einem Quell des Lebens in der Welt und seine Gegenwart heiligt die Materie und das Leben. Wie ein Magnet zieht er jene an sich, die dürsten. Er wird zum Kristallisationskern Christi, zu einem Kern Seiner Gemeinde und zu einer Säule in des Vaters Haus. Der Vater gibt dem Sohn die Braut, die Erde, sich mit ihr zu vermählen, das heißt sein göttliches Leben auf ihr zu entfalten. Symbolisch bedeuten die Worte »Seid fruchtbar und mehret euch«, daß wir unser innewohnendes Potential in der Vermählung mit der Erde vermehren mögen.

Wie die beiden Eltern ist auch die Braut (Materie) makellos und rein. Die Materie ist die ewige Jungfrau. Rein und makellos empfängt sie den Geist des Vaters. Der geläuterte Mensch schreitet zur Hochzeit des Lammes mit seiner Braut, der chymischen Einung von Geist und Stoff.

Was der Sohn an sich zieht, das ist die Braut. Sie ist die Tochter des urköniglichen Paares. Sie ist die fünfte göttliche Person, in ihrem Wesen Verkörperung von Malkhut. Wie der Sohn wesenseins ist mit dem Vater, so ist die Tochter das Ebenbild ihrer Mutter. Sie ist die Jungfrau des Herren, die Manifestation dieser Welt. Sohn und Tochter, die Materie und das ihr innewohnende Licht bilden das immanente Wesen der Schöpfung. Sie sind die Widerspiegelungen der transzendenten Natur ihrer Eltern, die Verkörperungen der in ihnen manifesten Prinzipien.

Sind Vater und Mutter die transzendenten Ursprünge der Schöpfung, so sind Sohn und Tochter die Verkörperungen deren immanenten Wesens. Ist der Sohn die immanente Verkörperung des transzendenten Geistes des Vaters, so ist die Tochter die äußerlich manifest gewordene Erscheinung der verborgenen Substantialität der Mutter. Verkörpert die Mutter das innere Wesen der Natur, deren innerstes Substrat, so verkörpert die Tochter deren kristallisierte Form. Dies spiegelt sich auch wiederum in den vier Buchstaben des Heiligen Namens (Abbildung 114).

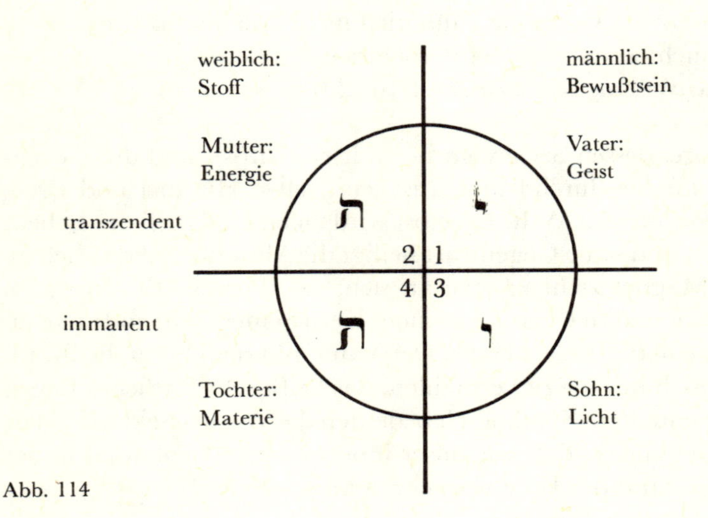

Abb. 114

Das innere Licht, aus dem Schoße der Natur geboren, durchlichtet und durchdringt der Mutter Leib. Es vermählt sich mit der Materie, zieht sie an und in sich und wird mit ihr eins. Der Hochzeit heiliges Symbol: der Bräutigam steigt hinab und zieht die Braut zu sich empor. Die Materie ist Mutter und Jungfrau zugleich. Das ist der unbefleckten Empfängnis Symbol! In der Antwort der Engel heißt es:

> »... wenn der Bräutigam die Braut erkennt, so wird der Tod für immer tot.
> ...
> statt lichtlosem Körper und körperlosem Licht das Neue: die zwei Liebenden vereint; das Wort wird Fleisch und die Materie wird Licht.
> Vom Himmel steigt die Weisheit nieder und weise Materie ist die Frucht. Frucht trägt die Schöpfung: *greifbares Licht – lichtstrahlende Materie.*«
> »Aber es bleibt die unbefleckte, jungfräuliche Materie: Maria. Auf ihrem Haupt die Strahlenkrone, zu ihren Füßen der Mond, ihr Gewand die Strahlen der Sonne. Maria – das Lächeln der Schöpfung, das Wunder, das über dem Wasser schwebt.
> In der Materie: Jungfrau;
> im Licht: Materie.
> Blendend wohnt in euch die Licht-Materie.«

In ihrer Heiligen Hochzeit erheben sie sich in das Haus ihres Ursprungs, einen sich mit Vater und Mutter und verschmelzen so in der unauflöslichen Einheit ihres verborgenen Urgrundes, der ewigen Einheit Osiris und Amun-Ra's.

»Was aus dem Fleische geboren ist, ist Fleisch; was aus dem Geist geboren ist, ist Geist.« Johannes 3.6

»Und... ist niemand in den Himmel hinaufgestiegen außer dem, der vom Himmel herabgestiegen ist.« Johannes 3.13

Die Vier verschmilzt in der Eins. Das ist auch das Sinnbild der Pyramide. Die vier Dimensionen des Raumes und der Zeit, sprich: unseres leiblich-persönlichen Da-Seins, werden überwunden, indem wir in unserem Bewußtsein aufsteigen zu jenem Ursprung, der alles mit und in Seiner Einheit umfaßt. Die Einheit ist gleichzeitig jenseits der Vier wie auch überall. Sie ist ihr allgegenwärtiger Mittelpunkt!

Das ist die Erfahrung des wahren Seins. *Ich Bin* ist der allgegenwärtige Ursprung und Mittelpunkt der Schöpfung. Absorbiert im höchsten Selbst erfahren wir uns als Ursprung, Welt, Person, Universum, Freund und Feind, als Bühne, Schauspieler, Dirigent und Regisseur. Alles ist unser Leib. »*Ich Bin, der Ich Bin*, und die Schöpfung ist mein Leib, der durch das Licht des reinen Bewußtseins geheiligt ist!« Dies ist die Verfassung und Erfahrung des wahren Selbstes, dessen, was wir wahrhaftig sind. Das höchste *Ich selbst* ist Vater, Mutter, Sohn und Braut, geeint im unbeweglichen Gewahrsein des alleinen unteilbaren Seins.

Das ist die Heilige Hochzeit, die Verschmelzung der Vier in ihrer Mitte. So erfahren wir: jeder ist ein Glied am Leib Seines Prinzen, Seines eingeborenen Sohnes, und wer in Ihm ist, der ist im Vater. Das ist die innere Erfahrung der Worte Jesu: »Wer aber in mir ist, in dem werde ich sein und der Vater in ihm, denn der Vater und ich sind eins.«

Laßt uns erwachen und alle teilhaben an jener seligen Hochzeit des Lammes, denn Er ruft beständig mit sanfter Stimme nach uns, daß wir teilhaben mögen an der Seligkeit Seines Liebesmahles. Auf, schmücket eure Seele und schreitet dem Lamm entgegen. Es ist der wahre Bräutigam, der da harrt eurer Liebe und Seligkeit. Nehmet an den Kelch, Sein Leben und Sein Blut, in dem Er uns errettet hat und emporzieht zum Vater durch Seine Liebe, mit der Er entbrennt in uns. Das ist der Grundton des Sterbeliedes Moses' (Deuteronomium 32 und 33), der Klang des unhörbaren Gesanges Jesu vor seinem irdischen Ende, des Liedes der Nachtigall, die sich, in ihrem am Dorn der geliebten Rose (Israels) ausfließenden Leben, in unerschöpflicher Sehnsucht und Liebe verzehrt, bis sie durch ihren Tod aufersteht in den Armen ihres ewigen Geliebten, worin sie in unauflöslicher Liebesumarmung Aug in Aug mit Ihm die beständig in sich aufquellende Seligkeit der namenlosen Tiefe ihres Eins-Seins mit Ihm innehat. Darin erst hat sie jenen ewigen Frieden, der wie ein niemals endender Strom stiller Freude das Gewahrsein des All-Eins-Seins durchquillt!

Die wahre Liebe kennt weder Angst noch Zaudern im Angesicht des Todes. Niemals verrät sie die Wahrheit noch sich selbst. Sie scheut weder Schmerz noch Opfer; das Opfer ist vielmehr ihr Pfand, die Liebesgabe, die es sie dürstet, dem (oder der) Geliebten darzubringen. Der Sohn gibt sich hin, und seine Opfergabe ist das Licht, sein Geschenk die Erlösung. Sein Preis ist die Braut, die ihm vom Vater wird gegeben. Deshalb heißt es: »So sehr hat Gott die Welt (Tochter) geliebt, daß Er seinen ungeborenen Sohn (das Licht) dahingegeben hat, daß jeder, der an ihn glaubt, nicht verlorengehe, sondern ewiges Leben habe.« (Johannes 3.16) Tochter und Braut verkörpern somit dreierlei: den äußeren Menschen (Individualität, Person und Körperlichkeit), Materie und Welt (das Königreich ›Malkhut‹) sowie die Gesamtheit der Geschöpfe, deren Wesen und Leben sich im Lichte Gottes, des Sohnes, kristallisiert.

Die Individualität mit ihrem Leib (Ruach, Nefesch und Guf) verkörpert die Braut in des Wortes erstem Sinn. Sie schreitet zur Hochzeit des Lammes. Christus als das innewohnende Agens des Lebens durchlichtet alle Substanz und vermählt sich mit dem Stoff. Er ist Lamm und Bräutigam, die Materie, unsere Persönlichkeit (Individualität) samt ihren drei Leibern (Mental-, Astral- und physischer Leib), Seine Braut. Persona (Individualität) und Leiblichkeit verschmelzen mit dem Lamm in einer seelisch-leiblich erfahrenen Einheit. Sie ist das Himmlische Jerusalem, die Heilige Stadt der Offenbarung, von der es heißt:

»Und ich sah einen neuen Himmel
und eine neue Erde,
denn der erste Himmel und die
erste Erde sind vergangen...
Und die heilige Stadt,
das neue Jerusalem,
sah ich herabsteigen aus dem
Himmel von Gott
bereitet wie eine Braut, die
für ihren Bräutigam
geschmückt wird.
...

Ihr Lichtglanz ist gleich einem
überaus kostbarem Stein,...
leuchtend wie Kristall...
Eine Mauer hat die Stadt,
groß und hoch
und zwölf Tore...
...

Ihre Länge und Breite und
Höhe sind gleich!

... nach Menschenmaß... Offenbarung 21.2-17

Er, der herabsteigt, macht »alles neu« (Offenbarung 21.5). Er ist es, der uns erweckt aus dem Grab der Materie und unseres irdischen Leibes, in dem unser Geist begraben liegt:

»Denn, wie der Vater die Toten erweckt und lebendig macht, so macht auch der Sohn lebendig, die er will.« (Johannes 5.21)

Die Toten, von denen Jesus wiederholt spricht (beispielsweise: »Laß die Toten die Toten begraben, du aber folge Mir (dem Lichte) nach.« (Matthäus 8.22), sind diejenigen, die im Herzen noch stumpf sind, die noch nicht geboren sind »aus Wasser und Geist« und weder den Ruf in ihrem Inneren noch den Durst der Seele nach Erlösung und ewigem Leben verspüren. Erst wenn die Seele genügend gereift und durch Schmerz, Leid und Enttäuschung geläutert ist, daß sie allmählich aufwacht, vernimmt sie die Stimme des Herren. So sagt Jesus: »Und es kommt die Stunde, und sie ist schon da, wo die Toten die Stimme des Sohnes Gottes hören werden, und die sie hören, werden leben«. (Johannes 5.25) Es ist der Logos, das innere, eingeborene Wort, die Schwingung seines Heiligen Geistes, des ewigen Heiligen Om, das, wenn es in uns erklingt, die Seele erweckt.

»Denn es kommt die Stunde, in der alle in den Gräbern Seine Stimme hören werden, und die sie hören, werden herauskommen.« (Johannes 5.28)

So heißt es auch in den Veden: »Herr, du hast mir zwei Ohren gemacht, aber bist du nicht in meinem Herzen, so höre ich nichts. Du hast mir zwei Augen gemacht, aber wohnst du nicht in mir, sehe ich nichts.«

Als Kommentar zu den Ereignissen in Golgatha, heißt es: »Die Erde bebete, die Felsen spalteten sich und die Gräber taten sich auf.« Alle, die aufwachen und aufstehen aus ihren Gräbern, um zu leben und dem Lichte zu folgen, wird Er zur Verherrlichung führen in ihrem Leibe. Er wird sie reinigen und erneuern, bis ihre Individualität, ihr wahrer, ewiger Kern samt seinen Leibern leuchtend wird wie ein Kristall, wie die Himmlische Stadt. Die Stadt ist der zum Stein der Weisen verwandelte Leib, der Auferstehungs- und

Lichtleib des Menschen. Er ist die Braut, ägyptisch: Hathor, das Haus des Horus, in dem Er, der Sohn (Horus), Seine ewige Wohnstatt aufschlägt. Er, das Lamm, ist unserer Seele (Braut und) Bräutigam, ihre Liebe und Erfüllung. (Sein Leben ist die Braut, Sein Licht der Bräutigam). Unsere unerlöste Seele ist Seine Braut, nach der Er dürstet. Die Einung der beiden wird ausgedrückt im verzückten Tenor des Liedes der Lieder (des Hoheliedes Salomos).

Die zweite und dritte Erscheinungsform der himmlischen Hochzeit von Lamm und Braut ist die Ausdehnung ihrer individuellen Form in eine kosmische Dimension. Wer die Hochzeit innerlich vollzogen hat, ist sich ihrer als eines permanenten kosmischen Aktes bewußt, der – dem irdischen Auge entzogen – allgegenwärtig stattfindet.

Tatsächlich gerät jede Seele, die innerlich erwacht ist und Seinen Ruf hört, in Seinen Sog. Aber auch der Schlafende steht unwissentlich in Seinem Wirkkreis, denn es gibt nichts, das nicht aus Ihm heraus lebt und wächst. Jeder, der selbst in Gott wandelt, ja die gesamte geistige Welt ist ein Kraftfeld Christi, das bereite Seelen emporzieht aus dem Tod ins Leben. Christus ist es, der alles an sich zieht. Das ist der Sinn der Worte Jesu: »Wenn ich aber erhöht bin, so werde ich alle, die an mich glauben, mit mir emporziehen zum Vater.« So wird jeder, der zum Gottessohn erwachsen ist, durch die Kraft Christi, die sich in ihm offenbart, zu einem Quell des Lebens, um den sich eine Gemeinde Suchender, die ihm vom Vater gegeben ist, kristallisiert.

Die Gemeinschaft jener Seelen, die im Lichtband Christi miteinander geistig verbunden sind, das ist die wahre *Ecclesia*, die Tochter Zions, oder das geistige Israel. Die unvollkommene Natur der vergänglichen Leiblichkeit des einzelnen und ganz Israel, die geistige Gemeinschaft JHWHs, ist die Braut der Propheten und des Hoheliedes. Von ihr heißt es: »Ich bin meines Geliebten eigen, und Sein gelüstet nach mir.« (Hohelied 7.11). Trotz ihrer Unbeständigkeit ist sie Seine Erwählte, denn sie trägt Seinen »Namen als Siegel auf dem Herzen« und »wie einen Ring an ihrem Arm« (Abbildung 115).

Darüber hinaus ist der Hieros Gamos ein kosmischer Akt, in dem das geistige Licht als Lamm Gottes allen Stoff an sich zieht und verwandelt. So schreitet schließlich die gesamte Schöpfung im Entwicklungsgang der Äonen zur letztendlichen Vermählung von Geist und Stoff, Licht und Materie. Jeder, der am Lichte Christi innerlich

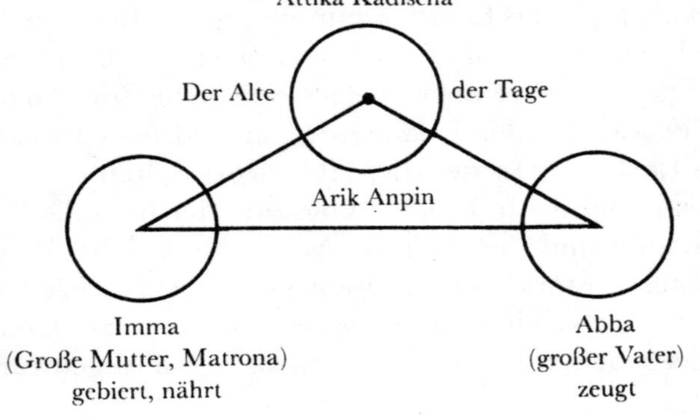
Ajin Sof (Der Verborgene)
Adam Kadmon (Urmensch, Ursprung des Alls)
Attika Kadischa
Der Alte
der Tage
Arik Anpin
Imma
(Große Mutter, Matrona)
gebiert, nährt
Abba
(großer Vater)
zeugt

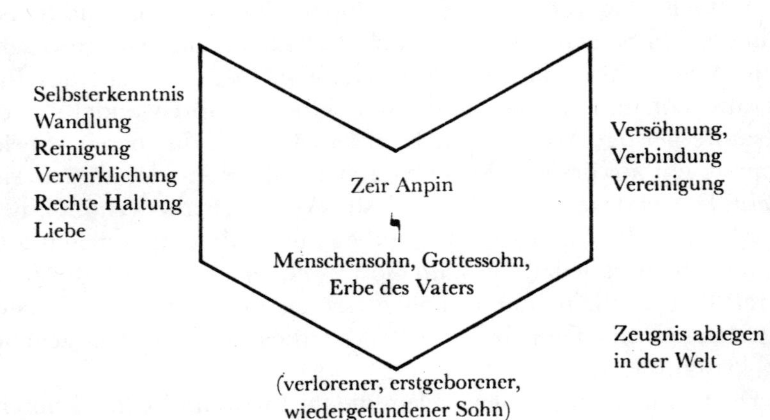
Selbsterkenntnis
Wandlung
Reinigung
Verwirklichung
Rechte Haltung
Liebe
Zeir Anpin
ו
Menschensohn, Gottessohn,
Erbe des Vaters
Versöhnung,
Verbindung
Vereinigung
Zeugnis ablegen
in der Welt
(verlorener, erstgeborener,
wiedergefundener Sohn)

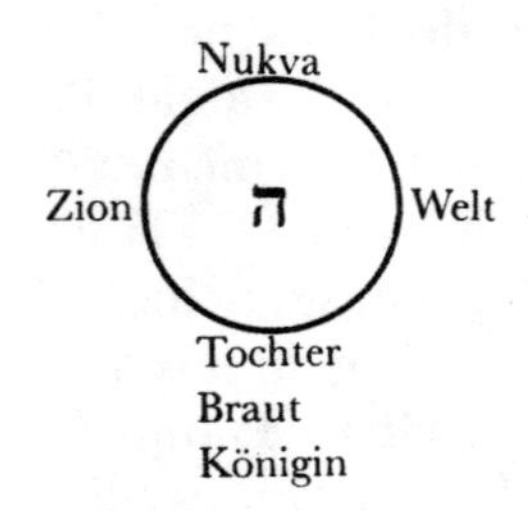
Nukva
Zion
ה
Welt
Tochter
Braut
Königin
Ecclesia, Gemeinschaft Christi
(Knesset Israel)

Abb. 115

teilhat, hat auch teil an jenem wunderbaren Akt permanenter Heiliger Einung, indem er alles Sein als Geschehen in sich selbst erfährt. Ihm ist alles ein Leib, sein eigener Leib.

Ist der Meschensohn am Kreuze Christi gestorben, so besteht kein trennendes Ich mehr, das als Keil verdunkelnder Spaltung Gott und Welt trennt, und die Einheit des Seins als Dreiheit von Gott-ich-Welt erscheinen läßt. Solange der Schleier des Ich den Blick unserer Seele verhüllt, ist uns diese Dreiheit Aufgabe. Indem wir aber Himmel und Erde in uns durch unser Leben einen, kommen wir an unser ewiges Ziel. Wir können dies im Symbol des Lebensbaumes deutlich nachvollziehen. (Abbildung 111) Darin erscheinen Vater und Mutter als Seinsgrund und Ursprung der Schöpfung und der Welt und als das transzendente ewige Selbst des Menschen. Die obere Triade verkörpert Vater-Mutter-Gott als den Ausdruck des transzendenten Seins und Quell allen Lebens.

Zeir Anpin, der Sohn, verkörpert unser immanentes Mensch- und Ichsein. Es ist der Sitz des individuellen Bewußtseins und des eigenen Willens. Dieses Ich ist stets eine Verbindung von reinem Bewußtsein (Christuslicht) und einem Bündel (meist gar dichtem Paket) von Gedanken. Diese Gedanken, die alle aus einem fundamentalen Ich-Gedanken herausquellen, sind es, die in ihrer sukzessiven Verdichtung all unsere Leiber, vom feinst- bis zum grobstofflichen, herausbilden.

So erscheint das Ich als ein dichter Knäuel von form- und stoffbildenden Gedankenkräften, der vom Licht des Bewußtseins durchdrungen ist. Allein durch das Licht oder Bewußtsein, das die Gedanken erhellt, erkenne ich, daß ich bin. Das Ich ist somit nichts als ein sich beständig wandelndes Gedankenbündel, das durch das Licht des Selbst erhellt wird. Allein durch das *Ich Bin* hat es Bewußtsein. Hört die trennende Wand der Gedanken auf, so gewahre ich die Einheit des Seins im Lichte des Selbst. Die drei verschmelzen in reinem Gewahrsein.

Der Mensch, der sich mit dem wandelnden Strom seiner Gedanken, Gefühle und Empfindungen identifiziert, erlebt sich als ein Spielball zwischen Gott und Welt. Der Weg zur Einung besteht in der beständigen Übung der Verankerung des Bewußtseins und des Lebens in Gott, dem beständigen Verweilen im Selbst. Wer aus Gott schöpft, aus Ihm in der Welt dient und wirkt und darin sich selbst

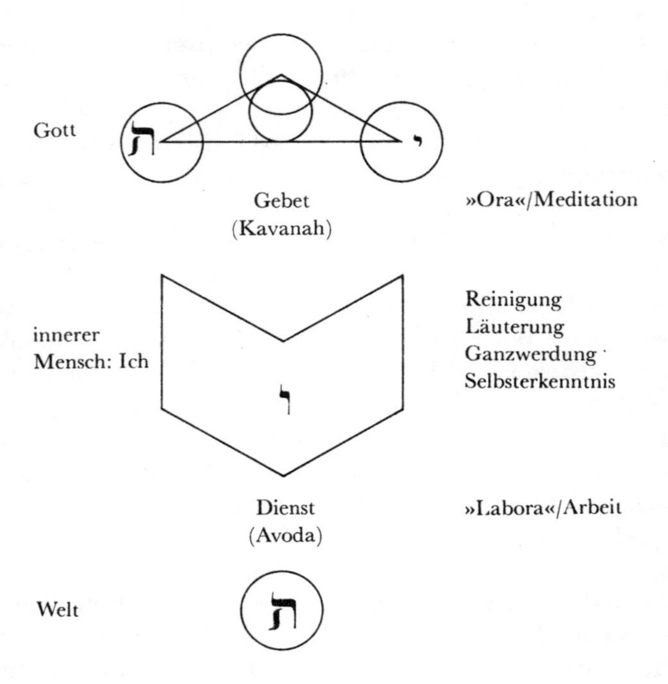

Abb. 116

vergißt, der steht und lebt in Seiner Einheit. Die drei Fundamente der Übung bilden Meditation als Weg der Verbindung mit Gott, bewußtes Sein als Liebesdienst am Leben und Selbsterforschung zur Beseitigung der Hindernisse, die den Strom des Lebens aus dem oberen Quell durch unser Wesen in die Welt hemmen oder verhindern und zur Erkenntnis und Verwirklichung unserer wahren Identität führen. Das ist der Kern des kargen, aber so weisen alten Wortes: »ora et labora«, »bete und arbeite«, verankere dein Bewußtsein in Gott und tue Seine Werke in der Welt. (Siehe Abbildung 116).

Alles Leben ist Ausgießung göttlichen Seins in der Welt, ist Bezeugung des überweltlichen Lebens im täglichen Denken, Fühlen und Tun. Bewußtsein und -werden ist der Weg der Kabbala, der geistigen Empfängnis. Wer ihm folgt, schreitet beharrlich und gewiß zur inneren Hochzeit von Himmel und Erde. Er erwacht im Gewahrsam, daß Christus in ihm es ist, der all die Werke tut, und erkennt in Ihm sein wahres, zeitloses *Ich*, das ewig eins ist mit Vater, Mutter und Welt.

3. Wort und Bewußtsein

»Stimme, Geist und Wort,
dies ist der Geist des Allheiligen.
Sein Anfang hat keinen Beginn
und Sein Ende keine Grenze«
Sefer Jezirah 1.9

Der Logos ist die schöpferische Kraft Gottes und die Wurzel allen Seins. In uns ist er der höchste Quell des Lebens, die Mitte unseres Bewußtseins und der Ursprung des individuellen Ich. All unsere Gedanken, Gefühle und Empfindungen, alles innere Leben quillt aus ihm.

Mit sieben Worten schuf Er die sieben Sphären der Schöpfung und in sieben Worten offenbart Christus Sein wahres Sein. Aus dem *Wort* besteht alles Geschaffene, und der Logos ist sein Licht und Leben und sein inneres Gesetz.

Von allem Geschaffenen ist der Logos der Ursprung, und der *ewige Name* die erste und oberste Stufe seiner Manifestation. Er ist der *Kern* und *Keim* eines jeden Geschöpfes und die Wurzel seiner individuellen Form. Das Wort ist Hülle und Gefäß des Bewußtseinslichtes und der Same jeder Gestalt. Es ist der Logos, der Dinge ins Sein ruft, ganze Welten hervorbringt und wieder auflöst.

Der All-Eine selbst ist es, der sich durch das Wort aus der Verborgenheit ins Seins ruft und in Myriaden Formen verkörpert. In ihnen offenbart Er einen Fächer Seines unermeßlichen, ewig verborgenen Wesens. Das ganze Universum ist somit eine Frucht des Logos, eine Entfaltung Seines Bewußtseins in Raum und Zeit, und sein Diagramm ist der Baum des Lebens. Das Universum ist der Spiegel, darin Er und jedes Seiner Geschöpfe sich selbst erkennt.

Das Wort ist die schöpferische *und* »exekutive« Kraft im Universum und durch es steuert Er den Ursprung, Gang und die Bestimmung allen Lebens. Es ist das Alpha und Omega allen Seins, dessen Anfang und sein Ende. Aus der Stille des Unoffenbarten steigt es auf, und in die Stille des Unoffenbarten sinkt es nieder. Was bleibt, ist der Nachklang seines ewigen Gedächtnisses in Ihm. Wie es im Universum *äußerlich* sichtbar wird, so rollen Wort und Leben auch *in* uns ab.

Wie alles Geschaffene aus Ihm kommt und in Äonen wieder in

Ihn zurückkehrt, so ist es auch mit dem Lebensstrom im Inneren: Alles Leben, alle Gedanken, Gefühle, Verlangen, Empfindungen und Regungen unseres Herzens quellen hervor aus dem Logos und strömen in ihn zurück.

Vieles jedoch steigt nicht direkt hinauf zu seinem Ursprung, sondern bindet sich erstmals – meist blindlings – an die Welt. Mit all unseren Gedanken, Wünschen, Gefühlen und Vorstellungen hängen wir nun an ihr und sind so ihr Sklave. Wahrlich, nicht die Welt ist es, die auf uns zukommt und sagt: »Hiergeblieben, du gehörst mir«; es ist vielmehr unser Gemüt, unser eigener Geist und unser eigenes Herz, das sich an sie klammert. Und sind wir einmal an sie gebunden, so drückt ihre ganze Last auf unser Gemüt.

Buddha verglich die Seele mit einem Schiff. Wie das Schiff im Wasser, so bewegt sich die Seele in der Welt. Und wie wir möchten, daß das Schiff im Wasser ist, nicht aber das Wasser im Schiff, so sei wohl auch die Seele in der Welt, die Welt aber nicht in ihr. Und Jesus sagte: »Die Welt ist eine Brücke. Gehe darüber, aber baue kein Haus auf ihr.« So mögen Herz und Leben, obwohl wir uns ganz einlassen möchten auf die Ereignisse und Dinge des Lebens, doch nicht an ihnen haften bleiben. Immer wieder gilt es, unser Herz zu lösen und weiterzugehen. In diesem Sinn wohl rief Hesse: »Wohlan mein Herz, nimm Abschied und gesunde.«

Es gibt somit eine Bewegung hinab aus dem Geiste in die Materie und eine hinauf aus dem Stoff ins Licht. Die Umkehr des Lebensstromes ins Licht, die Rückbindung all unserer Regungen, Gefühle und Gedanken an ihre obere Wurzel, das ist der Weg der Befreiung und der Erlösung! Und einer der Schlüssel hierzu ist das *Wort*; denn so wie weltliche *Worte* und Gedanken, besser: ich- und erdverhaftete *Worte* und Gedanken die Seele an die Materie binden, so führen uns geheiligte Worte, *Mantras*, Taten und Gedanken zurück zu Gott, in unseren Ursprung.

Nur die Rückbindung (= re-ligio) all unserer Lebensimpulse, das heißt all unserer Gedanken, Gefühle, Wünsche und Verlangen in und an Gott (hebräisch: »Devekuth«, das Anhangen an Ihn), unsere ganze Ausrichtung (hebräisch: »Kavanah«) auf Ihn, alles, was wir sprechen, denken und tun erhebt unseren Geist zurück zu Ihm und befreit ihn aus der Gebundenheit an die Welt und in sich selbst. Wer nur nach Ihm verlangt und danach, Ihm zu dienen, den binden bald auch keine Wünsche mehr an die Welt.

Grundsätzlich gibt es zwei Wege, den Ursprung des Lebens, das heißt Gott in uns, zu finden:

1. Den Weg zurück, auf dem wir den Lebensstrom in unserem Bewußtsein zurückverfolgen bis zu seinem Quell, aus dem er aufsteigt. Wenn wir diesen Quell finden, lösen sich alle Zweifel, erdgebundenen Gedanken und Neigungen schon im Entstehen auf und verwandeln sich in einen Strom reinen Selbst-Gewahrseins (die Yogis nennen das den Weg der »Geburtenkontrolle« der Gedanken und der Selbst-Erkenntnis).
2. Den Weg der Erhebung und Verwandlung, auf dem wir jedes Gefühl, jeden Impuls, jedes Verlangen und jeden Gedanken aus der Wiege ihres Entstehens emporheben zu Gott, sie so verwandeln und erheben und darin selbst mit Ihm verschmelzen.

Beide Wege wollen miteinander verbunden sein, denn nur so gelingt es,

– zerstörerische Impulse schon im Entstehen aufzulösen und

– schöpferische Impulse zur Verwirklichung im Leben zu bringen.

In all dem bilden Mantra, Meditation und Gebet nichts als Hilfen und Wege, unseren Lebens-, Gedanken- und Bewußtseinsstrom immer wieder hinaufzurichten zu Ihm, rückzubinden an Seine obere Wurzel. Darin liegt der Sinn aller Übung. Und das ist auch die Bedeutung des »immerwährenden Herzensgebetes«, daß unser Herz und Wesen stets verweilen möchte in Ihm.

3.1 Vom verlorenen Wort und von der wahren Bedeutung der Mantras

In nahezu allen Traditionen gibt es die Legende von der Suche nach dem verlorenen Wort als dem Schlüssel zu den Mysterien, zum Himmelreich und zum ewigen Leben. Es heißt, es gäbe sieben Tore zum Himmelreich, und der Schlüssel zu ihnen sei jeweils ein Wort.

Allein seine Kenntnis gewähre uns den Zutritt in seine Heiligen Hallen.

Tatsächlich wurde dieses verlorene Wort immer wieder für ein geheimes Mantra, ein Ritual oder eine magische Formel gehalten, deren Kenntnis wie ein Zauber den Vorhang vor dem Allerheiligsten lüfte oder zumindest den Weg ins verborgene Shamballa weise, wo nun die geheimen Ritterorden verliehen würden. Und viele Menschen reisten ein halbes Leben durch viele Länder der Welt, um dieses Wortes habhaft oder der verborgenen Stätte ansichtig zu werden. Andere hofften auf eine geheime Technik oder eine ausgefallene Praktik, um so nun einen Schlüssel zu ihrem Inneren zu finden.

Wenn wir jedoch das Wesen des Wortes verstehen, wird uns bewußt, daß das verlorene Wort jene Kraft und Erfahrung ist, die – wie Jan van Rijckenborgh es ausdrückt – *hinter* der Methode, *hinter* der Bibel, *hinter* dem gesungenen Mantram und *hinter* den philosophischen Lehren emporsteigt, denn das verlorene Wort ist ein Seinszustand, und derjenige, der »es« kennt, der spürt sein beständiges Drängen im Inneren; es rauscht und weht um ihn wie das Flüstern eines neuen Lebens. Es ist jene Kraft, die uns ahnen läßt, was Allgegenwart bedeutet und aus unserer Tiefe emporsteigt als flüsterndes Gewahrsein des *Ich Bin.*

In diesem Emporsteigen vollzieht sich das wahre Wunder, und es entsteht der »Andere im Inneren, der Sohn des Herrn, und übernimmt die Herrschaft im Haus... und die Leitung des ganzen Werkes...«. Er ist der neugeborene König, der *Ich Bin.* (Jan van Rijckenborgh). Das ist das vergessene und verlorene Wort. Es kann und will gesprochen werden, aber nicht von uns, sondern von dem »anderen«, der in uns aufsteht. Dieser kommt und »macht alles neu.«

Wenn wir somit den wahren Sinn des Mantra nicht verfehlen wollen, ist es nötig, sein wirkliches Wesen zu erfassen. Jesus sagte: »Worte sind Geist und Leben«, und er bringt damit zum Ausdruck, daß jedes gesprochene Wort Träger von Lebenskraft und Bewußtsein ist. Ja, das Wesen des Wortes ist Bewußtsein. (Immer sind Gedanken und Worte substantiell gewordenes Bewußtsein, die, wenn sie ihren Inhalt und ihr Wesen geoffenbart haben, sich rückverwandeln in reines Bewußtsein.)

Wir haben gesehen, daß Gott die gesamte Schöpfung aus dem Wort geschaffen hat. »Alles Geschaffene ist aus dem Wort gemacht und nichts, das gemacht ist, ist ohne es gemacht.« (Johannes 1.3). Somit ist der Logos die Essenz der Dinge. Der Logos formt gleichwohl alle Stufen und Zustände des Geistes und des Bewußtseins, wie auch die des Stoffes und der Materie. Jede Kraft, die sich aus Ihm gebiert, ist ein Wort Gottes, das sich in Raum und Zeit offenbart, und so sind alle Gottesworte Namen, die heilige Kräfte des Alleinen verkörpern. Alles Geschaffene ist Gotteswort aus Seinem Munde.

Die Inder nennen die Worte und Gedanken Gottes Mantras. Mantra ist somit jedes Wort, das aus Gottes Mund strömt. Allesamt verkörpern sie Gegenstände und Zustände des Bewußtseins. Bezeichnen sie Gegenstände der Welt, heißen sie weltliche, bezeichnen sie göttliches Sein, so heißen sie göttliche Mantras. Letztere werden auch Chaitanya-Mantras genannt. Die Mantras, die Kräfte oder Energien bezeichnen, die direkt aus dem Logos (der oberen Wurzel) kommen oder wesensmäßig unmittelbar an ihn gebunden sind, heißen Keimsilben- oder Bija-Mantras.

Wie wir bereits wissen (siehe Band 1, Kapitel V.10. und IV.10.), bildet jedes Mantra beziehungsweise jede ihm zugrundeliegende Kraft eine Schwingungsform im Bewußtsein. Die Schwingungsformen von Mantras, die eine *geistige Kraft* oder einen *Zustand des Bewußtseins* verkörpern, bilden insbesondere regelmäßige Figuren, die als Yantras, Mandalas oder Chakras (Räder) bezeichnet werden. So formt auch die dem Logos entsprechende Urkraft der Matrika-Shakti selbst ein Yantra, das aus der Girlande aller 50 Sanskrit-Buchstaben oder einem Mandala der 22 Flammenden Wesen der Buchstaben des Hebräischen Alphabets gebildet wird.

Jedes dieser Worte, das eine geistige Kraft oder einen bestimmten Zustand des Bewußtseins verkörpert, gebiert und trägt eine Gottheit in sich, die sein Regent ist. Die Gottheit, die einem Mantra entspricht, ist die Verkörperung der ihm innewohnenden Kraft und Qualität. Wir erkennen damit, daß *Name, Schwingungsform* und *Gottheit* jeweils zusammengehörige Erscheinungsformen von Prinzipien, Kräften und Aspekten Seines Bewußtseins bilden.

Dementsprechend unterscheiden die Tibeter beispielsweise höhere Gottheiten als Verkörperungen von Aspekten des reinen Bewußtseins und weltliche Gottheiten und Dämonen, die allesamt nichts anderes als Personifikationen von Kräften und Aspekten des niedereren Bewußtseins sind. Sie sind Geburten des reinen Geistes beziehungsweise des niederen Wünschens, Denkens und Fühlens.

Jene Gottheiten, die Verkörperungen der höchsten Aspekte und Prinzipien des Alleinen sind, wurden in den verschiedensten Traditionen unterschiedlich benannt. Allein die Chaitanya-Mantras sind es, die diese höheren und reinen göttlichen Bewußtseins- und Seinszustände verkörpern. Sie und die Bijas als Repräsentanten kosmisch-geistiger Kräfte und Erscheinungen sind es, die als Grundlage für die Übung herangezogen werden.

Um die Kraft des Wortes und der Heiligen Namen zu verdeutlichen, möchte ich nochmals auf eine altägyptische Legende zurückgreifen, in der es heißt, daß derjenige, der den geheimen Namen eines Gottes kennt und anruft, durch diesen Namen »Macht« über ihn gewinnt, das heißt Herrschaft verliehen bekommt über die durch ihn verkörperte Kraft. Denn in diesem Namen verbirgt sich sein Wesen, seine Kraft und sein innerstes Geheimnis. Nur demjenigen aber offenbaren die Götter ihre Namen, also ihr Wesen, der reinen Herzens und in bedingungslosem Gehorsam dem Willen des Höchsten vermählt ist.

Wenn wir nun verstehen, daß das Wesen des Mantras (und der Heiligen Namen) nicht der hörbare Klang, nicht das in der Kehle artikulierte Wort, sondern die ihm innewohnende Kraft, die in ihm schwingende oder eingeschlossene Bewußtseinsfülle, mit einem Wort, das im eigenen Herzen aufsteigende Gotteswort und *Ich-Bin*-Bewußtsein ist, so gewinnt die Übung des Mantrams, die Invokation oder Anrufung der Heiligen Namen Sinn und Bedeutung. Und nur ein Gebet, in das wir unser ganzes Sein und Wesen hineinlegen, hat Kraft und Wirkung.

Daß ein Mantra oder Gottesname zur Übung benutzt werden kann, setzt jedoch voraus, daß wir uns die ihm innewohnende Kraft erschließen können. Hierzu gibt es grundsätzlich zwei Wege:

1. Die Vermittlung durch einen Lehrer, der die dem Mantra eigene Essenz erschlossen und verwirklicht hat und
2. das Aufschließen seiner Kraft im eigenen Sein.

Immer ist das Mantra Schwingung. Seinem Wesen nach zwar feinstofflicher und subtiler Art, findet diese Schwingung jedoch im hörbaren Klang ihren Widerhall.

Im ersten Fall überträgt derjenige, der die Kraft des Mantras in sich erweckt hat, seine subtile Schwingung auf den Suchenden, wodurch es in diesem, wenn er dazu bereit ist, zu einer unmittelbaren inneren Erfahrung der Essenz des Mantras kommen kann.

Im zweiten Fall bedarf es der hingebungsvollen Übung, in der wir es selbst durch das Hineinlegen all unseren Gefühls, all unserer Sehnsucht, all unseres Verlangens, all unserer Liebe so sehr beseelen und gleichzeitig seine Schwingung so voll sensitiver Empfänglichkeit in uns aufnehmen, daß es wie ein »Feed-back-Gerät« das inwendige Empfinden bis in den Grund unseres Seins vertieft, so daß darin das verborgene Gotteswort, das wahrhaftige Gewahrsein des *Ich-Bin*«, zum Durchbruch kommt.

In jedem Falle können wir die innere Kraft des Mantras nur dann erfahren oder erschließen, wenn sie in uns nicht zu tief verschüttet liegt. Nur wenn das göttliche Leben bereits nah genug an die Oberfläche des Bewußtseins gerückt ist, so daß es entweder durch die Berührung von außen oder durch Resonanz mit der Schwingung des gesungenen Mantras erweckt wird, kann es dieses höhere Leben in uns an die Oberfläche bringen; denn nur, wenn das Mantra durch unsere Resonanz wirklich »greift«, kann es die latente Seinserfahrung, das in uns schlummernde Gotteswort, an die Oberfläche bringen und darin sein Wesen und seine Kraft enthüllen. Dann führt es zur Gottgeburt im Menschen.

Erst und nur dann, wenn das Mantra in uns greift, wenn es aus einer inneren Erfahrung seiner Essenz, das ist unseres eigenen Wesens, in uns »gezündet« hat, kann es zur Übung gebraucht werden. Andernfalls bleibt es mechanische Wiederholung ohne Sinn.

Die Übergabe eines Mantras durch einen kompetenten Lehrer ist eine große Hilfe für den Schüler. Denn diese Übergabe ist nicht nur informelle Vermittlung des Mantras in seiner äußerlichen Form als geschriebenes oder gesprochenes Wort, sondern Übertragung der ihm innewohnenden Kraft. Die Übergabe des Mantras ist gleichsam eine liebevolle Erweckung des Wesens des Schülers durch die Seele und das Sein des Lehrers.

In dem alten *Shri Tantra Sadbhava* wird erläutert, daß das Wesen des Mantras Shiva ist. Tatsächlich ist göttliche Kraft seine wahre Essenz, und sie ist wesensgemäß jenes reine, alldurchdringende Bewußtsein, das jenseits der Dinge und Erscheinungen liegt. Und so besteht der Sinn der Mantraübung (Sanskrit: Japa) in der Rückführung des Lebensstromes in seinen Ursprung und damit in der Erhebung und Verschmelzung des individuellen Bewußtseins mit dem höchsten universellen Sein. Die ganze Übung zielt auf die Einswerdung in Gott.

Grundsätzlich verkörpern Mantra, Yantra und Gottheit stets einen bestimmten Zustand des Bewußtseins, und so ist es auch völlig gleichwertig, ob wir nun ein Chaitanya-Mantra singen, über sein Yantra meditieren oder seine Gottheit anbeten, immer geht es um die Verwirklichung eines höheren Zustandes des Bewußtseins. Dies ist auch der Sinn von Nada- und Laya-Yoga: der Übung des Hörens des subtilen inneren Klanges des Selbst. Immer ist die höchste Form der Übung (des Mantras, der Anbetung seiner Gottheit, des Nada oder Laya) das ununterbrochene Gewahrsein des Selbstes durch das Selbst, jener Stille des *Ich Bin*, die alles umfaßt. Das tiefe Gewahrsein des *Ich Bin* ist das Mantra in seiner reinsten Form, sein höchster Weg und sein höchstes Ziel.

Die indischen Schriften sagen: Die Essenz, der Ursprung und das Ziel allen Gebetes und aller Mantras ist *Ahamvimarsha*, das reine Gottesbewußtsein. Es ist Shiva und Shakti, *Satchitananda*, höchstes Sein und Bewußtsein und der Frieden ungetrübter Glückseligkeit, zusammengefaßt in jenem heiligen Worte des *Ich Bin:*

Sat ist das tiefe Gewahrsein des anfanglosen Seins, *Chit* das Licht, das es erhellt und *Ananda* jene erfüllende Kraft, die Schmerz, Angst und Leid in Freude wandelt. Grundmantras, die ich besonders empfehle, sind das *So-Ham* und *Shivo-Ham*, die beide in unserem Atem schwingen. Die Übung besteht schlicht und einfach darin, es mit dem Ein- *(So* beziehungsweise *Shivo)* und Ausatmen *(Ham)* in des Atems natürlichen Rhythmus im Herzen schwingen zu lassen. Wir können dabei imaginieren (oder auch real erfahren), daß wir gleichzeitig mit dem *So* beziehungsweise *Shivo* im Einatmen Licht von oben in uns einströmen und mit dem *Ham* im Ausatmen in unseren Leib oder nach außen verströmen lassen. Wichtig ist es, in der Übung so gelöst zu sein, daß alle Gedanken, Gefühle und Empfindungen im ruhig fließenden Rhythmus des Atems mit dem in ihm schwingenden Mantra verschmelzen. Wenn es uns gelingt, ganz in seinem heiligen Odem aufzugehen, führt es uns zu der ihm innewohnenden Erfahrung: »Dies (das All) bin Ich«, »Shiva, das Licht des reinen Bewußtseins, ist dein wahres Ich.« Oder in den Worten Jesu: »Der Vater und ich sind eins.«

4. Die Heiligen Namen (Ha Schemot) und ihre Invokation

»Der Name des Herren
ist wie ein starker Turm.
Der Gerechte flüchtet in ihn
und ist sicher.«
Sprüche 18.10

Nachdem wir wissen, daß der Sefirot-Baum nichts anderes als die Entfaltung der im Logos enthaltenen Kräfte und Prinzipien des Allgeistes in Raum und Zeit ist, wird uns auch deutlich, daß all das, was über die Zusammenhänge zwischen den Worten und Kräften Gottes gesagt wurde, auch für die zehn Sefirot seine Gültigkeit hat. Wie in Kapitel IV.6. dieses Buches ausgeführt, sind auch die Namen der Sefirot nicht willkürliche Bezeichnungen, sondern Heilige Namen, in denen die Kraft der durch sie bezeichneten Attribute Gottes schwingt. Es ist somit möglich, durch Ausrufung ihrer Namen jene Attribute des Heiligen anzurufen und sich mit ihren Kräften zu verbinden.

Darüber hinaus verkündigte der Geist Gottes den Propheten Israels eine Reihe von Gottesnamen, in denen Er ihnen die Kräfte Seiner sefirotischen Attribute in ihrer reinsten Form offenbarte. In Abbildung 117 sind diese Gottesnamen in Entsprechung zu den Sefirot im Lebensbaum wiedergegeben. Hier finden wir in Kether jenen Namen, den Gott dem Moses aus dem brennenden Dornbusch offenbart: *Ehjeh ascher Ehjeh* (*Ich Bin der Ich Bin*, dies ist mein Name auf Ewigkeit, Exodus 3.14-15). In ihm verborgen liegt jenes Gotteswort, durch das der Geist Gottes als Schöpfergott und Lebenskeim aller Kreatur in Erscheinung tritt.

In Chokhmah finden wir den zweiten heiligen Namen, *JHWH*, dessen Mysterium wir extra besprechen wollen. In Binah finden wir den Namen *Elohim*, jene Pluralform, in der Gott in Seinem Aspekt als die alles-gebärende Urmutter ausgesprochen ist. Elohim verkörpert jenen »Palast«, der, mit den Keimen des Lebens geschwängert, das Universum hervorbringt. Es ist der Gottesname des ersten Schöpfungsberichtes.

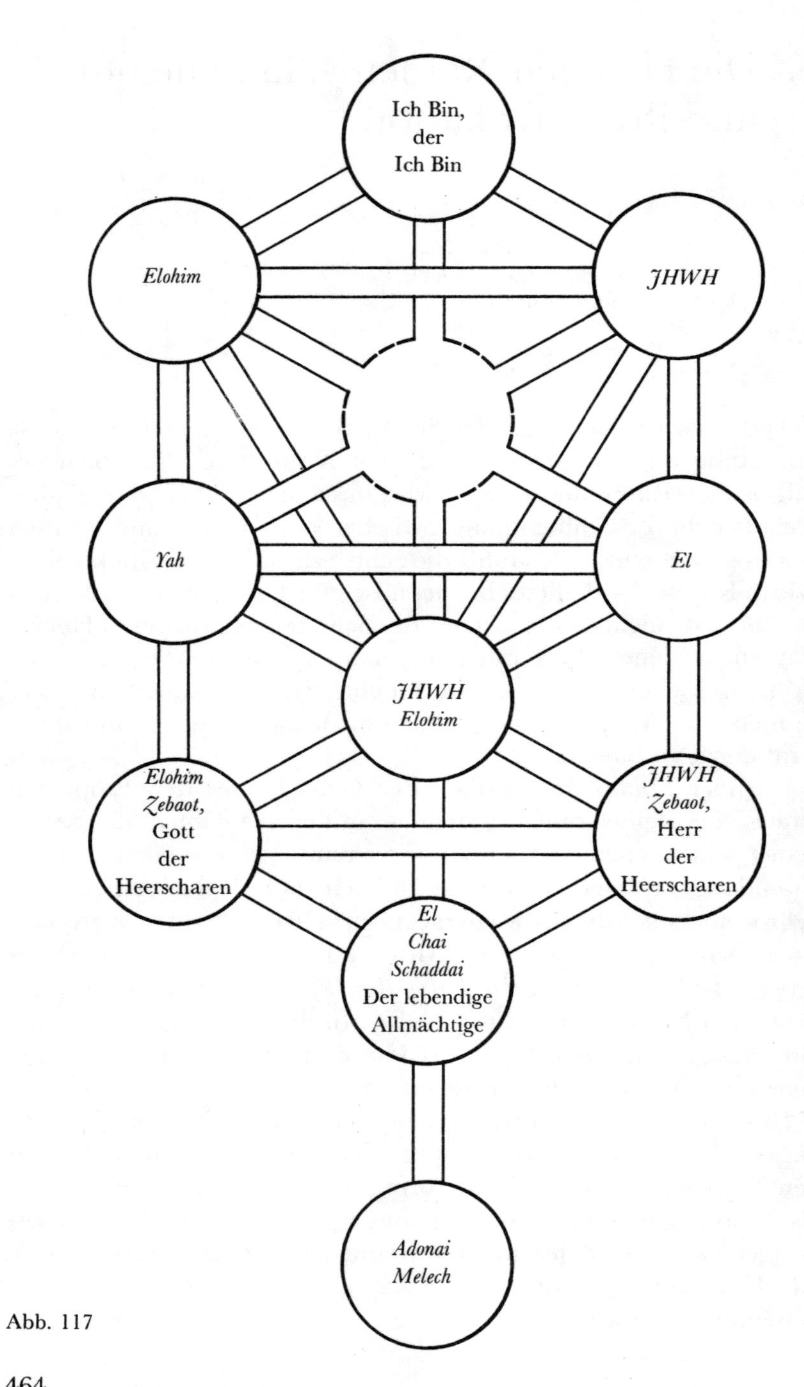
Ich Bin,
der
Ich Bin
Elohim
JHWH
Yah
El
JHWH
Elohim
Elohim
Zebaot,
Gott
der
Heerscharen
JHWH
Zebaot,
Herr
der
Heerscharen
El
Chai
Schaddai
Der lebendige
Allmächtige
Adonai
Melech

Abb. 117

Die Verbindung beider führt zu *JHWH Elohim* als Bezeichnung Tiferets. Hesed und Geburah tragen die Namen *El* und *Jah*, die im Namen des Propheten Elijah vereinigt sind.

Nezach und Hod tragen die Namen *JHWH Zebaot* und *Elohim Zebaot*. Sie bezeichnen Gott als »Herrn der Heerscharen« und »Gott der Heerscharen«, also jene Aspekte von Gnade und Strenge, durch die Er das Universum regiert. Sie verkörpern gleichsam die rechte und linke Hand des Sohnes, dem der Vater alles übergeben hat.

Jesod trägt den Namen *El Chai Schaddaj*, »der Lebende Allmächtige Gott«. Es ist jener Aspekt, in dem Er Abraham offenbar wurde. Malkhut trägt den Namen *Adonai Melech*, Herr und König und bezeichnet seine welteinwohnende Herrlichkeit oder Schekhinah, jene Glorie, die das Heiligtum des Tempels und die Seele des Heiligen erfüllt.

All diese Namen sind Gnadenmittel, durch die wir uns mit den verschiedenen Aspekten Seiner Heiligkeit verbinden und erfüllen können. In Psalm 20.6 heißt es: »Mit (in) dem Namen Gottes werden wir auffahren, und Er wird all deine Bitten erfüllen.« Bei Mose lesen wir: »Überall, wo Ich erlaube, meinen Namen auszusprechen, will Ich zu dir kommen und dich segnen.« (Exodus 20.21)

Wie wir sehen, liegt darin ein Versprechen, eine Zusage Gottes, daß, wo wir einen Seiner Heiligen Namen reinen Herzens anrufen oder wie ein Mantra im Inneren wiederholen, Sein Segen uns durchdringen will. Und auf dem Versprechen Gottes beruht die Kraft jedes heiligen Rituals, der Sakramente wie auch der von Ihm selbst uns geoffenbarten Namen.

So, wie das Mantra und seine geistige Wirklichkeit eins sind, so sind auch Gottesname und der durch ihn bezeichnete Gottesaspekt eine Einheit. Lassen wir ihn mit ganzer Seele in unserem Herzen schwingen, so durchdringt er uns bald mit all seiner Kraft. Seine Schwingung erfüllt unser ganzes Wesen. So erfahren wir in uns jene Entfaltung heiliger Einung, wie sie sich in der Offenbarung der Gottesnamen von Abraham bis Moses quer durch die Geschichte Israels zieht. Diese schrittweise Offenbarung Seiner Namen entspricht gleichermaßen verschiedenen Stufen der Einweihung »Seines Volkes« in die Mysterien Seines ewigen Seins.

4.1 Vom unaussprechlichen Namen und seiner Meditation

»Laßt uns die Torwege Gottes erbauen.
Laßt uns ihr Gemäuer errichten.
Sein Name soll an der rechten Stelle stehen.«
Babylonische Genesis

All diese Namen sind in dem einen Heiligen Namen *JHWH* enthalten, der sämtliche ihrer Aspekte umfaßt. Der ganze Baum ist nichts als eine Entfaltung JHWHs. In, mit und aus Seinem Namen entstehen Adam Kadmon, der Himmlische Mensch, und die gesamte Sphäre des Lichtes. In seiner wörtlichen Bedeutung ist dieser Name kaum übersetzbar. Sinngemäß bedeutet er »Sein in seiner überzeitlichen Form« als Einheit Dessen, »Der immer war, ist und sein wird.« Im Hebräischen lauten die drei Zeitformen des Seins:

HaJaH (היה) = »er war«,
JiHJeH (יהיה) = »er wird sein« und
HoWeH (הואה) = »er ist«.

Somit erkennen wir den Heiligen Namen als eine Zusammenfassung der drei Zeitformen des Verbums »sein« in die Substantivform »JHWH«. Er ist Ausdruck des Ewigen in all seinen Anblicken, des Einen Ursprungs jenseits und innerhalb allen Wandels: Jod-Heh-Waw-Heh als Ausdruck des allumfassenden Seins in seiner überzeitlichen Form.

Wir erkennen auch die Verknüpfung dieses Namens mit *Ehjeh* (AHJH), dem *Ich Bin*, worin die zweite Silbe als Ausdruck der bewußten Seinsform des Ich mit der ersten Silbe von JHWH übereinstimmt. AHJH und JHWH verwandelt sich ineinander.

Sein Wille, Gestalt zu werden, ist der Beginn allen Seins. Dieser Beginn, der sich in dem Ausruf »Ehjeh« (Ich bin) ausdrückt, wird in jenem Urpunkt manifest, in dem sich alle Kräfte des Logos versammeln. Dieser Urpunkt ist verkörpert im Urkeim allen offenbarten Lichtes und Lebens. In uns verkörpert er Jechidah, die heilige Monade, die in der Ewigkeit verankert ist. Dieser Punkt bildet die Krone des Lebensbaumes (Kether) (siehe Abbildung 118).

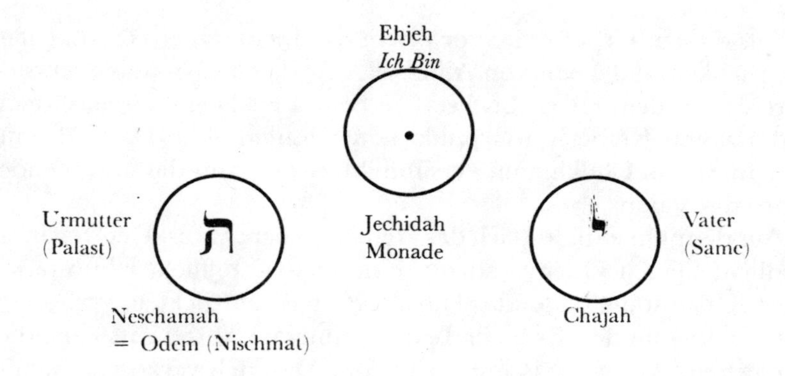
Ehjeh
Ich Bin
Urmutter
(Palast)
ח
Jechidah
Monade
Vater
(Same)
Neschamah
= Odem (Nischmat)
Chajah

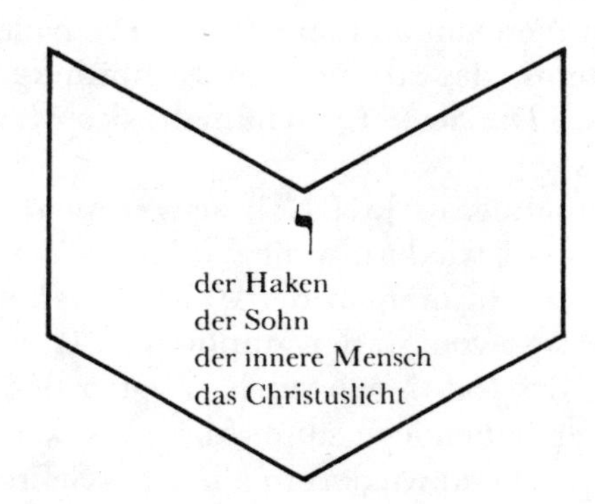
ו
der Haken
der Sohn
der innere Mensch
das Christuslicht

ח
die himmlische Braut
die substantielle Welt Gottes
das Himmelreich

Abb. 118

Aus diesem Urpunkt hervor bricht das Licht seiner verborgenen Herrlichkeit, das Licht von Ajin Sof Awir. Diese Extension verkörpert sich in dem ersten Buchstaben Seines Heiligen Namens, dem Jod, das mit Kether im Urpunkt seinen Anfang hat. Das Jod, mit seinem Sitz in Chokhmah, versinnbildlicht sodann die urzeugende Kraft des Vaters.

Aus dem Jod entfaltet sich das Heh, das obere Haus. Heh versinnbildlicht Seinen Odem und die Urform der stofflichen Substanz. Diese Ursubstanz bildet das Haus oder den »entrückten, verborgenen Palast«, in den Er Seine Lebenskeime aussät. So entstehen die »beseelten« Wesen (Nischmat Chaijot). Das Heh verkörpert somit die Himmlische Mutter (Imma), die sich im Menschen als dessen heilige Seele oder Neschamah manifestiert. Die Neschamah ist Ausdruck Seines Atems, des strömenden Lichtäthers Seines Lebens: Deshalb heißt es: »Die Seele (Neschamah) des Menschen ist Licht von JHWH.«

In ihrer Vereinigung als JaH (יה) zeugen sie das Waw (ו), den Sohn. Dieses Waw ist wiederum die Verlängerung des väterlichen Geistes innerhalb der Immanenz der Welt. Es verkörpert den eingeborenen Sohn, was sowohl in der graphischen Gestalt des Waw (ו) als Verlängerung des Jod (י) wie auch in seiner Bedeutung als »das Verbindende (Versöhnende)« zum Ausdruck kommt. Das Waw umfaßt dementsprechend wiederum alle sechs Sefirot von Hesed bis Jesod.

In Malkhut schließlich finden wir das zweite Heh, die Verkörperung des unteren Palastes beziehungsweise der Tochter oder königlichen Braut. Sie ist die untere Extension des mütterlichen Lebensodems und bildet das Himmelreich Gottes (Malkhut Ha Schemayim). Dieses ist die Wohnstätte und Ausdehnung Seiner Schekhinah oder Glorie, der königlichen Jungfrau des Herrn.

So wie die Einheit der ersten beiden Buchstaben Jod und Heh (JH, יה) die Einheit des dreifaltigen oberen Hauptes oder Ursprungs bildet, verkörpert die Einheit von Waw mit dem zweiten Heh in WH (וה) die Einheit der substantiellen Welt mit der Immanenz Seines Sohnes Christi, die leibliche Einheit des Menschen mit Ihm.

So erkennen wir in den beiden Silben JH und WH Seines Heiligen Namens das dreifaltige göttliche Haupt und die siebenfältige Welt, die in Seinem Namen als untrennbare Einheit im ganzen beschlossen liegt. JH bildet den Ursprung und das zweite Heh die substantielle Entfaltung der Welt. Der Sohn, das Waw, bildet »den Haken«, der die untere Welt an ihre obere Wurzel bindet. Nur, wenn wir in Christus wiedergeboren sind, vollzieht sich diese Einheit von Gott und Welt, Himmel und Erde auch in unserem Bewußtsein. (Die vier Buchstaben mitsamt dem Urpunkt bilden somit die Verkörperungen der fünf göttlichen Personen, die wir in Kapitel IX.2 kennengelernt haben.)

In den Schriften heißt es: »Wir werden Jah anrufen, bis seine erlösende Antwort kommt. Welches ist seine Antwort? Sie ist WeH, Seine Herabkunft auf Erden.«

Der Heilige Name ist aufs engste verknüpft mit dem Weg und Schicksal Israels (der Gemeinde Gottes). Nachdem Jakob im Ringen mit Gott über sich selbst siegte, kann er Gott in sich (Immanuel, den Sohn) verwirklichen. Dieser Sohn aber ist eins mit seiner Einwohnung im Leibe des Menschen hier auf Erden (= dem unteren Heh).

Im Sohar heißt es: »Wenn das »Waw« (ו) geheimnisvoll aus dem »Jah« (יה) (dem höchsten Ursprung) hervortritt, erlangt Israel seinen kostbaren Besitz, die mit dem »Sohne« (ו) vereinigte Schekhinah (ה).« Das ist der mystische Leib Christi, die »Heilige Gemeinde Israel«. All dieser Reichtum strömt aus dem JH durch das W herab: Er bricht aus der Fülle des herabgestiegenen Urlichtes (Logos) oder Sohnes W hervor.

»Der untere Teil JHWH's ist Sein Volk: Israel ist Seine zweite Hälfte oder Gemahlin auf Erden. Israel ist Eigentum JHWH's und JHWH Israels Besitz.«

Am Sinai stieg der Sohn (ו) zu Seinem Volk hernieder, um es in das verheißene Land zu führen. Von da an wandelt die Schekhinah mit Israel. Jah ist herabgestiegen ins Stiftszelt Mose's und den Tempel zu Jerusalem. Sie ist die Leuchte Israels, das Fundament des Reiches Gottes auf Erden. Der Tempelbau Salomos entspricht der Errichtung der Grundfeste im Menschen, darauf der Sohn sein Reich errichtet. Mit dem Einzug der Schekhinah vollzieht sich die Heilige Einung des Volkes mit seinem Gott.

So wird die Geschichte Israels zum Sinnbild des Erlösungsweges des Menschen, von der Befreiung aus der Gefangenschaft des falschen Ich bis zur heiligen Einung im Himmlischen Jerusalem.

Wie wir sehen, verbirgt sich in diesem vierbuchstabigen Namen nicht nur das unaussprechliche Geheimnis des Ewigen, sondern auch das gesamte Mysterium der Menschwerdung. JHWH selbst bildet den gesamten Lebensbaum, wie auch das Wesen Adam Kadmons, des vollkommenen Himmlischen Menschen, dessen in uns innewohnende Inbildlichkeit wir verwirklichen wollen. Wie die Flammenden Wesen seiner vier Buchstaben den ganzen Leib des Himmlischen Menschen samt der vier Heiligen Tiere (Chaijot-Hakodesch) und Räder bildet, so ist der gesamte Mensch und sein Kosmos im Bildnis dieses Namens geschaffen.

Abb. 119

In ihm wird er geboren, in ihm stirbt er und in ihm kommt er zur Auferstehung. Da nun das Ganze in jeder Kraft widergespiegelt beziehungsweise enthalten ist, ist jede Sefira selbst eine Ausdrucksform Seines Seins, die ihrerseits den ganzen Namen in sich trägt. Die sefirotische Unterscheidung kommt dabei nur in dem Klang beziehungsweise Vokal zum Ausdruck, in dem der Name in der betreffenden Sefira jeweils schwingt. Denn hinsichtlich ihres Klanges, ihrer Farbe, ihrer Schwingung und ihrer Vokalisierung unterscheiden sie sich auch auf der höchsten Ebene. Der Name, der wegen seiner Heiligkeit und unaussprechlichen Wirklichkeit (in der Regel) nicht laut ausgesprochen werden soll, sondern nur still in uns schwingen möchte, erhält somit in jeder Sefira, in jedem Seiner Heiligen Attribute eine andere Färbung beziehungsweise Tönung, die in seiner unterschiedlichen Vokalisierung zum Ausdruck gebracht wird. Diese verschiedenen Vokalisierungen sind in Abbildung 120 dargestellt. Dieser Name, mit all seinen Varianten, ist eines der machtvollsten Mittel der Übung. Wenn wir uns seiner Heiligkeit bewußt sind, sollten wir ihn – stets aufrecht sitzend – im Rhythmus des Atems innerlich wiederholen.

Als Grundform empfiehlt sich seine Vokalisierung als *Jah-weh.*

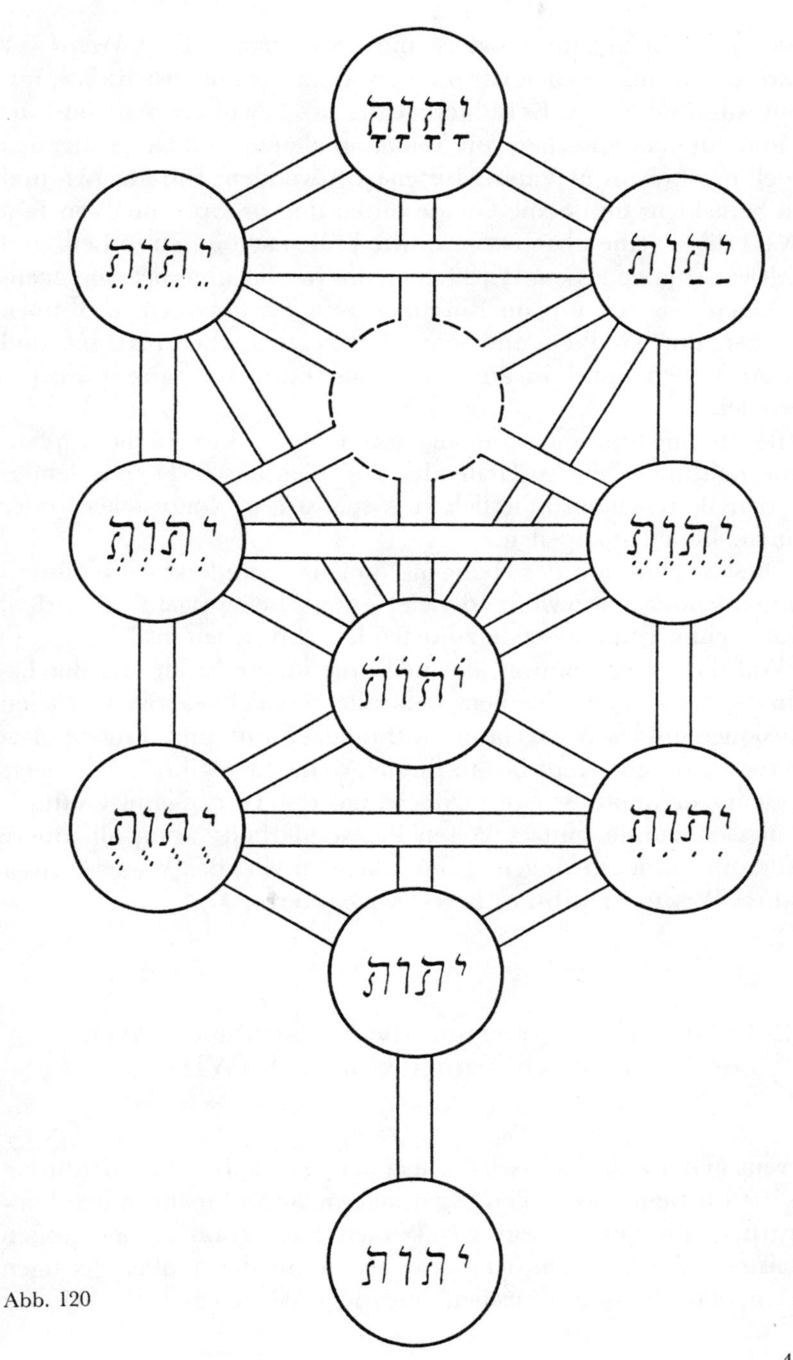

Abb. 120

Diese bitte nicht laut, sondern nur leise aussprechen! Wenn wir aufrecht sitzen, sprechen wir mit dem Einatmen innerlich: *Jah*, mit dem Ausatmen: *Weh*. Es ist hierbei gut, uns bewußt zu sein, daß wir in und mit dem Sprechen von *Jah* uns an den oberen Ursprung, den Quell des Lebens in Vater-Mutter-Gott wenden, Ihn anrufen und um Sein Licht und Seine Gnade bitten und im Sprechen von *Weh* (WH) diese Seine uns stets gewährte Fülle nach unten in Leib und Welt verströmen lassen. Wir können uns hierbei innerlich vergegenwärtigen, wie wir uns im Einatmen mit *Jah* innerlich nach oben strecken, um Sein Licht und Seinen Segen auf uns herabzu*ziehen* und im Ausatmen mit *Weh* aus dem Bauchraum im ganzen Körper verteilen.

Bei Heilmeditationen können wir mit dem Ausatmen die empfangene Kraftfülle dem zu Heilenden zufließen lassen. Hierzu genügt es, den Betreffenden innerlich zu visualisieren (vorzustellen) oder seinen Namen anzupeilen.

Diese Meditation des Heiligen Namens ist äußerst wertvoll und kann auch tagsüber während vieler Tätigkeiten ausgeführt werden. Manchem verhalf sie schon zu tiefen Durchbrüchen ins Licht.

Wahrlich, die Kenntnis, das heißt die innere Erfahrung der Essenz Seines Heiligen Namens heilt alle Wunden, befreit von allen Illusionen und schenkt immerwährende Kraft und Freude. Die ganze Schöpfung singt ihn in ihrem Atem. Er ist ihre ewige Seele (Odem ›Nischmat‹ = Seele ›Neschamah‹ = Wort ›Name Gottes‹). Und wenn unser ganzes Wesen ihn wiederholt, wenn all unsere Zellen mit ihm schwingen, dann erkennen wir: das Wort ist unser wahres Wesen, Er selbst ist unser ewiger Kern.

4.2 Exkurs: Pythagoras und die Entfaltung der Welt aus dem Heiligen Namen Gottes (JHWH)

Bereits in der Zeit des Niederganges der ägyptischen Hochkulturen, als die Einweihungsschulen begannen, mehr und mehr in den Hintergrund zu rücken, liegt das Wirken Pythagoras', jenes großen Meisters und Adepten, der später seinerseits den großen geistigen »Tempel der Isis« in Griechenland wiederherstellen sollte. Wie wir wissen, empfing Pythagoras in jungen Jahren selbst als Adept eines ägyptischen Tempels seine erste Einweihung. Später wurde er auch zu den Mysterien der Isis in Theben zugelassen.

Weniger bekannt ist, daß Pythagoras während einer Invasion des Kambyses in Ägypten (529 v. Chr.) nach Babylon verbannt wurde. Dort wurde er von zoroastrischen Weisen in die Wissenschaft der Klänge, der Astronomie und der Invokation eingeführt. Schließlich begegnete er einem Jünger des Propheten Daniel, der damals noch königlicher Minister war. Dieser weihte Pythagoras nun in die Geheimnisse und Kräfte des Heiligen Namens JHWH ein, was ihn zur Erkenntnis der Höchsten Wirklichkeit führte.

Auf dieser Kenntnis des Gesetzes des Heiligen Namens gründete er später seine gesamte Lehre vom harmonikalen Aufbau der Welt. Der Schau der Kabbala entsprechend wußte er, daß die Schöpfung aus vier ineinandergreifenden Welten aufgebaut ist, die eine aus der anderen, wie die vier Buchstaben Seines Namens, auseinander hervorgehen (Abbildung 120).

Die oberste Welt sah er als Entfaltung Seines heiligen Willens, verkörpert in Jod. Sie ist die Welt der Emanationen und ist durchdrungen vom Prinzip der Einheit. Aus dem Jod entfaltet sich JH (Jod-Heh), die geistige Welt von Beriah. In ihr herrscht das Gesetz der Gegensätze und der Polarität. Als weitere Extension seines Namens in JHW (Jod-Heh-Waw) entfaltet sich der Astralraum von Jezirah. Und als vierten Schritt finden wir seine Manifestation in der physischen Welt oder Assia. Sie steht unter dem Gesetz der Materie und entspricht der Zahl vier (siehe Band 1, Kapitel IV. 2, Die Vier).

Dieser Stufenweg, den wir in dem pythagoräischen Tetraktys (in Band 1, Abbildung 71) kennengelernt haben, wurzelt – wie wir nun erkennen – im Entfaltungsrhythmus des Namens JHWH.

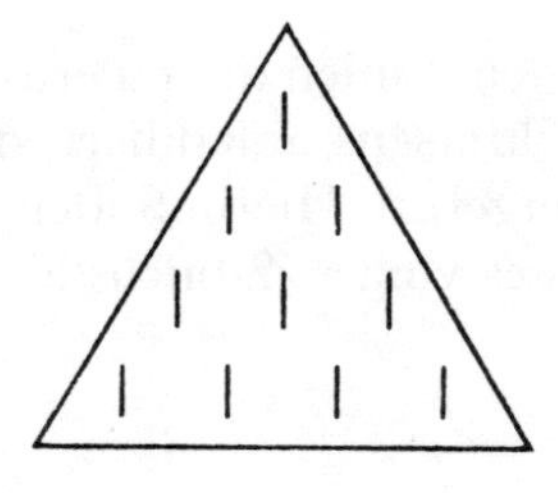

Abb. 121: Das pythagoräische Tetraktys.

Das entsprechende Diagramm hat sodann folgende Gestalt:

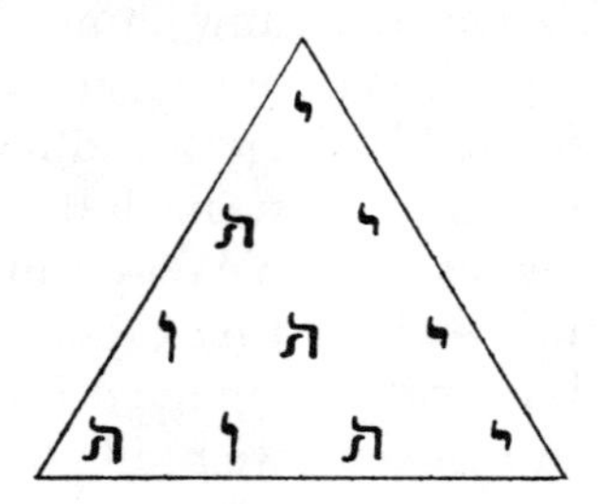

Abb. 122

Wie wir weiter sehen, bildet das Tetraktys als Summe seiner Elemente (1 + 2 + 3 + 4) die Zahl Zehn. Ordnen wir den hebräischen Buchstaben entsprechend ihrer Gematria (siehe Band 1, Kapitel VI.12) ihre Zahlenwerte zu,

Jod = 10
Heh = 5
Waw = 6
Heh = 5

so ergibt sich für das Entfaltungsdiagramm (Tetraktys) des Heiligen Namens folgendes Zahlenschema:

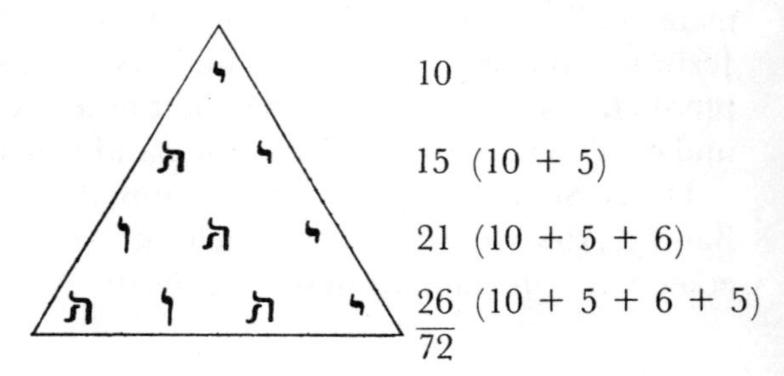

Abb. 123

worin die rechts stehenden Zahlen die Ziffernsummen der einzelnen Zeilen darstellen, die, ihrerseits aufaddiert, die mystische Zahl 72 (= 10 + 15 + 21 + 26) ergeben. Hierin finden wir die Auflösung des oft zitierten Geheimnisses vom »72-buchstabigen Namen« Gottes.

72 Kräfte aus einer sind es, die aus dem ewigen Kreuz

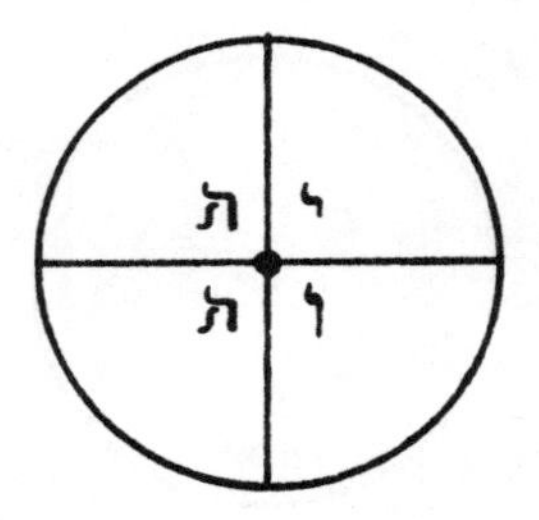

Abb. 124

Seiner vier heiligsten Angesichte, die im Tetramorph des Sphinx aus »Engel«, »Adler«, »Löwe« und »Stier« zusammengeschmolzen sind, den 12teiligen Gürtel des Universums bilden. Die 72 Kräfte bilden Unterfelder der 12 großen Felder des Tierkreises. Es heißt, daß jedes der 72 Felder von 5 Himmelsfürsten regiert wird, wodurch der kosmische Kreis in 5 × 72 = 360 Segmente, sprich Grad (°) gegliedert wird. Wir sehen, auch die Teilung des Kreises in 360° ist, wie die Teilung des Tages in 2 × 12 Stunden, nicht menschliche Willkür, sondern Ausdruck der verborgenen Ordnung des Himmels!

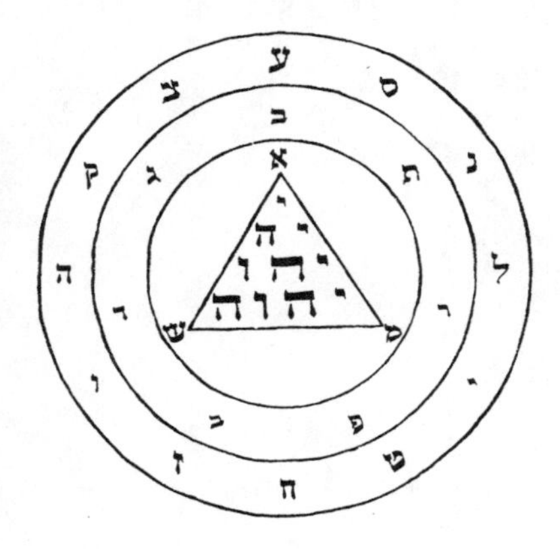

Abb. 125a

Abb. 125b

Wie der Punkt als Ursprung des ganzen Seins Mittelpunkt des Kreises ist,

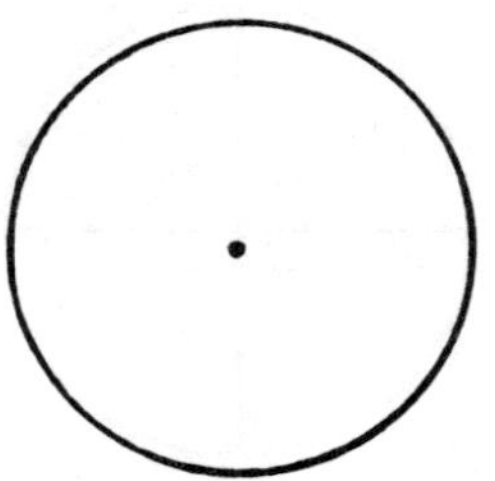

Abb. 126.

so ist das Tetraktys die Wurzel jenes berühmten pythagoreischen »Chi« und »Lambdoma« (siehe Band 1, Kapitel V.6.), das den atomaren und harmonikalen Quantenaufbau der Welt nach dem Gesetz der proportionalen Teilung der Saite erklärt. Aus dem einen Urpunkt, dem (allgegenwärtigen!) Weltzentrum in Ihm, entfalten sich der gesamte Makro- und Mikrokosmos (siehe Abbildung 127).

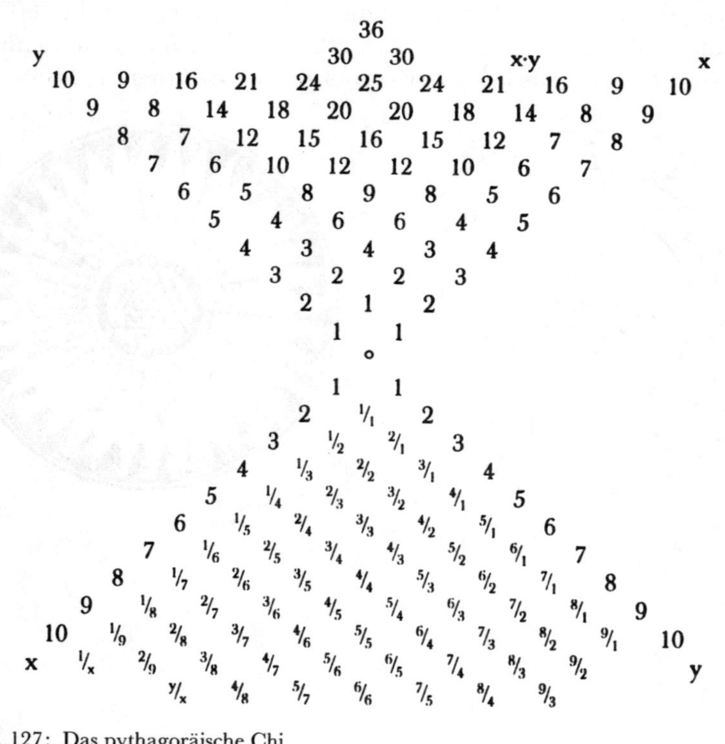

Abb. 127: Das pythagoräische Chi

Wir sehen hier den symbolisch-algebraischen Nachvollzug der Entfaltung dieses Universums aus der Kraft Seines Heiligen Namens JHWH. Nach der Erkenntnis »Gott und Sein Name sind eins«, erkennen wir die Schöpfung nach diesem Schema als Ausdehnung der Schwingung Seines Namens aus dem Urquell des Logos, der im Urpunkt zum Durchbruch kommt. Das sich als Klang ausdehnende Universum bildet gleichsam Seinen Leib.

So ward uns Sein Name nicht nur Schlüssel zum Vermächtnis seines göttlichen Erbes, sondern gleichermaßen auch zur Erkenntnis des harmonikalen Aufbaues der Welt und zur Entwicklung der abendländischen Mathematik, Philosophie und Naturwissenschaft.

4.3 Die Invokation des Lebensbaumes

Zwei Formen der Übung stehen in der kabbalistischen Meditationspraxis im Vordergrund. Das ist zum einen die andächtige und innige Wiederholung von Gottesnamen sowie der Jichudim, das heißt der Einung verschiedener Aspekte Gottes in uns durch die Verbindung einzelner Namen und ihrer Klangelemente in bestimmter wohlbedachter Weise, zum anderen aber die Invokation oder Anrufung Seiner Heiligen sefirotischen Kräfte und damit des Sefirot-Baumes als ganzem. Diese Übung bewirkt die Belebung und Anregung der Sefirot und ihres Baumes in uns und entspricht der altägyptischen rituellen Handlung des Aufrichtens des Djed Pfeilers, das heißt des ewigen Lebens im Menschen.

Wie wir bereits im Kapitel über die Chakren gesehen haben, geht es darum, die in Malkhut verborgene Schekhinah oder göttliche Matrona zu erwecken und Sefira um Sefira zur Einung mit ihrem göttlichen Gemahl in Kether hochzuführen. Und eines der Mittel neben der rechten Haltung und Gottverbundenheit im realen täglichen Leben, durch die sich jene innere Einung vollzieht, ist die Invokation der sefirotischen Kräfte durch die Anrufung ihrer Heiligen Namen in der ihrer Rangordnung entgegengesetzten Reihenfolge, von Malkhut bis Kether, also von unten nach oben. Durch das bewußte und hingebungsvolle Ausrufen oder Anrufen wird die Strahlkraft der Sefirot in uns aus ihrem Quell hervorgelockt, was ihr

Leuchten und ihre Emanation besonders verstärkt. Rufen wir sie von unten nach oben in entsprechender Reihenfolge an, so bauen wir eine Lichtleiter in uns selbst, über die die Schekhinah aufsteigt zu ihrem oberen Ursprung. Unser ganzes Wesen ist dann eingebunden in ein Energiefeld heiliger Kraft, durch das wir und all unsere seelisch-geistigen Kräfte und Fakultäten rückgebunden sind an ihre obere Wurzel.

Die Übung oder das Exerzitium hat dann folgende Form:

Nachdem wir uns in aufrechter, aber gelöster meditativer Haltung eingestimmt, das heißt all die äußeren Eindrücke und Gedanken abgestreift haben, innerlich leer geworden sind und innere Ruhe gefunden haben, können wir mit der Invokation beginnen. Es empfiehlt sich, die einzelnen Sefirot in konzentrierter Form und mäßiger Lautstärke anzurufen und sodann in einer kleinen Pause im Nachklang die Entfaltung ihrer subtilen Kraft wahrzunehmen. Haben wir die ganze Reihe durchlaufen, so enden wir damit, daß wir, von Kether ausgehend, gleich einem innigen Gebet mit der Anrufung der Gottesnamen der mittleren Säule abschließen.

Diese Invokation hat somit folgenden Ablauf (vergleiche auch Abbildung 128, von unten nach oben lesend):

»Malkhut	(prägnant),... der Körper, die Erde; (kurze Pause)...
Jesod	... das Fundament;...
Hod	... die Herrlichkeit;...
Nezach	... der Sieg, die Ewigkeit,...
Tiferet	... die Schönheit, das Wesen;...
Geburah	... die Stärke;...
Hesed	... die Barmherzigkeit;...
Daat	(leise, zart)...
Binah	(prägnant),... die kosmische Intelligenz;...
Chokhmah	... die göttliche Weisheit;...
Kether	... das allumfassende Licht....
Adonai	... Du bist
El Chai Schaddai	... Du bist
Adonai Elohim	(etwas gesteigert),... Du bist (im Nachdruck etwas zurückfallend, zart)
Ich Bin!«	

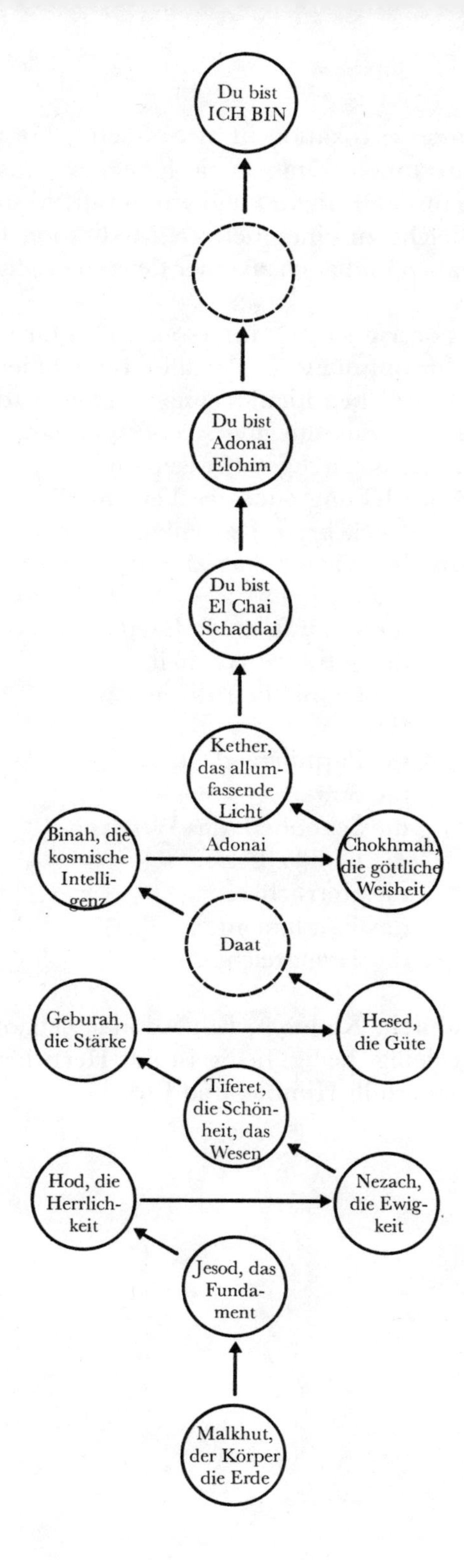
Du bist
ICH BIN
Du bist
Adonai
Elohim
Du bist
El Chai
Schaddai
Kether,
das allum-
fassende
Licht
Binah, die
kosmische
Intelli-
genz
Adonai
Chokhmah,
die göttliche
Weisheit
Daat
Geburah,
die Stärke
Hesed,
die Güte
Tiferet,
die Schön-
heit, das
Wesen
Hod, die
Herrlich-
keit
Nezach,
die Ewig-
keit
Jesod, das
Funda-
ment
Malkhut,
der Körper
die Erde

Abb. 128

Haben wir diese Invokation in gesammelter Form gesprochen, indem wir unsere innere Kraft in sie hineinlegten, so ist nun der Sefirot-Baum in uns aufgerichtet und sein Kraftfeld soweit entfaltet, daß wir darin leicht zu einer tieferen Meditation finden, unsere Aura gestärkt haben und auch zu einer tieferen geistigen Handlung schreiten können.

Diese Invokation eignet sich insbesondere in Gruppensitzungen als meditative Einstimmung, in der alle Teilnehmer in ein reines Kraftfeld geistig-göttlichen Lichtes eingebunden werden. In diesem Feld kann nun die konkrete angestrebte geistige Arbeit, Lehre, Heilung und ähnliches durchgeführt werden.

Als Abschluß der Übung oder der Versammlung empfiehlt sich die Anrufung in umgekehrter Reihenfolge, um das Kraftfeld im Inneren zu versiegeln. Wir sprechen dann:

»*Kether,*	das allumfassende Licht;...
Chokhmah,	die göttliche Weisheit;
Binah,	die kosmische Intelligenz;
Daat,	...
Hesed,	die Barmherzigkeit;...
Geburah	die Stärke;...
Tiferet,	die Schönheit, das Wesen,...
Nezach,	die Ewigkeit;...
Hod,	die Herrlichkeit;...
Jesod,	das Fundament;...
Malkhut,	das Königreich;...

Kadusch, Kadusch, Kadusch, Eth Adonai Zebaot, Meloho Ha Arez Kewodo. (Heilig, heilig, heilig ist der Herr der Heerscharen, Seine Herrlichkeit erfüllt Himmel und Erde)«.

5. Der Klangleib des Menschen

5.1 Logos, Bewußtsein, Individualität und leibliche Entfaltung

Im alten Ägypten hieß der Logos Djed oder Djet. Djed ist das von Amun-Re, des sich als höchster Herr und Schöpfer des Universums manifestierenden absoluten Bewußtseins gesprochene Wort. Es bezeichnet das Ewige im Vergänglichen. Djed ist das Wort Gottes in dir, das sich als »du« offenbart. Es ist die eingeborene Kraft und Essenz Gottes im Menschen. Eingeschlossen und verborgen in den tiefsten Tiefen unserer vergänglichen Person wird es, wenn es erwacht und sich befreit, zu unserer wahren Individualität und unserem Himmlischen Leib! Dieses Erwachen und die Entfaltung des Logos im Menschen ist das Mysterium, das Geheimnis der Auferstehung.

Djed ist das einzig Ewige und Dauerhafte in der Welt. Es ist der wahre Pfeiler der Schöpfung und die Manifestation des ewigen Lebens. Dargestellt als der Pfeiler des Osiris, des höchsten Prinzips des Lebens schlechthin, manifestiert er sich als der eine »Baum des Lebens«, dessen Früchte die Leiber der in Gott erwachten Seelen sind.

Der Lebensbaum als Sinnbild der Entfaltung des Logos oder des Bewußtseins Gottes in der Schöpfung wird in der Gestalt des Sefirot-Baumes manifest. In uns entfaltet er sich als der feinstoffliche Leib mit seinen sieben Zentren (Chakras). Diese sieben Zentren sind die sieben Ausdrucksformen oder Kräfte der einen Urkraft: »Sieben Räder, gefaßt in einem Rad, und teilen eine Nabe.«

Der Djed-Pfeiler des Osiris wird so zum Symbol des geistigen Rückgrates und, durch das ihm in der Gestalt des mumifizierten Osiris innewohnenden ewigen Lebens, zum Sinnbild der Auferstehung des Menschen. »Dj« ist im Altägyptischen die Schlange und verkörpert die evolutionäre Kraft des Logos, die Kundalini. In Djed, dem Logos, und dem Lebensbaum verborgen, wohnen die »Seelen« Ras und Osiris'. Sie verkörpern die beiden polarisierten Ströme des Lebens, die in uns in den beiden Kanälen von Ida und Pingala ihren Ausdruck finden. Wenn beide Kräfte in uns in Balance sind und sich im dritten Auge und Scheitelzentrum einen, dann wird das göttliche Licht und Leben im Leib des Menschen offenbar. Jesus sagte: »So nun dein Auge einfältig ist, wird dein ganzer Leib licht sein.« Wer so die ungeteilte Einheit des Seins in sich selber schaut, der ist wahrlich auferstanden in Osiris, und die göttlichen Aspekte des Alleinen werden in seinem Bewußtsein manifest. Der so in Gott auferstandene Mensch erlebt die Einheit mit Gott in seinem Leibe! Das Licht und Leben in ihm sprechen das eine Mantra aller Erwachten: »Ich bin Ra, Ich bin Osiris, der Vater und ich sind eins, Shivoham, Shivoham, Ich bin, Ich bin...«.

Dieser Bewußtseinszustand, der durch die Aufrichtung des Osiris-Pfeilers, das heißt die Wiedererweckung des inneren Menschen durch die in ihm sich aufrichtende Kraft der Auferstehung manifest wird, wurde in Ägypten durch die beiden Uräus-Schlangen im Djed-Pfeiler oder an der Stirn des Eingeweihten dargestellt. Djed, das Wort, wird Gestalt (»Fleisch«) im Namen, und der Name ist die Manifestation des Samens der Individualität. Er ist die »magische Formel«, die das vollkommene Bild des Menschen in seiner individuellen Form enthält. Die Ägypter nannten die Individualität *inek*. *Nek* bedeutet, den blinden Durst zu sein. Der ihm zugrundeliegende Impuls ist *ikw* und bezeichnet jene Neigung des Alleinen, Sich Selbst im »Andern« zu suchen, zu schauen und zu erkennen. Diese Neigung des Unoffenbarten, die oft als der »zweite Grund« oder die »sekundäre Ursache« der Schöpfung bezeichnet wird, ist jener Urimpuls, der die tatsächliche Manifestation, die reale Erschaffung der Welt bedingt.

Ikw, die Neigung Gottes, Sich selbst zu schauen, erzeugt *nek*, den Durst und Willen zu sein, und *Inek*, die Individualität. Sie ist der Same eines Universums, in dem Er selbst einen Funken Seiner verborgenen Urfülle offenbart. Und das sind Sie und ich!

Aus Djed gebären sich die fundamentalen Prinzipien der Welt. Sie werden durch Buchstaben (Hieroglyphen) dargestellt, die sich in den Buchstaben-Gottheiten (mdw – neteru) verkörpern. Im Indischen entspricht Djed der *Matrika* oder geheimnisvollen Urmutter, aus der die Girlande der Buchstaben hervorgeht, die die Welt erbauen. Und im Hebräischen sind es wieder die 22 Flammenden Wesen um Gottes Thron. Aus ihnen bilden sich die Namen, Wörter und Sätze, sprich: die Geschöpfe, Dinge und Ereignisse der Welt.

5.2 Die Entfaltung des Wortes als Klangleib

Wie die Leiber der Engel, so sind auch unser Kausal- und Mentalleib aus subtilen Kräften aufgebaut, die klanglicher Natur sind. Diese Kräfte, die alle aus der Einen Kraft stammen, sind nichts als jene Schwingungselemente des Geistes und des Bewußtseins, die wir als die Buchstaben bezeichnet und kennengelernt haben.

In unserer christlichen Tradition heißt es: »Du bist Gottes Wort, das ward Fleisch geworden.« »Du bist Geist, der mit einem Leib bekleidet ist.«

In den Hinduschriften heißt es *cittam mantraha*, »das Herz (der individuelle Wesenskern) des Menschen ist Mantra (göttliches Wort oder Gedankenschwingung).« In diesem Kern wohnt die Kraft des Logos. Und sie entfaltet sich in ihm in sieben Kräften. Sie bilden die »sieben Räder oder Chakras, die eines das andere gebären und sind doch nur *ein* Rad.« »... sieben Räder ineinander und eine Nabe, die sich in alle sieben Räder schicket, und alle sieben Räder an der einen Nabe.«

»Und das (die Nabe) ist das Herze oder der innerste Corpus der Räder, darin die Räder umlaufen. Und das bedeutet den Sohn Gottes, den alle sieben Geister Gottes des Vaters in ihrem Zirkel immer gebären. Und er ist aller sieben Geister Sohn, und sie qualifizieren alle in seinem Lichte...«

»So ist das Herz Gottes immer inmitten und schicket sich immer zu jedem Quellgeiste. Also ists ein Herze Gottes und nicht sieben, das von allen sieben Geistern immer geboren wird, und ist aller sieben Geister Herze und Leben.« (Böhme, *Aurora* 13.73-75).

Dieses Herz ist der eine Logos, das Zentrum des inneren Lichtes und Lebens. Wie die sieben Farben im Lichte, so sind die sieben »Quellgeister des Lebens« im Logos umfaßt. Und diese sieben Kräfte entfalten sich zu jenen Energiezentren oder subtilen Organen, die als die sieben Tore des Bewußtseins entlang des Rückgrates bekannt sind. Sie sind die Wirkstätten des Feuers des Heiligen Geistes in uns.

Jakob Böhme beschreibt sie als rotierende Kraftwirbel und gebraucht folgende Worte:

»...die Speichen, die von der Nabe und den Rädern immer geboren werden und doch sich in alle Räder im Umgehen schicken, und ihre Wurzel, Anhalt oder Einpflocken, darinnen sie stehen und daraus sie geboren werden, die bedeuten Gott, den Heiligen Geist, der aus dem Vater und dem Sohne ausgehet. ... Nun, gleich wie die Speichen viele sind und gehen immer in dem Rade mit um, also ist der Heilige Geist der Werkmeister in dem Rade Gottes und formet und bildet alles in dem ganzen Gott.« (Böhme, *Aurora* 13.76-77).

Die sieben Kräfte entfalten sich in sieben Wirbel der einen Kraft und diese Kräfte bauen sich jenen feinstofflichen Organismus und Leib, den wir in Kapitel VII.6. angesprochen haben. Dieser Leib ist die Entfaltung jener sieben Kräfte in ein differenziertes System von Energieströmen (Nadis), die sich in den drei zentralen Kanälen des Rückenmarkes sammeln.

Aus der einen Urkraft des Logos oder Djet, der sich im ewigen Namen ausbreitet, bildet sich der gesamte Kausalleib des Menschen. Durch Differenzierung der einen Kraft in sieben, die sich in einem Schwingungsfeld von drei Feldern (Hauptnadis) entfalten, bilden sie jene zentrale Säule (Djed) unseres Wesens, in der Osiris aufersteht und die sich in das differenzierte Netzwerk des vollständigen Lebensbaumes entfaltet.

Wie wir wissen, besitzt jede geistige Kraft ein Qualitätsprofil, das sich in der Gestalt eines Mandala oder Chakra darstellt. Deshalb bezeichnet die östliche Tradition die sieben Tore des Bewußtseins in uns ebenfalls als Chakras. Und wie jede geistige Kraft, so entfalten sich auch die sieben Lebenskräfte des Logos in uns gleich einem Fächer von Qualitäten, die sich in unserer Seele ihren Ausdruck verschaffen und wie ein Rad oder eine Blüte in Erscheinung treten.

Wie jede geistige Kraft, so entfalten sich auch die sieben Quellgeister des Lebens gleichzeitig

als *Klang*,
als *Schwingungsform* und
als *Gottheit*.

Die Kraft selbst, die unmittelbar aus dem Logos hervorgeht, wird in ihrer klanglichen Form jeweils durch ein Bija- oder Keimsilbenmantra wiedergegeben, das die Kraft in seiner Schwingung verkörpert. Durch Ausrufung oder Wiederholung dieser Silben werden die Energiezentren in uns aktiviert und belebt und ihre Kräfte in Fluß gebracht.

Jede Kraft und jeder Klang entfalten sich als Girlande oder Mandala von Buchstaben, das als Chakra (Rad) bezeichnet wird und die qualitativen Aspekte der betreffenden Kraft zum Ausdruck bringt. Umgekehrt wird jede Qualität, jeder Aspekt einer Kraft durch einen Buchstaben ausgedrückt, die in ihrer Gesamtheit das Schwingungsdiagramm (Mandala oder Chakra) herausbilden. Dieses Kräftemandala, das sich nun als feinstoffliches Energiezentrum manifestiert, wird sodann in der Gestalt eines Rades oder einer Blüte (Lotosblüte) sichtbar. Die Speichen des Rades oder die Blätter der Blüte, die sich in der Anzahl und Farbe je nach Kraftzentrum unterscheiden, sind hierbei die organismischen Ausgestaltungen der Aspekte der sieben Kräfte in unserer Seele.

In der indischen Tradition werden die Energiezentren als Lotosblüten dargestellt, deren Blütenblätter mit jenen Sanskrit-Buchstaben bezeichnet sind, die den einzelnen Kraftaspekten oder -qualitäten der Zentren entsprechen. Wir finden dies in Abbildung 129 wiedergegeben.

Darüber hinaus entspricht jeder Kraft eine regierende Gottheit. Diese wird durch ein Tiersymbol versinnbildlicht. Die Gottheiten und Bija-Mantras der einzelnen Chakras sind in der folgenden Tabelle zu finden:

Chakra	Zahl der Blütenblätter	Bija	Deva
Sahasrara	1000 (960)	–	Parambrahman
Ajna	2 × 48	Oṁ	Shambhu
Vishuddha	16	Haṁ	Sadashiva
Anahata	12	Yaṁ	Isha
Manipura	10	Raṁ	Rudra
Swadhisthana	6	Vaṁ	Vishnu
Muladhara	4	Laṁ	Brahma

Um den Zusammenhang nochmals zu verdeutlichen, stelle ich die Entsprechungen in folgenden beiden Tabellen dar.

Die Entfaltung des Wortes im Menschen

Logos	Bewußtsein
7 Bijas	7 Kräfte
7 Chakren	7 Qualitätsprofile
Nadis	Energiezentren
Klangleib	Kausalleib

Logos	Bewußtsein	Kausalleib
Bija	Kraft	Energiezentrum
Buchstabengirlande	Schwingungsform	Blütenblätter (Speichen)
Chakra	Qualitätsprofil	Organ (Lotus)

Der Aufbau des Klangleibes vollzieht sich somit in folgenden Schritten:

1. Der eine Logos differenziert oder bricht sich in sieben Lebenskräfte. Jeder der sieben Kräfte entspricht ein Wort oder Bija-Mantra als deren klangliche Manifestation.
2. Jede der sieben Kräfte bildet ein Qualitäts- oder Schwingungsprofil (Yantra oder Chakra), das sich als Buchstabengirlande darstellt. Die einzelnen Buchstaben verkörpern die verschiedenen qualitativen Aspekte der einzelnen Kräfte.
3. Dieses Qualitätsprofil manifestiert sich schließlich als Energiezentrum beziehungsweise als aus Klängen aufgebautes geistiges Organ, das Träger eines bestimmten Bewußtseinsaspektes ist.
4. Diese sieben Bewußtseinskräfte verkörpern sich in den sieben Devas oder Gottheiten, die gleichsam die regierenden Genien der Zentren sind. Sie sind Ausdruck und Verkörperungen der sieben Kräfte des Logos im Menschen.

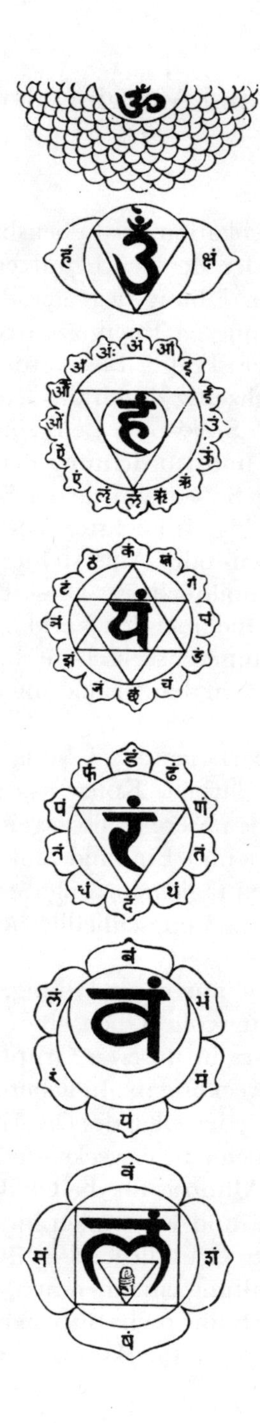

Abb. 129

5.3 Die Erweckung und Anregung der Chakras durch Mantras

Ähnlich wie bei der Invokation des Lebensbaumes können wir hier nun die Bija-Mantras der Zentren benutzen, um deren Kräfte zu erwecken. Der Sinn der Übung liegt gerade in dieser Erweckung und Aktivierung der inneren Energiezentren sowie der durch sie verkörperten Bewußtseinskräfte. Sie werden nicht nur angeregt, sondern beginnen gleichzeitig durch das feine Netzwerk der Nadis zu strömen und Geist, Seele und Leib innerlich zu beleben. Sie fördert die Erweckung und Aufrichtung der Kundalini sowie ihrer Expansion in der Seele. So verleiht sie der Seele Strahlkraft, Leben und Licht und führt sie bis zur höchsten Verklärung in ihrer Umformung in den Diamanten- oder Auferstehungsleib, der im Himmlischen Jerusalem versinnbildlicht ist. Diese Entfaltung der Zentren, ihrer Kräfte und der zunehmenden Verklärung der Seele geht einher mit der Entfaltung unserer seelisch-geistigen Fähigkeiten, Qualitäten und Tugenden, die in der Ausbildung des Auferstehungsleibes ihre Vollendung finden.

Die unmittelbare Wirkung der Übung ist neben der inneren Belebung gesteigerte Klarheit, Konzentrationsfähigkeit, Vitalität, Wachheit und Kraft, die unsere seelisch-geistige Leistungsfähigkeit, unsere Empfänglichkeit und Empfindsamkeit deutlich anhebt. In Verbindung mit unseren täglichen Aufgaben fördert sie die Entfaltung des inneren Genius und schließlich die Verwirklichung des Selbst.

Natürlich ist es nicht nur diese Übung, die uns dazu verhilft, sondern jedes hingebungsvolle Üben eines Chaitanya- oder Christus-Mantras, wie wir es in unseren Gruppen immer wieder tun, fördert diese innere Erweckung in ähnlicher Weise. Besonders geeignet ist das gesungene Wiederholen des *Om Namah Shivaya*, das sowohl eine beruhigende als auch eine erweckende Wirkung hat.

Die Arbeit mit Bija-Mantras für die Chakras nimmt hierbei eine besondere Stellung ein, und wir wollen im folgenden ihre Ausführung näher beschreiben. Grundlegend ist es hierfür nötig, eine aufrechte, bequeme Sitzhaltung einzunehmen, in der wir uns innerlich entspannen und unsere Sinne mehr und mehr von der äußeren Welt lösen. Indem wir unsere Aufmerksamkeit von der Welt abziehen und nach innen wenden und versuchen, mit dem Puls des Lebens in unserem Herzen in Berührung zu kommen, wird es uns bei zunehmender Übung immer leichter gelingen, in den Frieden des Selbstes einzutauchen. Oft ist es hilfreich, die Übung durch eine einfache Atemübung einzuleiten, bei der wir einen heiligen Gottesnamen oder eine Reihe von vier Tugenden, deren Verwirklichung wir anstreben, mit dem Takt des Herz- und Pulsschlages wiederholen.

Besonders günstig ist hierbei die sogenannte Wechselatmung: Indem wir mit dem Mittelfinger der rechten Hand den linken Nasenflügel andrücken, atmen wir zuerst durch den rechten Nasengang ein und aus. Wir atmen auf *vier* Pulsschläge voll ein, halten auf *16* Pulsschläge den Atem an, wobei es wichtig ist, innerlich ganz gelöst und entspannt und sein, und atmen schließlich auf *acht* Pulsschläge wieder voll aus. Wir können diese Übung mit jeder Nasenseite sechs-, acht-, zehn- oder zwölfmal wiederholen. Wir verschließen den rechten Nasengang, indem wir den rechten Nasenflügel mit dem Daumen der linken Hand andrücken.

Wir zählen den Puls indem wir ihn durch die innere Wiederholung eines Heiligen Namens (etwa JHWH's oder Shivo-Hams) oder der Reihe der vier ausgewählten Tugenden (etwa: Reinheit, Weisheit, Kraft, Liebe) begleiten. Der Atemrhythmus gestaltet sich dann nach folgendem Schema:

Einatmung

I	1		Jah-	oder	Reinheit
	2		weh		Weisheit
	3		Jah-		Kraft
	4		weh		Liebe;

Anhalten

I	1		Jah-		Reinheit
	2		weh		Weisheit
	3		Jah-		Kraft
	4		weh		Liebe;
II	5	1	Jah-		Reinheit
	6	2	weh		Weisheit

	7	3	Jah-	Kraft
	8	4	weh	Liebe;
III	9	1	Jah-	Reinheit
	10	2	weh	Weisheit
	11	3	Jah-	Kraft
	12	4	weh	Liebe;
IV	13	1	Jah-	Reinheit
	14	2	weh	Weisheit
	15	3	Jah-	Kraft
	16	4	weh	Liebe;

Ausatmung

I	1	Jah-	Reinheit
	2	weh	Weisheit
	3	Jah-	Kraft
	4	weh	Liebe;
II	5	Jah-	Reinheit
	6	weh	Weisheit
	7	Jah-	Kraft
	8	weh	Liebe

Um uns nicht mit dem Zählen innerlich zu belasten, können wir die Zyklen (mit römischen Zahlen bezeichnet) mit den Fingern der linken Hand abzählen. Diese Atemübung, die aus dem Yoga stammt und als Wechselatmung bekannt ist, ist sehr gut geeignet, uns innerlich zu beruhigen und unsere Aufmerksamkeit zu erhöhen. Wir können nun (mit oder ohne Atemübung) zu der Chakra-Übung übergeben.

Nach dem Stillewerden und Einstimmen beginnen wir unten, indem wir unsere Wahrnehmung auf das Muladhara-Chakra (im Steißbein) lenken. Wir bleiben in gelöster Haltung und singen dreimal kräftig das Bija-Mantra *Laṁ*, wobei wir den Bindu (ṁ) mit geschlossenem Mund verklingen lassen und erst nach einer kurzen Pause zur Wiederholung oder zum nächsten Mantra fortschreiten. Nach dem dritten Mal verlegen wir unsere Wahrnehmung auf das Sakralzentrum (etwa eine Handbreit über dem Steißbein) und wiederholen in gleicher Weise dreimal dessen Bija-Mantra *Vaṁ*. Es empfiehlt sich, während des Singens jeweils wahrzunehmen, wie das entsprechende Zentrum aktiviert wird und sich ausdehnt und während des Verklingens des Bindu (ṁ) einen leisen Strom entlang der Wirbelsäule nach oben ins Scheitelzentrum aufsteigen läßt! Dies sollte bei jedem Zentrum in ungezwungener Weise beobachtet werden. Jede Wiederholung eines Bija wirkt wie ein Energiestoß oder eine Magnetisierung auf das betreffende Zentrum. Neben den verschiedensten Empfindungen ist es auch möglich (bei geschlossenen Augen) innere Farbwahrnehmungen zu haben.

Nach dem Sakralzentrum gehen wir zum Manipura-Chakra in der Gegend des Solarplexus über und singen dreimal *Raṁ*. Dies kann eine starke, wärmende bis feurige Empfindung in Solarplexus und Bauchraum auslösen oder auch ein rotes Licht in unserer inneren Wahrnehmung hervorrufen.

Mit dem Verklingen des dritten *Raṁ*, das dem Element des Feuers entspricht und von der Gottheit Rudra regiert wird, gehen wir über zum Herzzentrum. Wir konzentrieren uns auf den Herzpunkt (etwa zwei Finger breit über dem unteren Ende des Brustbeines) und den gesamten Brustraum und singen dreimal kräftig das sanftklingende *Yaṁ*. Yaṁ ist das Bija-Mantra des Elementes Luft und bewirkt eine wunderbare Empfindung von Ausdehnung und Weite in unserem Herzen und Brustraum.

Mit der Konzentration auf das Halszentrum singen wir dreimal *Haṁ*. Hier ist es besonders wichtig, mit viel Feingefühl zu singen. Die Wirkung ist ein beruhigendes Wohlgefühl, das meist sehr subtil durch den Kopf aufsteigt.

Schließlich gelangen wir zum Ajna-Chakra, dem dritten Auge, das etwa zwischen den Augenbrauen liegt, und singen – weit mit unserem Atem ausholend – dreimal das *»Oṁ«*. Hierbei empfiehlt es sich, das O aus dem Bauche hochzuholen und im Schwunge des Überganges vom o über das u zum Bindu (ṁ) alle Zentren und unseren ganzen Leib in seiner Schwingung umfassen und den ausklingenden Bindu (ṁ) im Scheitelzentrum verklingen zu lassen. Oftmals entsteht hierbei ein starker aufsteigender Energiestrom, der das Bewußtsein in einen beglückenden Zustand allumfassenden Seins emporhebt. Auch treten manchmal stark pulsierende Farbschwingungen in hellblauem oder sattviolettem Farbton auf, die sich im dritten Auge ausdehnen.

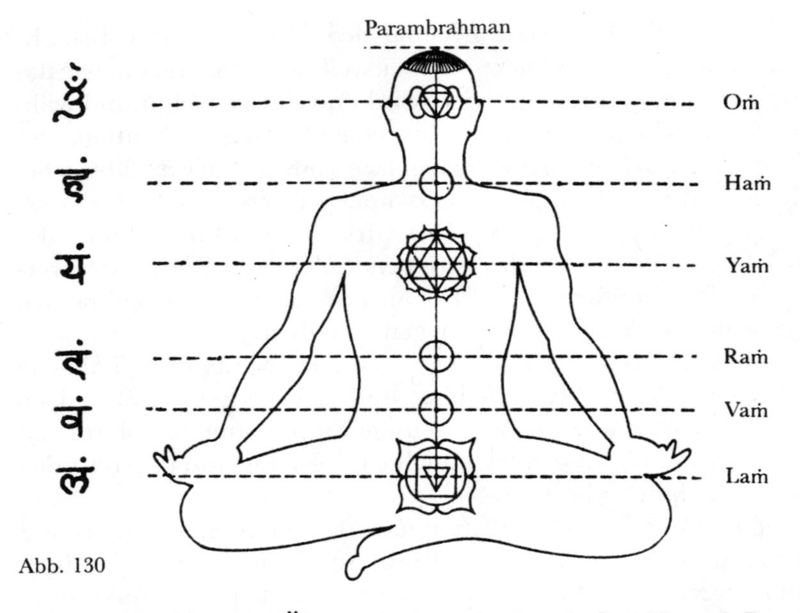

Abb. 130

Zum Abschluß der Übung singen wir *einmal* »Oṁ Namah Parambrahman« (ich neige mich vor dem Ewigen Allmächtigen Gott) für das Scheitelzentrum. Mit diesem Wort bündeln und richten wir alle erweckten Kräfte nach oben in den höchsten Ursprung. Dies kann uns in eine tiefe Ekstase oder einen tiefen, inneren Frieden emporheben.

Wer mit der Übung vertrauter ist, kann die einzelnen Mantras auch – ohne mehrmalige Wiederholung – vom *Laṁ* bis *Oṁ Namah Parambrahman* in einem Zuge sprechen oder ausrufen. Um den Zusammenhang zwischen den Bijas und den Chakras sichtbar zu machen, habe ich ihn in Abbildung 130 graphisch dargestellt.

Wichtig ist zu erkennen, daß all diese Übungen und Vorstellungen Hilfen sind. Sie sind relativer Natur und dennoch geeignet, uns zur Einheit zu führen. Diese Einheit liegt jenseits der Unterscheidungen und umfaßt alle Zentren, Bijas, Worte, Gedanken und Welten. Im göttlichen Ursprung liegen sie alle beisammen.

Die Übung ist Hilfe, diese transzendente Einheit zu erkennen; wer aber die Einheit erkennt, stützt sich auf sie und bedarf keiner Übung, als in ihrer Bedingungslosigkeit zu verweilen. Weg und Ziel münden hier in dem ungetrübten Gewahrsein des *Ich Bin*, das die Inder Ahamvimasha, Shivoham oder Satchitananda nennen.

6. Meditation und Gebet

»Voller Durst nach Deinem Anblick
ruft mein Herz in Seelenpein.
Ich bete zu Dir, oh Gestaltloser,
und erfahre Deine Barmherzigkeit.«

Meister Arjan

»So ihr in Mir bleibet
und Meine Worte in mir bleiben
werdet ihr bitten, was ihr wollt,
und es wird euch widerfahren.«

Joh. 15.7

Meditation und Gebet bilden die beiden Grundpfeiler des geistigen Lebens. In ihnen erhebt sich der Weg der Seele zu seinem Quell und Ursprung, darin sie Labung empfängt und ihren Durst stillt. Er führt sie empor ins Licht und Leben und zur Einung mit ihrem Gebieter und ewigen Gemahl.

Obwohl Meditation und Gebet zum gleichen Ziele führen und auch in der Praxis untrennbar verbunden sind, ist ihr Ansatz verschieden, ihr Akzent unterschiedlich. So besteht die Meditation grundsätzlich darin, den Geist vollkommen nach innen zu wenden, Bewußtsein und Wahrnehmung in ihren Ursprung zu versenken und in dieser Versenkung in jenen zeitlosen Grund des Seins einzugehen, der die Wurzel unseres wahren Ichs und der Quell des Lebens in mir ist, darin auch das gesamte Universum seinen Aufstieg hat.

Ihr Ansatz liegt gleichermaßen in der Suche nach dem wahren Selbst im eigenen Inneren. Indem wir Schicht um Schicht, Hülle um Hülle hinter uns lassen, nähern wir uns unserem wahren Wesen. Indem wir in uns denjenigen suchen, der in uns hört, der in uns spricht, der in uns schaut, der die Werke tut, denjenigen, aus dem all die Gedanken und Gefühle hervorquellen und aus dem selbst der Atem in uns aufsteigt, tauchen wir mehr und mehr in jenen Grund, in dem alle Gedanken, Worte und Taten versiegen und worin allein das Licht reinen Bewußtseins leuchtet, daraus alle Formen und Namen aufsteigen und sich in ihm bezeugen. So sinkt alle Tätigkeit des Geistes ab in das selige Gewahrsein des einen unwandelbaren *Ich Bin*, das aus sich selbst leuchtend das Licht der Welt, der Quell des Lebens und der Ursprung aller Gedanken und Bewegungen ist.

Besteht der direkte Weg in dem Nach-innen-Wenden unserer Wahrnehmung in dem Ursprung, in der Suche des Ichs, geleitet durch den Suchimpuls »Wer bin ich?«, so gibt es auch eine Fülle verschiedener Ansätze und Mittel, die uns helfen, diesen Weg nach innen zu finden. Hierzu gehört die Meditation über das innere Licht, über Farben und Symbole, über Töne, Laute und Klänge, aber auch über den »Klang der Stille«. Eine wesentliche Hilfe bilden hierbei auch Mantras und Heilige Namen, die Beobachtung des Atems, sowie die Suche nach seinem inneren Ursprung, um selbst darin aufzugehen. Sie alle sind Hilfen, die dem Geiste auf diesem Weg Halt verleihen.

So bildet das gesungene Mantra den äußeren Ansatz, die ihm innewohnende Schwingung die Brücke, die uns nach innen führt, und das schweigende Gewahrsein des Einen Selbstes als des Ursprunges und der Mündung aller Mantras, Klänge und Schwingungen Ziel, Sinn und Inhalt der Übung.

Obwohl jedes Gebet ebenfalls damit beginnt, daß wir uns nach innen wenden in unser Herz, um erst einmal die in ihm herrschenden Regungen und Bewegungen wahrzunehmen, besteht es doch grundsätzlich in der nun folgenden Aus- und Hinrichtung auf Gott als dem universellen, alles gewahrenden, liebeerfüllten kosmischen Du, mit dem wir in eine innere Zwiesprache treten. Es ist das Angesprochene, das Angerufene Vater, Mutter, Herr, Freund oder Geliebter; Er ist der Barmherzige, der Langmütige, der ewig Eine, der uns näher ist als wir uns selbst. Der erste Sinn des Gebetes ist die vollkommene Hingabe, die Übergabe und Auslieferung unseres ganzen Seins und Lebens, all unseres Wollens, Denkens, Fühlens und Tuns an Ihn. In dem wachsenden Erkennen, daß Er mehr Ich ist als wir selbst, lassen wir unser begrenztes Ich hineinsinken in Sein unbegrenztes All und alles mit seiner Gnade umfassendes Sein, wie ein Tropfen in einem Ozean. Indem wir unser Ich untergehen und ertrinken lassen im unerschöpflichen Ozean Seiner Fülle, durchdringt Er uns mit dem Nektar Seiner Seligkeit. Ganz hingegeben an Ihn gehen wir auf in Ihm und Seiner Einheit.

Das Gebet setzt an bei der innersten Regung des Herzens, dem unstillbaren Durst der Seele, und mündet in der Auflösung des Ich im Großen Du, das unser wahres Ich ist. Er, Gott, ist unser Licht und Leben, unser Aufgang und unsere Mitte.

Wie wir in der Meditation über die Suche nach dem wahren Ich und über das Eingehen in den inneren Ursprung jene Einheit und jene Wirklichkeit, in der allein wahre Seligkeit und ewiger Friede herrschen, finden, so finden wir sie im Gebet über die Selbstübergabe an Gott. Wichtig ist es zu erkennen, daß echtes Beten immer ein In-Bewegung-Setzen von geistigen Kräften ist, in uns selbst und in dieser Welt. Wer betet, möchte denn auch die durch das Gebet in seinem Inneren angestoßenen Bewegungen zulassen, die uns zu einer inneren Verwandlung, zu Heilung und Heil, Erlösung und innerem Frieden führen.

Wahrhaft beten heißt bereit sein zu sterben! Wer nur um seiner Person willen und ihrer Befriedung betet, lasse es lieber ganz. Beten heißt herausstreben aus dem Ich und sich bereiten zur Geburt in Gott. Wer so betet, steht als neuer Mensch auf.

So ist das Gebet ein im Ausgerichtetsein auf Gott vollzogenes Erheben aller Gedanken, Empfindungen, Gefühle und Verlangen zu Ihm, die Rückführung aller Impulse des inneren und äußeren Lebens in ihren oberen Ursprung, auf daß wir mit unserer ganzen Seele und unserem ganzen Gemüte quellen mögen in Ihm.

Alle Regungen und Impulse fließen ins Gebet, lösen sich in ihm auf und münden in die Stille des reinen Ich-Bewußtseins. Dann erkennen wir, daß Er selbst es ist, der in uns betet. Er ist aber auch das Gebet. Er ist Adressat, Betender und Gebet. So wird uns bewußt, daß der ununterbrochene Fluß des Lebens, sein stetes Aufquellen im Lichte des reinen Bewußtseins, das wahre Gebet ist. Hierher gehört der Gedanke des immerwährenden Gebetes, daß das sich im Atem und Bewußtsein Gottes heiligende Leben selbst das Gebet ist, das wir zu Gott richten.

Im tiefsten Sinne ist Beten somit das Gewahr- und Innesein des steten Stromes allen Lebens, der beständig aus Ihm und in Ihm quillt.

Walter Stanietz faßt dies in seinem Büchlein *Vom Paradies des Menschen* (Baden-Baden 1982) in folgende Worte:

»Jeder Grashalm, der sich dem harmonisch ausgewogenen Kräftespiel der Natur überläßt, kann Dich das wahre Beten lehren, jeder Tautropfen, jeder Schneekristall ist ein in sich vollendetes

Gebet, dessen Wesenheit das selbstlose Sichüberlassen ist, daß weder Widerstände einbaut noch Forderungen stellt. Selbstloses Sichüberlassen der formenden Kraft gegenüber schließt automatisch das ein, was der Mensch Liebe, Demut und schweigende, anerkennende Verehrung nennt... Man kann auch sagen, das echte Gebet quillt aus einem boden- und grundlosen Urquell lautlos in die Hülse, in die Form hinein, die sich ihm darbietet, man braucht eben nur still zu halten, das Gefäß füllt sich dann von selbst.

Der Text des Gebetes ist die immerwährende Melodie des Lebens selbst. Ein Mensch steht wie verzückt vor einer soeben aufgebrochenen Blüte, er faltet unwillkürlich die Hände, er hält beinahe den Atem an. Was ist geschehen? Die harmlose Melodie zur Reife entfalteten Lebens in dieser Blüte bringt ihn zur Teilnahme, zum Mitfließen, das, was beiden gemeinsam ist, wird sichtbar, die Ausschüttung der Blüte ist seine eigene Ausschüttung.

Symbolisch wird das Eine Leben offenbar, und die Harmonie dieses Einen Lebens bringt den Menschen in Verzückung, läßt ihn lieben und verehren und die Hände falten. Das ist das echte Gebet aus des Lebens, des Herzens Mitte...

Wer jenen Ort bewußt erfährt, betet das wahre Gebet, das einzige Gebet, das es gibt, denn dort ist die große, tonlose Melodie des Lebens zu Hause, die jedes Wesen singt.«

Wann immer wir beten, sollte jeder Gedanke allein auf Gott gerichtet sein und nicht auf diesen oder jenen Schatz des Lebens. Allein im Quell selbst finden wir, was wir suchen. Meister Eckehart sagte einst: »Bist du krank und bittest Gott um Gesundheit, so ist dir die Gesundheit lieber als Gott; so ist er *dein* Gott nicht: er ist der Gott des Himmelreiches und des Erdreiches, *dein* Gott aber ist er nicht.«

Und wahrlich, wen wirklich dürstet nach Erlösung, der ruft nicht nach Weisheit noch nach all den Schätzen des Himmels, sondern allein nach Ihm, der unser Licht und Leben ist.

In einem alten Text heißt es: »Du bist die Grundform aller Dinge, oh Herr, und ich bete zu Dir, denn Du bist mein Altar in Freud und Leid.« Der Sufimeister Kabir wiederum sprach: »Töte mich, wenn Du willst, aber wende Dich nicht ab, zieh mich an Dein Herz und höre auf mein Gebet. Sieh hierher und nimm meinen Dank.«

Christus schließlich lehrte uns: »So ihr in Mir bleibet und meine

Worte in euch bleiben, werdet ihr bitten, was ihr wollt, und es wird euch widerfahren.« (Johannes 15.7). Das heißt nicht, daß wir alles erfüllt bekommen, was unser sterbliches Ich erwünscht, sondern »So ihr in Mir bleibet« bedeutet, wer lebt und liebt und wirket in Christus, der erbittet in Ihm, was er will, das heißt was immer ihn befähigt, dem Vater und dem von ihm ausgehenden Leben noch vollkommener zu dienen, und es wird geschehen. Denn nicht nach unserem Willen, sondern nach Seinem Willen verlaufe aller Dienst, alle Freude und alles Streben. Allein in Ihm erfüllt sich, was unser Innerstes ersehnt.

Ein altes chassidisches Sprichwort sagt: »Wenn immer du betest, bete für ganz Israel. Was immer du erbittest, erbitte es im Namen und für ganz Israel. Jedes Gebet, das nicht für ganz Israel gesprochen ist, ist vergeblich gesprochen. Es hat keinen Wert.« Hierin wird deutlich, daß nur jenes Beten selbstlos ist, das im Geiste und für die Gemeinschaft aller Suchenden gesprochen ist. Tatsächlich hat jenes Gebet die meiste Kraft, das wir für andere sprechen.

Überhaupt möchte ich, daß uns wieder bewußt wird, welch ungeheure Kraft das Gebet darstellt. Die Schrift bezeichnet es neben der Liebe als die stärkste Kraft in der Welt. Wer wahrhaft aus dem Innersten betet, ja sein ganzes Leben im Gebet hingibt, dessen Gebet rüttelt an den Pforten des Himmels. Die Inbrunst bedingungloser Liebe ist es, die selbst Gott bezwingt.

Von besonderer Bedeutung sind auch das Gebet und die Meditation in der Gruppe. Darin, daß sich mehrere Menschen zum Gebet zusammenschließen, wirken sie wie ein Brennglas, das die Kraft und das Licht Gottes in einem einzigen Punkte bündelt. Indem jeder einzelne sich einstimmt auf die reine Schwingung des weißen oder blauen Lichtes, werden sie wie zu einem Leib, wie zu Gliedern des einen Leibes Christi. Und indem jede Zelle und jede Seele in Seinem Rhythmus schwingt, entfaltet die Gruppe eine gesammelte Kraft, die – vergleichbar einem Laser – weit hinauswirkt in die Welt. Jede Meditationsgruppe bildet einen echten geistigen Faktor in der Welt, der Heil und Licht und Frieden ausstrahlt. Jede im Geiste Gottes wirkende Gruppe schafft ein Kraftfeld, das von Engeln, Meistern und selbst den höchsten Fürsten des Himmels und des Lichtes frequentiert wird. Hierfür sollte ein fester Raum zur Verfügung stehen und ein fester zeitlicher Rhythmus festgelegt werden.

Eine derartige Meditationsgruppe beziehungsweise das durch sie geschaffene Kraftfeld bietet die Möglichkeit, daß der einzelne sich nicht nur darin »badet« und regeneriert, sondern darüber hinaus seine Kraftfülle hinausfließen läßt in die Welt. Denn jedes Quäntchen Licht findet seinen Weg in jenes Herz, das bereit ist, es aufzunehmen. In diesem Sinne ist das Gebet um Frieden und Licht für die Welt gerade in unserer Zeit der Umbrüche und der geistigen Erneuerung von größter Bedeutung.

Auch Heilmeditationen, in denen einzelnen leidenden und kranken Personen Licht gesandt wird, oder wir für sie beten, daß Gottes Hand ihre Seele berühren und ihnen innerlich Heil und Erkenntnis bringen möge, sind wichtige Hilfen in unserer Zeit. Um die betreffende Person erreichen zu können, genügt es, sie innerlich zu visualisieren oder ihren Namen laut auszusprechen. Alles andere bewerkstelligt das himmlische »Zentralamt« mittels seiner Engelsboten.

Wohl bedürfen die höheren Formen des Heilens eines gewissen geistigen Standes als auch entsprechender Kenntnis, und die höchste Autorität des Heilens entspringt dem unmittelbaren Auftrag Gottes. Dennoch entfaltet jede ernsthafte Gruppe ein Kraftpotential, das weit größer ist, als die einzelnen Menschen heute nur ahnen.

Überhaupt gibt es Hunderte von Formen des Gebetes und der Meditation. Von den wesentlichen Wirkungen beziehungsweise Intentionen der Übung, die letztlich immer auf die höchste Einung in Gott gerichtet sei, möchte ich hier fünf Grundformen anführen:

1. die innere Ausrichtung und der Anschluß an den Quell;
2. die Aufladung mit Licht;
3. die Selbstklärung; das heißt, daß wir in Situationen innerer Unklarheit, Verunsicherung und Anfechtung um Hilfe, Schutz und Führung bitten;
4. die Ausrichtung auf innere Wandlung und Reinigung; (Wo unerlöste Kräfte und Impulse in uns stecken, bringen wir durch Gebet und Meditation, vor allem durch Hingabe, Kräfte in uns in Bewegung und zum Aufsteigen, so daß sich der Schmerz und die Spannung in einem Fluß nach oben auflösen mögen. Hierfür ist insbesondere das Singen bestimmter Mantras und Lieder geeignet, die wir auch in unseren Gruppen immer wieder praktizieren. Das *Om Namah Shivaya* ist eines von ihnen);
5. das Gebet um Heilung, das vor allem für andere gesprochen wird.

Stets ist die Bitte um Kraft und Führung das Wesentliche. Indem wir sie erbitten und dazu die Bereitschaft aufbringen, jeden Schritt, der vor uns liegt, auch ohne Zögern voranzuschreiten, eröffnet sich uns der Weg in seiner einfachsten und direktesten Form. Darüber hinaus ist jedes Gebet, das aus der Tiefe des Herzens aufsteigt, reines Leben, das unmittelbar hinfindet zu Ihm.

Mancher mag um Demut oder Klarheit bitten, mancher darum, ein Instrument Seines Willens zu werden: immer ist die bedingungslose Auslieferung an Ihn die höchste Form und der innerste Inhalt der Übung, die sich schließlich in eine innere Haltung verwandeln möchte.

Das äußerlich gesprochene Gebet, das Mantra, die Gottesnamen, sie alle sind Hilfen, die Vielfalt der Gedanken fernzuhalten oder zu übersteigen. Verwirklichen wir den Gegenstand des Gebetes, so fallen alle Gedanken und Formen ab, und es bleibt allein die beglükkende Erfahrung Gottes oder des Selbst. Sein Gewahrsein ist die innerste Frucht und das innerste Wesen des Gebetes. Es ist das ungeteilte Innesein des Einen Seins und Lebens, das jedes Wort übersteigt und alles umfaßt.

6.1 Die Praxis von Meditation und Gebet

Das erste, was bei der Übung von Meditation und Gebet zu beachten ist, ist eine *aufrechte*, aber *entspannte Haltung*. Nur durch diese rechte Haltung gewährleisten wir, daß unser Körper frei und unser Rückgrat gerade und durchlässig ist. Da wir ja wissen, daß das Rückgrat gleichsam die Straße des Geistes ist, darauf Sein Licht und Leben auf- und niedersteigt, können wir die Bedeutung einer aufrechten Haltung wohl ermessen. Wir können die Worte Johannes des Täufers: »Bereitet den Weg des Herren! Macht seine Straßen eben!« (Matthäus 3.3) ohne Umschweife auf unser Rückgrat beziehen. (Das soll nun nicht heißen, daß jemand, der Probleme mit seinem Rücken hat, nicht beten oder meditieren könnte. Vielmehr geht es doch um die *innere Haltung* und die Durchlässigkeit des feinstofflichen Kanals [der Shushumna], die durch die Körperhaltung lediglich begünstigt werden.)

Wohl ist es günstiger, mit gekreuzten Beinen auf einem geeigneten Meditationskissen oder -hocker zu sitzen, aber, wenn es die körperliche Konstitution nicht erlaubt, ist das Sitzen auf einem gewöhnlichen Stuhl (besser ohne Lehne) auch geeignet. Wesentlich ist die *entspannte, aufrechte Haltung*, wobei wir uns nach Möglichkeit nicht anlehnen sollten.

Haben wir diese Position eingenommen, so gilt es *bewußt unseren Körper zu entspannen*, wobei wir mit dem *Loslassen im Hals- und Nackenbereich* beginnen. Die Hände sollten zu Beginn lose mit dem Handrücken auf den Oberschenkeln liegen. Sie können während der Meditation – je nach Bedürfnis und innerem Impuls – erhoben oder bewegt werden.

Als nächstes *wenden* wir *unsere gesammelte Aufmerksamkeit bewußt tiefer nach innen. Wir lassen all die äußeren Eindrücke und Gedanken los und außen an uns abgleiten.* (Bitte nicht gegen die Gedanken kämpfen, sondern das Bewußtsein, die Wahrnehmung von ihnen lösen [sie gar nicht beachten] und tiefer nach innen wenden!). Hilfreich ist es, sich selbst mehr und mehr – mit dem gelösten Atem – *in den eigenen Bauch- und Beckenraum hineinsinken zu lassen und* dadurch mehr und mehr *mit den tieferen* Empfindungen und Impulsen der Seele und den *Regungen des Herzens in Berührung zu kommen.* Auch sollten die Beine so locker gehalten werden, daß wir den *Kontakt zum Boden* unter uns deutlich wahrnehmen.

Indem wir uns in aufrechter Haltung zunehmend nach innen wenden, *finden wir* Atemzug um Atemzug mehr und mehr *Stille und inneren Frieden.* Wir lassen alle Welt, all unsere Kontrolle, alles Wollen los und geben uns so allmählich in Gottes Hand. Der Friede, der so in uns einzieht, vermittelt uns ein Gefühl von Geborgenheit und Zuhausesein in uns selbst.

Wenn solcher Friede in uns eingezogen ist, so erheben wir unser Herz und *öffnen uns* aus der Tiefe unserer Seele *nach oben für das Licht!*

Wir lassen dieses Sichöffnen ganz ungezwungen geschehen und können uns zur Hilfe vorstellen, daß unsere Seele aufgeht wie eine Blume oder Blüte im Sonnenschein. So ist der Kontakt nach oben, auch wenn wir ihn selbst noch nicht gewahren, von innen her gewährleistet.

Wir können uns nun so wie ein Gefäß – weit geöffnet – ganz Ihm hingeben und uns von Seinem Lichte durchdringen oder einhüllen lassen. Wir werden gewahren: Ganz zart und unmerklich wie Tau senkt sich der Segen des Himmels in unsere Seele. Er labt uns, berührt uns und bringt jene Impulse, die noch ungewandelt in uns liegen, allmählich zum Aufstieg und zur Wandlung.

Das sind die wesentlichen Schritte der Einstimmung:

a) das entspannte in-Berührung-kommen mit den Bewegungen in unserem eigenen Herzen
und
b) die bewußte Öffnung (Ausrichtung) nach oben für das Licht und die Kraft und die Herrlichkeit Gottes.

Dadurch sind wir wahrlich empfänglich (Kabbala!) geworden, haben eine innere Verbindung zu Gott hergestellt und können nun die konkrete Übung oder innere Zwiesprache beginnen. Vieles mag nun spontan geschehen, und unsere Aufgabe ist allein, all dies zuzulassen und uns Seiner Führung anzuvertrauen. »Sei still und wisse, daß ich, Gott, bin!« heißt es in der Schrift, und so werden auch wir den Aufgang Seiner Gegenwart in der Stille des Herzens erfahren.

Wer sich ernsthaft dem inneren Weg verschreibt, wird erkennen, daß Meditation und Gebet der Seele im gleichen Maße wichtig sind wie dem Leib der tägliche Schlaf und die Nahrung. Nur wenn wir unsere Seele mit dem Elixier des inneren Lebens immer neu erquicken, wird sie ein gesundes Wachstum entwickeln und so den innewohnenden Baum des Lebens zur Entfaltung bringen.

Wer sich diesem Werk der Übung bewußt ist, sollte es zu einem regelmäßigen (nicht routinemäßigen!) Teil seines Lebens werden lassen. So ist es sehr förderlich, einen *festen Platz* und auch eine *einigermaßen feste Zeit* für die Übung festzulegen. Die günstigsten Zeiten sind der frühe Morgen, auf daß wir uns schon bewußt auf den Tag einstimmen, und auch der Abend, vor dem Schlafengehen, wobei wir in einer gelösten Überschau den Gang des Tages überblicken und unabgeschlossene Erlebnisse in der Übergabe an Ihn zum Abschluß bringen können.

Empfehlenswert ist die Regelmäßigkeit der Übung, die aber nicht aus einem inneren Zwang, sondern aus einem inneren Verlangen und Verständnis kommen sollte. Droht die Übung zu einer erstarrten Routine zu werden, so ist es besser, sie abzubrechen oder zu verändern, als sich darin zu verkrampfen. Ohne Zweifel ist die Anleitung durch einen kompetenten Lehrer eine große Hilfe.

Besteht darüber hinaus die Möglichkeit der Übung in und mit einer gleichgesinnten Gruppe, so fördert dies den Fortschritt in besonderem Maße. In den von uns selbst aufgebauten oder angestoßenen Meditationsgruppen lassen wir verschiedene Meditationsformen einander abwechseln. Zum Grundstock der Übung zählen jedoch das aus der hebräischen Tradition kommende *Sch'ma Israel* und das Sanskrit-Mantra *Om Namah Shivaya*. Beide sind insbesondere geeignet, die Gruppenmeditation zu eröffnen sowie auch abzuschließen.

Beide »Lieder« eignen sich sowohl für die Übung des einzelnen als auch in der Gruppe. Beide haben auch eine unterschiedliche Wirkung. Zieht das *Sch'ma Israel* gleichermaßen den Segen des Himmels auf den Übenden hernieder, wodurch sich dessen Aura mit Licht auflädt, so bewirkt das *Om Namah Shivaya* die Erweckung der geistigen Kraft im Inneren, die sodann auch zum Aufstieg kommt. Gerade das *Sch'ma Israel*, das in einer einfachen Melodie wiederholt wird, ist ein Lied, das wir, außer zur Einstimmung in die Meditation, auch in vielen anderen Situationen des Lebens singen können. Viele, die es in unseren Seminaren und gemeinschaftlichen Übungen kennengelernt haben, begleitet es seither durch den Alltag; sie singen es zu Hause für sich, zum Einschlafen ihrer Kinder, unterwegs im Auto und zu vielen anderen Gelegenheiten.

Gründend auf den Worten des Mose (Deut. 6.4), bildet das Sch'ma nicht nur den Kern seiner Botschaft, sondern auch das Herzstück des gläubigen Judentums. Auch Jesus weist auf die Frage eines Gesetzeslehrers auf diesen Satz Mose' als dessen wichtigstes Gebot (Mark. 12.39).

Das Gebet lautet:

> »Sch'ma Israel, Adonai Elohenu, Adonai Echad. Ahabta Eth Adonai Eleka bekol Levka, wabekol Nef'schka, wabekol Meodka.«
> »Höre, oh Israel, der Herr, unser Gott, der Herr ist einer. Liebe Gott deinen Herrn von ganzem Herzen, mit ganzer Seele und all deiner Kraft.«

Hierbei versteht sich Israel wiederum nicht als geographischer Begriff, sondern als die geistige Gemeinschaft derer, die Gott und Seine Wege suchen. Das »höre« richte ich an mich selbst. Ich spreche: »Höre, Israel«, erinnere mich aber selbst: »Der Herr, unser Gott allein, ist dein Herr. Ihn trage im Herzen, ihm weihe deine Seele, ihm diene mit all deinen Kräften.« Ich könnte auch sagen: »Höre, Heinrich«, erinnere mich aber im Geiste ganz Israels.

Als »Mantra« zur Meditation gebrauchen wir jedoch nur die ersten sechs Worte. Da seine Kraft und sein Segen jedem Suchenden zugute kommen sollte, will ich Melodie und Text hier wiedergeben.

6.2 Das »Vater unser« und andere bedeutende Gebete

Von besonderer Kraft und Fülle ist nach wie vor das – oftmals als »Gebet des Herrn« bezeichnete – »Vater unser«. Als lebendiges Vermächtnis unseres leuchtenden Sternenbruders Jesus spiegelt es dessen Liebe zum Vater und zu den Menschen. Es trägt den Samen und die Frucht jener bedingungslosen Hingabe und jenes Verlangens in sich, aus denen Er wirkte und trachtete, die nach Leben und Erlösung dürstenden und hungernden Seelen mit sich in die selige Heimstatt des Vaters zu ziehen.

Wer immer es in Seinem Geiste betet, der wird gewahren, daß Christus selbst es in und mit ihm spricht. Wichtig ist es jedoch, den in den einfachen und schönen Worten verborgenen tieferen Sinn und Aufbau zu verstehen, der in wunderbarer Weise die gesamte Kraft und Weisheit des Sefirot-Baumes in sich spiegelt.

Zurückgreifend auf das hebräische *Ovenu Malkhenu* (»unser Vater, unser König«), hat Jesus das »Vater unser« als dessen Essenz in die uns bekannte, reine Form gegossen, die jene zehn sefirotischen Aspekte unseres inneren Lebens umfaßt, auf denen unser gesamtes seelisches und geistiges Sein gegründet ist. In Abbildung 131 ist es in Entsprechung zu den Sefirot im Lebensbaum dargestellt.

Indem das »Vater unser« alle Aspekte des Lebens umfaßt, ist es ein Gebet, das alle wesentlichen Dinge des Lebens anspricht und darin den ganzen Sefirot-Baum in uns wachruft und belebt. Ausgehend von der Anrufung des Vaters als dem einen Quell der Kraft, ziehen wir Seine Fülle durch die zehn Tore (= Sefirot) des Baumes durch unseren feinstofflichen Leib herab bis in die Füße (Malkhut), bis wir vollkommen eingehüllt sind in die Herrlichkeit Seiner Schekhinah. Darüber hinaus ist das Gebet ein Instrument der Selbsterforschung, das uns in seinen einzelnen Aspekten aufruft, uns unserer Haltung und unsres Lebens in seinem Gesamtzusammenhang bewußt zu werden. In diesem Sinne ist es insbesondere für den Abend geeignet, um darin unseren Tag und unser Leben zu überschauen und in der Kraft und im Segen des Herrn abzuschließen.

Da das Gebet in leuchtender Weise den Fluß der Kräfte des Lebensbaumes widerspiegelt, ist es hilfreich, seinen Aufbau durch die Dynamik des Lebensbaumes zu erläutern. In diesem Sinne möchte ich nun im folgenden die einzelnen »Mantras« (Sätze) dieses wunderbaren Gebetes erläutern.

Wir sitzen aufrecht und erheben unser Herz und unsere Seele nach oben (Kether), schlagen langsam ein Kreuz und sprechen sodann mit gefalteten Händen: *Vater unser.* Indem wir diese zwei Worte sprechen, bekennen und besinnen wir uns auf jenen höchsten und einzigen Ursprung unseres Lebens, aus dem wir alle sind. Wir bekennen uns als Seine Kinder, die aufschauen zu Seiner Fülle, Liebe und Herrlichkeit und Ihn anrufen, uns Sein Antlitz und Seine Liebe zuzuwenden.

Gleichzeitig besinnen wir uns, wie oft wir Seiner an diesem Tage vergaßen und damit Seiner Glorie und Kraft entbehrten. Indem wir uns erneut zu Ihm emporrichten, erinnern wir unsere Kindschaft und erneuern unsere Wohnstatt in Seinem Herzen. Ich denke an die schlichten Worte Jakob Böhmes, der sagte: »Alles, was ich trachte, ist, mich im Herzen des Vaters vor dem Wüten des Teufels in der Welt zu verbergen.« Dies bedeutet nicht, daß er der Welt entfloh, sondern sein Herz in allem, was er tut, läßt, als ewiges Pfand in der

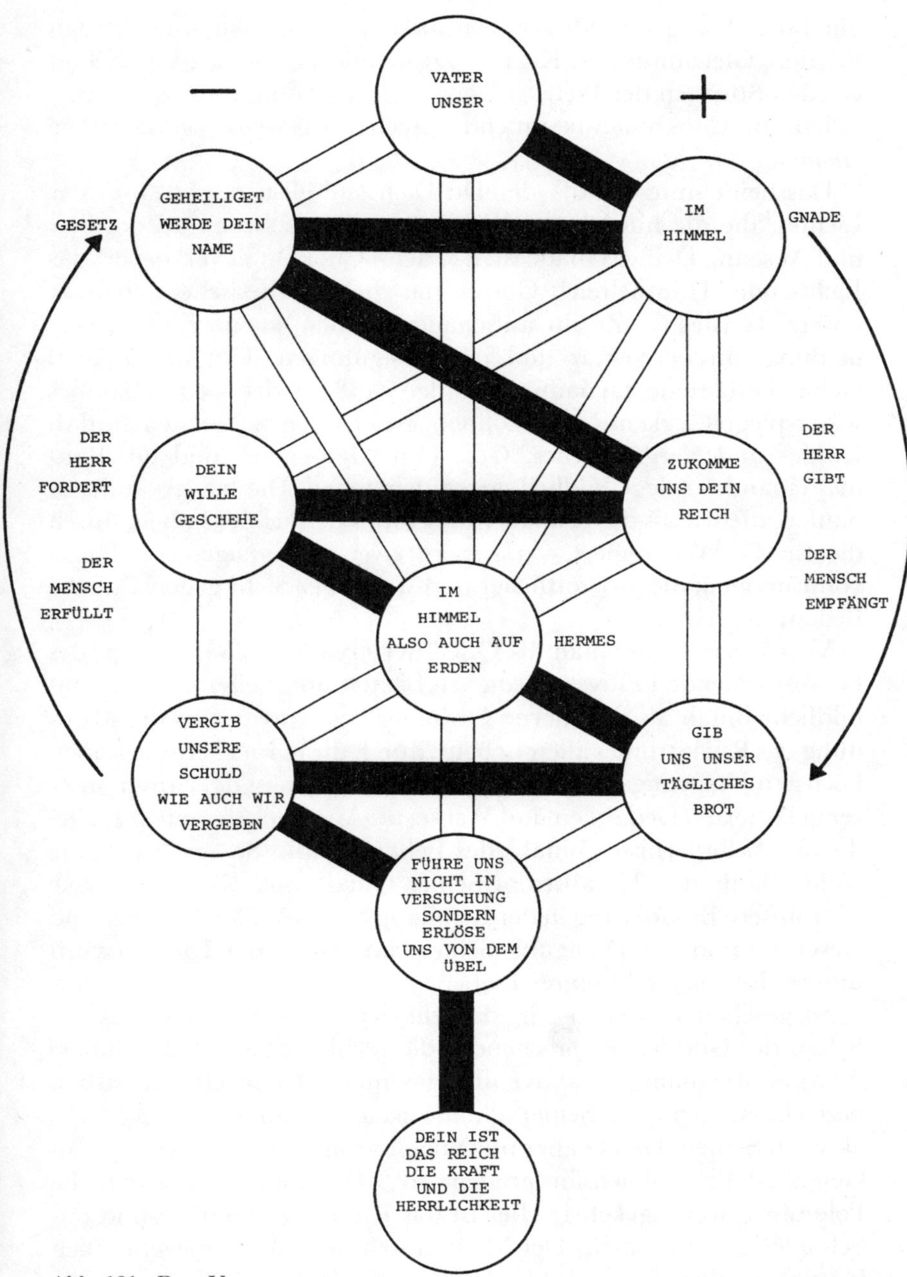

Abb. 131: Das »Vater unser«

hütenden Hand des Vaters. Daraus empfangen wir unendlichen Frieden, Gleichmut und Kraft. Und sie sind uns Schutz und Schild vor den Stürmen der Welt.

Uns auf Chokhmah besinnend, sprechen wir weiter: *der du bist im Himmel.*

Das heißt sinngemäß: »der Du Dich einhüllst in eine Aura des Lichtes, die die himmlische Wohnstatt allen Lebens und der Sitz und Ausgang Deiner Gnade ist...«, denn Chokhmah verkörpert das Licht- oder Himmelreich Gottes, das die paradiesische Urheimat unseres Geistes ist. Zu ihr aufschauend, rufen wir nach ihrer Verheißung, ihrem Nektar und ihren Segnungen. Um die in dem Gebet enthaltene Dynamik, die den Aufbau des Lebensbaumes widerspiegelt, erkennen zu können, ist es nötig zu verstehen, daß Ewiges und Vergängliches, Gott und Mensch im Bild des Baumes einander spiegelbildlich gegenüberstehen. Die beiden äußeren Säulen, die wir als die beiden Arme Gottes bezeichnet haben, durch die Er die Welt regiert, verkörpern zwei entgegengesetzte Flüsse von Energien, die aus göttlicher und weltlicher Sicht gegensätzliche Bedeutung haben.

Verkörpert Chokhmah als Quell der Gnadenfülle den Kopf des herabströmenden Flusses göttlichen Lichtes und Lebens, so versinnbildlicht Binah als die eherne Ordnung des Universums die Mündung des Rückstromes allen Lebens, durch die es rückkehrt in seinen höchsten Ursprung in Kether. Dieser Rückstrom ist der Strom unserer geläuterten Gedanken und Werke, als Ausdruck der einen Liebe, die alle Erfordernisse (Binah) des Lebens erfüllt. So verkörpert die rechte Säule den Herabstrom Seiner Gnade und Kraft, die linke aber unsere Erwiderung in der Erfüllung Seines Willens (Planes und Gesetzes) und der Heiligung Seines Namens in der Dienstbarkeit unseres Lebens und unserer Liebe.

So gesehen verstehen wir, daß die Kabbalisten – stets aus der Schau des Göttlichen sprechend – die rechte Säule (= den linken Arm) als die männlich-aktive und die linke als die weiblich-passive bezeichnen; denn in Seiner Gnade ist er männlich-schöpferisch-aktiv, in Seinem Gesetz aber unwandelbar und ohne Bewegung. Im Gesetz ist Er weiblich-fordernd-passiv. (Die Inder betrachten die Pole übrigens umgekehrt: Hier ist das Ruhende männlich und das Schöpferische weiblich.) Der Mensch steht jedenfalls spiegelbildlich Gott gegenüber: Dort, wo Gott gibt in Seiner Gnade, sind wir es, die empfangen, dort wo Er »fordert«, sind wir es, die erfüllen und geben. Wir erfüllen des Lebens Gesetz, indem wir es zurückströmen lassen in jenen Ursprung in Ihm, von dem es ausging.

Wo Gott uns als väterlicher Quell, Ursprung und Schöpfer in männlicher Qualität begegnet, begegnen wir ihm durch Hingabe und Empfänglichkeit in unserem weiblichen Pol, dort, wo er uns als urmütterliche Ordnung und als Gesetz des Alls in Seiner weiblichen Qualität begegnet, da antworten wir in unserer männlich-schöpferischen Qualität durch Heiligung, Tatkraft und Dienst.

Unsere Aufmerksamkeit nun in Binah verlegend, sprechen wir: *Geheiliget werde Dein Name.*

Binah ist der Sitz der ewigen Ordnung des Kosmos und des Lebens und seines innersten Gesetzes. Ursprung und Ausgang aller Ordnung und Gesetzmäßigkeit ist Sein heiliger Name. Sein Name ist aller Ordnung Ausdruck, Wesen und Ursprung. Selbst eins mit Ihm ist der verborgene Name Ausdruck Seiner Kraft, Seines Willens und Seiner Heiligkeit. Als Ursprung aller Formen und Gestalten ist Sein Name die Mutter aller geschaffenen Dinge. Wer sich mit ihm eint, verbindet sich mit Seiner Kraft und Seinem Willen. Wirkend und lebend in Seinem Namen, das heißt, nach Seinem Plan und Willen, wirkt Sein Wille durch uns und offenbart durch uns Sein erhabenes Gesetz!

Indem wir sprechen: »Geheiliget werde Dein Name«, besinnen wir uns auf die Heiligung all Seiner Aspekte, die Anerkennung und Ehrfurcht vor allem Leben und ihrem inneren Gesetz. Darüber hinaus bedeutet die Heiligung Seines Namens die Anrufung Seines Wesens durch die Wiederholung von JHWH in unserem Herzen. Darin empfangen wir Seinen Odem, und all unser Streben verschmilzt in Seinem Gesetz. Indem wir aufschauen zu Ihm und Ihm Seinen Tribut zollen in der Anbetung Seines Namens, werden wir Ihm gleich und restaurieren in uns die abgefallene Ebenbildlichkeit Gottes. Indem *wir* Seinen Namen und sein Gesetz heiligen, das heißt, Seinen Namen im Geiste und im Odem des Lebens innerlich wiederholen und Sein Gesetz in unserem Herzen aufrichten, erfahren wir Sein Ihm innewohnendes Geheimnis, enthüllt Er uns Seine verborgene Natur. Ist es in Chokhmah Gott, der uns labt mit Seiner Gnade, so sind in Binah wir es, die sich Ihm einen in der Ehrfurcht und Heiligung Seines Namens, Seines Lebens und Seiner ehernen Ordnung.

Nach Hesed uns verlagernd, sprechen wir: *Zu uns komme Dein Reich.*

Aufschauend zum Himmel erinnern wir die Verheißung des ewigen Lebens und seiner Seligkeit, die das natürliche Erbrecht all Seiner Kinder ist. Durch reine Hingabe uns Seiner göttlichen Gnade öffnend, entfachen wir die Saat des Himmelreiches in uns und bringen Sein Licht damit auf die Erde. Chokhmah verkörpert das Lichtreich als innewohnende Verheißung, Hesed, dessen Verwirklichung und Entfaltung in uns durch reine Hingabe.

Mit dieser Formel öffnen wir uns dem göttlichen Segen in uns und im Universum. Er gibt und wir empfangen.

Hinübergehend in Geburah sprechen wir: *Dein Wille geschehe.*

Durch die Heiligung Seines Namens und die Erkenntnis Seiner wunderbaren Ordnung und Seines Gesetzes (Binah) in unserem Herzen uns Seiner Wege und Seines Planes mehr und mehr bewußt werdend, gewahren wir auch unseren Eigensinn und unsere vielen kleinen Verstöße gegen die innere verletzliche Natur des Lebens. Uns auf Seine umfassende Intelligenz und Seinen weisen Plan und Willen in all und allem besinnend, beugen wir unseren eigenen Willen unter Seine Ordnung und vollziehen wir den in uns selbst tönenden Ruf nach Recht, Verantwortung und Gerechtigkeit. Die Veruntreuung Seines Namens in uns, unserem Herzen gewahrend, verlangt es uns, ein Werkzeug Seines Willens zu werden. Im Einklang mit dem Drang, uns hinzugeben (Hesed), dürsten wir nach Erfüllung der Aufgaben unseres Lebens, die allesamt Gaben Seiner Hand sind, darin wir wachsen. In zunehmender Treue zu Ihm als dem Herzen, Kern und wahren Zentrum unseres Lebens verlangt es uns mehr und mehr, die Attribute Seiner Herrlichkeit in unserem Leben zum Ausdruck zu bringen. So werden wir all unsere Tatkraft, unseren Mut und unsere Entschlossenheit hinrichten auf das eine Ziel, das sich in unserem Herzen kundtut. Auf diese Weise heranwachsend zu einem verläßlichen Werkzeug Seines wunderbaren Planes, teilt Er mit uns Seinen Ruhm und Seine Herrlichkeit.

Eintretend in die Kammer unseres Herzens (Tiferet) sprechen wir: *Wie im Himmel, so auf Erden.*

Wie oben, so unten; was oben ist, das sei auch unten, und alles Untere gestalte sich nach dem Bild des Oberen, nach dem Vorbild des Himmels. Anstatt sich an den Maßen der Welt und der Menschen zu messen und mit ihnen zu wetteifern und zu konkurrieren, wodurch wir Eitelkeiten oder Demütigungen ernten, mögen wir in allem nach oben schauen und dem vollendeten Leben der höheren Sphären folgen und unsere Vorbilder in den großen Pionieren und Weisen der Menschheit finden. Vor allem dem Ruf unseres Herzens folgend, mögen wir selbst zu kleinen Lichtern werden, daran andere sich wärmen können. Tiferet verkörpert die Synthese aller oberen mit allen unteren Aspekten. Das Herz ist der Sitz des Sohnes, der herabstieg vom Vater, um dessen Licht und Herrlichkeit zu bezeugen in der Welt. Hier im Herzen verwirklichen wir das erste hermetische Gesetz (wie oben, so unten) durch die Versöhnung und Rückbindung der unteren Kräfte an ihre obere Wurzel.

Tiefer hinuntersteigend in Nezach sprechen wir: *Gib uns heute unser tägliches Brot.*

Wieder erheben wir uns nach oben mit einer Bitte. Nezach ist der Sitz der Vitalität und der Lebenskraft. Das Brot, das wir hier erbitten, ist nicht nur Sinnbild der physischen Nahrung sowie der Erfüllung all unserer physischen Grundbedürfnisse, sondern der ganz umfassende Ausdruck des inneren Lebens schlechthin. Paulus sagt: »Der Mensch lebt nicht nur vom Brot allein, sondern von jedem Wort, das aus dem Munde Gottes kommt.« Und Jesus sagte: »Mühet euch nicht um die Speise, die vergänglich ist, sondern um die Speise, die ins ewige Leben hin anhält.« (Johannes 6.27)

Weiters spricht er: »Wahrlich, wahrlich, nicht Mose hat euch das Brot vom Himmel gegeben, sondern mein Vater gibt euch das wahre Brot vom Himmel. Denn das Brot Gottes ist der, welcher vom Himmel herabkommt und der Welt Leben gibt.« (Johannes 6.32-33) »*Ich bin* das Brot des Lebens. Wer zu mir kommt, wird nimmermehr hungern.«

»Wahrlich, wahrlich, ich sage: Wer glaubt, hat ewiges Leben. *Ich Bin das Brot des Lebens*. Eure Väter haben in der Wüste das Manna gegessen und sind gestorben. Dies ist das Brot, das vom Himmel herabkommt, damit man davon esse und nicht sterbe. *Ich Bin* das lebendige Brot, das vom Himmel herabgekommen ist. Wer von diesem Brote ißt, wird in Ewigkeit leben.« (Johannes 6.35-51)

Als Jesus zum letzten Abendmahl das Brot teilt, spricht er: »Nehmet hin und esset, denn dies ist mein Leib.« Das Brot, von dem hier die Rede ist, ist der Lebensleib Christi, das kosmische Licht des *Ich Bin.* Dies ist das Licht der Welt, und das Licht ist das Leben der Menschen (Johannes 1). Die Bitte in Nezach ist Ausdruck des Rufes nach der Teilhabe am Lichte des *Ich Bin*. Dadurch, daß wir uns erfahren als Glieder Seines Leibes, erfahren und erleben wir die Kommunion des Lebens in uns selbst. In dem Bewußtsein der Einheit und Achtung allen Lebens allein finden wir Sättigung und Erfüllung. Dadurch, daß wir innerlich schöpfen aus Gott und ihm dienen, finden wir Labung und empfangen die Speisung vom Baum des Lebens.

Darüber hinaus sprach Jesus: »Meine Speise ist es, Seinen Willen zu tun.« (Johannes 4.34). Und wahrhaftig, wer mit allen Fasern seines Wesens allein danach trachtet, Gottes Willen zu tun, der allein findet vollkommene Erfüllung all seiner Verlangen. Kein Bedürfnis bleibt unerfüllt und alle Wünsche vergehen. Im Dienste und der Verherrlichung Gottes werden wir ein Leib mit und in Ihm in der Einheit des Lebens.

Indem wir um das Brot des Lebens bitten, mögen wir uns auch all der Gaben bewußt werden, die wir täglich, stündlich, ja minütlich empfangen. Wir sollen uns bewußt werden, daß jeder Atemzug Gnade, jede Sekunde und jeder Impuls des Herzens Geschenk ist. Er gibt und Er nimmt. Und indem wir in dieser Weise rückschauen, werden wir erkennen, wie viele Dinge wir von Gott und auch von Menschen empfangen haben, ohne uns ihres Wertes und ihrer Bedeutung bewußt zu sein. Wie vieles nehmen wir täglich als selbstverständlich hin, und wie oft stellen wir Forderungen an Gott, Welt und Mitmenschen, meist ohne Bereitschaft, selbst das zu geben, was wir fordern. Wie oft denken wir, die anderen müßten beginnen, ohne aus unserem eigenen Quell zu schöpfen und das uns Gegebene aus freien Stücken auszuteilen. Jeder sucht Hilfe, jeder fordert, doch wenige sind bereit zu geben und zu dienen.

So ist die Bitte nach Brot auch ein Aufruf an uns selbst, uns all dessen zu besinnen, was uns gegeben wurde. Auch anzuschauen, wie gerade diejenigen, die selbst Mühe hatten, etwas zu geben, in ihrer unbeholfenen, vielleicht verdrehten Weise suchten, uns ein Zeichen ihrer Liebe zu schenken. Wenn wir uns all dessen bewußt werden, werden wir an dieser Stelle in Anbetracht der vielen kleinen Zeichen und Wunder, die wir empfangen haben, vielleicht auch zu jenem Schritt finden, in dem wir Dank und Demut vor Gott und all jenen empfinden, die uns im Leben wohlgesonnen waren und Gutes getan haben. So wird dieser Satz zu einer Besinnung auf den Quell und all die Geschenke, die uns unser tägliches Leben beschert.

Besonnen auf Hod sprechen wir: *Vergib uns unsere Schuld, wie auch wir vergeben unseren Schuldigern.*

Hod ist der Ort unseres rationalen Denkens und Begründens. Wie oft suchen wir hier Gründe und Argumente, uns selbst und andere zu be- oder entschuldigen. Wo immer wir aber beschuldigen oder verurteilen, entziehen wir uns nicht nur unserer Verantwortung oder auch unserer Bereitschaft zu lernen, sondern verletzen wir durch das Urteil und seine Wertung auch die Empfindsamkeit der Seele und des Lebens. Nach einem chassidischen Sprichwort besteht der Sieg des Teufels nicht darin, daß wir Fehler machen, sondern, daß wir, wenn wir fehlen, zerknirscht sind. So ist es nun überhaupt so, daß wir uns selbst und unseren Mitmenschen ihre Verfehlungen vergeben möchten; denn die Vergebung ist der einzige Weg, die Konsequenz der Verfehlung aufzulösen.

Jesus sagte auf die Frage Petri, wie oft er seinem Bruder verzeihen solle: »Ich sage dir, nicht bis siebenmal, sondern bis siebenundsiebzigmal!« (Matthäus 18.21) Zur Erläuterung des Gebotes selbst sagt Jesus: »Wenn ihr den Menschen ihre Verfehlungen vergebt, wird auch euch euer himmlischer Vater vergeben. Wenn ihr aber den Menschen nicht vergebet, wo wird auch euer Vater eure Verfehlungen nicht vergeben.« (Matthäus 6.14-15) Dies bedeutet, daß wir, sollten wir auch noch so viele Verletzungen und Ungerechtigkeiten erfahren haben, nur dann frei werden und Heilung finden, wo wir loslassen und vergeben können.

Vergeben ist aber nicht ein mentaler Akt, sondern ein Akt des Bewußtseins in der Tiefe unserer Seele. Wenn wir sehr viele Verletzungen und Demütigungen (etwa als Kind) erfahren haben, ist es schwer, einfach zu vergeben. Stets ist das Vergeben aus der Tiefe verbunden mit der Heilung und Erlösung der Verwundungen und des Schmerzes, des Erlangens der Fähigkeit, seine Würde und Behauptung als Mensch wiederherzustellen.

Oftmals erfordert dies jene innere Abrechnung und Loslösung vom anderen, die in der *Bhagavad-Gita* als der Kampf von Kurukshetra bezeichnet wird. Es ist dies ein offenes, ehrliches inneres Austragen, das frei von Haß sein will, aber voll der aufwallenden Wut und Selbstbehauptung sein darf. Dieser Kampf ist nicht ein Kampf, der zerstört, sondern einer, der die Fesseln der Unterdrükkung, Demütigung und Selbstverleugnung sprengt.

In dem Maße, wie wir uns innerlich von Leid und Unterdrükkung befreien, Schmerz und Verletzungen heilen können, in dem Maße finden wir auch zu Vergebung, Güte und Barmherzigkeit. Ebenfalls verbunden ist dies mit der Fähigkeit und Bereitschaft, sich in den anderen einzufühlen und die Motive und Begrenzungen von dessen Person zu erkennen. Hierbei lernen wir auch mehr und mehr erkennen, daß derjenige, der voller Gehässigkeit ist, selbst als krank anzusehen und nur durch Milde und Festigkeit geheilt werden kann. Immer sind Sanftmut, Liebe und klare Entschiedenheit die besten Mittel der Bekehrung und führen vereint mit Geduld stets zum Ziel.

Vergebung und Selbstheilung sind eng miteinander verbunden. Gelingt es uns nicht zu vergeben, so verbleibt ein Saatkorn der Rache, des Hasses und der Zerstörung in uns, das uns nicht nur unser jetziges Leben vergiftet, sondern auch zur Wurzel neuen Karmas in späteren Verkörperungen wird. In diesem Sinne wird dieser Satz des Gebetes zum Aufruf, uns zu besinnen, inwieweit wir an diesem Tage erlittenes Unrecht oder erlittene Verletzungen in unserer Seele in Gedanken der Mißgunst, der Verbitterung, des Hasses oder der Vergeltung eingekapselt haben. Finden wir nur die geringsten Spuren des Nachtragens in uns, so mögen wir unmittelbar daran gehen, diese aufzulösen, in Vergebung zu verwandeln. Sicherlich kann es nötig sein, den anderen nochmals zur Aussprache zu bitten oder aufzufordern, niemals aber sollte Verbitterung in der Seele festgehalten werden. Manchmal ist es auch heilsam, dem anderen in Gedanken Licht und Liebe zu senden oder für ihn oder um eine Lösung zu beten.

Nezach und Hod, die Bitte um Brot und die Aufforderung zur Vergebung sind zwei Aufrufe um Besinnung auf unsere Beziehung zu Gott, Welt und Mitmenschen. Gerade die Loslösung von anderen, sei es von unseren Eltern, von Partnern, die uns verlassen haben, erfordert immer wieder erneut diese Besinnung. Immer wieder stellt sich uns die Frage

1. was wir dem anderen verdanken und ihm auch danken möchten (Nezach), und
2. was wir durch ihn erlitten haben und ihm noch nachtragen (Hod).

In diesen beiden Sätzen wollen wir beides bewußt werden lassen. Indem wir die nötigen Lernschritte in uns annehmen, werden wir auch den unausgesprochenen Dank aussprechen und die nötige Vergebung in uns vollziehen können. Nur dadurch lösen wir uns von dem anderen, und auch die karmischen Bande, und werden frei. So sind Dank und Vergebung zwei notwendige Schritte zur Selbstbefreiung und zum Erlangen selbstloser Liebe.

Der nächste Schritt führt uns in Jesod. Dort heißt es: *Führe uns in der Versuchung und erlöse uns von dem Übel.*

Meist lesen wir: »Führe uns nicht in Versuchung.« Doch dies ist falsch, denn die Versuchung ist ein Teil des Weges und ein Glied in Gottes Plan; denn die Versuchung ist eine Herausforderung oder Verlockung der äußeren Welt, in der ein unbewußtes oder verborgenes Potential, eine unbewußte Kraft oder ein unbewußtes Begehren, das verwandelt werden will, erweckt wird. Um der Verwandlung willen, und daß es verwandelt werden kann, muß es erst erweckt werden. Das Mittel, das es erweckt, ist die Versuchung. In ihr liegt die Herausforderung zur Wandlung. Nicht darin, daß wir ihr erliegen, indem wir der Verlockung und ihrer illusorischen Verheißung nachgeben, sondern darin, daß wir ihr widerstehen, standhalten und darin die Keime der Illusion, des Ego und der Täuschung auflösen, besteht ihr Sinn.

Erweckung, Bewußtwerdung, Widerstehen und Verwandlung sind die Elemente der bestandenen Prüfung und Versuchung. Darin lösen sich die Keime von Illusion und Verblendung, falschem Ich und falschem Verlangen auf. Und so verschwinden die Keime und Wurzeln von Täuschung und Leid und führen uns zur Erlösung allen Übels der Welt und des Lebens. Indem wir überwinden, finden wir zum Sieg, nicht indem wir die Augen verschließen und das Übel außen anprangern.

Die Bitte, die wir hier aussprechen, ist die nach Stärkung und Führung, daß wir Standfestigkeit, Ehrlichkeit und Kraft erlangen mögen in Zeiten der Anfechtung und daß wir durch Gottes Kraft zur Verwandlung und Auflösung der Keime des Verlangens, der Täuschung und des falschen Ich finden mögen.

Zum Abschluß treten wir in Malkhut und sprechen: *Dein ist das Reich, die Kraft und die Herrlichkeit von Ewigkeit zu Ewigkeit.*

Hiermit schließen und vollenden wir das Kraftfeld des Sefirot-Baumes, indem wir den Fluß Seiner Kraft und Herrlichkeit bis in die »Füße«, in unseren Leib und in die Welt vollziehen. Mit diesem Satz ist unser ganzer Leib eingehüllt in Sein Licht und umhüllt von der Glorie der Schekhinah. In dieser letzten Formel vollzieht sich die Einung von Himmel und Erde, von Kether und Malkhut. Die Kraft des Vaters und die Glorie Seiner Matrona haben sich vereint in unserem Leibe.

Wenn wir dieses Gebet in diesem Sinne sprechen, ist es gleichzeitig eine Invokation. Und wir werden erfahren, wie sich Satz um Satz, Sefira um Sefira auflädt, bis der ganze Baum aufgerichtet ist. In diesem Sinne möchte ich dieses herrliche Gebet Jesu erneut aufschließen und jedem, der sich dem Weg zur Zwiesprache mit Gott öffnen möchte, mit aller Liebe ans Herz legen. Indem wir so in Reinheit stehen vor und in Ihm, finden wir wahrlich zurück zur Einheit und Ganzheit in uns, in Gott und der Welt.

Ein anderes Gebet, das ebenfalls den gesamten Lebensbaum abdeckt, möchte ich hier noch kurz anschließen. Dieses beginnt im Baum unten und führt Schritt um Schritt, Sefira um Sefira nach oben, bis zur Einung in Kether. Dieses Gebet fördert die Bewußtwerdung und Entfaltung des eigenen Wesens in seinen zehn Aspekten. Seine Worte lauten:

Oh Herr,
König der Welt und Schöpfer des Alls
(Malkhut)

Der Du bist der Grund (Jesod) meines Seins
und der Fels meines Glaubens,

Es ist Dein Sieg (Nezach), durch den ich
meine Schwächen, Bindungen, Ängste und Wünsche überwinde,

Und Deine Herrlichkeit (Hod), durch die
ich meine Gedanken verwandle, veredle und
erhebe zu Dir und Deinem Werke,

Auf daß ich Deinen Glanz und Deine Schönheit (Tiferet)
in meinem Herzen erkenne und
durch meine Worte und Taten
in der Welt bekunde.

Du überschüttest mich mit Barmherzigkeit (Hesed)
und Kraft (Geburah),

auf daß ich Weisheit (Chokhmah)
und Verständnis (Binah)
finde,

Um in das Licht und die Seligkeit
Deines unteilbaren Ewigen Seins
aufzusteigen,
das wahrlich die höchste Krönung (Kether elion)
meines Lebens ist.

Amen, Amen, Oummmm.

Weitere Gebete von großer Kraft sind das »Gebet des Heiligen Franziskus von Assisi« und die »Große Invokation von Djwal Kul«. Während das erstere ein ausgesprochen kabbalistisches Gebet ist, dessen Grundtenor auf das Empfangen und Ausschütten des göttlichen Lebens zielt, ist die »Große Invokation« eines der Zentralgebete für das gegenwärtige Leben auf unserer Erde. In Einklang mit dem Aufgang eines neuen Lichtes in dieser Zeit möchte es auf- und wachrütteln für die Einstimmung aller Seelen in den einen Plan zur Aufrichtung eines Zeitalters des Lichtes hier auf Erden.

Ich möchte die beiden Gebete hier ohne zusätzlichen Kommentar wiedergeben:

GEBET
von Franz von Assisi

O Herr, mach mich zu einem Werkzeug Deines Friedens:

daß ich Liebe übe – wo man sich haßt,
daß ich verzeihe – wo man sich beleidigt,
daß ich verbinde – wo Streit ist,
daß ich die Wahrheit spreche – wo Irrtum herrscht,
daß ich Glauben bringe – wo Zweifel drückt,
daß ich Hoffnung wecke – wo Verzweiflung quält,
daß ich Dein Licht entzünde – wo Finsternis regiert,
daß ich Freude bringe – wo Kummer wohnt.

Ach Herr, laß Du mich trachten:

nicht daß ich getröstet werde,
sondern daß ich tröste,
nicht daß ich verstanden werde,
sondern daß ich verstehe,
nicht das ich geliebt werde,
sondern daß ich liebe;

denn:

Wer hingibt – der empfängt,
wer sich selbst vergißt – der findet,
wer verzeiht – dem wird verziehen,
und wer stirbt – erwacht zum ewigen Leben.

DIE GROSSE INVOKATION

Aus dem Quell des Lichts im Denken Gottes
ströme Licht herab ins Menschendenken.
Es werde Licht auf Erden!

Aus dem Quell der Liebe im Herzen Gottes
ströme Liebe aus in alle Menschenherzen.
Möge Christus wiederkommen auf Erden!

Aus dem Zentrum, das den Willen Gottes kennt,
lenke plan-beseelte Kraft die kleinen Menschenwillen
zu dem Endziel, dem die Meister wissend dienen!

Durch das Zentrum, das wir Menschheit nennen,
entfalte sich der Plan der Liebe und des Lichtes
und siegle zu die Tür zum Übel.

Mögen Licht und Liebe und Kraft
den Plan auf Erden wieder herstellen!

(Ein Heft mit weiteren Übungen, Mantras, Gesängen und Gebeten ist für alle Seminarteilnehmer über unsere Adresse erhältlich.)

7. Die Erfahrung der Einheit

»Der Wind weht, wo er will,
du hörst sein Sausen,
aber weißt nicht, woher er kommt,
noch wohin er geht.
So ist es bei jedem,
der aus dem Geiste geboren ist.«
Joh. 3.8

Immer wieder – und dies gilt für alle großen geistigen Welttraditionen – wurde der Weg zu Gott mit dem Erklimmen eines Berges verglichen. So hat auch jede Kultur ihren Heiligen Berg, und dieser Berg ist Sinnbild unseres eigenen Selbstes, das sich in sieben Bewußtseinsstufen entfaltet. Seine Besteigung entspricht dem Emporsteigen über diese sieben Stufen (unseres Bewußtseins) in die Einheit des Herrn. Nur im Überschreiten all der Begrenzungen von Raum und Zeit erfahren wir, eingehend in den Quell des Lichtes, jene Einheit, die jenseits aller Vielfalt und Gegensätze liegt. Auch der Aufstieg des Mose zum Sinai hat jene Bedeutung der Besteigung des inneren *Gottesberges*. In Exodus 24.13-18 heißt es: »Da machte sich Mose mit seinem Diener Jushua auf, und sie stiegen auf den Gottesberg...« »Die Wolke verhüllte den Berg, und die Herrlichkeit JHWHs ließ sich auf dem Berg Sinai nieder, und die Wolke hüllte ihn *sechs* Tage lang ein. Am *siebten* Tag rief Er Mose mitten aus der Wolke heraus zu. Den Augen der Israeliten stellte sich die Herrlichkeit JHWHs dar wie ein verzehrendes Feuer auf dem Gipfel des Berges. Da ging Mose in die Wolke hinein und stieg auf den Berg.« Oben auf dem Gipfel des Berges stand er in der Gegenwart des *Ich Bin, der Ich Bin*. In ihr erfuhr er die Einheit allen Seins und schaute die Mysterien Gottes und den inneren Aufbau der Welt.

Dieser Weg zu Gott ist immer ein Weg der Überwindung des falschen Ichs und der Bindungen an die Welt. Sie allein sind die Hindernisse, die uns der Möglichkeit des beständigen Verweilens in Ihm berauben. Indem wir immer wieder in Seinen Urgrund eingehen, finden wir jedoch erneut jene Kraft und Erkenntnis, die wie ein Strom reinen Lebens all jene Hindernisse von innen aus der Seele herausspült. So führt das wiederholte Eingehen in Ihn zur Überwindung aller Illusion und schließlich zur Verwirklichung jenes Seinszustandes, in dem wir erfahren: »Der Vater und ich sind eins.« »So, wie der Sohn im Vater, so ist der Vater im Sohne.« Alles ist in Ihnen umfaßt.

Finden wir anfangs durch Meditation, Gebet und ein hingebendes Leben immer wieder Eingang in Seine liebenden Arme, die uns doch zeitlos umfassen, so wird dieses Verweilen in ihm mehr und mehr zu einem natürlichen Zustand, der einen festen Stand in uns faßt. Dies ist das höchste Ziel unseres irdischen Weges und seiner Verwirklichung. In völliger Übereinstimmung mit dem indischen Advaita schreibt Meister Eckehart: »Gott ist Einer in jeder Weise und Hinsicht, so daß in ihm keine Vielfalt zu finden ist, weder im Erkennen noch außerhalb des Erkennens, denn, wer Zweiheit oder Unterscheidung sieht, sieht Gott nicht. Gott ist einer außer und über Zahl und wird nicht zusammen mit einem anderen zu Einem... Jede Unterscheidung ist Gott fremd, sowohl in der Natur als auch in der Person.« Wer in Ihm ist, gewahrt: »Alles ist Er und Er ist Ich und Ich selbst bin alles, und alles hat seinen Ursprung in mir.« *Ich Bin, der ich Bin* jenseits aller Namen und jeder Erscheinung!

Der Vollzug dieses letzten Schrittes wird in einem anonymen Traktat der »Schwester Katrei« zum Ausdruck gebracht, den ich hier wiedergeben möchte. Der Text ist ein Gespräch der Schwester mit ihrem (verständigen) Beichtvater.

»Er sprach: Ich bitte dich, liebe Tochter, um der Liebe willen, die du zu Gott hast, daß du mir offenbarest dein Leben und deine Übung, die du seither gehabt hast, seit ich dich zuletzt sah. Sie sprach: Davon wäre viel zu sagen. Er sprach: Es kann nicht zu viel sein, ich höre alles gern. Wisse, mir ist viel Wunders von dir gesagt. Die Tochter hub an und sagte dem Beichtvater und sprach: Ihr sollt mich nimmer verraten, solange ich lebe. Er sprach: Ich gebe dir mein Versprechen, daß ich dich nimmer an deine Beichte verrate, solange du lebst. Sie fing an und sagte ihm so viel Wunderbares, daß es ihn Wunder nahm, wie ein Mensch so viel leiden möge. Sie sprach: Herr, mir gebricht es noch. Ich habe all das gelitten und überkommen, was meine Seele begehrt hatte, nur daß ich nicht wegen meines Glaubens angeklagt worden bin. Er sprach: Gelobt sei Gott, daß er dich je erschuf; und nun lasse es dir genügen. Sie sprach: *Nimmer solange meine Seele kein Bleiben hat an der Stätte der Ewigkeit.* Er sprach: Mir genügte wohl, hätte meine Seele den Aufgang, den deine hat. Sie sprach: Meine Seele hat einen steten Aufgang ohne alles Hindernis; sie hat aber nicht ein stetes Bleiben. Wisset, der Wille genügt mir nicht; wüßte ich doch, was ich mehr tun soll, daß ich bestätigt werde in der steten Ewigkeit. Er sprach: Hast du danach so große Begierde? Sie sprach: Ja. Er sprach: Dessen mußt du bloß werden, wenn du je bewährt werden sollst. Sie sprach: Ich tue es gern, und setzt sich in eine Bloßheit. Da zieht Gott sie in ein göttliches Licht, daß sie wähnt, eins mit Gott zu sein und es ist, solange dies währt. Dann wird sie mit einer überschwenglichen göttlichen Empfinden wieder in sich selber geschlagen, daß sie spricht: Ich weiß nicht, ob mir je Rat wird.

Der Beichtvater geht hin zu der Tochter und spricht: Sage mir, wie geht es dir nun? Sie sprach: Es geht mir übel, mir ist Himmel und Erde zu eng. Er bat sie, ihm etwas zu sagen. Sie sprach: Ich weiß so Geringes nicht, daß ich es Euch sagen könnte. Er sprach: tu es um Gott und sage mir etwas. Sage mir doch ein Wort! Er gewann ihr eines ab. Da redete sie mit ihm so wunderbar und so tief von der nackten Empfindung göttlicher Wahrheit, daß er sprach: Wisse, das ist allen Menschen fremd, und wäre ich nicht ein Gelehrter, daß ich es selber erfahren habe in der Gottesweisheit, es wäre mir auch fremd. Sie spricht: Das gönne ich Euch übel: ich wollte, daß Ihr es mit dem Leben gefunden hättet. Er spricht: Du sollst wissen, daß ich davon so viel gefunden habe, daß ich es so gut weiß, wie daß ich heute Messe las. Doch wisse: daß ich es nicht mit dem Leben in Besitz genommen habe, das ist mir leid. Die Tochter sprach: Bittet Gott für mich, und geht in ihre Einsamkeit und genießt Gottes. Die Weile aber währt nicht lang, da kommt sie wieder vor die Pforte und verlangt ihren Beichtvater und spricht: Herr, freuet euch mit mir, ich bin Gott geworden. Er sprach: Gelobt sei Gott! Nun geh von allen Leuten wieder fort in deine Einsamkeit: bleibst du Gott, ich gönne dirs wohl. Sie ist dem ehrwürdigen Beichtvater gehorsam und geht in einen Winkel in der Kirche. Da kam sie dazu, daß sie all das vergaß, was je Namen gewann, und ward so fern aus sich selber und aus allen geschaffenen Dingen gezogen, daß man sie aus der Kirche tragen mußte, und lag bis an den dritten Tag, und man

hielt sie für sicherlich tot. Der Beichtvater sprach: Ich glaube nicht, daß sie tot sei. Wisset, wäre der Beichtvater nicht gewesen, man hätte sie begraben. Man versuchte alles, was man erdenken konnte, ob die Seele im Leibe wäre, das konnte man nicht erfahren. Man sprach: Gewiß, sie ist tot. Der Beichtvater sprach: Gewiß, sie ist es nicht. Am dritten Tage kam die Tochter wieder zu sich und sprach: Ach, ich Arme, ich bin wieder hier? Der Beichtvater war bereit und redete zu ihr und sprach: Laß mich göttlicher Treue genießen und offenbare mir, was du erfahren hast. Sie sprach: Gott weiß wohl, ich kann nicht. Was ich erfahren habe, das kann ich nicht zu Worte bringen. Er sprach: Hast du nun alles, was du willst? Sie sprach: Ja, ich bin bewährt.
Sie sprach: Ich hatte alle Kräfte meiner Seele gezäumt und gezähmt, so daß, wenn ich mich sah, ich Gott in mir sah und alles, was Gott je schuf im Himmel und auf Erden. Dies will ich euch noch besser erzählen. Ihr wisset wohl, wer in Gott gekehrt ist und in den Spiegel der Wahrheit, der sieht alles, was nach dem Spiegel gerichtet ist, das sind alle Dinge. Dies war meine innere Übung, ehe ich bewährt wurde. Habt Ihr den Sinn wohl verstanden? Er sprach: Es muß notwendig sein. Ist aber deine Übung nun nicht so? Sie sprach: Nein. Ich habe mit den Engeln und mit den Heiligen nichts zu schaffen noch mit alledem, was je geschaffen ward. Mehr: was je zu Worte ward, damit habe ich nichts zu schaffen. Er sprach: Davon berichte mir mehr. Sie sprach: Das tue ich. Ich bin bewährt in der nackten Gottheit, darin nie Bild noch Form bestand. Er sprach: Bist du da beständig? Sie sprach: Ja. Er sprach: Wisse, diese Rede höre ich gern, liebe Tochter, rede weiter. Sie sprach: Ich bin da, wo ich war, ehe ich geschaffen wurde, da ist bloß Gott in Gott. Da ist weder Himmel noch Heilige noch Chöre noch Engel noch dies noch das. Manche Leute sagen von acht Himmeln und von neun Chören; das ist da nicht, wo ich bin. Ihr sollt wissen, alles, was man so zu Worte bringt und den Leuten mit Bildern vorlegt, das ist nichts als ein Anreiz zu Gott. Wisset, daß in Gott nichts ist als Gott. Wisset, daß keine Seele in Gott kommen kann, sie werde denn zuvor so Gott wie sie Gott war, ehe sie geschaffen wurde.
Sie sprach: Ihr sollet wissen, wer sich damit läßt begnügen, was man zu Worte bringen kann – Gott ist ein Wort, Himmelreich ist auch ein Wort –, wer nicht weiter kommen will mit den Kräften

der Seele, mit Erkenntnis und mit Liebe, als je zu Worte ward, der soll gerechterweise ein ungläubiger Mensch heißen. Was man zu Worte bringt, das begreifen die niederen Kräfte der Seele. Damit begnügen sich die oberen Kräfte nicht: sie dringen immer weiter, bis sie vor den Ursprung kommen, daraus die Seele geflossen ist. Ihr sollt wissen, daß die Kräfte der Seele nicht in den Ursprung kommen können. Die neun Kräfte der Seele sind alle Knechte der Seelengewalt und helfen der Gewalt vor den Ursprung und ziehen sie aus niederen Dingen. Wenn die Seele in ihrer eigenen Majestät über allen geschaffenen Dingen vor dem Ursprung steht, dringt die Gewalt der Seele in den Ursprung und alle Kräfte der Seele bleiben draußen. Das sollt Ihr so verstehen. Es ist die Seele aller namenhabenden Dinge nackt und bloß. So steht sie die Eine in dem Einen, also daß sie ein Vorwärtsgehen hat in der nackten Gottheit, wie das Öl auf dem Tuch, das fließt weiter und fließt immer vor und vor, so lange, daß das Tuch davon ganz übergeht. So sollt Ihr wissen: solange der gute Mensch in der Zeit lebt, hat seine Seele einen steten Fortgang in der Ewigkeit.«

Was hier als unerschaffene Seele benannt wird, ist die göttliche Neschamah, die in steter Einheit ist in und mit Ihm.

X. Die Himmelsleiter: Stufen und Tore des inneren Weges und der Einweihung

»Wer sich selbst erhöht,
wird erniedrigt werden,
wer sich erniedrigt,
wird aber erhöht werden.«
Matthäus 23.12

»Wer da wirkt im Lichte,
der geht auf in Gott,
frei und aller Vermittlung ledig:
sein Licht ist sein Wirken
und sein Wirken ist sein Licht.«

»Echte Demut erhebt,
falsche erniedrigt.«
Antwort der Engel

Das schönste Sinnbild des inneren Weges ist wohl die Leiter Jakobs. Aus dem Symbol des Sefirot-Baumes als differenziertes Schaubild entfaltet, spiegelt sie die Einheit und den Zusammenhang der vier Welten sowie des Herabsteigens und Aufsteigens der Seele (Neschamah) zwischen den Welten. In ihm spiegeln sich Involution und Evolution des Bewußtseins.

In der Einleitung des Kapitels über die Demut in der Begründung seiner Ordensregeln schreibt der heilige Benedikt von Nursia:

> »Brüder, die göttliche Schrift ruft uns zu: Jeder, der sich erhöht, wird erniedrigt, und wer sich erniedrigt, wird erhöht werden. Mit diesen Worten zeigt uns die Schrift, daß jede Erhöhung eine Art Stolz ist. Davor hütet sich der Prophet, wie seine Worte zeigen: Herr, mein Herz ist nicht stolz, meine Augen blicken nicht überheblich. Ich habe keine großartigen Pläne und befasse mich nicht mit Dingen, die mir zu hoch und zu wunderbar sind. Aber, was geschieht, wenn meine innere Haltung nicht demütig ist, wenn ich meine Seele stolz werden lasse? Dann behandelst du meine Seele wie ein Kind, das man von der Mutterbrust wegnimmt.
> Brüder, wenn wir den höchsten Gipfel der Erniedrigung (= Demut vor Gott) erreichen und rasch zu dieser Erhöhung im Himmel gelangen wollen, zu der man durch die Erniedrigung (= der Dienst und die Hingabe, die Fußwaschung; Anmerkung des Autors) in diesem Leben aufsteigt, dann müssen wir durch unseren Aufstieg in der Tugend jene Leiter errichten, die dem Jakob im Traum erschien, und auf der er Engel herab- und hinaufsteigen sah. Dieses Herab- und Hinaufsteigen hat für uns ganz sicher keinen anderen Sinn, als daß man durch Selbsterhöhung herab- und durch Erniedrigung (= Hingabe) hinaufsteigt. Die aufgerichtete Leiter ist unser irdisches Leben, das der Herr himmelwärts aufrichtet, wenn sich unser Herz erniedrigt (= in Demut

hingibt). Die Holme der Leiter deuten wir auf unseren Leib und unsere Seele. In diese Holme hat der göttliche Gnadenruf die verschiedenen Stufen der Demut und der Tugend eingefügt, die wir ersteigen sollen.«

Soweit die Worte des heiligen Benedikt.

Tatsächlich ist der innere Weg ein Weg der Stufen und Tore, die uns, indem wir Raum um Raum unseres Wesens erschauen, in das oberste Gemach führen, darin der Allheilige in Seiner unschaubaren Kraft und Herrlichkeit unsere innere Stille mit Seiner Donnerkraft durchdringt. Betrachten wir das symbolische Bild der Jakobsleiter (Abbildung 132), so erkennen wir darin mehrere Etappen, Stufen und Tore, die den Weg charakterisieren. Ich habe diesen Weg in Band 1 anhand der Reihe der Zahlen in großen Zügen skizziert. In der Jakobsleiter ist für uns vorerst nur die Wegetappe durch Jezirah, also von Tiferet in Assia bis zu Malkhut in Azilut, von Bedeutung. Dies ist die Wegstelle, die wir über eine lange Folge von Inkarnationen hier auf Erden meistern und bewältigen wollen. Sie beginnt in Malkhut (von Jezirah) und mündet in Kether (von Jezirah), wo der Mensch seine innere Vollkommenheit und Einigung mit Gott erlangt. – Ich möchte diesen Weg in seinen Grundzügen zusammenfassen, und vor allem die zwei in Abbildung 132 bezeichneten *großen Tore* näher beschreiben.

Immer beginnt der Weg in Malkhut. Dies symbolisiert den Eintritt der Seele in einen physischen Leib bei der physischen Geburt. Gefangen im Leib lenken die Kräfte der Seele das Wachstum und die Entwicklung des Leibes, die ansonsten den Gesetzen der Materie (Physik, Chemie, Biochemie, Biologie) unterworfen sind. Der Weg von Malkhut (3) bis Jesod (4) entspricht dem Aufgreifen des Lebensthemas der Seele in den Erfahrungen ihres äußeren Lebens. Je nach ihren karmischen Voraussetzungen, die sie aus früheren Erdenleben mitbringt, trägt sie – gleich Lochkarten – ganz bestimmte Bereitschaften und Neigungen in sich, einzelne Situationen und Erfahrungen, die sie in ihrer Kindheit und Entwicklung erlebt, in ganz spezifischer Weise aufzunehmen und zu »deuten«. Die konkreten Erfahrungen rasten in dieser oder jener Weise in die Lochkarten ein und entfalten sich in jener Verbindung von Ich-, Welt- und Lebensbildern, die dann unser Life-script, unser »falsches Ich« und die Persona bilden.

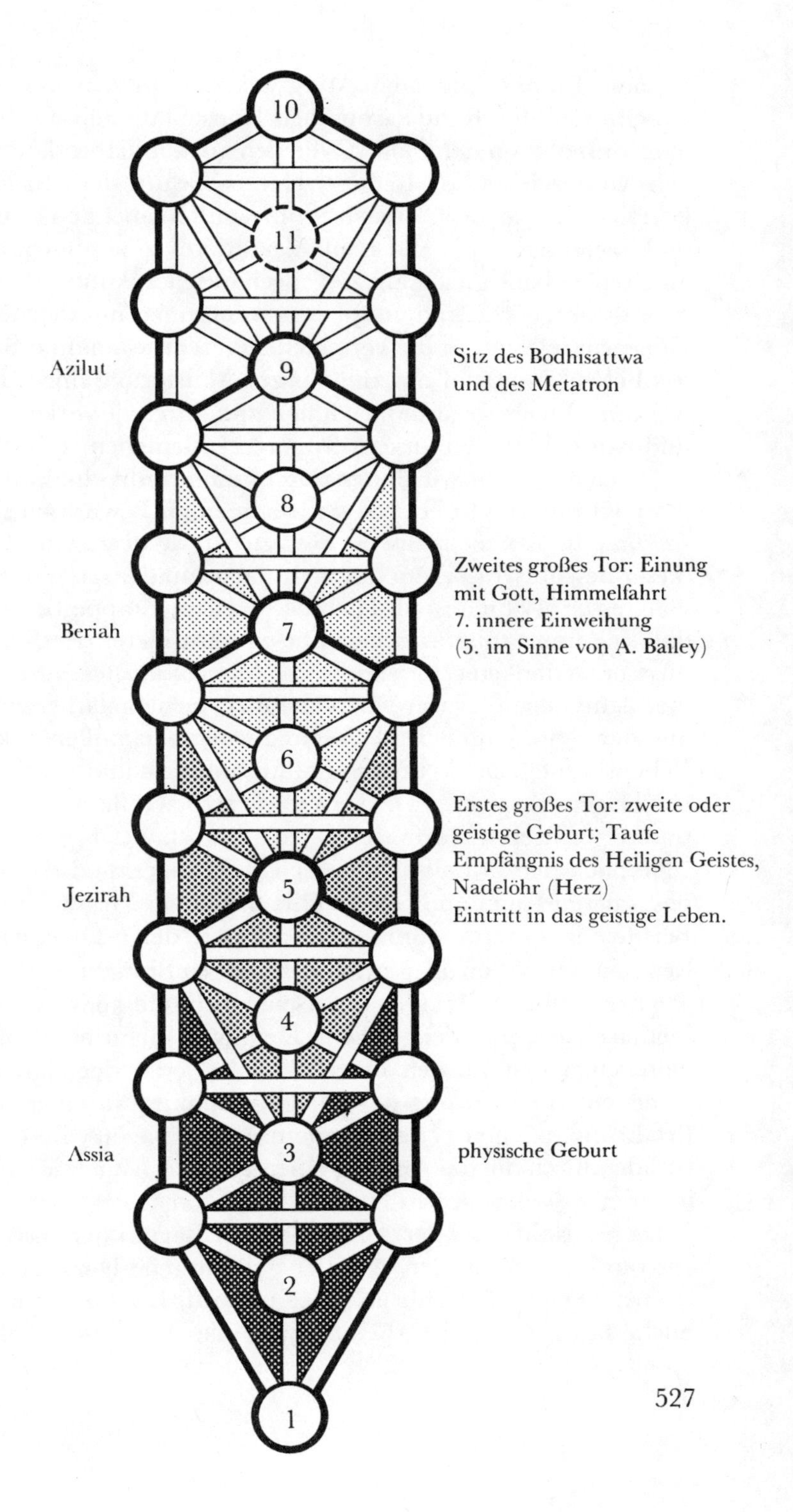
10
11
Azilut
9
Sitz des Bodhisattwa
und des Metatron
8
Zweites großes Tor: Einung
mit Gott, Himmelfahrt
7. innere Einweihung
(5. im Sinne von A. Bailey)
Beriah
7
6
Erstes großes Tor: zweite oder
geistige Geburt; Taufe
Empfängnis des Heiligen Geistes,
Nadelöhr (Herz)
Eintritt in das geistige Leben.
Jezirah
5
4
Assia
3
physische Geburt
2
1

Abb. 132

Diese Etappe bildet ein Wegstück, das in seinen wesentlichen Abschnitten durch die karmischen Konstellationen der Seele sowie die Konstellation der Geburt (die sich auch im Horoskop widerspiegelt) vorgezeichnet ist. In dieser Herausbildung der Persona entwikkeln sich all jene meist zunächst unbewußt bleibenden Grundmuster und -neigungen, die die Lenkung unseres gesamten inneren und äußeren Lebens gleichsam mit mechanischer Autonomie übernehmen möchten. Sie sind es, die uns, zusammen mit den Kräften des Höheren Selbstes, in die verschiedenen schicksalhaften Situationen des Lebens hineinführen, die uns zur Meisterung und zur Bewußtwerdung aufgegeben sind. In ihnen und durch sie wirken alle Kräfte und Konstellationen unserer früheren Erdenleben.

Je nach der Entwicklungsstufe unserer Individualität (Tiferet), ihrer Kräfte und des durch sie leuchtenden Bewußtseinslichtes des *Ich Bin* (in Kether), das im Herzen wirkt, drängt und führt uns dieser Bewußtseinskern selbst mehr oder minder rasch oder langsam von Jesod (4) hinauf zu Tiferet (5). Diese Etappe beginnt damit, daß sich unser inneres Erleben bewußter differenziert, und wir uns unserer Gedanken (Hod) sowie der Antriebskräfte (Nezach) unseres Handelns bewußter werden. Dies führt zu einer stärkeren Loslösung aus der Anonymität und Abhängigkeit von äußeren kollektiven Lebensformen, Denk- und Handlungsmustern und zur Entwicklung eines eigenständigeren Denkens sowie zu bewußterem Wahrnehmen unserer wahren Bedürfnisse.

Je nach der Intensität unserer Erfahrungen und der Lautstärke des inneren Rufes im Herzen führt uns dieser Weg zu einer tieferen Berührung unseres wahren Wesens und darin zu einem inneren Erwachen und Bewußtwerden des tieferen Sinnes des Daseins. Solche Erfahrungen sind sehr unterschiedlich und können von großem Leidensdruck über tiefes inneres Heimweh (Sehnsucht) bis hin zum plötzlichen Durchbruch inneren Lichtes oder dem jähen inneren Aufleuchten des Sinnes oder der Bestimmung in einer numinosen Erfahrung reichen. Immer erfahren wir sie als Berührung der Gnade, durch die die Ahnung einer höheren Dimension des Lebens in unser Bewußtsein tritt.

Diese Erfahrung oder Ahnung ist der Beginn der *Suche*. Wir machen uns *bewußt* auf den Weg, jene verborgene Dimension tiefer zu erleben. Diesen Durchbruch, der uns auf den Weg der bewußten Suche führt, nenne ich die »Schwelle des Erwachens«. In der Jakobsleiter ist sie durch den Pfad zwischen Hod und Nezach repräsentiert. Der Pfad von Jesod nach Tiferet entspricht dem Weg der Selbstfindung und des Bewußtwerdens unseres inneren Kernes. Dieser Weg braucht seine Zeit und besteht in der bewußten Läuterung und Reinigung unseres Denkens, Fühlens und Tuns. Die Erforschung von Jesod und die Ablösung der darin festgehaltenen Vorstellungen, Wertungen und Bilder wird zur ersten Aufgabe. Durch die Übung von Hingabe (Hesed) und Disziplin (Geburah) und die Anleitung in »Theorie« (Hod) und »Praixs« (Nezach) sucht die Seele ihren Weg nach Tiferet. Tiferet erst führt zu jenem Durchbruch, in dem der innere Mensch geboren wird.

Schauen wir Abbildung 132 an, so sehen wir, daß Tiferet von Jezirah der Berührungspunkt zweier weiterer Welten ist, denn hier endet der physische Baum (Assia) mit seiner Krone (Kether). Hier finden wir auch die Wurzel (Malkhut) des geistigen Baumes (Beriah), der hier seinen unteren Ausgang hat. Hier, im Herzen, begegnen und berühren sich die physische und die geistige Welt. Erst von hier aus haben wir direkten Zugang zu Kether (von Jezirah) und damit zur göttlichen Welt der reinen Emanationen, die mit Malkhut (von Azilut) hier wurzelt. Wir erinnern uns an das Wort Jesu: »Selig, die reinen Herzens sind, denn sie werden Gott schauen.« Wahrhaftig, unser Herz ist es, in dem sich Sein Licht spiegelt.

Bewegen wir uns auf dem mittleren Pfad aufwärts, so erkennen wir Tiferet als jenes Tor, das uns in die geistige Welt hineinführt. So ist das Herz jenes Nadelöhr, durch das wir in ein neues Leben eintreten. Hier, im Herzen, ist der Ort der zweiten Geburt, der Geburt des wahren Ichs und unserer Individualität. Diese innere Geburt ist es, von der Jesus zu Nikodemus spricht: »Wahrlich, wahrlich, ich sage dir: Wer nicht von oben her geboren wird, kann das Reich Gottes *nicht schauen.*« »Wer nicht aus Wasser und Geist geboren wird, kann nicht in das Reich Gottes eingehen. Was aus dem Fleisch geboren ist, ist Fleisch, was aus dem Geist geboren ist, ist Geist« (Johannes 3.3-6). Diese innere Geburt aus »Wasser und Geist« ist die wahre Taufe. Sie umfaßt die Wassertaufe des Johannes als Sinnbild der Reinigung und Läuterung in der Seele und die Taufe Christi als Herabkunft des Heiligen Geistes aus Kether in das Herz des Menschen. Sie ist identisch mit der Erweckung und dem Aufstieg der Kundalini in uns. Tiferet ist wahrhaftig das erste große Tor unseres inneren Weges!

In Tiferet beginnt jenes Wegstück, das wir den Weg der Einweihung nennen. Er führt uns durch eine Reihe von Stufen allmählich empor bis zur Vollendung und zur Einswerdung unserer Seele mit Gott in Kether!

Diese Empfängnis des Heiligen Geistes ist ein spontanes Ereignis, dem wir durch unsere wachsende Bereitschaft, unser Leben ganz in Gottes Hand zu legen, immer näher kommen.

Oft ist es die Begegnung mit einem berufenen Lehrer, der uns von Gott gesandt ist, dessen Berührung jene Kraft in uns erweckt. Dadurch, daß sein Wesen und sein Leib von der Kraft und Liebe Gottes erfüllt sind, hat er die Gabe, in jenen, die an der Schwelle stehen, das Licht des geistigen Lebens zu erwecken und zum Aufstieg zu führen. Denken wir beispielsweise an die Ankunft des Apostels Paulus in Ephesus. »Dort traf er einige Jünger und fragte sie: ›Habt ihr auch den Heiligen Geist empfangen, als ihr gläubig wurdet?‹ Sie antworteten ihm: ›Wir haben nicht einmal gehört, daß es einen Heiligen Geist gibt.‹ Er fragte weiter: ›Welche Taufe habt ihr empfangen?‹ Sie antworteten: ›Die Taufe des Johannes.‹ Da erklärte Paulus: ›Johannes spendete eine Taufe der Buße und mahnte das Volk, an den zu glauben, der nach ihm komme, das heißt an Jesus.‹* Als sie das hörten, ließen sie sich auf den Namen des Herrn Jesus* taufen. Paulus legte ihnen dann die Hände auf und der Heilige Geist kam auf sie herab.« (Apostelgeschichte 19.2-6).

*Hier müßte es jeweils »Christus« heißen, das universelle Licht und Leben Gottes, das in all den Gottessöhnen manifest wird. Es ist das Licht Christi, das uns hindurchführt durch das Tor zum ewigen Leben. Darin liegt der Sinn der Worte Jesu: »*Ich Bin* das Tor«, daß derjenige zu einem Tor im Leben wird, der im Lichte des Christusbewußtseins erwacht ist. Daran erkennt man den wahren Lehrer, daß er durch seine Liebe und sein Licht den Geist des Lebens in den wahrhaft Suchenden, die dafür bereit sind, erwecken kann. Immer ist er ein Instrument Gottes, der den Suchenden darauf hinweist, daß Gott selbst in ihm der Meister seiner Seele und seines Lebens ist. Das Licht Gottes in sich zu finden und zur Entfaltung zu bringen, diesem Bemühen dient er mit seinem ganzen Sein.

Voraussetzung für die innere Erweckung, ob sie durch einen Jünger oder Lehrer Christi in einem Körper oder durch einen Lichtboten aus der unsichtbaren Welt vermittelt wird, ist immer die Sehnsucht des Herzens und die Bereitschaft der Seele zur Hingabe.

Wenn wir nochmals das Bild (Abbildung 132) anschauen, erkennen wir auch klar die Voraussetzungen für diesen Akt der geistigen Empfängnis, der uns durch jenes erste große Tor und unsere innere Geburt hindurchführt. Es erfordert die bedingungslose Bereitschaft, alle Bindungen an die physische Welt (Assia) und unser gesamtes *persönliches* Leben (Assia) hinter uns zu lassen. Dieses Heraussterben aus der äußeren Person ist die Voraussetzung für unsere eigene geistige Geburt. Dies ist auch der Sinn der Worte Jesu: »Eher geht ein Kamel durch ein Nadelöhr als ein Reicher in das Himmelreich.«

Gandhi sagt: »Wer Gott dienen will, hat keine Zeit, sich einen sonnigen Platz in der Welt zu suchen.« Das heißt: Solange wir an der äußeren Welt, an unserem äußeren Leben und seinen Versprechungen und Vergnügungen hängen, sind wir nicht frei, in jenes Reich des Geistes einzugehen, dessen einziges und oberstes Gesetz die bedingungslose Liebe und Hingabe an Gott ist. Dieser Durchgang läßt sich weder erzwingen noch machen, sondern er setzt einen inneren Reifungs-, Reinigungs- und Ablösungsprozeß voraus. Erst wenn wir dahin kommen, daß uns Gott wichtiger ist als alle anderen Dinge der Welt, werden wir hineingeführt in jenes höhere Leben.

Meist ist dies ein organischer Prozeß, der uns an einen Punkt führt, an dem in uns das Bewußtsein aufsteigt, daß das persönliche Leben, das heißt alles Streben und Trachten um unserer selbst willen, zu Ende ist. Wenn allein der Wunsch bleibt, sich Ihm hinzugeben, Ihm Bühne und Instrument zu sein, dann öffnet sich das Tor. Denken wir nur an das Gespräch Jesu mit dem reichen Jüngling, der zu ihm kommt, vor ihm hinkniet und sagt: »Guter Meister, was muß ich tun, um ewiges Leben zu erlangen?« Nachdem Jesu ihn auf Gott und die Gebote des Moses hinweist, antwortet dieser: »Meister, das alles habe ich von meiner Jugend an befolgt (aber das Himmelreich, das ihr verkündet, habe ich nicht gefunden).« Da schaute Jesus ihn an, gewann ihn lieb und sprach zu ihm: »Eines fehlt dir. Geh, verkaufe alles, was du noch hast, gib den Erlös den Armen... und folge mir nach.« Bei diesen Worten überschatten sich seine Züge und er geht traurig davon (Markus 10.17-22).

Immer wieder ist es der Ruf Christi im Inneren unseres Herzens, der uns auffordert: »Laß all das Vergängliche hinter dir und folge mir nach. *Ich Bin* das Licht, der Weg, die Wahrheit und das Leben.« Die wenigsten aber hören ihn und unter denen, die ihn hören, sind viele, die sagen: »Wie sehr sehne ich mich nach einer Aufgabe. Ich möchte doch Gott dienen und mich Ihm hingeben, wenn ich bloß wüßte, was er mit mir vorhat und welche Aufgabe er mir zugedacht hat.« Im Unterton hören wir noch: »Dann könnte ich es mir wenigstens überlegen.« Solche Sehnsucht ist aber nicht vollkommen, solche Hingabe nicht bedingungslos! Auf Handel und Koketterie läßt sich Gott nicht ein. Wenn Er sich gibt, gibt Er sich ganz, und wie Er sich ganz gibt, wollen auch wir uns ganz geben, denn der Bund, den Er schließt, ist unauflösbar. Hier gibt es keinen Weg mehr zurück.

Wer aus der Tiefe unseres Wesens vor Ihn hinkniet und spricht: »Herr, *mein* Leben ist zu Ende; wo immer du mich hinführst, da will ich hingehen. Was immer du mir aufträgst, das will ich tun«, dem öffnet Er das Tor, den führt Er durch das Nadelöhr seines Herzens in ein geistiges Leben. »Denn, wer *sein* Leben läßt um meinetwillen (= um Christi willen), der wird es wiederfinden.« Nicht aus dem Motiv, eine »bedeutende Rolle« in Seinem Plane zu erhalten, quillt der Wunsch zu dienen, sondern aus der Erkenntnis Seiner Liebe und des ewigen Lebens. Hierfür ist der Seele das Geringste würdig genug für den Dienst. Sie erkennt in jedem Handgriff, in jedem Blick, den sie schenkt, und in jedem Atemzug die Gelegenheit, Ihm zu dienen und Ihn zu verherrlichen. Dadurch wird sie zu Seinem Instrument, und ihr Leben wird geheiligt. Wer sich und sein Leben in dieser Weise dem Ewigen weiht, der betritt wahrlich den *Weg der inneren Einweihung*, der sich mit dem Durchbruch in Tiferet und mit der Empfängnis des Heiligen Geistes eröffnet.

Haben wir den Weg von Malkhut bis Tiferet durchschritten, so haben wir in uns jenes Kreuz errichtet, auf dem der vollkommene Mensch aufersteht. Versinnbildlicht durch den Stern des Messias im Siegel Salomos, findet dieses Geschehen im Lebensbaum seinen symbolischen Ausdruck. (Abbildung 133)

Aus dem Stamm des Kreuzes wächst die Lilie von Scharon, die Blüte des vollkommenen Menschen. Diese Blüte Christi ersteht auf dem Weg der Einweihung; das ist der Pfad von Tiferet bis Kether. Durch jene Etappen des inneren Lebens hindurch, die sich im Erdenleben Jesu als Wandlungsstationen seiner Seele gleichsam an seinem Leibe offenbaren, führt er uns bis zur Himmelfahrt, das heißt bis zur letztendlichen Einung mit dem Vater. Über den mystischen Tod des kleinen Ich am Kreuze findet die Seele ihre Einung mit Ihm und in Ihm ihr ewiges und wahres Ich. Diese Einung finden wir in Kether von Jezirah, die Malkhut von Azilut, das Himmelreich

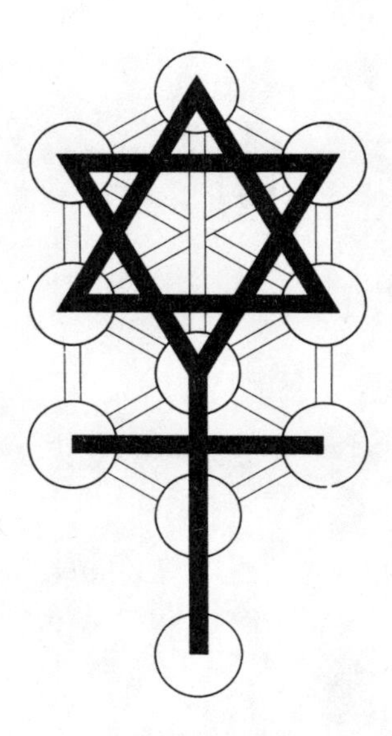

Abb. 133

Gottes, im Scheitelchakra umschließt. Dieses ist das zweite große Tor, das die Seele in das Reich jener Seligkeit führt, das sie durch keine irdische Geburt mehr verlassen muß. Da kein Ich mehr vorhanden ist, das die Seele an die äußere Welt bindet, findet das Rad der Wiedergeburten in ihm sein Ende. In Kether angekommen, gilt der Satz der Offenbarung: »Wer (sein kleines Ich) überwindet, den will ich zu einer Säule in meines Vaters Haus machen, und er soll nicht mehr hinausgehen.« (Offenbarung 3.12).

Die sieben Stufen der Leiter aber, die uns von Tiferet zu Kether hinaufführen und sich in den dreieinhalb Jahren Christustätigkeit im Leben Jesu als dessen Wandlungsstationen offenbaren, sind Taufe, Versuchung, Verklärung, Abendmahl, Gethsemane, Kreuzigung, Auferstehung und Himmelfahrt. Sie sind jene Etappen, die jede Seele auf ihrem Weg zur Vollkommenheit und zur Einung mit Gott innerlich durchläuft und die als die sieben Stufen der Einweihung bezeichnet werden. Diese sieben Stufen haben ihrerseits einen unmittelbaren Bezug zu den Energien der Chakras.

Wichtig ist es für uns, an dieser Stelle zu erkennen, daß der Weg des Erklimmens der Himmelsleiter ein Weg ist, den wir nicht allein und abseits von der Welt, sondern in Verbindung mit vielen Seelen und inmitten der Welt beschreiten. So, wie sich dem wahrhaft Suchenden und Dienenden viele Hände von oben (aus der unsicht-

Foto: Archiv für Kunst und Geschichte, Berlin

Abb. 134: Die »Himmelsleiter« nach William Blake.

baren und der sichtbaren Welt) zur Hilfe und zur Führung entgegenstrecken, so mögen auch wir uns in Anteilnahme, Mitgefühl und Hilfsbereitschaft dieser Welt zuwenden und allen, die nach Verständnis, Licht und Hilfe rufen und die unsere brüderliche Hand ergreifen wollen, in Liebe und Freundschaft unsere Hände reichen; denn niemand kommt zum Vater, der nicht durch seine Liebe viele mit sich vor Gottes Thron bringt. So, wie jedem, der danach sucht,

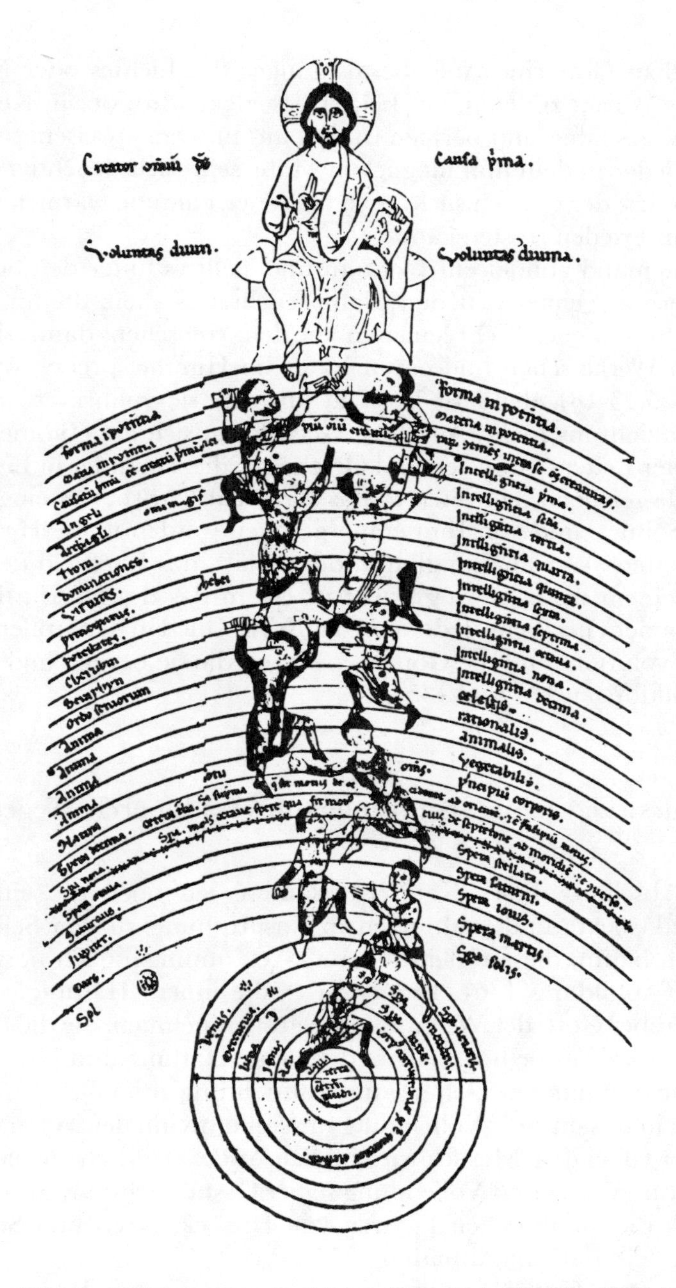

Abb. 135: Diese Darstellung aus dem 12. Jahrhundert zeigt den Aufstieg der Seele durch die zehn Stufen der Erkenntnis bis hinauf zum Christus Pantokrator.

und dem Gott eine Aufgabe als Jünger des Lichtes oder Mittler Seines Wortes zudenkt, ein Lehrer geschickt wird, der in Kenntnis des Weges fähig und berufen ist, ihn an- und einzuweisen, so möge auch jeder in dem ihm möglichen Maße sein Licht leuchten lassen, daß jeder, der danach sucht, sich an seiner Flamme wärmen und in seinem Frieden trösten kann.

»Niemand zündet ein Licht an und stellt es unter den Scheffel, sondern auf einen Leuchter, dann leuchtet es allen, die im Hause sind. So soll euer Licht leuchten vor den Menschen, damit sie eure guten Werke sehen und euren Vater im Himmel preisen.« (Matthäus 5.15-16), denn Er ist es in uns, der sie vollbringt und uns emporzieht ins Licht. Auf diese Weise formt sich die Himmelsleiter zu einer Leiter der Seelen und Geschöpfe, die, einander in Liebe die Hände reichend, eintreten in das Kraftfeld Christi, des eingeborenen Sohnes, und von Ihm emporgezogen werden in die Heimstatt des Vaters. Wer an Ihn glaubt, der verläßt das Kraftfeld der Erde mit seinem niederen Sog und tritt ein in das des Herrn, das ihn emporzieht ins Licht. Jeder von uns ist ein Glied in der großen Kette der Evolution, und die Gottesliebe ist es, die sie bewegt und erhebt (Abbildungen 134 und 135).

Exkurs: Die zehn Grundsteine unseres inneren Weges

Als Abschluß dieses Kapitels erläutere ich noch die einzelnen Grundaspekte und -haltungen in Ensprechung zu den Sefirot im Lebensbaum, die auf dem inneren Weg unumgänglich notwendig sind (Abbildung 136). Immer ist es die innere Haltung, die wir gegenüber Gott, der Welt und uns selbst einnehmen, die die Früchte unseres Lebens bedingt. Allein die rechte Haltung und Übung sind es, die zur inneren Geburt und Aufrichtung des göttlichen Menschen in uns und zur Vollendung unseres individualen Wesens führt. Dieser vollendete Mensch wird im Sefirot-Baum durch die harmonische Entfaltung und Vollendung seiner Gestalt sichtbar, die wir hier durch die platonischen Figuren von Dreieck, Kreis und Sechseck dargestellt haben. (Abbildung 137).

Als erste Grundlage und Basis unseres inneren Weges gilt es, *Einfachheit* in unserem äußeren Leben anzustreben; daß wir uns von überflüssigem Ballast befreien und unser Leben auf jene Dinge beschränken, die für unser Leben und Wachstum wesentlich sind. Dadurch werden wir innerlich freier, können alles Geschehen besser überblicken und gewinnen so mehr Raum für unsere Seele, in dem sie leichter den Hauch göttlicher Gegenwart atmen kann. Gesunde Ernährung – ohne fanatische Übertreibung –, genügend Schlaf und Ausgewogenheit in der Lebensführung werden unsere innere Entfaltung gut unterstützen und fördern.

In Jesod bedarf es der *Katharsis* und *inneren Reinigung*. Indem wir alte, festgehaltene Schmerzen loslassen, uns begrenzender, eingefleischter Wertungen bewußt werden und eingefahrene Bilder und Verhaltensmuster auflösen, findet die Seele innere Erlösung und unsere Persona (unser Ich) mehr Transparenz und Durchlässigkeit für das innere Wesen. Allein im Bewußtmachen und Annehmen all der einengenden Wertungen, Vorstellungen und Bilder, die sich im Laufe unseres Lebens als unsere Geschichte und als Dramaturgie unseres Lebens der Seele eingebildet haben, können sie zur Ab- und Auflösung kommen, wodurch wir uns erst unseres wahren Wertes bewußt werden. Diese innere Reinigung ist wahrhaft das Fundament (Jesod) unseres Weges, das von so vielen esoterischen Gruppen übergangen wird. Jedoch erst, wenn dieses Fundament gefestigt ist, können wir den Tempel des Lebens darauf gründen. Ist unsere Basis schwach, so besteht Gefahr, daß das neu errichtete Haus im Ansturm des Lebens zusammenstürzt. Ist der Keller fest verankert, so steht auch das Haus gut gegründet. Hod und Nezach verkörpern *Theorie* und *Praxis, Studium* und *Übung* auf dem Weg. Sowohl die Erkenntnis der Gesetze des geistigen Lebens und das Verständnis des Sinnes und der Richtung unserer inneren Entfaltung, die uns durch das Studium erhellender Texte und heiliger Schriften auf der Basis unserer inneren Erfahrung allmählich erschlossen werden, als auch das Praktizieren der rechten Haltung im täglichen Leben sowie die Durchführung verschiedener unser inneres Wachstum fördernder Übungen bilden weitere Bestandteile des Weges. Auch die Transparenz unseres Wahrnehmens und Denkens sowie die Bewußtmachung und Wandlung unserer emotionellen und vitalen Kräfte gehören dazu.

Tiferet verkörpert die *Treue zu uns selbst*, daß wir uns zu uns selbst bekennen und das in unserem Herzen aufsteigende Leben in unverstellter Weise zur Entfaltung und zum Ausdruck bringen. Hier

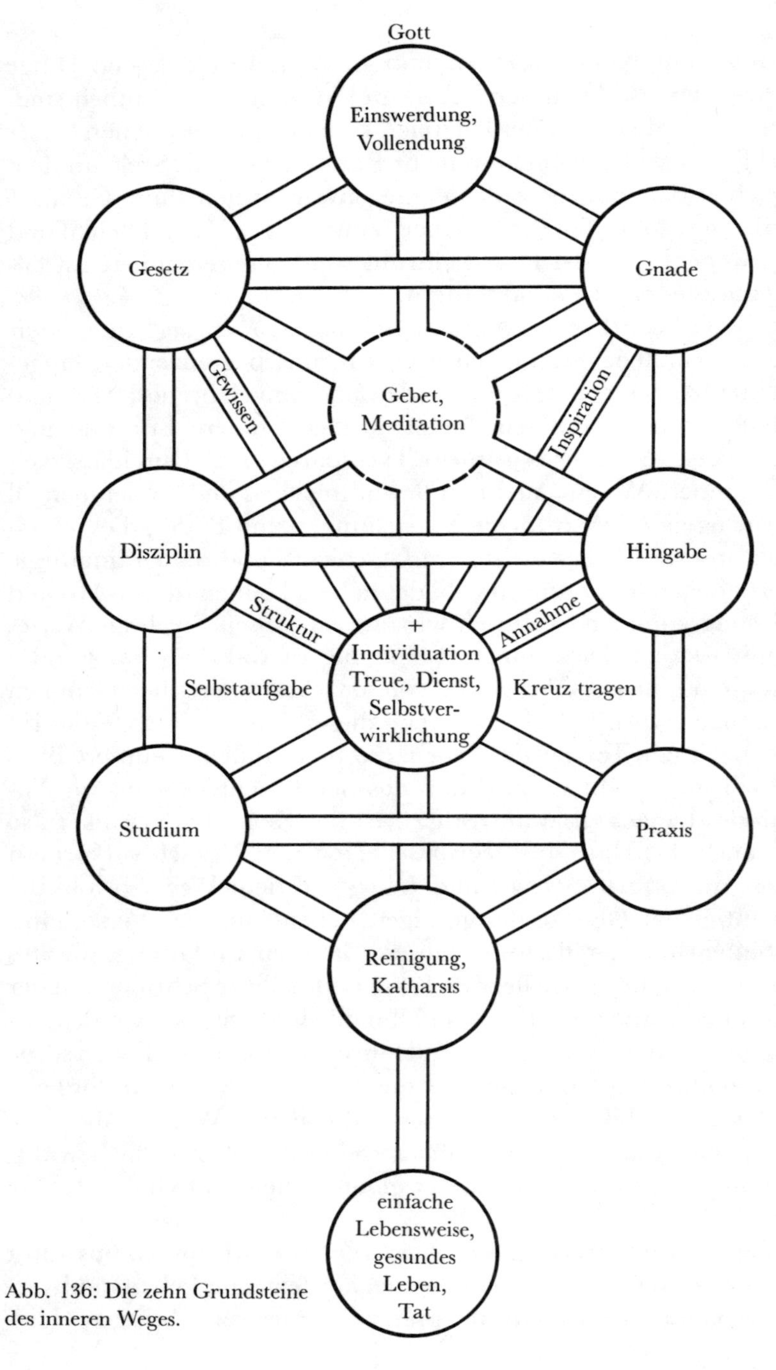

Abb. 136: Die zehn Grundsteine des inneren Weges.

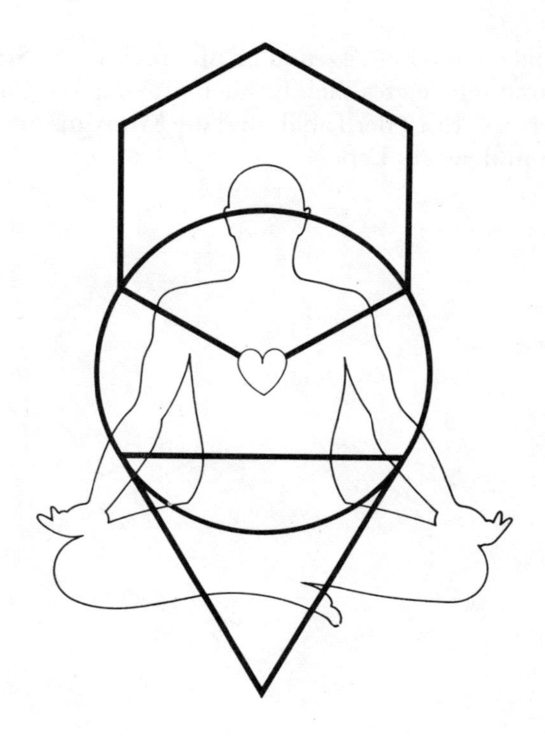

Abb. 137

offenbart sich jener Inhalt, zu dem wir berufen sind, wenn wir uns dem Dasein stellen und das Kreuz, das uns gegeben ist, ohne inneren Widerstand auf uns nehmen und aufrecht tragen.

Die beiden Grundpfeiler, die die erste und unabdingbare Voraussetzung für unseren inneren Weg bilden, betreffen unsere innere Haltung. Sie heißen *Hingabe* und *Disziplin* und sind die beiden Säulen unserer inneren Verbindlichkeit gegenüber Gott und unserem Weg. Je bedingungsloser wir uns Ihm übergeben und je weniger wir uns gestatten, dem inneren Ruf auszuweichen, um so fester gründet sich unser Leben in Ihm und Er wird uns darin mit Seinen Schätzen überschütten.

Orientierung und Leitung auf unserem Weg finden wir in der Überlieferung und *Lehre* der geistigen *Traditionen*, in denen wir verwurzelt sind, und in der *inneren Schau* und *Inspiration*, die uns aus Seiner Gnade gewährt ist.

Die Ausrichtung auf und die Einung mit Gott bilden den ersten, höchsten und letzten Beweggrund all unseres inneren Strebens sowie sein erstes und sein letztes Ziel. Er allein ist »der Weg, die Wahrheit und das Leben«. Er ist der Inhalt und die Mitte unseres Seins, unser wahres Ich und ewiges Leben.

XI. Kabbala und die Liebesbotschaft Jesu im Zeitalter des Wassermanns

»Liebet einander, wie ich euch geliebt habe,
denn daran, daß ihr Liebe habt untereinander
wird die Welt erkennen, daß ihr die meinen seid.«

Johannes

Wie immer wir die Kabbala als Weg und Lehre »definieren« mögen, stets bilden die Übung und Festigung jener Haltung, in der wir uns mit unserem ganzen Wesen, dem Geiste, dem Lichte und der Kraft Gottes öffnen, uns Ihm hingeben und das aus der Tiefe Seines Urgrundes quellende Leben durch uns hindurch fließen lassen und ausgießen in der Welt, ihren innersten Kern. Ausrichtung (Kavanah) nach oben, innere Transparenz (Freisein vom Ego) und liebende Hinwendung (Avoda) zur Welt bilden die drei Grundpfeiler ihres Wege. Als Weg geistiger »Empfängnis« führt uns die Kabbala an jenen Quell lebendigen Wassers, der, wenn er einst aufspringt, nie mehr versiegt (Johannes 4.13-14). Es ist jenes Leben, das aus dem Urquell Gottes in unser Herz fließt und uns von innen heraus erneuert, wandelt, heilt, erlöst und zur Erfüllung der Bestimmung unseres Lebens führt. Jeder Tropfen dieses Lebens will, gewandelt in Liebe, Anteilnahme und fruchtbares Wirken, in der Welt ausgegossen werden. Dadurch daß wir zu Instrumenten Seiner Kraft und Seines Willens werden, erfüllt sich der ganze Sinn unseres Da-Seins. Dadurch, daß Er in und durch uns wirkt, sind auch wir in Ihm.

Diesen Zusammenhang von geistiger Empfängnis, innerer Wandlung und Ausschüttung des Lebens habe ich in Abbildung 138 nochmals verdeutlicht. Wie wir sehen, bildet diese Haltung geradezu den Inbegriff des Sinnbildes des Aquarius (Wassermanns), der ja selbst das Symbol der Ausschüttung des Lebens ist. Jene Haltung ist es, die den Menschen zur Läuterung seines Wesens und zur Lichtgeburt des inneren Menschen führt. Diese zweite Geburt, die die wahre Wiederkunft Christi (im Herzen des Menschen) verkörpert, ist nun gerade die Verheißung des Wassermannzeitalters! Diese Verheißung der Wiederkunft Christi, die gleichermaßen die »Feuertaufe« der dazu bereiten Menschheit darstellt, entspricht der Initiation dieses Planeten Erde durch einen größeren Geistimpuls des Lebens, der zu einer Höherstufung unseres Planeten und zum Ein-

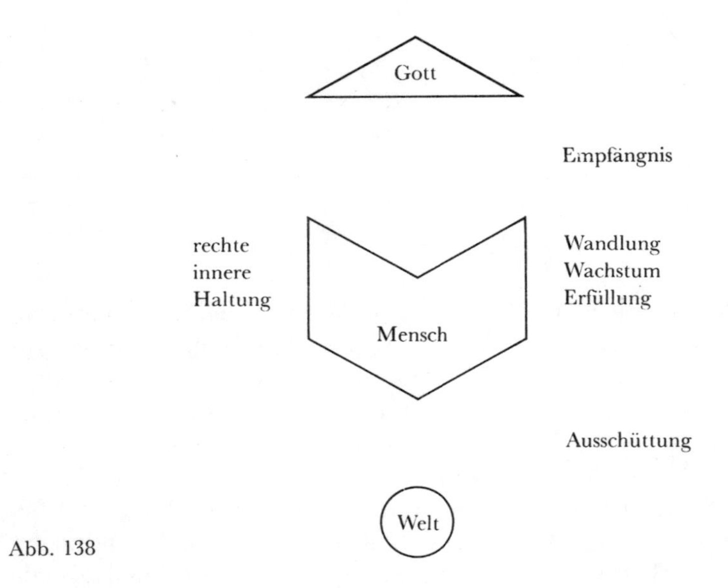

Abb. 138

tritt in einen höheren Schwingungsbereich des Bewußtseins auf und in ihm führt. Es ist jene Erhebung, die uns unter der Bezeichnung »Goldenes Zeitalter« als Errichtung eines Zeitalters des Lichtes, der Nächstenliebe, des Friedens und der Brüderlichkeit seit alters her verkündet ist. Der Sohar faßt dies in folgende schöne Worte: »In kommenden Zeiten wird sie (die Wissenschaft der Worte und Klänge) wieder entdeckt werden, und Himmel und Erde, Engel und Mensch werden sich in Einheit verbinden, Nationen, Völker und Stämme, heute überall in der Welt zerstreut, werden wieder ein Volk sein, eine Sprache haben, und die Weisheit Gottes wird die Erde bedecken, wie die Wasser den See.

Die Heilige Sprache,... wird wieder in all ihrer Reinheit gesprochen werden, und die Prophezeiung der Schriften wird sich verwirklichen: ›Dann werde Ich den Völkern die reine Sprache wiedergeben, daß sie alle den Namen JHWHs anrufen und Schulter an Schulter Ihm dienen‹ (Zeph. 3.9). ›Und es wird JHWH König sein über die ganze Erde; an jenem Tag wird JHWH einziger Herr sein und Sein Name einer.‹ (Sach. 14.9)« (Sohar).

Tatsächlich zeigt der kosmische Geistimpuls des Auqarius bereits seit mehreren Jahrzehnten seinen zunehmenden Einfluß und wird künftig in noch rasanterem Tempo all die versteinerten Formen des Lebens, in denen der Lichtfunke des Geistes gefangen liegt, von

Abendmahl. Gemälde von Prof. Ernst Fuchs (in Arbeit seit 1957).

Foto: Bulanda

innen her aufbrechen, so daß das innere Licht zur freien Entfaltung kommt. Wir stehen bereits inmitten dieses gewaltigen Prozesses, der sich in einer Fülle von Zeichen und Aufrufen in der Welt verkündet, auf daß wir erwachen und das Kommen des Herrn in Bereitschaft erwarten mögen. In wachem Bewußtsein den Ruf, der uns aus allen Sphären des Lebens entgegentönt, wahrzunehmen und die Zeichen zu erkennen, ist wahrhaft eine der vordringlichsten Notwendigkeiten unserer Zeit, auf daß wir lernen, die Zeichen zu lesen und Antworten zu finden in unseren Herzen. Jesus faßte dies aus seiner prophetischen Schau heraus in folgende Worte:

»Vom Feigenbaum aber lernt das Gleichnis: Wenn sein Zweig schon saftig wird und die Blätter austreibt, dann erkennt ihr, daß der Sommer nahe ist. So sollt auch ihr, wenn ihr all dies seht, erkennen, daß er (der Menschensohn) nahe vor der Tür steht. Wahrlich, ich sage euch: Dieses Geschlecht wird nicht vergehen, bis dies alles geschehen ist. (28-30).

Jenen Tag aber oder die Stunde kennt niemand, auch nicht die Engel im Himmel, auch nicht der Sohn, sondern nur der Vater.

Gebt acht! Wachet! Denn ihr wißt nicht, wann der Augenblick da ist. Es ist wie bei einem Manne, der außer Landes reiste, sein Haus verließ und seinen Knechten Vollmacht gab, jedem seine Arbeit, und dem Türhüter befahl, wachsam zu sein. Wachet also, denn ihr wißt nicht, wann der Herr des Hauses kommt, ob am Abend oder um Mitternacht oder beim Hahnenschrei oder frühmorgens, damit er nicht, wenn er unvermutet kommt, euch schlafend finde. Was ich aber euch sage, das sage ich allen: Wachet!« (Markus 14.28-37)

In derartigem Gewahrsam verankert, werden wir wahrlich zu Geburtshelfern einer neuen Zeit und eines neuen Lebens.

Die obigen Worte des Sohar markieren unübersehbar die Grundakzente dieser kommenden Zeit:

1. die Wiederentdeckung der Einheit und des Zusammenwirkens der diesseitigen und jenseitigen Welt (Himmel und Erde);
2. die Kommunikation und Kooperation zwischen den Menschen und den Boten des Lichtes (Mensch und Engel, Seele und Geistführer, Mensch und Naturgeister etc.);
3. die Erweckung von Brüderlichkeit und Liebe unter den Menschen (Errichtung der Bruderschaft der Menschheit, die Einheit und der Friede unter den Völkern);

4. die Wiederentdeckung der alten Einweihungstraditionen (= Weisheit Gottes) und
5. der brüderliche Dienst, in dem die Menschen »Schulter an Schulter Ihm dienen«!

Hierbei erinnern wir uns wieder an Jesus, der mit jeder Faser seines Wesens den Geist der Liebe zum Vater, der Brüderlichkeit unter den Menschen und der darin gründenden Verheißung des Himmelreiches verkündete. Es mag uns auch bewußt werden, daß er selbst in einer tiefen Schau der kommenden Zeiten eine umfassende Kenntnis der geistigen Impulse und Entwicklungsschritte der Menschheit hatte, wie sie sich in den verschiedenen Zeitaltern (Weltenmonaten) manifestieren.

Die letzten Worte Jesu zu seinen Jüngern verdeutlichen diese Kenntnis Jesu:

»Siehe, ich bin bei euch alle Tage *bis ans Ende* der Weltzeit« oder Zeitenrunde (Matthäus 28.20). Das griechische Wort »sunteleia« oder »Endzeit« ist der Ausdruck für den Abschluß eines Weltenjahres, in dem der Frühlingspunkt der Erde vom Sternbild des Widders in das der Fische übergeht. Mit Jesu Geburt eröffnete sich dieses neue Weltenjahr und nachdem es die zwölf Sternzeichen in 25 800 Jahren durchlaufen haben wird, wird es sich mit dem Eintritt der Sonne am gleichen Ausgang wieder schließen.

Aus dieser Schau und Kenntnis des Laufes der Zeiten hinterließ er uns kurz vor Ende seiner großen Mission auf Erden ein wunderbares Sinnbild, in dem sich seine Botschaft insbesondere als Auftrag für das Zeitalter des Wassermanns formuliert: die Feier des letzten Abendmahles mit seinen Jüngern, in der die gesamte Fülle und Tiefe seiner Liebesbotschaft in einem einzigen großen symbolischen Akt zusammengefaßt ist. Über seine kosmisch-zeitlose Bedeutung hinaus ist das Abendmahl als Sinnbild der Kommunion und Bruderschaft allen Lebens sein Vermächtnis für diese Zeit. Bei Lukas (22.10) heißt es noch verdeutlichend: »Sobald ihr in die Stadt kommt, wird euch ein *Mann* begegnen, *der einen Wasserkrug trägt*. Folget ihm *in das Haus*, in das er hineingeht.« Welch klare Botschaft! Jeder Astrologe erkennt darin die Bewegung der Sonne (des Frühlingspunktes oder -äquinoxes) in das Zeichen des Aquarius. Hier finden wir alles bereitet für das Liebesmahl des Lammes.

Das Abendmahl bildet das Kern- und Herzstück der Botschaft

Jesu, daß wir in der Einheit des Lichtes und der Kommunion des Lebens hinfinden zu jener Liebe und Brüderlichkeit, in der sich aller Sinn und Auftrag des Lebens und des Menschseins erfüllen. Wie sich die zwölf Apostel als Repräsentanten der zwölf Aspekte des kosmischen Menschen im Kreise um Jesus als dem Träger des Lichtes der einen Sonne scharen, so sollen auch die Menschen in der Hinwendung zu Gott jene überpersönliche Gründung ihres Lebens in und auf dem Fels des inneren Lichtes finden, aus dem erst wahre Nächstenliebe, Brüderlichkeit und ein echter Sinn für Gemeinschaft hervorgehen.

Solange unser Leben auf der Persona gegründet ist, gibt es Differenzen, Meinungsverschiedenheiten, Zank und Streit. Nur aus einer überpersönlichen Gründung des Lebens ist Liebe und Gemeinschaft möglich. Hiermit ist nicht eine unpersönliche Haltung gemeint, die die Person ausschließt, sondern eine, in der wir all unsere persönlichen Neigungen, Auffassungen, Empfindungen, Gefühle und Unterschiedlichkeiten dem Einen, dem allen Geschöpfen gemeinsamen Kern und Licht des Lebens unterordnen, sie darin einbinden und in ihren Dienst stellen.

Nur aus dem Bewußtsein, daß wir alle Kinder des einen Vaters sind, die von Ihm ausgegangen sind, aus Ihm leben und in Ihn zurückkehren möchten, kann auch das Bewußtsein der Bruderschaft des Lebens wachsen. Durch die Person hindurch, in Zittern und Beben und im Ringen mit uns selbst, verwirklicht sich die wahre Nächstenliebe. Sie ist der Grundstock des inneren Weges.

Wie viele Menschen gibt es immer noch, die sich auf dem »geistigen Weg« dünken, aber kein Interesse und keine Anteilnahme am Nächsten haben! Nicht, indem wir abseits vom Leben und von der Welt nach Erleuchtung trachten, kommen wir zur Verwirklichung unseres Menschseins, sondern darin, daß wir uns in Liebe hinwenden zum Nächsten.

Es gibt so viele Himmelskörper, Sterne und Planeten im Weltenraum, daß jeder von uns einen für sich haben könnte, und doch hat Gott uns alle auf diesen kleinen blauen Stern zusammengetan, auf daß wir nicht allein und ohne Liebe seien und uns in- und miteinander finden und erkennen mögen. Laßt uns deshalb die Zeit der Eigenbrötelei, der Eigensucht und der Starrköpfigkeit endlich überwinden. Laßt uns einander die Hände reichen, daß wir gemeinsam ein neues Leben und eine neue Erde schaffen.

Dies ist der Auftrag des Abendmahles, daß wir in Überwindung unserer begrenzten und begrenzenden Vorstellungen zu einer Vision und Verwirklichung des himmlischen Lebens hier auf Erden finden mögen.

Geboren in die Gemeinschaft, ist Gemeinschaft auch unser Auftrag. Aber nur in der Verwirklichung unserer Individualität, in ihrer freien Entfaltung, in der sie allein den Willen und die Berufung Gottes zu erfüllen trachtet, werden wir fähig, uns dem Du ohne Verlust unserer Unabhängigkeit zuzuwenden. Respekt, Unabhängigkeit und Selbständigkeit sind in gleichem Maße nötig wie Mitgefühl und Verständnis. Der ganze Baum, all seine Aspekte, wollen in Balance sein.

Immer wieder zieht und zog es Menschen zu und in Gemeinschaften; immer wieder sind sie gescheitert, weil entweder die gemeinsame Ausrichtung auf den Einen Vater allen Lebens, die Wahrung der individuellen Freiheit oder die innere Verbindlichkeit für den inneren Weg fehlte. Gemeinschaft gründet nicht auf der Person, sondern allein im Geiste Christi. Gott ist es, der sie formt, wenn wir sie mit Liebe pflegen und willig sind, unser falsches Ich zu überwinden.

Der Geist des Abendmahles versinnbildlicht den Geist der wahren Jüngerschaft, und der Geist der Jüngerschaft ist ein Geist der Liebe, der Selbstlosigkeit, der Nachfolge Christi und der Gemeinschaft. Gemeinschaft heißt aber nicht Organisation, Verein oder eine sonstige Form eines äußerlich reglementierten oder regulierten Verbandes von Menschen, sondern die Gemeinde Christi. Diese Gemeinde Christi ist eine Gemeinschaft, die langsam und organisch als Verbundenheit und Beziehung zwischen den Seelen in und aus den Herzen der einzelnen wächst. Gemeinschaft ist weder machbar, noch kann man sie durch die Satzung eines Vereins ersetzen. Sie wächst in uns aus der gemeinsamen Ausrichtung auf Gott und aus der gegenseitigen Anteilnahme aneinander. Aus der schlichten Verbundenheit in Christus, die sich in einer liebenden Hinwendung zum Nächsten ausdrückt, wächst allmählich der Sinn für die Bruderschaft allen Lebens.

In diesem Sinn sind Brüderlichkeit und Gemeinschaft Aufgabe und Übungsfeld, worin wir lernen, den Auftrag des Abendmahles zu erfüllen: Daß wir uns alle als Glieder des einen Leibes Christi finden, die an Seinem Leben teilhaben und Seine Liebe ausschütten. »Liebet einander, wie ich euch geliebt habe.« Denn: »Daran, daß ihr einander liebet, wird die Welt erkennen, daß ihr die meinen seid«, hat Jesus uns aufgetragen. In der Verwirklichung jenes Auftrages finden wir zu unserer Erlösung, Vollendung und Auferstehung. Wir sollen das Licht teilen und hinaustragen in die Welt, denn wir sind das Licht und das »Salz der Erde«, und wenn das Salz stumpf ist, dann ist das Leben tot.

Aus diesem Geiste heraus möchten sich Menschen zusammentun und Stätten des Lichtes bilden, in denen der einzelne Rückhalt und Bestärkung für seinen Weg sowie Kraft, Inspiration und Austausch für sein Leben schöpfen kann. Durch gemeinsame Meditation, Fernheilbehandlung, gemeinsames Singen und Lesen heiliger und inspirierender Texte wird ein Kraftfeld aufgebaut, in dem sich der einzelne regenerieren und auch Gedankenkräfte des Heils und der Heilung in die Welt hinausschicken kann. Hierdurch und insbesondere in der Zusammenarbeit mit den Lichtboten und Botschaftern der geistigen Welt entwickeln sich sowohl die feinstofflichen Zentren der Seele als auch die Fakultäten des Geistes. Wir werden empfindsamer und empfänglicher für die Impulse jener »anderen Welt«, auch in unserem sonstigen Wirken und täglichen Tun. Auch läutern sich darin unser Gemüt und unsere Wahrnehmung, und so entwickeln wir allmählich einen festen Stand in uns selbst. Durch das bewußtere Erleben der subtileren Dimensionen unseres Daseins finden wir eine tiefere Klarheit in uns selbst, in der sich auch die Richtung und Berufung unseres Lebens allmählich verdeutlicht.

Über den inneren Frieden hinaus entwickeln wir größere Unabhängigkeit von der äußeren Welt und tiefere Harmonie und Zufriedenheit in uns selbst. Wir werden uns des Getragenseins in Gott bewußt und finden Vertrauen und Unbeschwertheit gegenüber den Problemen, Aufgaben und Herausforderungen des täglichen Lebens. Intuition und Heilkraft beginnen beständig zu wachsen; so werden wir allmählich zu Arbeitern im Weinberg Gottes, die über die Erhaltung ihres physischen Lebens hinaus mehr und mehr der Verwirklichung des göttlichen Planes auf Erden dienen.

Ganz zwanglos und kontinuierlich beginnen die Knospen unseres inneren Lebensbaumes aufzublühen und aus der Befruchtung des Himmels und im Dienste am Leben die in ihnen angelegten Früchte hervorzubringen. Im gemeinsamen Bau eines Tempels des Lichtes und des Dienstes kommt das Heiligtum in uns selbst zur Entfaltung. »Wer seinen Bruder über den Strom rudert, kommt selbst drüben an.« Jeder, der sich seinen Weg bahnen möchte, kann teilhaben an dem Werke und dem Segen, den der »Tempel« stiftet.

Dieser Aufruf zur Gemeinschaft und zum gemeinsamen Wirken ist im Grunde uralt. Insbesondere im Osten behielt die spirituelle Gemeinschaft einen unerschütterlichen Stellenwert durch die Kulturgeschichte der Menschheit. So faßte auch Buddha den Kern seiner Lehre in dem Mantra

»Buddham saranam gacchami
Dharman saranam gacchami
Samgham saranam gacchami«

zusammen, das die Mönche bei ihrem Eintritt in das geistige Leben sprechen. Übersetzt bezeugt es die Beteuerung des Mönches:

»Ich suche Zuflucht bei *Buddha*,
der *Lehre* und der
spirituellen *Gemeinschaft*«.

Die Verankerung im Herzen Gottes, die Übung der rechten Haltung im täglichen Denken, Fühlen und Tun sowie die Anteilnahme an der großen universellen Bruderschaft des Lebens bilden auch hier die drei Grundpfeiler des inneren Weges! Ob als »Samgham«, »Ecclesia«, weiße Bruderschaft, Tochter Zions oder geistiges Israel: immer bildet die Gemeinschaft Christi (oder Buddhas) das Übungsfeld und den Corpus, worin sich der Kern des geistigen Lebens kristallisiert.

Die geistige Gemeinschaft »ohne Form und Namen«, die allein auf der organisch gewachsenen Verbindung der Herzen gründet, die jenseits von Raum und Zeit allein im Geiste Gottes beheimatet ist, ist die verborgene Kirche Johannis. Sie ist die geistige oder mystische Gemeinschaft derjenigen, die der äußeren Form und ihrer »Herde« entwachsen und im Urstand des Selbstes verankert ist.

Diese »mystische Ecclesia«, die mit der Wiederkunft Christi in Verbindung steht, ist es, auf die das scharfe Wort Jesu an Petrus hinzielt, das Jesus ihm, nachdem Petrus von ihm den Auftrag erhielt, »seine Schafe zu weiden«, auf die Frage, was wohl mit Johannes, dessen Lieblingsjünger, werden solle, zur Antwort gab: »Wenn ich will, daß er bleibt, *bis ich komme*, was geht dich das an? Du folge mir nach.« (Johannes 21.22).

Dieses Bleiben des Johannes bis zur Wiederkunft Christi oder bis zur kosmischen Taufe der Menschheit versinnbildlicht die geistige Gegenwart Johannes' als des Schirmherrn der mystischen Gemeinschaft Jesu. Dem Lichtstrom Christi allezeit zu folgen und im Geiste der Liebe zu dienen, ist die unerschütterliche Aufgabe seiner Jünger, und indem sie sie erfüllen, werden sie selbst zu einem Glied in jenem kosmischen Reigen. Darum laßt uns stille werden, daß wir das Lied der Himmlischen Heerscharen vernehmen, die uns in beständigen Chören zur Gefolgschaft des Lichtes rufen: »Wachet auf, wachet auf und preiset JHWH, den Herrn. Macht euch bereit, Ihm Schulter an Schulter zu dienen.«

Diese Bereitschaft und Hingabe, die allein die göttliche Flamme in unserem Herzen nährt, ist wichtiger als jegliche weltliche Pflicht, denn durch sie allein erwirken wir die Genesung und das Heil unserer Seele. In der liebevollen Zuwendung zu unserem Bruder werden wir selbst zu Stiftern Seines göttlichen Friedens. Indem wir Seinen Frieden und Sein Licht ausstrahlen in der Welt, schreiten wir unmerklich durch das Tor unseres Herzens in das Reich der Seligkeit und des ewigen Lebens.

XII. Anhang

1. Der Lebensbaum Christi und anderer religiöser Welttraditionen

Hier möchte ich noch die universelle Struktur des Lebensbaumes durch seine Anwendung auf verschiedene Systeme der geistigen Welttradition in ein paar Beispielen sichtbar machen, um dadurch auch die fundamentale Einheit aller Religionen verdeutlichen.

Wir beginnen mit der Betrachtung des Baumes der Erlösung oder des neuen Bundes, der in Abbildung 139 wiedergegeben ist. In ihm sind die verschiedenen historischen Personen und Symbole als Verknüpfungen der im Leben und der Lehre Jesu wirksam gewordenen kosmischen Aspekte der Sefirot dargestellt. So wird der Zusammenhang des Erlösungsplanes Christi im Leben und Wirken Jesu deutlich.

Wir erkennen die Hostie als Sinnbild des mystischen Leibes Christi, der in der geistigen Gemeinschaft (Ecclesia) seinen lebendigen Ausdruck findet. Sie, die Gemeinschaft Christi, ist seine Braut, und Maria, die Jungfrau, die Verkörperung der Makellosigkeit und Reinheit ihrer Seele.

Petrus und Judas stehen als Repräsentanten des kleinen Ich, das das Wesen verleugnet oder bezeugt, bekundet oder verrät, spiegelt oder ans Kreuz ausliefert. Der Kelch ist Sinnbild der transparent gewordenen Person, die als kristallenes Gefäß Träger des inneren Lebens ist.

Das Lamm ist das Licht des Selbstes, die lichterfüllte Individualität, durch die sich das göttliche Leben offenbart. Jesus ist seine vollendete Verkörperung und Paulus sein irdisches Sprachrohr und sein apostolischer Repräsentant. Er verkörpert die Synthesis und Mitte der Botschaften der vier Evangelisten, die die vier äußeren Aspekte der Seele und des Geistes verkörpern. Das Kreuz schließlich ist Symbol des Nadelöhrs unseres Herzens, unserer Berufung als Individuum und Mensch sowie der Nachfolge Christi und der Auferstehung.

Maria, die Mutter, und Johannes der Täufer sind die Repräsen-

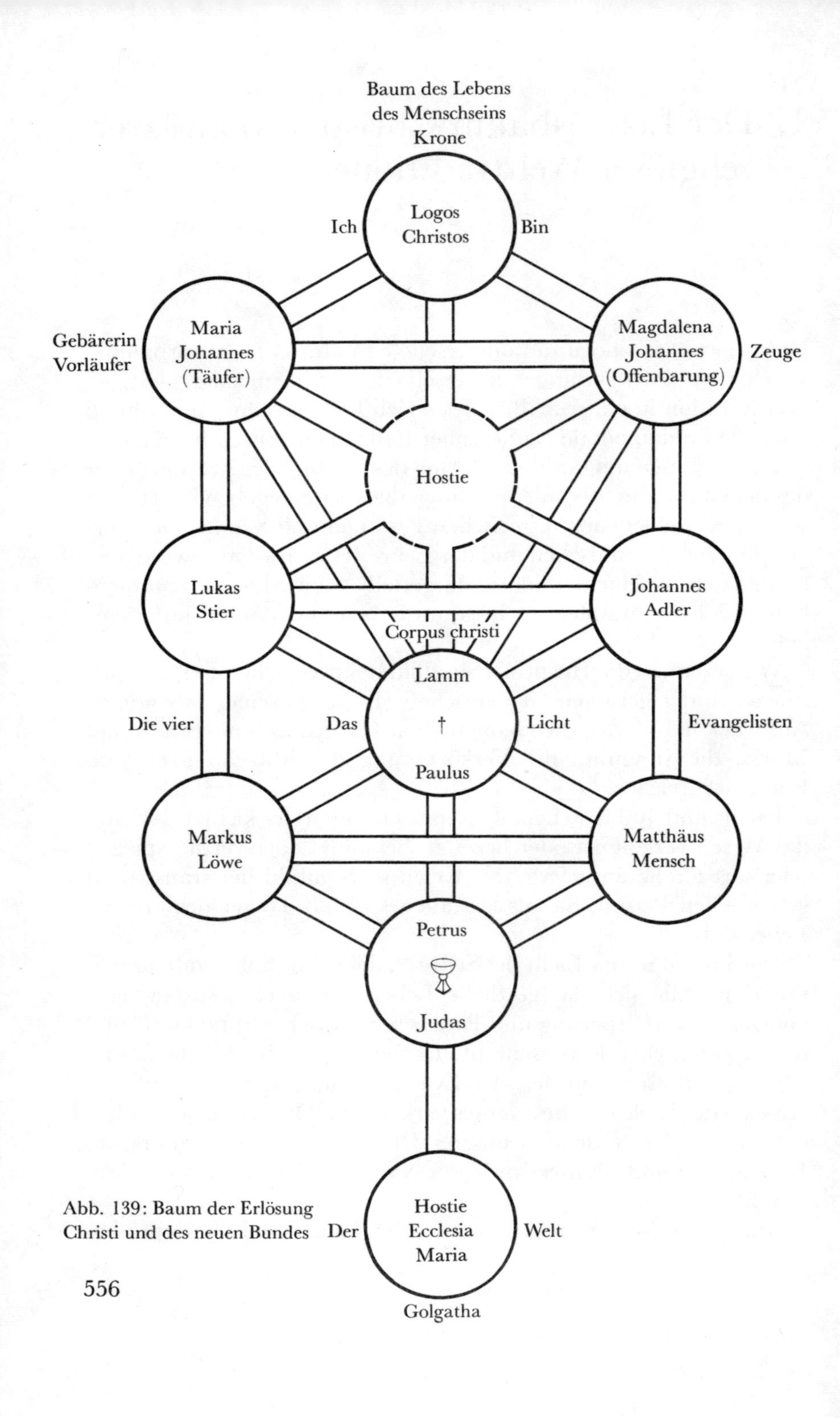

Abb. 139: Baum der Erlösung Christi und des neuen Bundes

Abb. 140

Abb. 141: Das Mysterium vom Sündenfall
und von der Erlösung des Menschen

tanten des weiblichen Aspektes des geistigen Lebens. Sie sind die Bereiter der inneren Geburt.

Maria Magdalena und Johannes der Jünger, bilden die Verklärungs- und Offenbarungswerkzeuge Christi. Sie sind die Zeugen, die in ihrer innigen Verbundenheit zum Herzen Jesu das Licht Christi spiegeln. »Er war nicht das Licht, sondern er sollte Zeugnis ablegen über das Licht« (Johannes). Auch sind sie die Hirten der mystischen Gemeinschaft Jesu, der Kirche Johannis.

In der Krone finden wir den Quell des Lichtes selbst, der im Logos oder dem Worte Gottes seinen Ursprung hat. Er ist das Licht der Welt, und das Licht ist das Leben des Menschen. Er ist der Funke des göttlichen Lebens und das Licht des *Ich Bin*, und Jesus ist sein irdischer Repräsentant.

Verschiedene künstlerische Darstellungen zeigen den Weg des Menschen von seinem geistigen Fall aus den Sphären des Lichts über die Erlösung der Seele im Mysterium des Kreuzes bis zu seiner Auferstehung in Gott in einer allegorischen Verschmelzung der Symbole der beiden Bäume des Paradieses mit dem Kreuz von Golgatha. Die Abbildungen 140 und 141 symbolisieren diesen Weg durch die uns gegebene Wahl zwischen Gott und Welt, Licht und Finsternis, Wirklichkeit und Illusion. So wie Eva, durch die Schlange verführt, Adam die Früchte vom Baum des Todes reicht und der Mensch, der von ihnen ißt, zu Fall kommt, so richtet Christus, das innewohnende Licht Gottes im Menschen, ihn am Kreuze wieder auf. Der alte Adam stirbt, der neue steht auf. Maria, die geläuterte Seele, reicht den Hungernden Brot vom Corpus Christi und verleiht ewiges Leben.

In Abbildung 142 habe ich die zehn Grundprinzipien des Einweihungsweges der Sufis dargestellt.

Wie beim Judentum, finden wir auch im Islam zwei Wege: *Shari'a*, den Weg der Menge (Lämmer), den exoterischen oder kultischen Weg, die Religion und *Tasawwuf*, den Weg der Mystik, des Sufismus.

Tasawwuf oder Sufismus ist der Pfad der Heiligung des Lebens, dessen Ziel die *Einung* der Seele mit Gott, als der einen Wahrheit, ist. Die drei großen Etappen des Weges sind *Reinigung*, *Vervollkommnung* und *Einung*.

Das höchste Mittel dieses Weges ist die *Anrufung* Gottes *(Dhikr)* in der der *Faqir* (einer, der die Armut erwählt) mit seinem ganzen

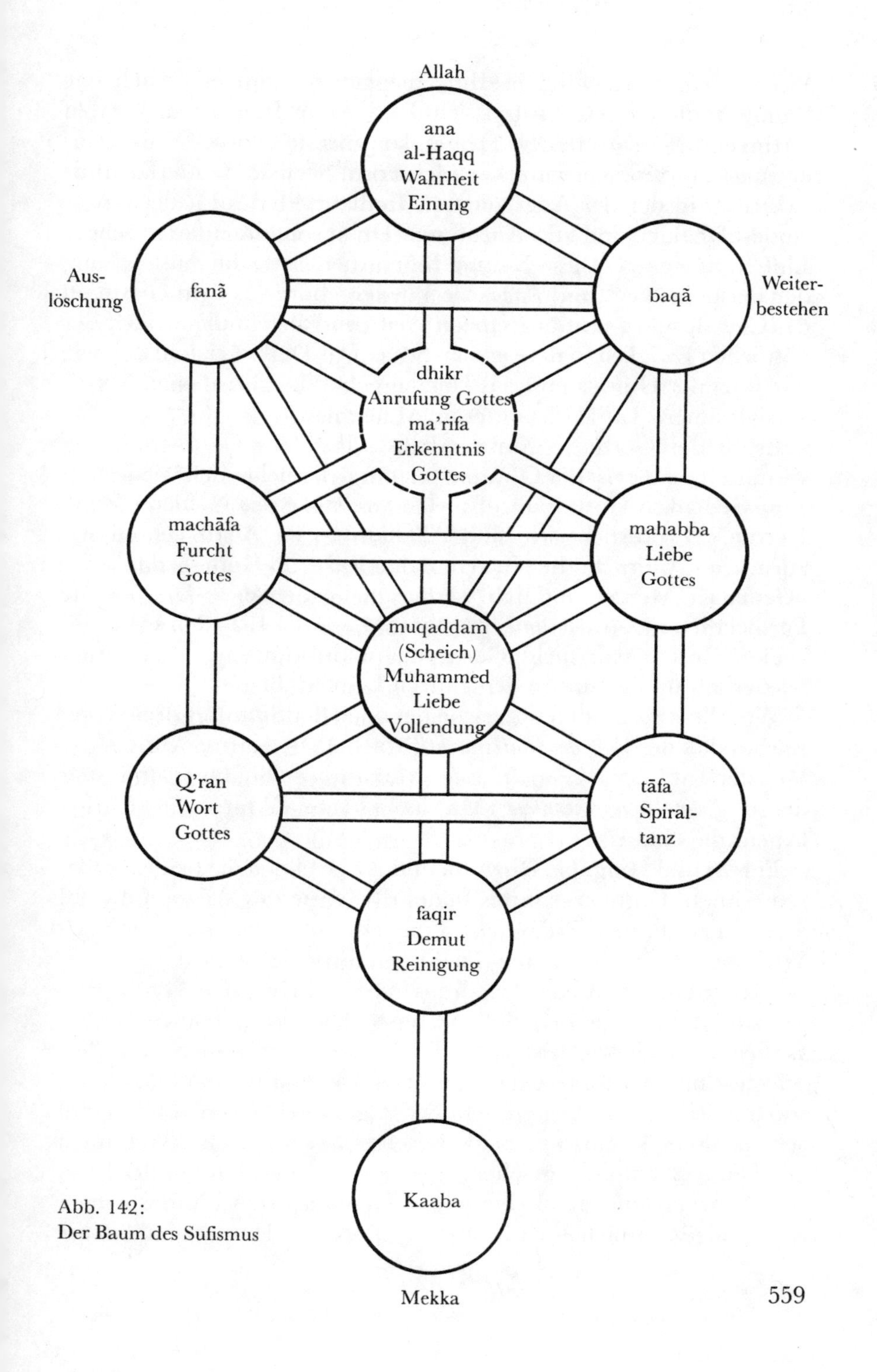

Abb. 142:
Der Baum des Sufismus

Wesen danach trachtet, in Ihn einzugehen. Dürstend nach der Wonne zeitlosen Seins, stürzt sich die Seele in Ihn, um in Ihm zu ertrinken. Diese aus reinem Herzen kommende Übung (Selbsterinnerung) führt zu jener umfassenden Form höchster Gotterkenntnis (Marifa), in der der Angerufene (Madhkur = Allah), der Anrufende (Dhakir) und die Anrufung (Dhikr) in unteilbarer seliger Einheit aufgehen. Diese Einung führt über *Fanā*, die Auslöschung der Persönlichkeit, und *Baqā*, die Wiedergeburt aus dem Geiste, in das Gewahrsein der unbegrenzten Weite und abgründigen Tiefe der göttlichen Ewigkeit in der eigenen Seele. Das Dhikr versteht sich wie das Japa der Hindus und das Herzensgebet des christlichen Mystikers als innere Tätigkeit Gottes im Menschen.

Es ist der Göttliche Name Allahs selbst, der Gotteserfahrung vermittelt, und es ist der Q'ran selbst, der den Suchenden wiederholt zum Gedenken Gottes aufruft: »Und gedenke des Namens deines Herren.« »Wahrlich, wir sind Allahs, und zu Allah kehren wir zurück.« »Wahrlich, die Herzen finden Ruhe im Gottesgedanken.« »Gedenket Meiner und Ich werde euer gedenken.« Die höchste Formel dieses Gottesgedenkens ist das »La Ilaha Illa Llah« (Es gibt keinen Gott, wenn nicht Gott), das in inbrünstigem Rhythmus wiederholt und gesungen den ganzen Leib erfaßt.

Wie alle Traditionen unterscheidet auch der Sufismus drei Wege: Es sind dies der *Weg der Gottesfurcht* (Machafa = Karma Marga, der Weg der Tat), der *Weg der Hingabe* (Mahabba = Bhakti Marga) und der *Weg der Gotteserkenntnis* (Ma'rifa = Jnana Marga; im Christlichen: die Gnosis).

Furcht und Hingabe, Disziplin und Liebe bilden die beiden äußeren Säulen, Gotteserkenntnis bildet die Mitte des Weges. Obwohl alle drei zusammengehören, sind diese drei Ansätze doch – je nach Wesensart der Seele – unterschiedliche Ausrichtungen oder Schwerpunkte auf unserem Weg. Wie Jesus für den christlichen Mystiker, so ist Muhammed für den Sufi der erste und bedeutendste Mittler Gottes. Ähnlich wie Jesus seine Christusnatur in seinen »Ich-Bin-Sätzen« offenbarte, bezeugt sich auch die »Sohnschaft« Muhammeds in seinen Selbstzeugnissen. Nicht auf seine Person, sondern auf sein zeitloses kosmisches Sein weisend sagt auch er: »Wer mich gesehen hat, hat Gott gesehen.« Analog zu Jesu »Ich bin der Weg, die Wahrheit und das Leben« und Krishnas »Ich bin das Wesen aller Dinge«, sprach auch Muhammed »Ana al Haqq« (Ich bin die

Wahrheit). Allah ist einer und Muhammed sein Prophet (Muhammadur Rasulu Llah).

Der Scheich oder Derwisch, der Gotteserkenntnis erlangt hat, nimmt ebenfalls den Platz des Meisters ein, der den Suchenden (Faqir) auf seinen Weg leitet.

Zwei weitere Stützen des Weges sind der *Q'ran*, die Offenbarung und das Wort *Gottes*, und der *Tafa*, der Wirbeltanz der Derwische. Beide »kreisen« um die Kaaba, den kubischen Steintempel Allahs in Mekka, der als Tempel des Herzens und heilige Achse der Welt Sinnbild des Himmelreichs auf Erden ist, das es zu verwirklichen gilt (Neues Jerusalem).

Die Kaaba, würfelförmig, der Legende nach bereits von Abraham erbaut, besitzt nur einen Eingang, der über sieben Sprossen (sieben Stufen des Weges) erreichbar ist. Im Inneren stehen zwischen drei *Säulen* zwölf Lampen (≙ zwölf Tierkreiszeichen) mit der Sonne in der Mitte, als Inbild unseres inneren Wesens. Dies erinnert in der christlichen Tradition unmittelbar an das Lamm und sein Licht als Zentrum und Tempel des Himmlischen Jerusalem.

Der Wirbeltanz ist eine Zentrierungsübung, in deren Drehung der Derwisch versucht, sich in seinem Herzen mit der zentralen Achse (Mittelpfeiler) des göttlichen Seins zu verbinden, die mitten durch die Kaaba geht.

Ibn Arabi beschreibt den Tafa als einen allmählichen Aufstieg durch die sieben Sphären des Selbst, die sieben Himmel, Planeten oder göttlichen Eigenschaften bis zu jener Erfahrung, die er die Einheit »des Wissens, des Wissenden und der Wahrheit« nannte. Schön und unmittelbar ist die Symbolik der Kaaba, die diese Erfahrung symbolisiert, die wir leibhaft in unserem Körper und der Welt verwirklichen können, wenn wir unsere zwölf Seiten des Menschseins über die sieben Stufen innerer Erhebung verwirklichen und zu jener inneren Sonne vordringen, die unser ganzes Sein von innen erhellt.

Als weiteres Beispiel wähle ich das System des Vedanta und des Shivaismus. Auch hier wird die Struktur des Lebensbaumes sichtbar (Abbildung 143).

Ausgehend von den drei höchsten Qualitäten des Absoluten, die sich als reines Sein (Sat), reines Bewußtwein (Cit) und vollkommene, überquellende Seligkeit (Ananda) darstellen, finden wir in Hesed und Geburah Prakrti, das Prinzip der Objektivierung und

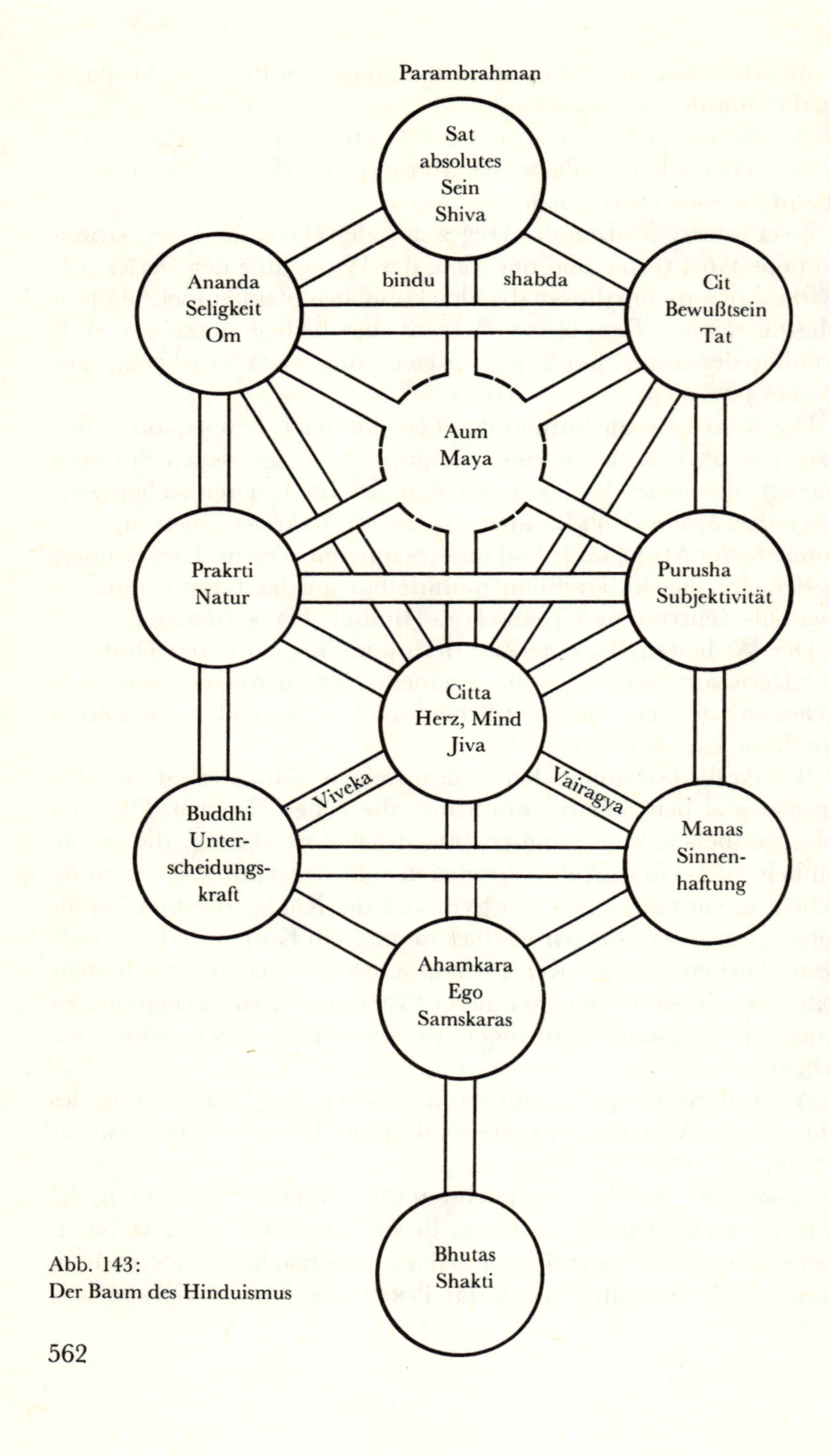

Abb. 143:
Der Baum des Hinduismus

der Substanzialität, die innerste Essenz der Erscheinungen der Natur, und Purusha, das Prinzip der Individualität und Subjektivität.

Sie sind die Grundpfeiler der relativen Welt und die Erscheinungsformen des Absoluten, Seines Bewußtseins und Seiner Energie innerhalb der Relativität von Raum und Zeit. Den Schleier der Dualität (Maya) um sich gelegt, erscheint der Eine im Gewande von Vielheit, Raum, Zeit und Kausalität als dieses oder jenes Subjekt und dieses oder jenes Objekt.

In ihrer Synthese von Substanz und Bewußtsein manifestiert sich das eine Sein im Herzen (Citta) der Geschöpfe als Individuum (Jiva). Jiva ist der individuelle Kern des Menschen. Dieser Kern hat selbst zwei Pole (»Zwei Seelen wohnen, ach, in meiner Brust« [Goethe]). Diese sind zum einen der Hang zur Verhaftung und zum Anklammern an die Welt, zum anderen aber die Sehnsucht und das Verlangen nach Einheit, Seligkeit, Glück und Liebe, mit einem Wort: nach der Rückkehr in seinen Ursprung und der Einung in Gott. Diese beiden Pole heißen *Manas*, das Sinnenbewußtsein, und *Buddhi*, die höhere Erkenntnis und Unterscheidungskraft (Viveka).

Aus Manas, der Verhaftung an die äußere Form, bildet sich *Ahamkara* oder das »falsche Ich«. Ahamkara ist die Manifestation von Maya im Individuum.

Ahamkara schließlich bildet die grobstofflichen Elemente, die unseren physischen Körper aufbauen.

Aufbauend auf diesem System konzipierte der große Weise Patanjali den Weg des achtgliedrigen Yoga (Ashtanga-Yoga). Die acht Glieder seines Weges sind in Abbildung 144 in Entsprechung zu den Sefirot dargestellt. Der Weg beginnt in Malkhut mit der Übung und Wahrnehmung der rechten Haltung des Körpers (Asana). Als Haus der Seele ist die Pflege des Leibes Voraussetzung für die innere Transparenz. Über das Erlangen einer gelösten, aufrechten Körperhaltung hinaus hat der Hatha-Yoga eine ganze Fülle von Asanas (Körperhaltungen) aufgezeichnet, die als Übung der Körperbeherrschung und der inneren Transparenz dienlich sind.

Die zweite Stufe des Yoga ist *Pratyahara*, das Nach-innen-Wenden unserer Sinne und das »Abklingenlassen« der Reize und Gedanken. Sind wir nach innen gewandt, so kommen wir über die Wahrnehmung der Atmung und der subtilen Gemütsbewegungen in unmittelbare Berührung mit dem Energiefluß des inneren Lebens. Diese

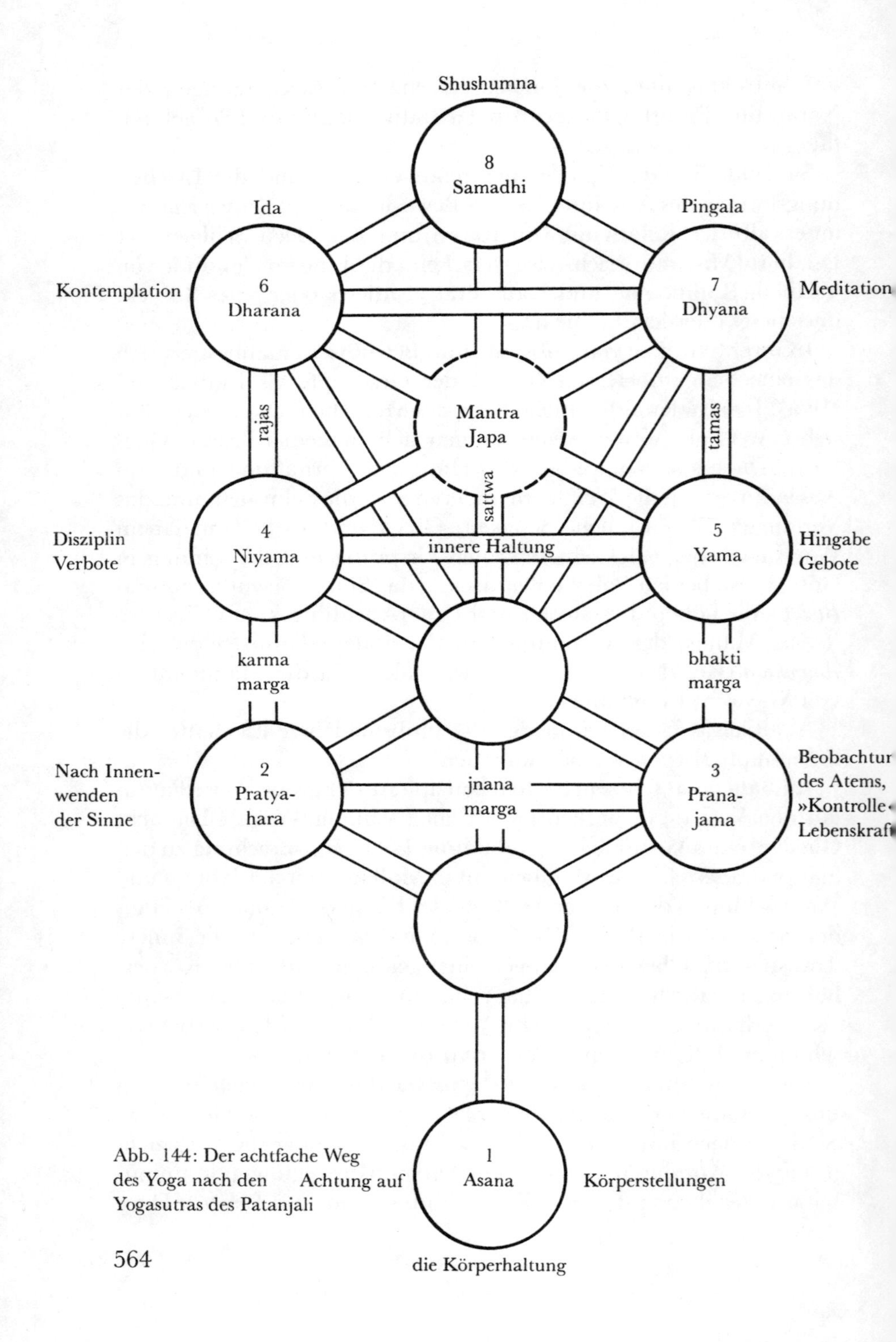

Abb. 144: Der achtfache Weg des Yoga nach den Yogasutras des Patanjali

Lebensenergie, die die Inder Prana nennen, frei strömen und ihrer innewohnenden Intelligenz zu überlassen, ist die ursprüngliche Bedeutung von *Pranayama*. Die freie Beobachtung des Atems und des inneren Stromes des Lebens ist ihre reinste Form. Indem wir Atem und Lebensstrom in ihren Ursprung verfolgen, tauchen wir unmerklich in den Grund unseres zeitlosen Seins.

Über die reine Beobachtung des Atems hinaus gibt es im Hatha-Yoga wiederum eine Fülle von Atemübungen (Pranayamas), die der Reinigung und Läuterung der subtilen Energiekanäle (Nadis) dienen. Sie machen den Geist frei und transparent und füllen den feinstofflichen Leib mit frischer Lebenskraft (Prana).

Die dritte und vierte Stufe des Yoga bilden die Übung der rechten inneren Haltung und die Entwicklung einer inneren Ethik. In einer Reihe von Hinweisen auf das, was der Geburt und Entwicklung des inneren Menschen (Jiva) förderlich beziehungsweise schädlich ist, formuliert Patanjali seine *Niyamas* und *Yamas*, das, was wir tunlich unterlassen und das, was wir für unser Wachstum aufgreifen sollten. In exoterischer Sprache stellen die Niyamas und Yamas die Ver- und Gebote des inneren Weges dar. Verstehen wir sie nicht in einem dogmatischen Sinne, so sind sie uns wertvolle Orientierungshilfen in der Suche nach uns selbst.

Dharana und *Dhyana* schließlich bedeuten die Übung der rechten Kontemplation und Meditation, die uns zum Samadhi, dem Gewahren und Innesein des inneren Lichtes, der ewigen Wahrheit und unseres höchsten göttlichen Selbstes führen. Dieses Innesein des Selbstes ist das Ziel aller Yogis, denn allein darin finden wir unsere Erlösung und unser Glück. In der Erkenntnis des Einen Grundes des Lebens verwirklichen wir unsere wahre ewige Natur: *Sat-Cit-Ananda*, das Gewahrsein anfanglosen Seins im ungetrübten Licht reinen Bewußtseins und dem Glücke ewiger aus der Tiefe aufquellender Seligkeit.

2. Verschiedene Symbole und Seinsbereiche im Bild des Lebensbaumes

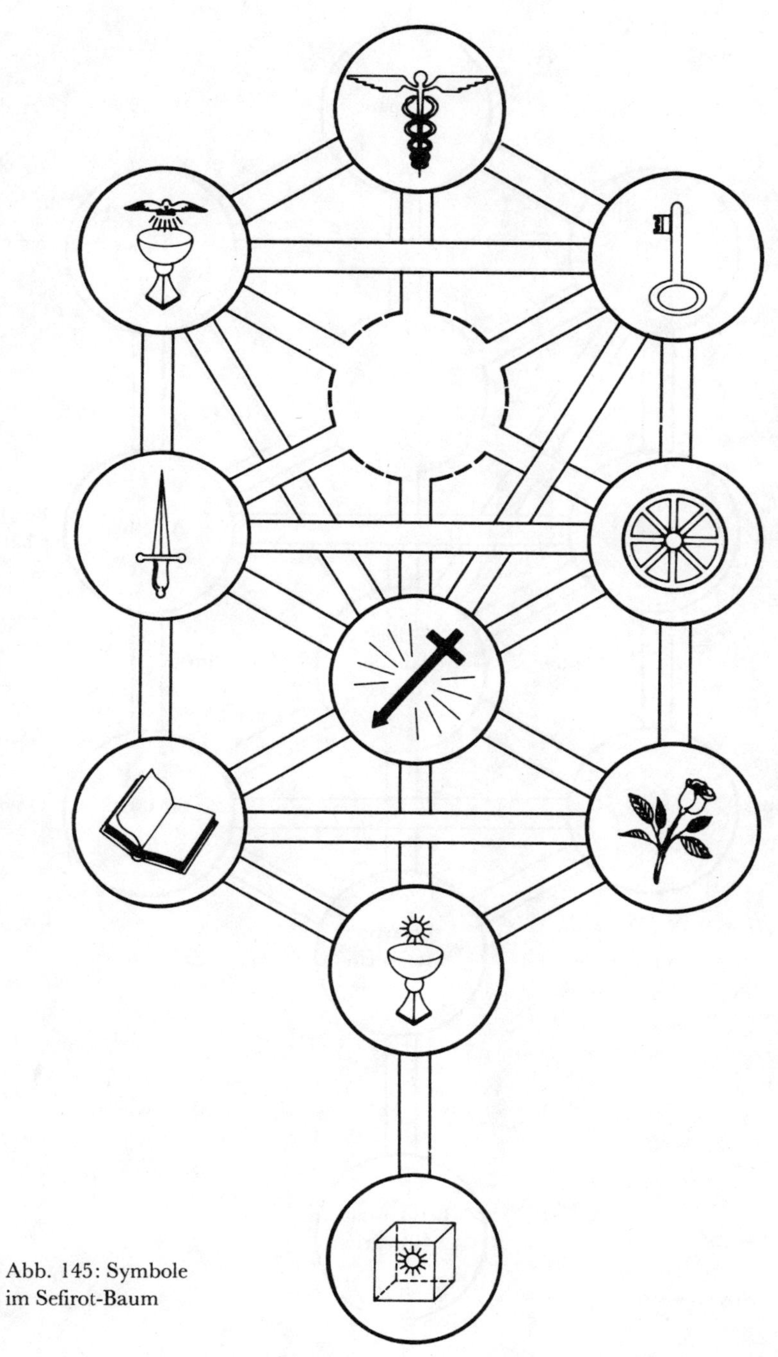

Abb. 145: Symbole
im Sefirot-Baum

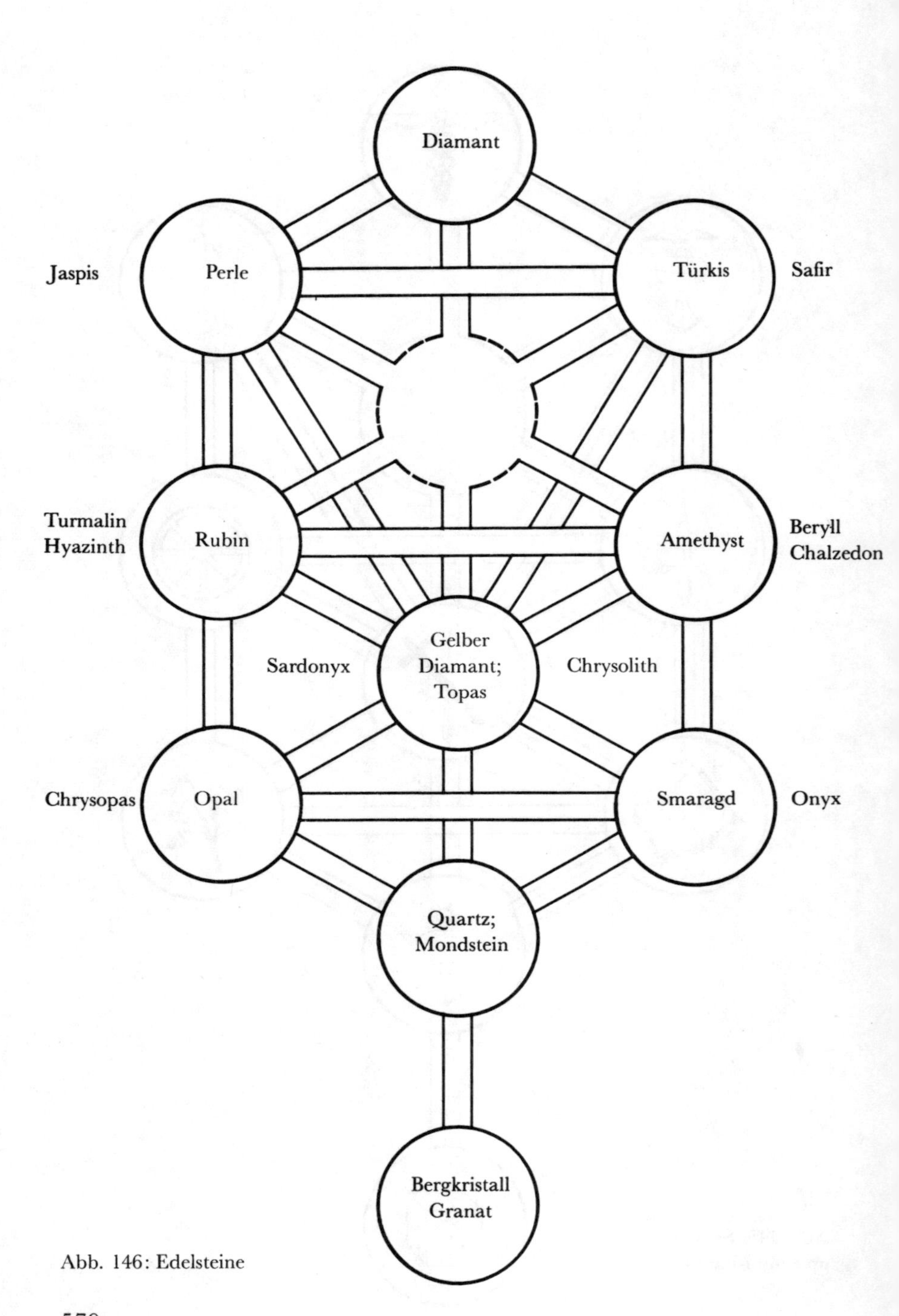

Abb. 146: Edelsteine

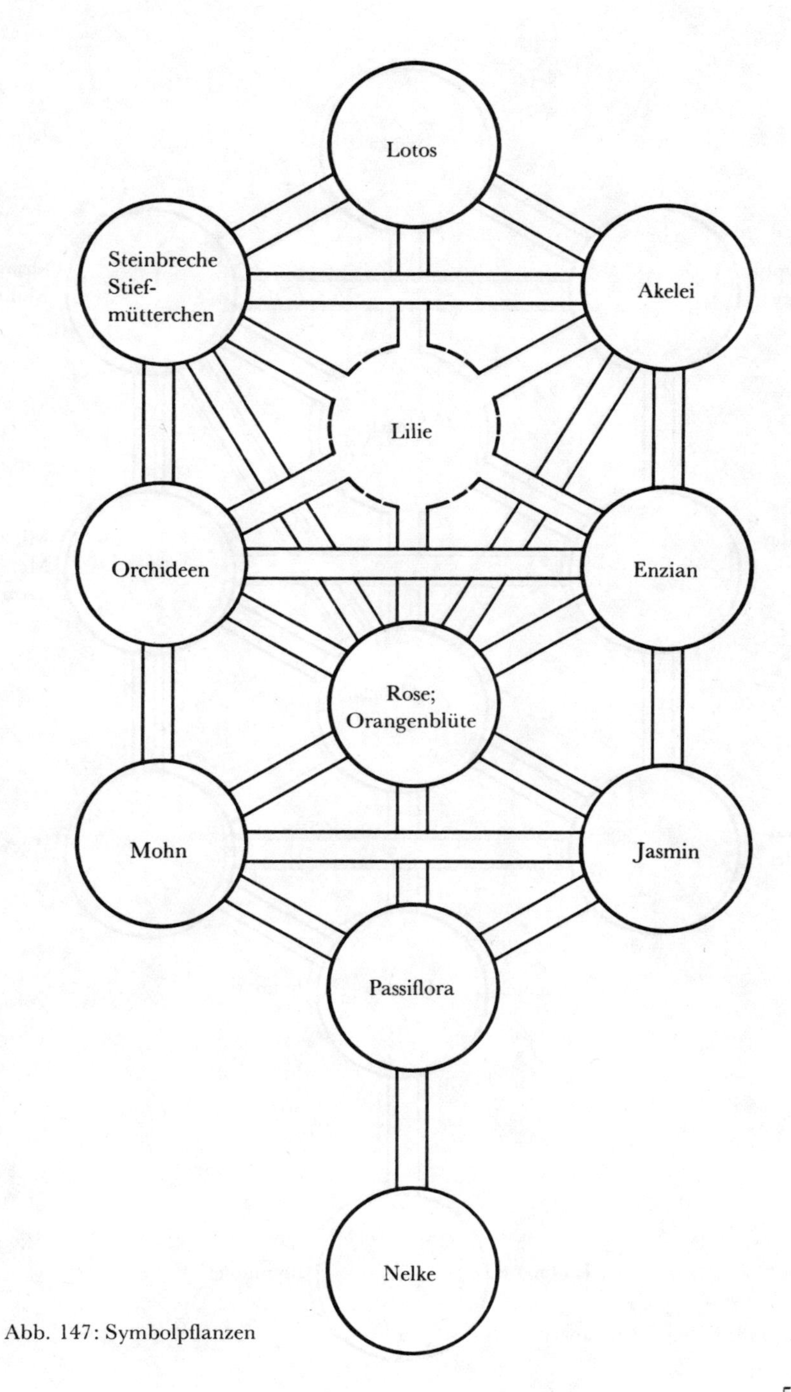

Abb. 147: Symbolpflanzen

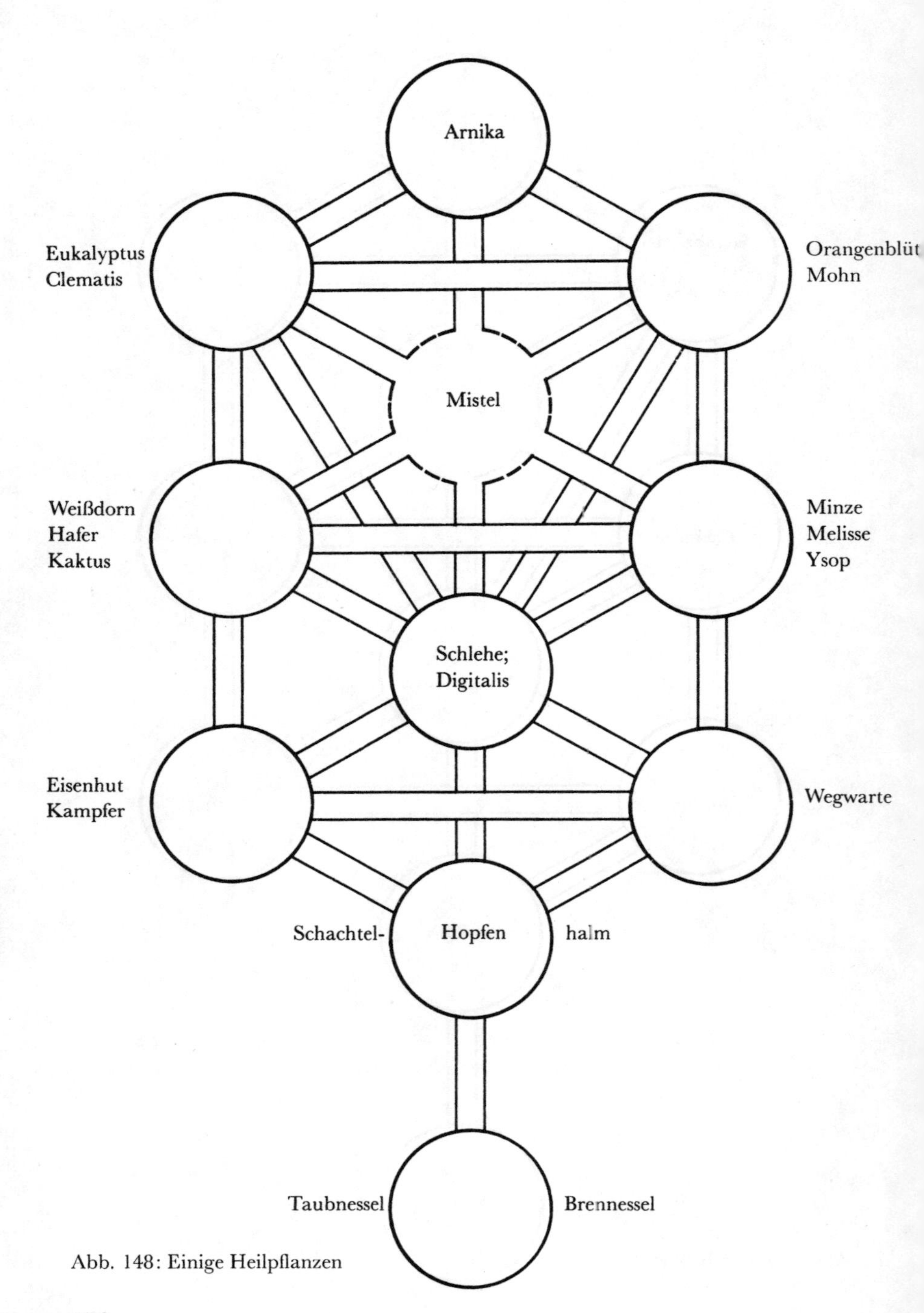

Abb. 148: Einige Heilpflanzen

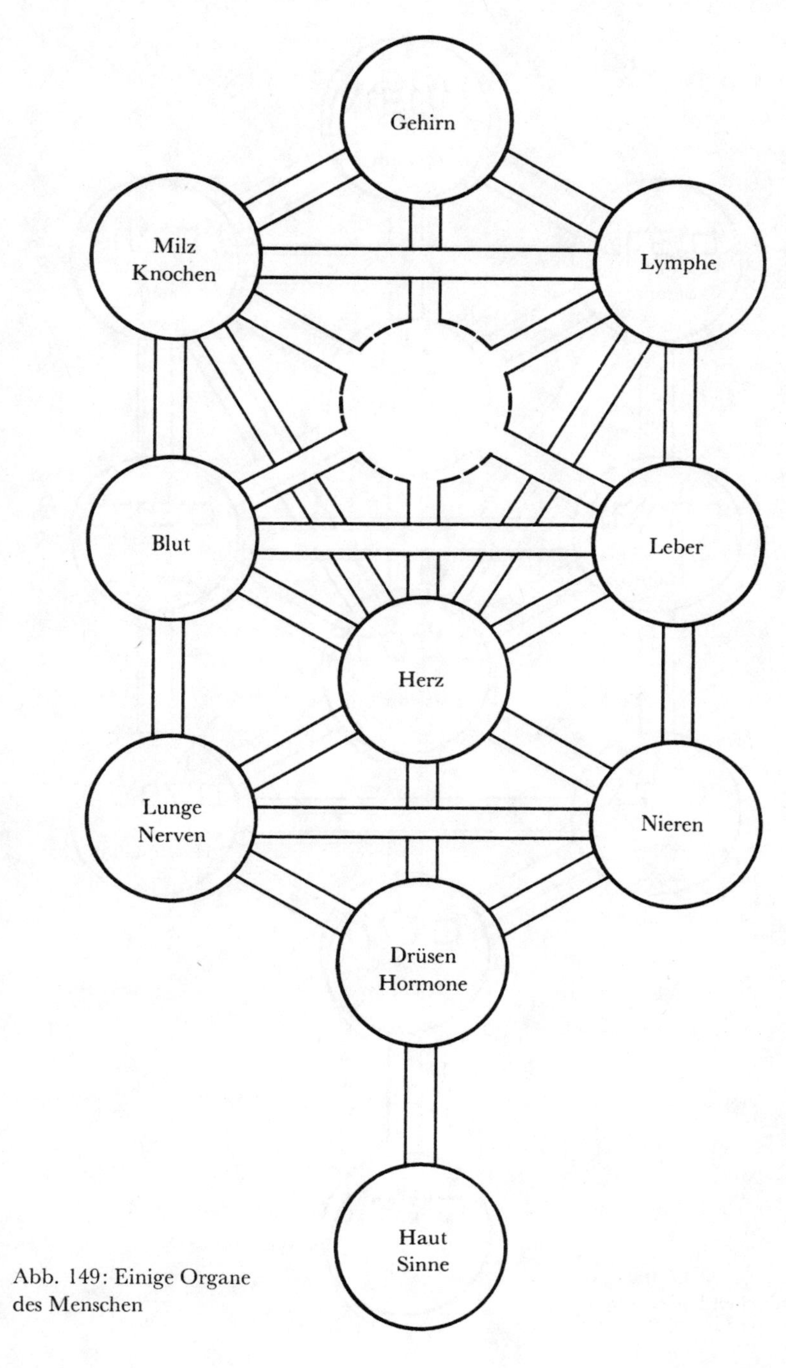

Abb. 149: Einige Organe des Menschen

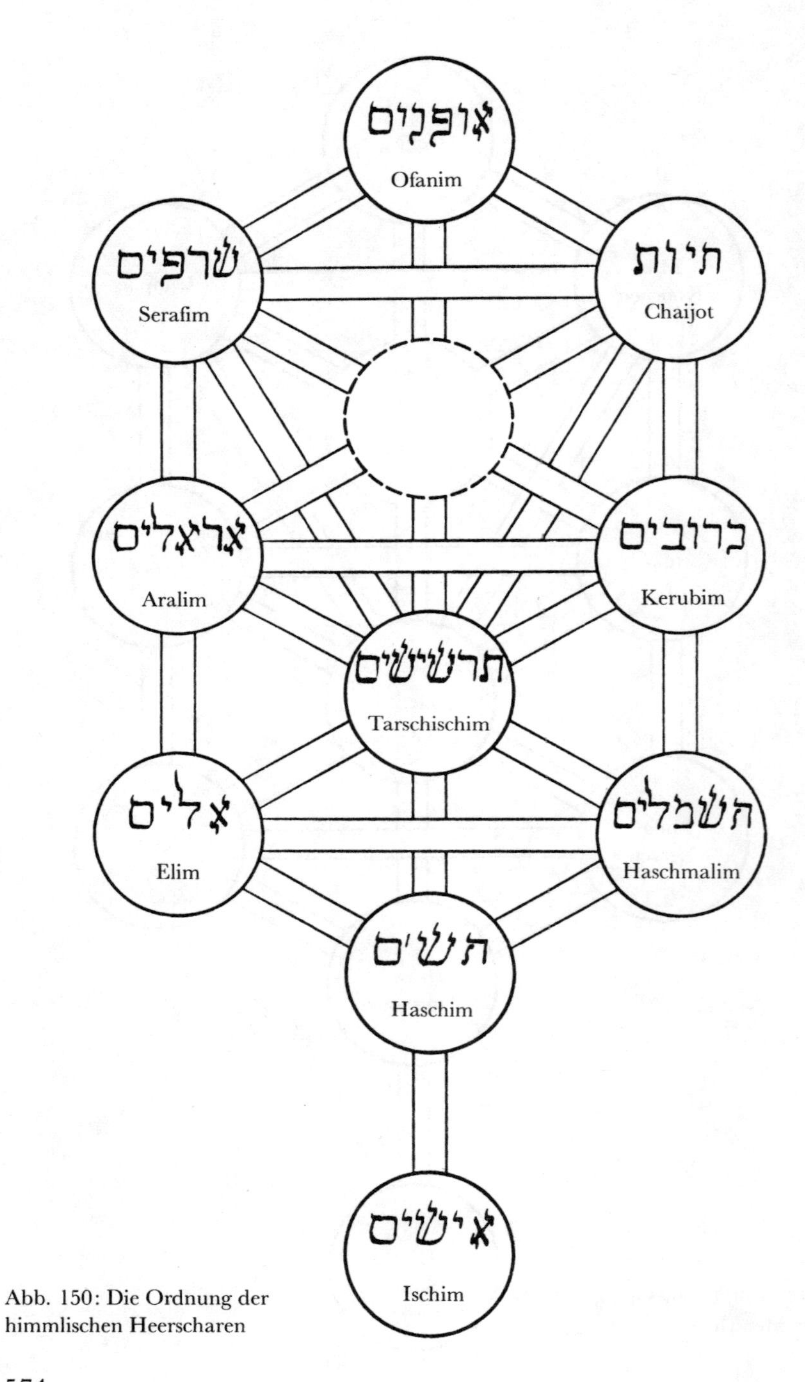

Abb. 150: Die Ordnung der himmlischen Heerscharen

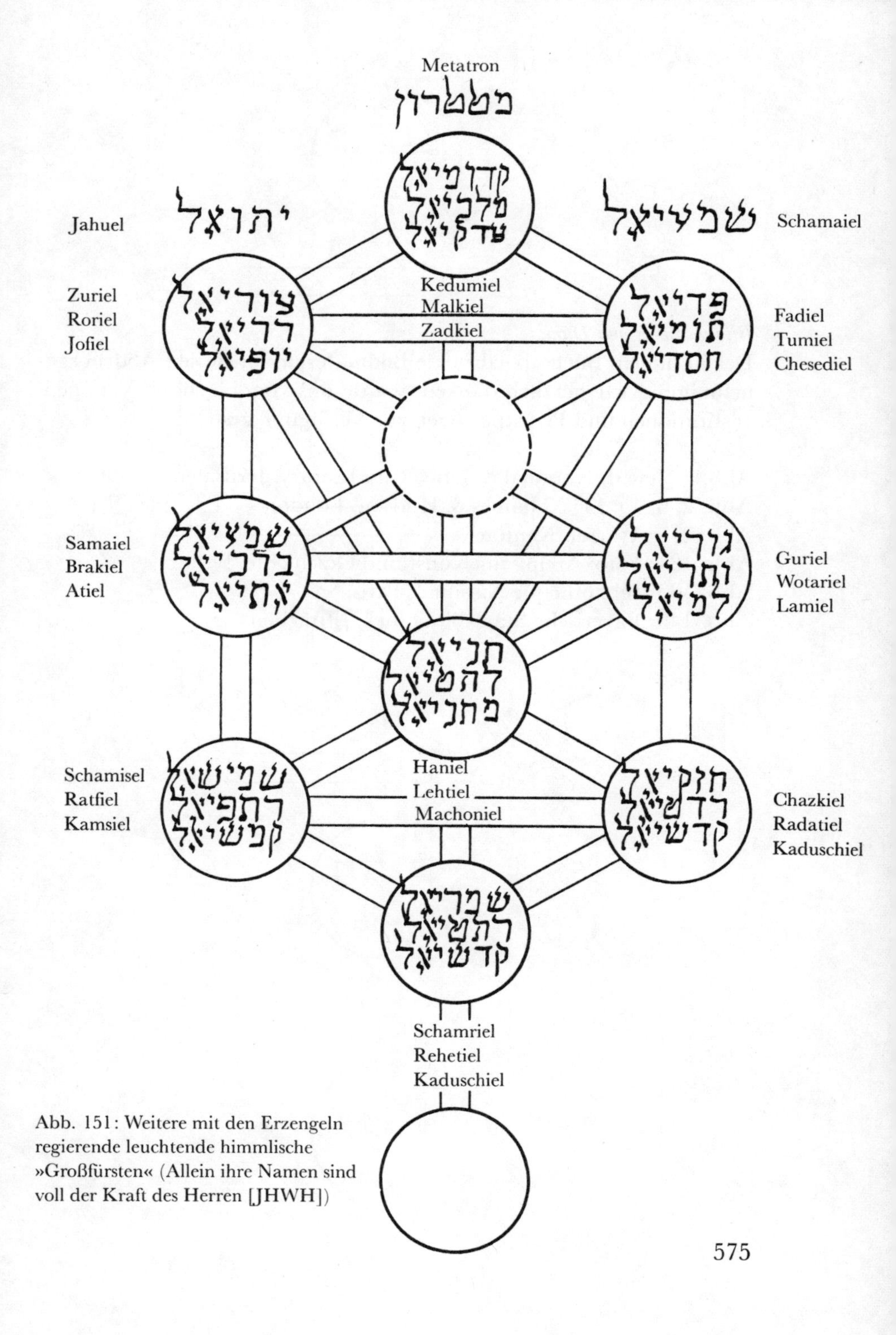

Abb. 151: Weitere mit den Erzengeln regierende leuchtende himmlische »Großfürsten« (Allein ihre Namen sind voll der Kraft des Herren [JHWH])

Bildnachweis und Dank

Das in diesem Buch abgedruckte Bildmaterial, für dessen Abdruckgenehmigung wir herzlich danken, wurde uns von folgenden Verlagen, Institutionen und Privatpersonen zur Verfügung gestellt:

Abb. 1: Jewish National & University Library, Jerusalem.
Abb. 2, 6, 45, 141: Thames & Hudson, London.
Abb. 21b: Warren Kenton.
Abb. 134: Foto: Archiv für Kunst und Geschichte, Berlin.
Abb. 135: Bibliothèque National, Paris.
Abb. 140: Bayerische Staatsbibliothek, München.